AF238419

ACCESO GRATIS *a la Lectura en la Nube*

Para visualizar el libro electrónico en la nube de lectura envíe junto a su nombre y apellidos una fotografía del código de barras situado en la contraportada del libro y otra del ticket de compra a la dirección:

ebooktirant@tirant.com

En un máximo de 72 horas laborales le enviaremos el código de acceso con sus instrucciones.

LA BUENA FE EN EL DERECHO

Estudios en homenaje a los treinta años
de la Facultad de Derecho de la Universidad de los Andes
(Chile)
1990 - 2020

LA BUENA FE EN EL DERECHO

Estudios en homenaje a los treinta años
de la Facultad de Derecho de la Universidad de los Andes
(Chile)
1990 - 2020

EDITOR:
Jaime ARANCIBIA MATTAR

tirant lo blanch
Valencia, 2020

© TIRANT LO BLANCH
EDITA: TIRANT LO BLANCH
C/ Artes Gráficas, 14 - 46010 - Valencia
TELFS.: 96/361 00 48 - 50
FAX: 96/369 41 51
Email:tlb@tirant.com
www.tirant.com
Librería virtual: www.tirant.es
ISBN: 978-84-1355-900-1
MAQUETA: Innovatext

Si tiene alguna queja o sugerencia, envíenos un mail a: *atencioncliente@tirant.com*. En caso de no ser atendida su sugerencia, por favor, lea en *www.tirant.net/index.php/empresa/politicas-de-empresa* nuestro Procedimiento de quejas.

Responsabilidad Social Corporativa: *http://www.tirant.net/Docs/RSCTirant.pdf*

Autores:

Maite Aguirrezabal Grünstein
Doctora en Derecho, Universidad de Navarra
Profesora de Derecho Procesal, Universidad de los Andes, Chile

Jaime Arancibia Mattar
Ph.D. Cambridge
Profesor de Derecho Administrativo y Constitucional,
Universidad de los Andes, Chile

Anastasía Assimakópulos Figueroa
Doctora en Derecho, Universidad de los Andes, Chile
Profesora de Derecho Canónico, Universidad de los Andes, Chile

Manuel Bernet Páez
Doctor en Derecho, Universidad de los Andes, Chile
Profesor de Derecho Comercial, Universidad de los Andes, Chile

Silvia Bertazzo
Doctora en Derecho, Universidad de Trento
Profesora de Derecho Internacional Público, Universidad de los Andes, Chile

Roberto Cerón Reyes
Profesor de Historia del Derecho e Historia de las Instituciones de Chile
Universidad de los Andes, Chile

Sebastián Contreras A.
Doctor en Filosofía Universidad de los Andes, Chile
Doctor en Filosofía, P. Universidad Católica de Chile
Profesor de Filosofía del Derecho, Universidad de los Andes, Chile

Hernán Corral Talciani
Doctor en Derecho, Universidad de Navarra
Profesor de Derecho Civil, Universidad de los Andes, Chile

José Ignacio Díaz Villalobos
Master in Laws, Universidad de Duke
Profesor de Derecho Comercial, Universidad de los Andes, Chile.

Pablo Manterola Domínguez
Doctor en Derecho, Universidad de los Andes, Chile.
Profesor de Derecho Comercial, Universidad Católica del Norte.

Juan Carlos Flores Rivas
Doctor en Derecho, Universidad de los Andes, Chile
Profesor de Derecho Administrativo, Universidad de los Andes, Chile

Gonzalo García Palominos
Phd (Freiburg), LLM (Freiburg)
Profesor de Derecho Penal, Universidad de los Andes, Chile

Manuel GRASSO
Doctor en Derecho, Università degli Studi di Roma Tor Vergata
Profesor de Derecho Romano, Universidad de los Andes, Chile

Rodrigo GUERRA ESPINOSA
Doctor en Derecho, Universidad de Los Andes
Profesor de Derecho Penal, Universidad de Los Andes, Chile

Andrea Rosario ÍÑIGUEZ MANSO
Doctora en Derecho, Universidad de los Andes, Chile
Profesora de Derecho Constitucional, Universidad de los Andes, Chile

Eduardo JEQUIER LEHUEDÉ
Doctor en Derecho, Universidad de Valencia
Profesor de Derecho Comercial, Universidad de los Andes, Chile

Priscila MACHADO MARTINS
Doctora en Derecho, Pontificia Universidad Católica de Valparaíso
Profesora de Derecho Procesal, Universidad de los Andes, Chile

José Ignacio MARTÍNEZ ESTAY
Doctor en Derecho, Universidad de Santiago de Compostela
Profesor de Derecho Constitucional, Universidad de los Andes, Chile

Yasna OTÁROLA E.
Doctora en Derecho, P. Universidad Católica de Chile
Profesora de Derecho Civil, Universidad de los Andes, Chile

Santiago RIED UNDURRAGA
Profesor de Derecho Económico
Universidad de los Andes, Chile

María Sara RODRÍGUEZ
Doctora en Derecho, Universidad Autónoma de Madrid
Profesora Titular de Derecho Civil, Universidad de los Andes, Chile

Alejandro ROMERO SEGUEL
Doctor en Derecho, Universidad de Navarra
Profesor de Derecho Procesal, Universidad de los Andes, Chile

Gian Franco ROSSO ELORRIAGA
Doctor y Magister en Derecho (Tor Vergata, Roma
Profesor Asociado de Derecho Civil, Universidad de Los Andes, Chile

Alfredo SIERRA HERRERO
Doctor en Derecho, Universidad de Santiago de Compostela
Profesor de Derecho Laboral, Universidad de los Andes, Chile

Tatiana VARGAS PINTO
Doctora en Derecho Penal, Universidad de los Andes, Chile
Profesora de Derecho Penal, Universidad de los Andes, Chile

Índice

DERECHO CANÓNICO

ALGUNOS ASPECTOS SOBRE LA BUENA FE EN EL MATRIMONIO CANÓNICO

Anastasía Assimakópulos Figueroa

DERECHO CIVIL

EL PRINCIPIO DE BUENA FE EN EL DERECHO CIVIL. RIQUEZAS Y MISERIAS

Hernán Corral Talciani

LA CODIFICACIÓN DE LA BUENA FE OBJETIVA COMO CLÁUSULA GENERAL Y PRINCIPIO DE INTERPRETACIÓN EN EL DERECHO SUSTANTIVO Y ADJETIVO BRASILEÑO

Priscila Machado Martins

LA BUENA FE Y ALGUNAS ACCIONES DE ESTADO: OBSERVACIONES EN TORNO A UN CASO

María Sara Rodríguez

LA MALA FE O FRAUDE EN LA RENUNCIA O CESIÓN DEL USUFRUCTO

Gian Franco Rosso Elorriaga

LA BUENA FE Y LA FE PÚBLICA REGISTRAL A PROPÓSITO DE UN JUICIO DE ACCIÓN REIVINDICATORIA

Yasna Otárola E.

DERECHO COMERCIAL

LA BUENA FE EN LA LEY DE COMPETENCIA DESLEAL

Manuel Bernet Páez

BUENA FE E INTERÉS SOCIAL: UNA APROXIMACIÓN A LOS LÍMITES DE LA ACTUACIÓN DEL CONTROLADOR EN LA JUNTA DE ACCIONISTAS DE LA SOCIEDAD ANÓNIMA

José Ignacio Díaz Villalobos
Pablo Manterola Domínguez

NOMBRES DE DOMINIO ".CL" Y BUENA FE: UN CONSORCIO INDISOLUBLE EN EL SISTEMA CHILENO DE SOLUCIÓN DE CONTROVERSIAS

Eduardo Jequier Lehuedé

DERECHO CONSTITUCIONAL

LA BUENA FE COMO MECANISMO DE INTERPRETACIÓN
DE LA CONVENCIÓN AMERICANA DE DERECHOS HUMANOS

ANDREA ROSARIO ÍÑIGUEZ MANSO

EL PRINCIPIO DE BUENA FE EN EL DERECHO CONSTITUCIONAL

José Ignacio Martínez Estay

DERECHO ECONÓMICO

LOS PROGRAMAS DE CUMPLIMIENTO EN LIBRE COMPETENCIA: LA BUENA FE COMO ELEMENTO NECESARIO PARA SU EFICACIA

Santiago Ried Undurraga

DERECHO INTERNACIONAL PÚBLICO

LA BUENA FE EN LA INTERPRETACIÓN DE LOS TRATADOS INTERNACIONALES

Silvia Bertazzo

DERECHO LABORAL

ALGUNAS APLICACIONES DEL PRINCIPIO DE BUENA FE RESPECTO DE LA REGULACIÓN LABORAL RELATIVA AL COVID-19

Alfredo Sierra Herrero
Roberto Cerón Reyes

DERECHO NATURAL

LEY-DEL-CONTRATO, JUSTICIA CORRECTIVA Y BUENA FE EN LA TRADICIÓN ARISTOTÉLICA ESCOLÁSTICA

Sebastián Contreras A.

DERECHO PENAL

EL "INJUSTO DE BUENA FE" COMO UN CRITERIO DE DISTINCIÓN ENTRE INCUMPLIMIENTO CIVIL Y EL DELITO PENAL EN HEGEL

Gonzalo García Palominos

FALSA DENUNCIA Y OBLIGACIÓN DE DETENCIÓN POLICIAL DE BUENA FE

Rodrigo Guerra Espinosa

"CEGUERA BUSCADA Y CEGUERA CONFIADA". EL INFLUJO DE LA BUENA FE DESDE LA IGNORANCIA DELIBERADA Y EL ERROR VENCIBLE

Tatiana Vargas Pinto

DERECHO PROCESAL

LA CONGRUENCIA PROCESAL COMO LÍMITE DEL PRINCIPIO DISPOSITIVO EN EL PROCESO CIVIL

Maite Aguirrezabal Grünstein

LA PROTECCIÓN DE LA BUENA FE PROCESAL EN LA GESTIÓN JUDICIAL DE DESIGNACIÓN DEL ÁRBITRO

Alejandro Romero Seguel

DERECHO ROMANO

ALGUNAS CONSIDERACIONES SOBRE LA BUENA FE EN EL DERECHO ROMANO

Manuel Grasso

PRESENTACIÓN

En marzo de 1990 comenzaba sus actividades académicas la Facultad de Derecho de la Universidad de los Andes. Desde sus inicios la investigación y la difusión del conocimiento se instalaron como uno de sus objetivos esenciales. Son innumerables los proyectos Fondecyt, libros y artículos surgidos a partir de ese momento, producto del riguroso y abnegado trabajo científico desarrollado por nuestros profesores a lo largo de estos treinta años. La obra colectiva que el lector tiene en sus manos es una nueva muestra de esa labor.

Se trata de un libro escrito íntegramente por profesores de nuestra Facultad, y que gira en torno a un tema trascendental del Derecho, la Buena fe. En tal sentido la obra constituye un importante aporte a la ciencia jurídica nacional, al reunir en un solo volumen trabajos que analizan diversas e importantes implicancias de este principio general tanto en el Derecho Público como en el Privado. Este aspecto constituye a mi juicio una novedad en la literatura jurídica chilena, en la que si bien se encuentran abundantes aportes centrados sobre todo en el Derecho Civil, son más escasos en otras áreas del Derecho Privado, y más aún en el Derecho Público.

Sin perjuicio de lo anterior, con este trabajo colectivo se pretende resaltar la importancia de las instituciones jurídicas clásicas, de aquellas que forman parte de la esencia misma de la más que bimilenaria cultura jurídica occidental. Al volver a centrar la mirada en ellas se comprueba la estrecha relación que existe entre el Derecho y el sentido común que impregna a sus principios generales, sin el cual no es posible obtener lo que constituye el fin último de aquél, la justicia. En estos tiempos en que la investigación jurídica chilena vive un momento de auge, resulta imprescindible recordar la necesidad de acometerla con realismo, aportando visiones y teorías elaboradas a partir del análisis de la realidad, y evitando la tentación de hacer teorías de las teorías.

Quiero agradecer a todos los autores de este libro, profesores de nuestra Facultad de Derecho, por los aportes doctrinarios que se encuentran en estas páginas. Agradezco también a la editorial Tirant Lo Blanch, por acoger este proyecto conmemorativo de nuestro trigésimo aniversario. Y por último, le doy las gracias muy especialmente al Director del Departamento de Derecho Público, profesor Jaime Arancibia Mattar, quien asumió la ardua e importante tarea de coordinar esta obra. El resultado de estos esfuerzos queda a disposición de toda la comunidad jurídica del país.

José Ignacio MARTÍNEZ ESTAY
Profesor de Derecho Constitucional
Decano de la Facultad de Derecho de la Universidad de los Andes

Santiago, junio de 2020

PRÓLOGO

Suele enseñarse en las aulas universitarias y proclamarse en los estrados que la buena fe es un principio general del derecho porque resulta exigible a toda conducta del hombre en el plano jurídico. No es de extrañar, por tanto, que Cicerón haya considerado la lealtad, la persistencia y la sinceridad en las palabras y en los acuerdos como fundamento de la justicia[1], y que Tito Livio haya sostenido que, si se acaba con el respeto a los compromisos contraídos, "se elimina toda relación social entre los hombres"[2].

Por su asociación con valores como fidelidad, rectitud y confianza, la buena fe podría ser confundida con un deber que va más allá de lo justo como objeto de la justicia. Sin embargo, el que haya sido abordada principalmente por juristas a lo largo de la historia no hace sino confirmar que ella es la justicia en su plenitud. Esto explica también que el templo erigido en honor de la deidad *Fides* en la Colina Capitolina de Roma estuviera rodeado por placas de bronce que representaban libros de derecho y tratados[3]. El ritual en su honor, descrito por Tito Livio, exigía presentarle los sacrificios con la mano derecha cubierta[4], dado que la mano que honra los compromisos debe permanecer pura y sagrada. Posteriormente, esta manifestación física del compromiso de buena fe dio paso al gesto de estrechar las manos con similar propósito[5], como queda claro en la moneda romana que aparece en la portada de este libro.

Entonces, el hombre que procura cumplir sus deberes de buena fe es plenamente justo. Bajo esta idea, la mala fe consiste en la ganancia injusta en perjuicio ajeno bajo la apariencia de un obrar justo. Es precisamente esta simulación traicionera de confianzas la que envuelve mala fe hacia los pares o hacia los deberes con la República, como la resistencia de los

---

[1] Cicerón, *Los deberes*, Libro I, 22-23. Biblioteca Clásica Gredos, N° 414,

[2] Tito Livio, *Historia de Roma desde su Fundación*, Libro 6.41.12, Biblioteca Clásica Gredos, N° 145, tomo II, 2007, p. 177.

[3] Richardson, L., *A new topographical Dictionary of Ancient Rome*, John Hopkins University, 1992, p. 151.

[4] Tito Livio, *Historia de Roma desde su Fundación*, Libro 1.21.4, Biblioteca Clásica Gredos, N° 144, tomo I, 2007, p. 113.

[5] Herbert Jennings Rose and John Scheid, "Fides", en *Oxford Classical Dictionary*, editado por Hornblower, Spawforth y Eidinow, Oxford University Press, 2012, p. 575.

senadores Catón, Léntulo, Scipio y Pompeyo a las propuestas de César por razones de beneficio propio disfrazadas de bien para Roma[6]. Posiblemente, la mala fe recibe el mayor oprobio precisamente por su envoltorio de bondad aparente. De ahí que Platón exclamara que "la más alta injusticia consiste en parecer justo sin serlo"[7].

Más allá de esta general aplicación del concepto, predicada a lo largo de los siglos, la mayor fragmentación de las soluciones jurídicas que conlleva la complejidad de la vida moderna exige siempre mayores precisiones del principio en cada ámbito del derecho. Esta es, precisamente, la idea que ha unido esta vez –esperemos que no sea la última– a los profesores de derecho de la Universidad de los Andes. El interés por homenajear a la Facultad en su trigésimo aniversario nos ha animado a abordar el principio de buena fe bajo el prisma de las distintas manifestaciones de lo justo.

El tema viene a cuenta porque permite aunar esfuerzos interdisciplinarios en torno a un tema común, viviendo de este modo la "unidad de los saberes diversos" a la que llama nuestro ideario universitario. Más importante aún, nos permite ahondar en un principio especialmente emparentado con el ideal cristiano de buena ciudadanía, que esta Facultad procura grabar en la mente y en el corazón de quienes la integran: "[d]ad a cada cual lo que se le debe: a quien impuestos, impuestos; a quien tributo, tributo; a quien respeto, respeto; a quien honor, honor"[8].

Los estudios contenidos en este volumen dan cuenta de la unidad de las disciplinas jurídicas en torno a la buena fe como principio cardinal de la justicia, pero también de las múltiples concreciones que admite en las diferentes relaciones jurídicas.

Es así como, en Derecho Administrativo, el que escribe este prólogo destaca la necesidad de aplicar el ideal de buena fe del artículo 1546 del Código Civil en la ejecución de deberes legales, mientras que el profesor Juan Carlos Flores asocia la buena fe al cumplimiento de los deberes de probidad extra-normativos en materia de licitaciones públicas. A su vez, la profesora Anastasía Assimakópulos aborda la buena fe subjetiva que subyace a la figura del matrimonio putativo en derecho canónico, esto es, la

---

[6]   Julius Caesar, *Civil Wars*, Libro 1, capítulo 4, traducido por Arthur George Peskett, Loeb Classical Library, 1914, p. 7 a 9.

[7]   Platón, *La República*, Libro II 361a. Hemos reucrrido a la edición de Biblioteca Clásica Gredos, N° 94, 1986, p. 109.

[8]   San Pablo, Carta a los Romanos, 13, 7. Traducción obtenida de Facultad de Teología, Universidad de Navarra, *Nuevo Testamento*, Eunsa, 2004, p. 949.

convicción de haber celebrado una unión esponsal válida que la justicia natural procura resguardar.

En materia de derecho civil, el profesor Hernán Corral nos ilustra acerca de la evolución del principio de la buena fe hasta nuestros días, destacando su riqueza para superar interpretaciones literalistas mezquinas, pero también sus miserias en cuanto a los efectos de inseguridad jurídica e inestabilidad contractual que surge de su indeterminación. Siguiendo esta línea general, la profesora Priscila Machado nos familiariza con la buena fe objetiva como cláusula general y herramienta interpretativa del derecho sustantivo y adjetivo en Brasil, su tierra natal. Por su parte, la profesora María Sara Rodríguez aborda la buena fe como desconocimiento de una realidad o incapacidad que impide interponer acciones de estado, razón por la cual el legitimado activo sólo se vería apremiado por un plazo de prescripción una vez que goce de conocimiento y capacidad.

En tanto, el profesor Gian Franco Rosso se pronuncia sobre la mala fe o fraude del deudor usufructuario que burla el derecho de prenda general de sus acreedores mediante la renuncia o cesión del usufructo a terceros, en relación con el artículo 803 inciso 2° del Código Civil. El autor concluye que la configuración de dicho "fraude" dependerá, entre otros factores, de si el usufructo ha sido o no embargado. A su vez, la profesora Yasna Otárola determina los alcances de la buena fe en la fe pública registral a propósito de la acción reivindicatoria, con especial énfasis en la protección del tercero de buena fe que contrata bajo la creencia de que el vendedor era heredero universal.

En el ámbito del derecho comercial, el profesor Manuel Bernet trata la buena fe en la Ley de Competencia Desleal, concluyendo que es un criterio legal objetivo para la calificación de deslealtad, esto es, alejado de la faz subjetiva del infractor y de estándares extrajurídicos como los usos honestos o la moral. A su vez, los profesores José Ignacio Díaz y Pablo Manterola nos ilustran acerca de la buena fe del controlador en la junta de accionistas de la sociedad anónima en relación con el interés social. Sostienen que este último es una especie del género de la buena fe en cuanto se ordena al mismo fin que ésta en materia de sociedades anónimas. El profesor Eduardo Jequier, por su parte, aborda la buena fe en materia de nombres de dominio digital.

Las manifestaciones de la buena fe en el derecho constitucional son abordadas, en primer lugar, por la profesora Andrea Íñiguez, que invoca este principio como mecanismo de interpretación de la Convención Interamericana de Derechos Humanos para efectos de asumir una postura crítica de los fallos de la Corte homónima que incorporan derechos no previstos en el texto de la Convención y rechazan la aplicación del margen de apreciación, tan valorado por las cortes continentales europeas. Le sigue el trabajo del profesor José Ignacio Martínez sobre la buena fe en general en el derecho constitucional, que plantea nuevos horizontes en cuanto a la vigencia del principio en el ejercicio del poder constituyente, de las potestades públicas y en el resguardo de los derechos fundamentales.

En el campo del derecho económico, destaca el trabajo del profesor Santiago Ried sobre la importancia de la buena fe en el diseño y puesta en marcha de los programas de cumplimiento en libre competencia, y las exigencias necesarias para que produzca un efecto exculpatorio o de atenuación de la responsabilidad del infractor.

La buena fe en el derecho internacional también se hace presente en el trabajo de la profesora Silvia Bertazzo, particularmente en cuanto al rol que cumple en la interpretación de los tratados más allá de su tenor literal, sobre todo en el caso de expresiones vagas o genéricas, mediante la consideración del objeto y el fin de la norma.

La actualidad de la buena fe en las relaciones entre trabajadores y empleadores aparece con especial claridad en el artículo de los profesores Alfredo Sierra y Roberto Cerón, referido a las aplicaciones del principio en la regulación laboral relativa a la pandemia del Covid 19, sobre todo en lo relativo a la suspensión del contrato de teletrabajo, el deber de secreto profesional durante dicha suspensión, y el derecho de desconexión.

El estrecho vínculo de la buena fe con el derecho natural se ve reflejado en el acabado estudio del profesor Sebastián Contreras sobre la aplicación del principio para efectos de asegurar una conmutación justa entre las partes de un contrato, un equilibrio prestacional fundado no sólo en la lealtad a la palabra empeñada sino también en el deber de tratar a los demás como iguales.

Pese a las mayores dificultades dogmáticas que enfrenta el tratamiento de la buena fe en el derecho penal, los profesores de esta disciplina contribuyen a este libro homenaje con tres trabajos relevantes. En primer lugar, el profesor Gonzalo García aborda la distinción entre injusto civil e injusto penal en materia contractual sobre la base de si se ha producido o no un "injusto de buena fe", definido bajo la lógica Hegeliana como aquel que supera el mero enfrentamiento de autoconciencias individuales, puesto que lo negado de buena fe no es una determinada pretensión del "otro" sino que el "otro" en sí mismo. Le sigue el trabajo del profesor Rodrigo Guerra, sobre la posibilidad de imputar responsabilidad penal por falsa denuncia en razón de un comportamiento doloso o de infracción al principio de buena fe. La profesora Tatiana Vargas, por su parte, desarrolla la importancia de la buena fe para efectos de imputación fáctica y normativa del sujeto activo del delito, pues permite distinguir si su conducta obedeció a un error o ignorancia invencible o a una ceguera buscada.

Los profesores de derecho procesal han contribuido a este libro homenaje con trabajos que vinculan la buena fe con instituciones clásicas del derecho procesal. El primero, de la profesora Maite Aguirrezabal, se refiere a las exigencias que este principio plantea al comportamiento de las partes en cuanto a buscar que el éxito del proceso en cuanto tal, con independencia de un eventual resultado favorable o desfavorable. Esto supone deberes de colaboración y de asistencia entre todos los que intervienen en él. El segundo estudio, del profesor Alejandro Romero, concluye que la buena fe procesal debe llevar a entender que las gestiones judiciales relativas a la instalación de un tribunal arbitral no pueden ser realizadas de un modo que pueda perjudicar al acreedor que pretende reclamar su crédito.

Finalmente, el último trabajo, del profesor Manuel Grasso, se refiere al primigenio derecho romano, base de la cultura jurídica occidental. En su texto sobre la buena fe en la tierra y tiempos cercanos a Ulpiano, Gayo, Paulo y Modestino, entre otros grandes juristas universales, el autor destaca que, a partir de su concepción como criterio de justicia de carácter "objetivo-prescriptivo", este principio pasó a jugar un rol fundamental en la regulación de los contratos en nuestro sistema jurídico, sin perjuicio de que su aplicación requiere de especial sensibilidad y técnica para evitar excesos o problemas de inseguridad jurídica.

De esta forma, los veintitrés trabajos que conforman esta obra colectiva demuestran la unidad del derecho en torno a la buena fe, sin perjuicio de sus múltiples manifestaciones según la cosa debida. Pero también, son el fiel reflejo de la unidad de una Facultad que, con aciertos y dificultades, ya se empina por sobre las tres décadas en torno a un ideario común de servicio a la sociedad, amistad y buen humor, procurando seguir las inspiraciones de san Josemaría. Por lo mismo, me sumo a los agradecimientos del Decano a los profesores que contribuyeron a enriquecer esta obra con generosidad y espíritu de cuerpo.

Jaime ARANCIBIA MATTAR
Profesor de Derecho Administrativo y Constitucional
Universidad de los Andes
Editor

Santiago, junio de 2020

DERECHO ADMINISTRATIVO

LA BUENA FE EN LA EJECUCIÓN DE DEBERES LEGALES ENTRE EL ESTADO Y LOS PARTICULARES[1]

Jaime Arancibia Mattar
Ph.D. Cambridge
Profesor de Derecho Administrativo y Constitucional,
Universidad de los Andes, Chile

SUMARIO: 1. INTRODUCCIÓN. 2. EL DEBER LEGAL. 2.1. Concepto y atributos. 3. BUENA FE EN LA EJECUCIÓN DE DEBERES LEGALES. 3.1. Fundamentos. 3.2. Buena fe y literalidad de la ley. 3.3. Buena fe en deberes regulatorios. 3.4. Buena fe en deberes correlativos de beneficio público. 3.5. Buena fe en deberes de contribución al estado. 3.6. Buena fe del estado en sus deberes. 4. CONCLUSIONES. BIBLIOGRAFÍA UTILIZADA.

1. INTRODUCCIÓN

Este trabajo tiene por objeto la buena fe en el cumplimiento de deberes legales entre el Estado y los particulares. Por razones de servicialidad del Estado, ciudadanía y bien común, los deberes legales, al igual que los contractuales, obligan no solo a lo explicitado en su texto, sino también a todas las cosas que emanan de su naturaleza. De esta forma, el obligado no podría ampararse en una lectura estrictamente literal del precepto que establece o precisa el deber. Lo anterior no contradice la vigencia de los principios de interpretación estricta de las cargas públicas y *contra proferentem*, cuya aplicación se ordena primeramente a precisar la prestación escrita en la ley, de la que luego se deriva su ejecución de buena fe.

Para efectos de desarrollar las manifestaciones de la buena fe en la ejecución de deberes legales, hemos clasificado los deberes según el sujeto obligado –Estado y particular– y el contenido de la prestación. Sin perjuicio de esta clasificación, cabe señalar que varias relaciones jurídicas que la

[1] Este artículo fue escrito en el marco del Proyecto Fondecyt Regular N°1181593, sobre "La potestad de autorización administrativa: fundamentos dogmáticos, régimen y problemas en el ordenamiento jurídico chileno", en el que el autor es investigador responsable.

dogmática suele tratar separadamente corresponden, en nuestra opinión, a deberes legales que deberían estar sujetos a un mismo régimen de cumplimiento y de responsabilidad. Nos referimos, específicamente, a los deberes de sujetos privados regulatorios, de contraprestación, y de contribución; y a los deberes estatales regulatorios, de servicio y de compensación de cargas desiguales (expropiatorias, frustradoras de confianzas legítimas, funcionariales y de contratación administrativa). Pensamos que esta nueva forma de clasificar los deberes legales no es superflua en comparación con otras, pues apunta a su mejor tratamiento dogmático. Como sostiene Mosterín, una clasificación es más natural que otra si los conceptos que la constituyen "son más fecundos científicamente, en el sentido de que sirven para formular leyes más generales o más precisas o con más poder explicativo o predictivo"[2].

En razón de estas consideraciones, luego de describir en términos generales el deber legal y su ejecución de buena fe en el derecho público, el trabajo abordará cada tipo de deber de acuerdo a una estructura básica que considera su contenido y principales manifestaciones de cumplimiento de buena fe en el derecho chileno.

Somos conscientes de que la voz "deberes" está referida a un genero que admite diversas especies (v.gr. obligaciones, cargas, modos, sujeciones, etc.). Sin embargo, hemos recurrido a esta nomenclatura para proponer una solución aplicable a la mayoría de estas posiciones de débito. Varios de los problemas e incertidumbres que enfrenta la dogmática del derecho público obedecen al descuido de la naturaleza de débito patrimonial y legal de los deberes entre el Estado y los particulares.

2. EL DEBER LEGAL

2.1. Concepto y atributos

Una primera noción de deber legal o *ex lege* aparece en un texto del jurista Modestino recogido en el Digesto: "Nos obligamos por la ley, cuando atemperándonos a las leyes hacemos algo según el precepto de la ley, o al contrario"[3]. El Código Civil chileno, por su parte, se refiere a la especie

---

[2]   Mosterín de las Heras, Jesús, *Conceptos y teorías en la ciencia*, 4ª ed., Alianza Editorial S.A., Madrid, 2016, p. 25.

[3]   Modestino, *Digesto*, Libro 14, Título 7, 52, 5 (Traducc. Ildefonso García del Corral, Barcelona, Kriegel, Hermann y Osenbrüggen editores, 1897) p. 516.

de las obligaciones legales particularmente en los siguientes preceptos: en cuanto a su definición, declara que son aquellas que nacen "*por disposición de la ley*" (art. 1437), "*se expresan en ella* [ley]", y "*se contraen sin convención*" (art. 2284); en lo que respecta a su contenido, el Código establece que son aquellos "*derechos personales o créditos que sólo pueden reclamarse de ciertas personas, que, por … la sola disposición de la ley, han contraído las obligaciones correlativas*" (art. 578).

Puesto que se trata de una imposición unilateral, a diferencia de las obligaciones que surgen de una convención o del hecho voluntario del sujeto, el deber legal es "posicional" o "situacional", esto es, exigible "por" y "a" todo sujeto que se haya puesto en "posición" o "situación" de ser alcanzado por la norma, con prescindencia de su naturaleza –estatal o privada– o voluntariedad[4]. En este sentido, la norma legal es de naturaleza constitutiva, pues produce una alteración en la situación jurídica del sujeto mediante el ingreso de un débito de dar, hacer, o no hacer.

La *mutabilidad* del deudor o del acreedor en algunas relaciones jurídicas públicas, debido a la posición contingente de un sujeto respecto a la situación o acción que da origen a un deber, no afecta la exigencia de la prestación porque el sujeto continúa siendo determinado. Como explica Giorgianni, en este tipo de obligaciones, conocidas también como *ambulatorias* o de *sucesión* de posición activa o pasiva, "el sujeto es rigurosamente determinado en base a los elementos que la ley establece para su individuación… siendo hecha la individuación de este *per relationem*"[5]. La persona del deudor o del acreedor podría ser incluso desconocida para su contraparte y ser todavía determinada para efectos obligacionales[6]. Ahora bien, puede ser que, "en un momento singular de la vida de la relación, falte la individuación del sujeto porque ninguno se encuentre en la posición requerida… pero en tal caso, más que estar indeterminado, falta totalmente, y la obligación por ello desaparece o, mejor dicho, se encuentra en una situación que podría calificarse de 'reposo' (*quiescenza*)"[7].

---

[4]   Del Guayo Castiella, Íñigo, *Regulación*, Marcial Pons, 2017, p. 73: "Las empresas o individuos cuya actividad está regulada, quedan en una determinada *situación* regulatoria. Se trata de una *situación* porque viene determinada por el imperio de la norma pública. No tiene su origen en la autonomía de la voluntad, en cuyo caso sería una *relación* regulatoria: el Derecho privado es un derecho de relaciones y el Derecho público es un derecho de situaciones".

[5]   Giorgianni, Michele, *La obligación*, Biblioteca de Derecho Privado, Ediciones Olejnik, Santiago, 2018, p. 36.

[6]   Íbid., p. 39.

[7]   Íbid., p. 36 a 37.

El carácter unilateral del deber determina su sometimiento a la justicia distributiva y a sus principios de legalidad, certeza, igualdad, debido proceso y proporcionalidad, entre otros. En este sentido, el deber legal puede ser *iuxta, praeter o contra ius publicum*.

Dado que han sido impuestos en términos generales y abstractos, los deberes legales entre el Estado y los particulares podrían ser objeto de precisiones o interpretaciones de organismos administrativos encargados de velar por su cumplimiento (v.gr. estándares, protocolos[8], orientaciones o especificaciones técnicas, manuales de procedimiento, oficios, reglamentos, pliegos de condiciones, guías[9], *lex artis*, bases, etc.). Estos actos normativos y de exégesis no pueden ser *ultra, extra* o *contra legem*, pues su finalidad es brindar certeza al particular y no servir de pretexto para reducir o ampliar el mandato legal[10]. De lo contrario, serían ilegales y carentes de valor. Sin perjuicio de lo anterior, el alcance dado por el órgano administrativo a la norma constituye una base de confianza legítima que no podría ser alterada con efecto retroactivo o de modo brusco en perjuicio del particular[11].

La responsabilidad en que incurre un sujeto, sea público o privado, por el incumplimiento de estos deberes no es contractual ni extracontractual sino legal[12], pues surge de una infracción a un deber constituido en un estatuto legal. El carácter preestablecido y específico de los deberes legales los las hace semejantes en parte a los contractuales, similitud planteada por Gayo ya en el siglo II[13], razón por la cual la responsabilidad por in-

---

[8] Por ejemplo, protocolo para el trasaldo de pacientes. SCS Rol N° 5.417-2012.

[9] V.gr. guías clínicas. SCS Rol N° 21.019-2015; SCS Rol N° 97.628-2016.

[10] STC Rol N° 480.

[11] Cfr. Phillips, Jaime, *La protección de expectativas en el derecho administrativo chileno. Una propuesta para la aplicación del principio de protección*, tirant lo blanche, Valencia, 2020.

[12] Para el origen y evolución de la voz estatuto, véase Cabreros de Anta, Marcelino, "Los estatutos en el Código de Derecho Canónico", *Revista Española de Derecho Canónico*, vol. 1, N° 3, 1946, pp. 615 y ss.

[13] Esta similitud funcional entre obligación legal y contractual es advertida por Justiniano con respecto a las categorías obligacionales de Gayo en derecho romano, según explica Saccoccio: "Justiniano admite que existen obligaciones que el ordenamiento reconoce como tales, y que presentan una estricta semejanza con aquellas de origen contractual, pero que, en estricto rigor, no pueden asimilarse a éstas últimas, ya que carecen del elemento que él considera estructuralmente necesario para formar un contrato (lo que Cayo ya definió como el '*proprium*' del contrato), es decir, el consentimiento… La asimilación, que no puede viajar a través del dato de la estructura, se realiza, por lo tanto, en el plano funcional, reconociendo el emperador que tal causa produce obligaciones similares a las derivadas del contrato o del delito, aunque no tengan en su estructura el *proprium* de uno u otro caso". Saccoccio, Antonio, "Dall'obbligo alla prestazione degli alimenti alla *obligatio ex lege*", *Rivista Di Diritto Dell'integrazionee*

cumplimiento debería regirse por criterios similares en algunos casos, esto es: a) la culpa está objetivada, pues consiste en incumplir pudiendo haber cumplido, siendo eximente el caso fortuito, la fuerza mayor u otra causa extraña. Por lo mismo, la buena fe subjetiva o el puro *animus solvendi* no sirven como causal de atenuación o de exculpación; b) la culpa admite gradación; c) los sujetos imputables pueden ser personas naturales o jurídicas; d) no hay responsabilidad objetiva a menos que la ley lo haya previsto expresamente; e) el dolo no es requisito para que surja la responsabilidad; y f) en materia civil, se responde por daño emergente, daño moral[14], y lucro cesante (art. 1556 del Código Civil); pero, si la conducta fue dolosa, podría dar origen al deber de indemnizar todos los perjuicios del incumplimiento, incluyendo aquellos imprevistos al momento del surgimiento del deber[15].

En materia probatoria, se siguen también los criterios de obligaciones contractuales o preestablecidas. El acreedor debe acreditar la existencia del deber legal y su exigibilidad a un sujeto determinado respecto de una situación concreta, pues incumbe probar las obligaciones al que las alega (art. 1698 del Código Civil). De alcanzar este objetivo, el incumplimiento culposo del deudor se presume *iuris tantum*, pues "la prueba de la diligencia o cuidado incumbe al que ha debido emplearlo; la prueba del caso fortuito al que lo alega" (art. 1547 del Código Civil)[16].

El interés protegido directamente por un deber legal, según veremos, puede ser público o privado.

3. BUENA FE EN LA EJECUCIÓN DE DEBERES LEGALES

3.1. Fundamentos

El cumplimiento de buena fe tiene por objeto deberes preexistentes y determinados. La *bona fides* exige que la ejecución de estos deberes debe respetar no sólo su tenor literal sino también los elementos implícitos de su naturaleza. Entonces, pese a su denominación, la buena fe no califica la

---

Unificazione del Dirittoin Eurasia e in America Latina, N° 35, 2014, p. 21. La traducción es nuestra.

14   SCS Rol N° 375–2013.
15   Por aplicación analógica del art. 1558 del Código Civil.
16   Pizarro Wilson, Carlos, "La culpa como elemento constitutivo del incumplimiento en las obligaciones de medio o de diligencia", *Revista de Derecho*, Pontificia Universidad Católica de Valparaíso, N° 31, 2008, pp. 260 y ss.

disposición interior del deudor sino la extensión o grado de cumplimiento objetivo. Se mueve, por tanto, en un plano estrictamente normativo. En materia contractual, este principio está reconocido en el artículo 1546 del Código Civil, casi en idénticos términos a los escritos por Domat en el siglo XVII[17]. Guzman Brito explica que es "empleado para expresar la idea de que a partir del ser, estructura u organización de cada obligación puede derivarse algo no declarado, pero que resulta necesario para la total satisfacción de la prestación obligacional de que se trata"[18].

¿Es posible exigir buena fe en el cumplimiento de deberes legales? Si nos remitimos al fundamento original del principio, nuestra respuesta debería ser negativa. En efecto, la buena fe nace ante la necesidad de reconocer y asegurar criterios de justicia conmutativa en contratos consensuales e informales celebrados por los romanos con extranjeros no regidos por el *ius civile* sino por el *ius gentium*[19]. La protección de estas relaciones se fundaba en la fidelidad a la palabra dada, fundamento que no sería aplicable al cumplimiento de deberes legales.

Posteriormente, esta institución evolucionó, mediante la reforma procesal que ampliaba los poderes de juzgamiento del juez (*bonae fidei iudicia*)[20], hacia la función objetivada de discernir la cuestión del contenido, extensión o reglamentación de la conducta debida, "la inserción en la relación de algunos deberes que resultaban exigibles aunque no estuvieren explicitados en los *verba* empleados por los contratantes", por razones de lealtad, honestidad y corrección (*bonus vir*)[21]. Fiori añade que se trataba deberes que "sobre todo, se codifican en la práctica y se recuerdan 'naturalmente' por el 'tipo' de relación"[22]. De esta forma, la buena fe es asociada a un modo o forma de cumplimiento que se hace merecedor del reconocimiento o confianza del acreedor[23].

---

[17]   Domat., J., *Las leyes civiles en su orden natural*, Tomo I, 2ª ed., Imprenta de José Taulo, Barcelona, 1844, p. 179. La definición del Código reemplazó "convención" por "contrato" y omitió la mención a la equidad.

[18]   Guzmán Brito, Alejandro, "La buena fe en el Código Civil de Chile", *Revista Chilena de Derecho*, Vol. 29 Nº 1, 2002, p. 17.

[19]   Facco, Javier Humberto, "*Oportere ex fide bona*. Una construcción decisiva de la jurisprudencia romana", *Revista de Derecho Privado*, Nº 24, Bogotá Enero/Junio 2013, p. 37.

[20]   Cfr. Turpin, Colin, "*Bonae Fidei Iudicia*", *Cambridge Law Journal*, Nº 23, 1965, p. 260 a 262.

[21]   Facco, ob. cit., p. 39 a 41. Ver también Valsan, Remus, "*Fides, bona fides*, and *bonus vir*, Relations of Trust and Confidence in Roman Antiquity", *Journal of Law, Religion and State*, Nº 5, Brill Academic Publishers, 2017, p. 81.

[22]   Fiori, Roberto, "*Fides et bona fides*: Hiérarchie sociale et catégories juridiques", *Revue Historique de Droit Français et Étranger*, Nº 4, 2008, p. 467. La traducción es nuestra.

[23]   Ibíd., p. 468.

Esta objetivación seguramente permitió aplicar la buena fe a las obligaciones asumidas por personas jurídicas o morales. Además, determinó la evolución de la "mala fe" obligacional hacia el incumplimiento culposo de deberes implícitos. En otras palabras, a partir de entonces, queda deslegitimada la elusión o astucia de evitar los elementos implícitos de una obligación por no estar escritos. Sin embargo, la buena fe continuaba basada en el carácter bilateral de la relación y en la lealtad mutua de las partes en razón del acuerdo celebrado. Por tanto, no podía ser aplicada a los actos unilaterales como las leyes, regidos más bien por estatutos *stricti iuris*[24]. Parece ser, entonces, que el fundamento de la buena fe en el ámbito de los deberes legales no podría surgir de sus antecedentes históricos en materia de contratos. Ni siquiera en el caso de los mal llamados contratos administrativos que, como hemos sostenido[25], corresponden a actos unilaterales. Será necesario recurrir a consideraciones dogmáticas.

Un punto de partida interesante es preguntarse si, más allá de su origen contractual, existe algún impedimento para extender la buena fe objetivada al cumplimiento de obligaciones legales.

Una primera respuesta, de corte positivista, podría sostener que la buena fe no rige las relaciones legales porque, a diferencia del ámbito contractual, no existe una norma que la imponga. En nuestra opinión, semejante respuesta equivale a sostener que la buena fe no es un principio general del derecho sino una mera exigencia legal que no rige ante el silencio de legislador. No sólo eso, equivale también a afirmar que, salvo excepción legal, los deberes legales obligan sólo a lo que en ellos se expresa, excluyendo las cosas que emanan de su naturaleza, lo que nos parecería francamente absurdo e ineficaz. Antes bien, pensamos que la buena fe, al menos en su manifestación prestacional, es siempre un principio de justicia, razón por la cual no requiere de reconocimiento legal para su aplicación.

Sin perjuicio de lo anterior, un impedimento más sustantivo podría consistir en la ausencia de un fundamento para obrar con corrección, honestidad y confianza equivalente a la valoración de los acuerdos entre partes. En este sentido, Eyzaguirre y Rodríguez sostienen que "la exigencia de estos deberes positivos sólo puede darse en aquellas situaciones en las que existe una relación especial entre las partes que dé lugar a una particular

---

[24]   Bello, Andrés, *Instituciones de derecho romano*, lib. 111. tít. 14, en *Obras completas de Andrés Bello*, La Casa de Bello, Caracas, 1959, reimpreso en 1981, XVII, p. 134.

[25]   Arancibia Mattar, Jaime, "Naturaleza y justicia de los contratos administrativos", *Revista de Derecho Administrativo Económico*, Pontificia Universidad Católica de Chile, julio-diciembre, 2019, pp. 27-53.

vinculación y confianza"[26]. Por lo mismo, ellos constatan que la buena fe "se aplica fuera del ámbito contractual exclusivamente en su dimensión negativa, proscribiendo la mala fe", entendida como "abuso del Derecho, la doctrina de los actos propios y el fraude a la ley"[27].

Sin embargo, nos parece que sí existe un fundamento alternativo para la buena fe en los deberes legales. Siguiendo en parte a Fiori[28], lo encontramos en la noción misma de estatuto como norma constitutiva que asigna un *status*[29], condición o "cualidad jurídica del individuo que denota la posición que tiene en una colectividad humana"[30]. Esta condición determina que el sujeto ejecuta sus deberes con la fidelidad esperada de su rango, incluyendo "todas las reglas que derivan implícitamente de la naturaleza de la relación"[31], procurando satisfacer eficazmente el interés respectivo mediante una prestación de resultado útil[32]. Específicamente, en el caso del Estado, la cualidad asignada normativamente es la de servidor del bien común, mientras que los particulares asumen la de ciudadano.

Conforme a la idea de servicialidad, la autoridad debe asegurar el desarrollo enterizo de los integrantes de la comunidad. Parafraseando lo sostenido por Schopf en materia contractual, esa exigencia implica que el Estado debe siempre interpretar y ejecutar sus deberes según su sentido y finalidad del bien de todos y de cada uno, debiendo, a su vez, abstenerse de todo aquello que impida o ponga en peligro la efectiva realización de esa finalidad[33]. Esta vocación demanda la ejecución cabal de los deberes estatales, incluyendo los elementos de su naturaleza. Además, este modo de ejecución ha sido reconocido en la Constitución con umbrales que no dejan espacio para cicaterías, como asegurar a todos y a cada uno "su ma-

---

[26]   Eyzaguirre Baeza, Cristóbal, y Rodríguez Diez, Javier, "Expansión y límites de la buena fe objetiva – a propósito del 'proyecto de principios latinoamericanos de derecho de los contratos", *Revista de Derecho Privado*, Nº 21, julio 2013, p. 182.

[27]   Ibíd.

[28]   Fiori, Roberto, ob. cit., p. 469.

[29]   Hirschfeld, Julius, "Status", *Journal of the Society of Comparative Legislation*, vol. 4, no. 2, 1902, pp. 168-172.

[30]   Alessandri, Arturo; Somarriva, Manuel; y Vodanovic, *Tratado de Derecho Civil, Partes Preliminar y General*, tomo I, Editorial Jurídica de Chile, 1998, p. 299.

[31]   Fiori, Roberto, ob. cit., p. 481.

[32]   Hemos utilizado aquí expresiones de Betti y Diez-Picazo. Betti, Emilio, *Teoría general de las obligaciones*, tomo I, Ed. *Revista de Derecho Privado*, 1ª edición, Madrid, 1969, p. 103; Diez-Picaso y Ponce de León, Luis, *Fundamentos del Derecho Civil patrimonial*, vol. I, Ed. Aranzadi, 6ª edición, Navarra, 2007, p. 142.

[33]   Schopf Olea, Adrián, "La buena fe contractual como norma jurídica", *Revista Chilena de Derecho Privado*, Nº 31, diciembre 2008, p. 199.

yor realización… posible", "con *pleno* respeto de los derechos" (art. 1 inciso 4°). Al respecto, Cea sostiene que las autoridades deben actuar dentro de marco potestativo "con sujeción leal o de buena fe, a cuanto fluya de ese marco"[34]; Ramírez, por su parte, califica la buena fe "como uno de los tópicos esenciales en la aplicación de las instituciones fundamentales del derecho público chileno"[35]; y Corral reconoce que la aplicación genérica de la buena fe puede abarcar "la ejecución de actos de la Administración del Estado"[36].

En el caso de los particulares, las leyes justas se ordenan al bien de la comunidad, al que todo miembro debe contribuir necesariamente por razones de justicia distributiva. Esta idea tiene raigambre histórica en Platón, para quien un ciudadano virtuoso obedece no solo el tenor de la ley sino las cosas buenas que el legislador pretende con ellas[37]. En la Roma antigua, Cicerón añade que los deberes para con la Patria gozan de primacía por sobre todos los demás[38]. Esta esencia del ciudadano (*cive*) como "hombre bueno" de la ciudad permanece hasta nuestros días[39]. Su conducta es *civiliter*, civilizada, correcta. Se vincula así con la idea de civismo o "celo por las instituciones o intereses de la patria", o "comportamiento respetuoso del ciudadano con las normas de convivencia pública"[40]; y también con la idea de urbe (*urbs*), de la que proviene la urbanidad como "buen modo"[41]. De ahí que lo propio de la ciudadanía es la ejemplaridad. Esta idea está presente también en los imperativos clásicos de "guardar" y "observar" las leyes, que compelen no sólo a obedecer sino a hacerlo atentamente. Como explica Domat, "cada uno está obligado no solamente a no oponerse a cosa

[34]   Cea Egaña, José Luis, *Derecho Constitucional Chileno*, tomo I, Ediciones Universidad Católica de Chile, 2002, pp. 239 y 243.

[35]   Ramirez Arrayás, José Antonio, "Interpretación constitucional y principio de la buena fe", *Estudios Constitucionales*, vol. 1, num. 1, 2003, p. 740.

[36]   Corral Talciani, Hernán, "La aplicación jurisprudencial de la buena fe objetiva en el ordenamiento civil chileno", *Revista de Derecho Privado* (*Universidad Externado de Colombia*), 2007, N° 12-13, p. 166.

[37]   Platón, *Las leyes*, Libro VII, 822e a 823b, en *Diálogos IX*, Biblioteca Clásica Gredos, 266, Madrid, 1999, p. 73.

[38]   Cicerón, Marco Tulio, *Los deberes*, Libro I N° 58 y N° 160, y Libro III N° 90, Biblioteca Clásica Gredos, Madrid, 2014, pp. 53, 79, y 176, respectivamente.

[39]   Real Academia Española, *Diccionario de la Lengua Española*, (22.a ed.), 2001, cuarta acepción del término. Disponible en: http://www.rae.es/rae.html [fecha de consulta: 12 de abril de 2020].

[40]   Ibíd., segunda acepción del término.

[41]   Ibíd., segunda acepción del término.

alguna al orden público, sino también a contribuir en todo lo que pueda tocarle como particular"[42].

Lo contrario sería sostener que una persona debe cumplir de buena fe sus obligaciones contractuales y puede ser mezquina en las legales de interés público, olvidando que ambas son integrantes indisolubles del bien común, el de todos y de cada uno. Sirva aquí una analogía matemática. El bien individual y el público no son sumandos del bien común –porque este es superior a la suma de sus partes– sino factores de una multiplicación. El producto más alto de dicha operación sólo se alcanza cuando ambos coeficientes son iguales. Cualquier aumento de uno de ellos en desmedro del otro conduce a un resultado de bienestar inferior. Por ejemplo, 3x3=9, mientras que 4x2=8, y 5x1=5. De ahí que los privados deben cumplir de buena fe tanto sus obligaciones privadas como de interés público.

A mayor abundamiento, algunos autores nacionales[43] y extranjeros[44], así como la jurisprudencia judicial[45] y contralora[46] han elevado la buena fe al rango de principio general del derecho aplicable a todas las disciplinas jurídicas, incluyendo aquellas cuyos deberes son constituidos por ley[47]. En nuestra opinión, la buena fe obligacional debería ser incluso reconocida en la Constitución mediante una modificación al artículo 6 de la Carta Magna que establezca que "*los preceptos de esta Constitución* y las normas conformes a ella obligan de buena fe *tanto a los titulares o integrantes de dichos órganos como a toda persona, institución o grupo*".

Por otro lado, el derecho positivo facilita el control judicial de la buena fe en la ejecución de obligaciones legales mediante la equidad natural (art. 24 del Código Civil) y los principios de equidad (art. 170 N° 5 del Código de Procedimiento Civil) que debe considerar en los casos que corresponda.

---

[42]   Domat, J., *Derecho Público*, Instituto de Estudios de la Administración Local, Madrid, 1984, p. 196.

[43]   Saavedra Galleguillos, Francisco Javier, "El principio general de la buena fe", en *Instituciones Modernas de Derecho Civil*, Editorial Jurídica Cono Sur, 1996, p. 360; López Santa María, Jorge y Elorriaga de Bonis, Fabián, *Los contratos*, Parte general, 6ª ed., Thomson Reuters, 2017, p. 428; Alcalde Rodríguez, Enrique, *Los Principios Generales del Derecho*, Santiago, Ediciones Universidad Católica de Chile, 2002, pp. 191 y 220.

[44]   González Perez, Jesús, *El principio general de la buena fe en el derecho administrativo*, Civitas, Madrid, 1983, p. 100.

[45]   SCS, 9 de octubre de 1981, *Revista de Derecho y Jurisprudencia*, t. 78, sec. 5.ª, p. 207; SCS Rol N° 4.795-2017; Rol N° 29.945-2018.

[46]   Dictamen CGR N° 16.238 de 2007.

[47]   Fueyo Laneri, Fernando, *Instituciones de Derecho Civil Moderno*, Editorial Jurídica de Chile, 1990, p. 158.

Con todo, el recurso a la buena fe o a la equidad no basta para definir la silueta de un deber legal sino que es preciso fundamentar de modo técnico y suficiente las razones para reconocer tal o cual elemento como implícito en su naturaleza. Se trata, por tanto, de una exégesis certera y retrospectiva, de precisión y no de ampliación del deber, que no añade sino reconoce elementos presentes en el deber desde su nacimiento. Lo que no puede ocurrir es que el órgano, so pretexto de integrar, termine añadiendo elementos ajenos o innecesarios. Por lo mismo, los elementos inherentes del deber legal suelen coincidir con exigencias pacíficas o asentadas en normas análogas, la doctrina o la jurisprudencia; también por razones de certeza e igualdad ante la ley. Esta potestad interpretativa no puede ser entendida como una delegacion de potestades del legislador al intérprete, como se ha sostenido en relación a las obligaciones reconocidas por ley[48], pues eso significaría que sus actos serían constitutivos y no declarativos.

3.2. *Buena fe y literalidad de la ley*

Ahora bien, siguiendo con el deber de sujetos privados, es preciso hacerse cargo de la supuesta contradicción que se produciría entre la ejecución de buena fe de los deberes legales y los principios de interpretación literal de las leyes (art. 19 del Código Civil), lectura estricta de las potestades públicas, y *verba ambigua fortius accipiuntur contra proferentem*; es decir, ante la duda debe preferirse el significado menos favorable al autor de la norma, que pudo haberla redactado en términos claros y precisos[49]. Prima facie, no cabría considerar, por razones de buena fe, los elementos de la naturaleza del deber omitidos por la fórmula legal, pues la interpretación dejaría de ser estricta y el silencio del autor de la norma quedaría impune.

Sin embargo, nos parece que esta contradicción es sólo aparente, porque la ejecución de buena fe supone la existencia de un deber precisado, del cual penden los elementos de su naturaleza. En nuestra opinión, los principios enunciados deben ser aplicados para determinar la existencia de dicho débito y no los elementos de su naturaleza. En consecuencia, la ejecución *bona fides* constituye una operación posterior a la de estos principios, destinada a cumplir íntegramente un deber ya determinado. De esta forma, su aplicación es compatible con la de aquellos principios. Prueba de lo anterior es que el principio *contra proferentem* coexiste con el de buena

---

[48] Cfr. Schopf Olea, ob. cit., p. 135 a 137.
[49] Cfr. Dictamen CGR N° 18.567 de 1991.

fe en materia contractual (arts. 1566 y 1546 del Código Civil, respectivamente). El primero se ubica en el título relativo a la interpretación de las cláusulas contractuales, y el segundo en el de efecto de obligaciones determinadas.

A mayor abundamiento, un riesgo similar se produce en la interpretación de los contratos, según explica Guzmán. Existiría la tentación dice él, de pensar que las "cosas que emanan de la naturaleza de la obligación" corresponden a los elementos de la naturaleza del contrato mencionados en el artículo 1.444 del Código Civil. Sin embargo, ambas normas tratan de asuntos distintos[50]. Conforme a la misma lógica, no deben confundirse los elementos de la naturaleza de un deber con los deberes que son de la naturaleza de un marco regulatorio. Estos últimos siempre requerirán de escrituración e interpretación estricta.

Por otro lado, dado que el incumplimiento de obligaciones legales da origen a un mismo tipo de responsabilidad, con prescindencia de si el infractor es privado o estatal, no se observan razones para aplicar criterios de ejecución distintos según si el obligado es uno u otro. De ahí el peligro de esgrimir argumentos que podríamos denominar coyunturales o de *boomerang*, que tarde o temprano se vuelven en contra de quien los sostiene. En efecto, el particular que pretenda beneficiarse de una interpretación estrictamente literal de sus obligaciones legales, debe estar dispuesto a que el Estado lo proteja o asista en sus necesidades con apego meramente formal a la norma. Igualmente, el Estado que pretenda excepcionarse de su falta de servicio invocando la literalidad seca de la ley, debería aceptar el mismo eximente para el incumplimiento de obligaciones legales por parte de sujetos privados. Según se observa, este argumento de la ejecución formal y estricta de la norma legal constituye un juego de suma cero para el interés público y el privado. Sin embargo, no sería inocuo para el bien común, que vería seriamente rebajado sus estándares.

Además, como puntualiza Sainz, "no existen intereses públicos 'impersonales' distintos de los que interesan particularmente a los ciudadanos. Los intereses públicos y los intereses privados están implicados entre sí hasta tal punto que cualquier interés público es, también, interés privado"[51].

En general, sin perjuicio de las indicaciones que haremos respecto de cada tipo de deber, la ejecución de buena fe de los deberes legales com-

---

[50] Guzmán Brito, ob. cit., p. 16.
[51] Sainz Moreno, Fernando, "La buena fe en las relaciones de la administración con los administrados", *Revista de Administración Pública*, N° 89, Madrid, 1979, p. 312

prende los deberes generales de advertir o informar riesgos recíprocos, velar por la indemnidad de la contraparte y de sus bienes, restaurar los equilibros económicos ante circunstancias imprevistas e inimputables, evitar cambios bruscos en el régimen de prestaciones, e impedir agravamiento de los daños causados por incumplimiento. Comprende también el deber de trato respetuoso que deben brindarse las autoridades[52] y ciudadanos entre sí[53], y el de no aprovecharse de los vacíos normativos para realizar conductas contrarias a los fines de la regulación. Asimismo, la buena fe exige no añadir a los deberes elementos no comprendidos en su tenor literal o naturaleza[54].

Pasemos ahora a la ejecución de buena fe de los deberes legales en particular, que podríamos clasificar en regulatorios, correlativos de beneficio público, de contribución al Estado, de servicio, y compensatorios de cargas públicas.

3.3. *Buena fe en deberes regulatorios*

El deber legal regulatorio es aquel destinado a prevenir daños subjetivos e interacciones ineficientes en la actividad objeto de regulación. Estas exigencias se dirigen directamente a corregir riesgos inherentes a un determinado quehacer humano o a maximizar el ejercicio de los derechos asociados al mismo. En este sentido, es importante destacar que, por estar ordenadas a la satisfacción de un interés público, estas obligaciones legales resguardan derechos o intereses subjetivos sólo de modo indirecto, mediato o reflejo. Pretenden evitar daños a bienes o maximizar su provecho mediante la proscripción de conductas riesgosas para ambos objetivos. En una frase, se corrigen riesgos para evitar daños e ineficiencias. Las personas que deseen beneficiarse de la realizacion de actividades riesgosas, deben también soportar las cargas de interés público asociadas a ellas: *ubi emolumentum, ibi onus.*

---

[52] Este deber de buena fe ha sido recogido posteriormente en la Ley N° 19.880 como derecho de los particulares a "[s]er tratados con respeto y deferencia por las autoridades y funcionarios" (art. 17 letra e).

[53] Este deber ya era reconocido en Roma, según explica Valsan, bajo las expresiones *obsequim et reverentia.* Valsan, Remus, ob. cit., p. 65. Fue reconocido tempranamente en la Constitución de 1823 a propósito del derecho de hacer peticiones a la autoridad en términos "respetuosos" (art. 118), y continuó siendo reconocido posteriormente en los artículos 12 N° 6 de la Constitución de 1833, 10 N° 6 de la Constitución de 1925, y art. 19 N° 14 de la Constitución vigente.

[54] Dictámenes CGR N° 2.444 de 2013; y N° 17.738 de 2016.

Para la ejecución de buena fe de los deberes regulatorios, es preciso considerar su finalidad o *sensum* en relación con el interés público protegido o con el riesgo que se pretende evitar. En este sentido, aunque no precisamente recurriendo a la buena fe, la Corte Suprema ha declarado que "... *no es factible exigir una descripción específica y detallada de todas las posibles conductas constitutivas de infracción. En este escenario, para dilucidar si la conducta es merecedora de reproche, debe estarse al interés o bien jurídico que se pretende proteger en la legislación y si éste se ha visto amagado por la actuación del actor*"[55].

Este criterio es coincidente con la buena fe en cuanto a que, precisado el deber regulatorio y su finalidad pública, no sería necesario listar cada una de las múltiples conductas que podrían constituir un incumplimiento. Así como el obrar sigue al ser, los elementos de la naturaleza del deber siguen a su esencia. Por ejemplo, si el deber consiste en no dañar un jarrón antiquísimo para preservar el patrimonio arqueológico, no es necesario detallar que se prohíbe empujarlo, apedrearlo, etc. Esta consideración marca una diferencia importante entre el *ius obligationis*, plano en el que se desenvuelve el derecho regulatorio, y la tipicidad punitiva literal.

Ahora bien, como dijimos, para que sea posible aplicar el principio de buena fe, es necesario precisar bien el contenido esencial del deber, labor en la que tiene cabida la interpretación *stricti iuris*. En otras palabras, la buena fe existe para ejecutar obligaciones determinadas y no para añadir indeterminadas. Al respecto, la Corte Suprema ha declarado que no cabe "*realizar una interpretación extensiva del sentido y alcance del señalado precepto legal, toda vez que se trata de una regla de naturaleza sancionatoria que, en consecuencia, debe ser interpretada de manera restrictiva*"[56].

Sobre esta base, podemos señalar como ejemplos de buena fe, la entrega de información no sólo fidedigna, sino también completa y suficiente, requerida por la autoridad en procedimientos fiscalizatorios o de investigación; y evitar la extensión del perjuicio causado al interés público. González añade que el deber urbanístico de mantener las edificaciones en condiciones de seguridad, salubridad u ornato conlleva "realizar, no sólo las obras especificadas en ellas, sino todas aquellas, complementarias o accesorias o no, que sean necesarias para conseguir el fin perseguido[57].

---

[55]   SCS Rol N° 5.779 de 2009, c. 5°.
[56]   SCS Rol N° 24.978-2019, c. 7°.
[57]   González Perez, Jesús, *El principio general de la buena fe en el derecho administrativo*, Civitas, Madrid, 1983, p. 101.

3.4. Buena fe en deberes correlativos de beneficio público

Estos deberes son impuestos por haber recibido una prestación por parte del Estado. Podemos mencionar aquellos de contraprestación, como el pago de tasas, tarifas, peajes o precios públicos; y los anejos al provecho adecuado del beneficio, como la conservación de bienes concesionados en su forma y sustancia, o el cumplimiento de estándares de rendimiento vinculados a subsidios, descuentos, becas, etc.

Cabe aquí consignar que, a diferencia de lo que ocurre en las relaciones con empresas privadas, los deberes asumidos por los deudores de una empresa estatal son de fuente legal y no contractual, pues obedecen al pago de un precio por una prestación lucrativa regulada por ley.

La ejecución de buena fe de estos deberes reune, salvo norma en contrario, los mismos requisitos reconocidos en el derecho privado para el cumplimiento de buena fe de obligaciones de pago, conservación de bienes, y cumplimiento de plazos, condiciones o modos. Algunos ejemplos, siguiendo a Fueyo, podrían ser el cumplimiento en día u hora razonable y conveniente, la revalorización de la deuda de dinero depreciado, y la satisfacción de las cargas asociadas a los frutos percibidos[58].

Específicamente, la jurisprudencia ha sostenido que el cumplimiento de buena fe del deber correlativo a una beca de estudios comprende el elemento inherente o *sine qua non* de aprobar el programa académico, aunque no esté mencionado expresamente en el estatuto que rige la relación[59]; y de cumplir con las garantías de pago respectivas aunque no hayan sido suscritas específicamente[60].

3.5. Buena fe en deberes de contribución al estado

La finalidad de estas prestaciones es asegurar el sostenimiento y funcionamiento de las instituciones del Estado. Pueden consistir en un dar, hacer, o no hacer compensado o no compensado de forma directa.

Los de contribución compensados son aquellos impuestos por actos de interés público expropiatorios, frustradores de confianzas legítimas,

---

[58]   Cfr. Fueyo Laneri, Fernando, "La ejecución de buena fe de los contratos como uno de los requisitos del pago", *Revista de Derecho y Jurisprudencia*, tomo LV, n° 1, 1958, pp. 399 a 422.

[59]   SCS Rol N° 19.135 de 2019.

[60]   SCS Rol N° 40.681-2016.

de nombramiento o elección de servidores públicos, y de adjudicación de contratos públicos. Los sujetos pasivos de estos gravámenes han asumido cargas públicas desiguales que corresponde compensar en virtud del artículo 19 N° 20 de la Constitución.

Los deberes de contribución no compensados corresponden, por regla general, a los de carácter tributario sin contraprestación directa (v.gr. impuestos, aranceles, patentes, etc.).

La ejecución de buena fe de estos deberes se rige por los requisitos del derecho común, sin perjuicio de algunas precisiones que podemos hacer en relación a su especificidad en derecho público.

Así, por ejemplo, los servidores públicos han pertenecido desde antiguo a un *status* asociado a un modo de cumplimiento, incluso superior al del ciudadano. Esta posición solía estar acuñada en monedas y precedida de la expresión *fides*. Se reconocía, por ejemplo, la buena fe en los deberes militares (*fides militum*), que exigía proteger a los camaradas y obedecer lealmente las órdenes de sus superiores; y la buena fe en los deberes senatoriales (*fides senatus*), que demandaba lealtad a sus compromisos públicos e imparcialidad en los debates y toma de decisiones[61]. Valsan explica también que el quid de la fidelidad a los deberes oficiales (*fides officia*), no consistía en "la propensión moral, interior de someterse a tales deberes… sino en la conducta actual, las acciones positivas que uno efectuaba y que creaban o reforzaban el crédito social"[62].

Este estándar de buena fe de los funcionarios se manifiesta también en nuestra legislación administrativa (Ley N° 18.575), *inter alia*, en "*cumplir fiel y esperadamente sus obligaciones*" (art 7), en "*observar una conducta funcionaria intachable y un desempeño honesto y leal de la función o cargo*" (art. 52 inciso 2°), "*en el recto y correcto ejercicio del poder público*", "*en lo razonable e imparcial de sus decisiones*", "*en la integridad ética y profesional de la administración de los recursos que se gestionan; en la expedición en el cumplimiento de sus funciones legales*" (art 53). Además, varias de las expresiones clásicas de buena fe funcionarial han sido explicitadas en leyes sectoriales, a las que simplemente nos remitimos por razones de espacio: N° 18.575 (arts. 19 y 62), N° 18.700 (art. 30), N° 18.834 (arts 55 y 78), N° 18.883 (art. 58 y 82), N° 19.884 (art. 27). Además, la buena fe exige al funcionario realizar aquellas labores que, no estando "pormenorizadas" en su estatuto laboral, se entienden incluidas dentro de la función por la que fueron designados[63].

---

[61]   Valsan, Remus, ob. cit., p. 52.
[62]   Ibíd., 58.
[63]   Dictamen CGR N° 21.233 de 2019.

Deberes similares de buena fe se extienden a la labor parlamentaria (art 5 A de la Ley N° 19.918, Ley Orgánica Constitucional del Congreso) y judicial (art. 316 y ss. del Código Orgánico de Tribunales).

En materia de contratistas del Estado, la ejecución de buena fe exige una fidelidad similar antes, durante y después del contrato. Podemos mencionar, por ejemplo, el deber de transparentar el eventual vínculo de propiedad de los oferentes con distinto rol único tributario, inherente a la naturaleza de un concurso; el deber de cumplir el contrato, estando pendiente su total tramitación, como si estuviera totalmente tramitado[64]; el deber de no solicitar la resolución del contrato por vicios accesorios o secundarios[65]; y el deber de no abusar de las prórrogas de plazo, aceptadas de buena fe por la Administración, para no cumplir lo comprometido[66].

Un caso interesante es aquél en que una empresa constructora debía construir una obra dentro de un plazo de diez meses a contar de la obtención del permiso de edificación. Sin embargo, habiendo transcurrido un año y cinco meses sin solicitar dicho permiso, la Municipalidad puso término al contrato por incumplimiento. La empresa alegó que la decisión era antijurídica porque el plazo para cumplir no había comenzado a correr. Sin embargo, la Corte Suprema declaró que el cumplimiento de buena fe del deber de construir conlleva el elemento natural de solicitar el permiso de edificación oportunamente, razón por la cual la caducidad era procedente. Lo contrario equivalía a sostener que el deber fue contraído bajo una condición potestativa dependiente de la mera voluntad del deudor, sancionada con nulidad en el Código Civil (art. 1478)[67]. En otro caso de construcción, más específico, la Corte sostuvo que la instalación de luminarias es de la naturaleza del deber de construcción, equipamiento, explotación y mantención[68].

Por otro lado, se considera atentatorio de la buena fe el desconocimiento de deberes aceptados o reconocidos en virtud de comportamientos anteriores o actos propios[69]; alegar desconocimiento de hechos onerosos que se debían informar y por los que se requirió un pago adicional en su momento[70]; la solicitud de resciliación del contrato antes de tener que cum-

---

[64] Dictamen CGR N° 38.395 de 2011.
[65] SCS Rol N° 4.001-2017, sentencia de reemplazo.
[66] SCS Rol N° 9.976-2015.
[67] SCS Rol N° 667-2008.
[68] SCS Rol N° 1.174-2010.
[69] SCS Rol N° 7.546 de 2016.
[70] SCS Rol N° 16.629-2016.

plir con los deberes estipulados[71]; y alegar en juicio la falta de legitimación pasiva de una autoridad con la que mantuvo una relación jurídica directa[72].

En relación con los deberes de dar al Estado, González sostiene que sería contrario a la buena fe el intento de cumplimiento de un modo anormal al de un hombre medio, como sería el pago íntegro de una multa o de una deuda en cientos de monedas de curso legal pero de bajo valor[73].

En materia tributaria, siguiendo a la legislación[74] y jurisprudencia reciente, la buena fe se opone a la elusión, que consiste en "*evitar el presupuesto de cualquier obligación tributaria, o en disminuir la carga tributaria a través de un medio jurídicamente anómalo, sin violar directamente el mandato de la regla jurídica pero sí los valores o principios del sistema tributario*"[75]. Por ejemplo, acogerse a un régimen simplificado de tributación sin cumplir con los presupuestos de desarrollar una actividad comercial y de estar obligado a llevar contabilidad completa, reduciendo así la carga tributaria de una venta de acciones de monto elevado[76]; u organizar que las remuneraciones por trabajo personal dependiente sean percibidas por sociedades o personas jurídicas que tributan impuestos de primera categoría, evitando así el impuesto único de segunda categoría[77]. También, la realización de actividades que corresponden a un negocio y dueño común a través de personas jurídicas independientes con giros diferenciados que pagan menos impuestos. Por ejemplo, el negocio de arriendo de cabañas amobladas que, para pagar menos impuestos, atribuye la propiedad de la cabaña sin muebles a una sociedad y el arriendo de los muebles a otra[78].

3.6. Buena fe del estado en sus deberes

Los principales deberes legales del Estado son de servicio y de compensación de cargas públicas desiguales. Los primeros, como su nombre lo

---

[71] SCS Rol N° 4795-2017.

[72] SCS Rol N° 2.581-2015.

[73] González Pérez, ob. cit., p. 102.

[74] Cfr. Arts. 4 bis, 4 ter, 4 quáter, 4 quinquies, 26 bis, 100 bis, 119 y 160 bis del Código Tributario, incorporados por la Ley N° 20.780.

[75] SCS Rol N° 29.358 de 2014, c. 10°..

[76] Ibíd.

[77] Circular N° 65 del Servicio de Impuestos Internos, que "Imparte instrucciones acerca de las normas incorporadas en el Código Tributario por la Ley N° 20.780, en materia de medidas antielusión", de 23 de julio de 2015, p. 4.

[78] Si bien esta práctica fue validada originalmente por la Corte Suprema, en SCS Rol N° 4.083-2001, posteriormente fue considerada como una vulneración del sentido de la ley.

indica, consisten en prestaciones de hacer o dar para satisfacer necesidades públicas calificadas por el legislador, entre las que destaca legislar, impartir justicia, gobernar y administrar.

El deber de compensar cargas públicas consiste usualmente en dar una suma de dinero a los sujetos libres de culpa que han sido afectados en sus derechos o en sus confianzas legítimas de modo desigual, a los funcionarios públicos y a los contratistas del Estado, por haber asumido individualmente gravámenes de interés público que corresponde distribuir entre todos. La compensación puede consistir también en dejar sin efecto o en asegurar la debida transitoriedad de una afectación desigual para proteger expectativas legítimas que no comprometen mayormente el interés público que justificó la medida[79].

La buena fe del Estado consiste en actuar conforme al tenor literal y a los elementos implícitos o inherentes de sus poderes-deberes legales. Desde luego, estos elementos no deben ser confundidos con las potestades "implícitas", por la misma razón que los elementos de un contrato no deben ser confundidos con los de sus obligaciones. Las atribuciones implícitas son antijurídicas porque no nacen del legislador sino de la interpretación inconstitucional del órgano administrativo. Los elementos naturales, en cambio, informan deberes establecidos por ley según su sentido, alcances y límites.

Desde una perspectiva general, los elementos de la naturaleza del poder son aquellos que determinan su juridicidad o legitimidad extra-normativa, que hemos abordado en otros trabajos. Nos referimos, en primer lugar, a los atributos de toda relación jurídica pública: unitaria, unilateral, potestativa, estatutaria y distributiva[80]. Segundo, a los criterios de juridicidad de especie o esencia del derecho, finalista, orgánica, procedimental, y territorial del acto, así como a su eficacia, proporcionalidad[81], igualdad y certeza[82]. El eventual reconocimiento normativo de estos elementos no altera sino confirma su pertenencia natural al poder-deber y, por tanto, resultan igualmente exigibles ante el silencio del legislador por razones de buena fe. La buena fe como elemento inherente al ejercicio de poderes unilate-

---

[79]   Phillips, ob. cit., pp. 65 a 80, 112 a 124, 205 a 214, y 311 y ss.

[80]   Arancibia Mattar, Jaime, "La relación jurídica pública: íter conceptual, atributos y criterios", en *El derecho administrativo y la protección de las personas*, Soto Kloss, Eduardo, ed., Ediciones UC, 2017, p. 6 y ss.

[81]   González Perez, ob. cit., p. 39.

[82]   Arancibia Mattar, Jaime, "Los puntos de prueba en los litigios de impugnación de actos administrativos", en *La Prueba en la Litigación Pública*, Librotecnia, 2016, pp. 176 y ss.

rales es tan manifiesta que, incluso cuando tales poderes son conferidos entre contratantes privados, estos deben ser ejercidos conforme a criterios implícitos de racionalidad, debido proceso deliberativo, proporcionalidad y motivación[83].

Algunos requerimientos específicos de buena fe estatal han surgido en virtud de la aplicación, a nuestro juicio errónea, del artículo 1546 del Código Civil a las relaciones legales mal llamadas contractuales. Sin embargo, nos parece que tales ejemplos son igualmente válidos si se considera que la buena fe del Estado goza de sustento alternativo a dicho precepto. Veamos, entonces, algunos ejemplos de buena fe.

En el ámbito de la proporcionalidad cabe destacar: la invalidación parcial y no total de actos viciados parcialmente (*utile per inutile non vitiatur*, "no se vicia lo útil por lo inútil"); el deber de subsanar o no invalidar el acto por vicios menores[84], y de escoger el momento para ejercer la potestad eficazmente pero del modo menos lesivo para el particular, es decir, ejercicio *utiliter* pero *civiliter* del poder[85].

En materia procedimental, cabe mencionar: evitar trámites dilatorios o atrasos injustificados en los procedimientos; brindar un trato comedido, cortés y deferente a los usuarios de un servicio[86]; y respetar la autarquía o autosuficiencia documental de los actos[87]. Asimismo, el deber de cobrar deudas conlleva el deber de velar por una eficiente utilización de los recursos del Estado, conforme a la importancia de la deuda[88], y la de realizar notificaciones útiles y no meramente formales[89].

Al contrario, ejemplos de mala fe procedimental serían prolongar procedimientos de investigación o sancionatorios abusando de la falta de caducidad o prescripción; traspasar al particular los costos de los errores o dilaciones propios, o de las descoordinaciones con otros organismos[90];

---

[83]   Paterson, Jeannie Marie, "Good Faith Duties in Contract Performance", *Oxford University Commonwealth Law Journal*, vol. 14, no. 2, 2014, p. 299 y ss.

[84]   SCS Rol N° 99.957-2016.

[85]   González Perez, ob. cit., p. 85 y 86.

[86]   Cfr. Caso *Quezada con Servicio de Salud*, citado por López, "Responsabilidad por falta de servicio... ", ob. cit., p. 35.

[87]   Arancibia Mattar, Jaime, "La autarquía de los actos administrativos en la jurisprudencia de la Contraloría General de la República", en *Administración y Derecho*, coordinado por Eduardo Soto Kloss, Thomson Reuters La Ley, 2014, p. 21 a 33. Ver Dictámenes N° 3.539 de 2013, N° 52.317 de 2013, y N° 72.378 de 2014.

[88]   Dictamen CGR N° 51.254 de 2002.

[89]   SCS Rol N° 199-2019.

[90]   Dictámenes N° 58.965 de 2007; N° 14.916 de 2010; y N° 61.949 de 2011.

valerse de antecedentes recopilados en un proceso de fiscalización para imponer una multa sin aviso previo[91]; y favorecer la operatividad del silencio administrativo (art. 65 de la Ley N° 19.880), afectando así la debida motivación e impugnabilidad de los actos.

Por su parte, la buena fe supone resguardar la igualdad distributiva y certeza de los particulares. La Corte Suprema ha definido la buena fe objetiva o implícita como el "*deber de no defraudar deslealmente la confianza que un tercero ha podido legítimamente depositar en un determinado estado de hecho provocado voluntariamente por las palabras o las actuaciones de una persona*"[92]. Se oponen a este criterio: la imposición de cambios bruscos de políticas o de interpretaciones; elaborar contratos que dejan al arbitrio de la Administración la extensión y, por tanto, el precio de un servicio contratado[93]; modificar sustancialmente las bases de un concurso una vez adjudicado[94]; exigir prestaciones inexistentes en el contrato[95]; someter a plebiscito revocatorio contratos recientes[96]; omitir el pago de trabajos de interés general, no mencionados en las bases, pero realizados con la anuencia del Estado[97]; y omitir el pago de gastos adicionales en que incurre el contratista por modificaciones unilaterales impuestas por el Estado, formales[98] e informales[99], o por obligaciones incumplidas por este[100].

También, omitir el pago del sobregasto asumido por el contratista por razones de caso fortuito o fuerza mayor, incluso en el caso de precios a suma alzada[101]; oponer la excepción de contrato no cumplido respecto de trabajos realizados cuyo estado de pago no pudo ser ingresado por el contratista por término unilateral y anticipado del contrato[102]; alegar tardíamente el incumplimiento de obligaciones que había dado por cumplidas

---

[91]   SCS Rol N° 62.128-2016.
[92]   SCS Rol N° 47.588-2016, c. 10°.
[93]   Dictamen CGR N° 60.626 de 2011.
[94]   La Corte Suprema sostuvo hace ya un siglo que la regla del artículo 1.546 del Código Civil impedía al Fisco, alterar las bases de un remate con posterioridad a la adjudicación. SCS 17 de mayo de 1921, *Revista de Derecho y Jurisprudencia*, t. 18, sec. 1.ª, p. 359. Ver también Dictamen CGR N° 65.497 de 2012.
[95]   SCS Rol N° 5.218-2018.
[96]   Dictamen CGR N° 68.161 de 2011.
[97]   Dictamen CGR N° 47.496 de 2010; y N° 6.502 de 2004. SCS Rol N° 13.977-2013.
[98]   Dictamen CGR N° 61.949 de 2011.
[99]   Dictamen CGR N° 12.820 de 1986; SCS Rol N° 92.858-2016. Dictámenes N° 19.900 de 1996, N° 45.415 de 2003, N° 48.352 de 2005, N° 29.069 de 2008.
[100]   SCS Rol N° 375-2013.
[101]   SCS Rol N° 4.168 de 2019 y SCS Rol N° 38.189-2016.
[102]   SCS Rol N° 3.361-2018.

en razón de su comportamiento previo[103]; e interferir, afectar u obstruir injustificadamente el debido desempeño del contratista.

En esta misma línea, la Corte Suprema ha sostenido que actúa de mala fe la autoridad que "*conmine al administrado a realizar determinada conducta, generando la confianza respecto que el cumplimiento de las exigencias determinará el cumplimiento de aquello a lo que la autoridad se compromete, para luego sostener que no tenía facultades para cumplir aquello que constituye lo ofrecido*"[104]; y, también, aquella que pretende sancionar una conducta del fiscalizado que ella misma había validado en un pronunciamiento anterior[105].

En materia de eficacia sancionatoria y contractual, se transgrede la buena fe al imponer sanciones semanas después de terminada la relación jurídica con el particular[106]; multar por incumplimientos causados por circunstancias inimputables al particular no previstas en el estatuto correspondiente[107]; sancionar por incumplimientos contractuales atribuibles a un hecho u omisión del Estado[108]; y omitir el pago de servicios efectivamente prestados por una empresa pese a las irregularidades en el contrato o en el proceso de licitación[109], sin perjuicio de las responsabilidades administrativas a que haya lugar.

Con respecto al atributo de eficacia prestacional, la buena fe exige: conceder la posesión material de los inmuebles una vez saneados[110]; considerar que la concesión de una cosa comprende también la de sus accesorios y frutos desde que se devenga, aunque no hayan sido mencionados expresamente; y garantizar condiciones de seguridad acordes a la naturaleza de la actividad realizada[111]. En materia de obligaciones de dar, la buena fe exige no sólo dictar el decreto de pago sino también velar por que sea efectuado por la unidad correspondiente[112]; también, el deber de pagar intereses devengados entre la aprobación del estado de pago hasta la fecha efectiva del

---

[103]   SCS Rol N° 4.886-2015.
[104]   SCS Rol N° 14.574-2017.
[105]   SCS Rol N° 99.957-2016.
[106]   Dictamen CGR N° 96.251 de 2015.
[107]   Dictamen CGR N° 1.275 de 2015.
[108]   Dictámenes CGR 31.991 de 2008 y N° 93.952 de 2014.
[109]   Dictámenes CGR N° 57.642 de 2007; N° 60.713 de 2011; N° 70.465 de 2012, N° 7.640 de 2013; N° 31.671 de 2013; N° 69.089 de 2013; N° 72.378 de 2014; N° 47.885 de 2016; N° 91.126 de 2016; N° 91.261 de 2016.
[110]   SCS, 18 de marzo de 1929, *Revista de Derecho y Jurisprudencia*, t. 27, sec. 1.ª, p. 190.
[111]   SCS Rol N° 4004-2003.
[112]   SCS Rol N° 22.084-2018.

mismo[113]; y el de pagar los saldos impagos de un contrato con el reajuste correspondiente[114].

A su vez, en materia de suministro, como indica Cordero, no basta "la mera operación para que la obligación se encuentre cumplida, sino que se respeten ciertos parámetros de higiene y seguridad, que es probable que no se encuentren en la obligación legal expresa, pero es evidente que de ella emanan"[115].

4. CONCLUSIONES

De acuerdo a lo expuesto en este trabajo, es posible destacar las siguientes conclusiones.

La ejecución de los deberes legales entre el Estado y los particulares debe ser de buena fe, lo que exige atender no sólo a lo expresado en ellos sino también a los elementos de su naturaleza.

La buena fe en el cumplimiento de deberes legales tiene un fundamento relativamente diferente al de las obligaciones contractuales, dado que no dimana de la confianza y honestidad entre las partes sino de su posición o rango dentro del ordenamiento jurídico. Básicamente, en el caso del Estado, el deber proviene de su rol de garante del bien común y de la mayor realización posible de las personas, mientras que en el caso de las personas es la calidad potencial o actual de ciudadano.

La ejecución de buena fe de una obligación legal supone necesariamente su constitución en una norma legal. En el caso de los particulares, las prestaciones legales pueden ser regulatorias, de contraprestación, y de contribución al Estado. En el caso del Estado, los deberes pueden ser regulatorios, de servicio y de compensación de cargas públicas desiguales.

En general, la ejecución de buena fe de los deberes legales comprende los deberes generales de advertir o informar riesgos recíprocos, velar por la indemnidad de la contraparte y de sus bienes, restaurar los equilibros económicos ante circunstancias imprevistas e inimputables, evitar cambios bruscos en el régimen de prestaciones, e impedir agravamiento de los daños causados por incumplimiento. Comprende también el deber

---

[113]   Dictamen CGR N° 47.660 de 2012.
[114]   Dictamen CGR N° 21.551 de 2009.
[115]   Cordero Vega, Luis, "La responsabilidad por falta de servicio y la jurisprudencia de la Corte Suprema", en *La falta de servicio*, Raúl Letelier ed., Thomson Reuters, 2012, p. 89.

de trato respetuoso que deben brindarse las autoridades y ciudadanos entre sí, y el de no aprovecharse de los vacíos normativos para realizar conductas contrarias a los fines de la regulación. Asimismo, la buena fe exige no añadir a los deberes elementos no comprendidos en su tenor literal o naturaleza.

Puesto que se trata de una deber preestablecido en una norma, el deber legal guarda una gran similitud con la obligación contractual en cuanto a su determinación y elementos infraccionales. Por esta razón, su incumplimiento debería estar sujeto a un régimen similar de responsabilidad, lo que supone, salvo norma expresa, la prueba de la obligación y su exigibilidad concreta por parte del acreedor, y de la diligencia u otra causal exculpatoria de incumplimiento por parte del deudor.

BIBLIOGRAFÍA UTILIZADA

Alcalde Rodríguez, Enrique, *Los Principios Generales del Derecho*, Santiago, Ediciones Universidad Católica de Chile, 2002.

Alessandri, Arturo; Somarriva, Manuel; y Vodanovic, *Tratado de Derecho Civil, Partes Preliminar y General*, tomo I, Editorial Jurídica de Chile, 1998.

Arancibia Mattar, Jaime, "La autarquía de los actos administrativos en la jurisprudencia de la Contraloría General de la República", en *Administración y Derecho*, coordinado por Eduardo Soto Kloss, Thomson Reuters La Ley, 2014, pp. 21 a 33.

Arancibia Mattar, Jaime, "La relación jurídica pública: íter conceptual, atributos y criterios", en *El derecho administrativo y la protección de las personas*, Soto Kloss, Eduardo, ed., Ediciones UC, 2017, p. 1 a 15.

Arancibia Mattar, Jaime, "Los puntos de prueba en los litigios de impugnación de actos administrativos", en *La Prueba en la Litigación Pública*, Librotecnia, 2016, pp. 161 a 190.

Arancibia Mattar, Jaime, "Naturaleza y justicia de los contratos administrativos", *Revista de Derecho Administrativo Económico*, Pontificia Universidad Católica de Chile, julio-diciembre, 2019, pp. 27 a 53.

Bello, Andrés, *Instituciones de derecho romano*, lib. 111. tít. 14, en *Obras completas de Andrés Bello*, La Casa de Bello, Caracas, 1959, reimpreso en 1981, XVII.

Betti, Emilio, *Teoría general de las obligaciones*, tomo I, Ed. *Revista de Derecho Privado*, 1ª edición, Madrid, 1969.

Cabreros de Anta, Marcelino, "Los estatutos en el Código de Derecho Canónico", *Revista Española de Derecho Canónico*, vol. 1, N° 3, 1946, pp. 615 a 641.

Cea Egaña, José Luis, *Derecho Constitucional Chileno*, tomo I, Ediciones Universidad Católica de Chile, 2002.

Cicerón, Marco Tulio, *Los deberes*, Libro I N° 58 y N° 160, y Libro III N° 90, Biblioteca Clásica Gredos, Madrid, 2014.

Cordero Quinzácara, Eduardo, "El sentido actual del dominio legal y la potestad reglamentaria", *Revista de Derecho de la Pontificia Universidad Católica de Valparaíso*, XXXII (Valparaíso, Chile, 1er Semestre de 2009), pp. 409-440.

Cordero Vega, Luis, "La responsabilidad por falta de servicio y la jurisprudencia de la Corte Suprema", en *La falta de servicio*, Raúl Letelier ed., Thomson Reuters, 2012, pp. 57 a 97.

Corral Talciani, Hernán, "La aplicación jurisprudencial de la buena fe objetiva en el ordenamiento civil chileno", *Revista de Derecho Privado* (*Universidad Externado de Colombia*), 2007, N° 12-13, 187 a 226.

Del Guayo Castiella, Íñigo, *Regulación*, Marcial Pons, 2017.

Diez-Picaso y Ponce de León, Luis, *Fundamentos del Derecho Civil patrimonial*, vol. I, Ed. Aranzadi, 6ª edición, Navarra, 2007.

Domat, J., *Derecho Público*, Instituto de Estudios de la Administración Local, Madrid, 1984.

Domat., J., *Las leyes civiles en su orden natural*, Tomo I, 2ª ed., Imprenta de José Taulo, Barcelona, 1844, p. 179.

Eyzaguirre Baeza, Cristóbal, y Rodríguez Diez, Javier, "Expansión y límites de la buena fe objetiva – a propósito del 'proyecto de principios latinoamericanos de derecho de los contratos", *Revista de Derecho Privado*, N° 21, julio 2013, pp. 137 a 216.

Facco, Javier Humberto, "*Oportere ex fide bona*. Una construcción decisiva de la jurisprudencia romana", *Revista de Derecho Privado*, N° 24, Bogotá Enero/Junio 2013, pp. 17 a 41.

Fiori, Roberto, "*Fides* et *bona fides*: Hiérarchie sociale et catégories juridiques", *Revue Historique de Droit Français et Étranger*, N° 4, 2008, pp. 465-481.

Fueyo Laneri, Fernando, "La ejecución de buena fe de los contratos como uno de los requisitos del pago", *Revista de Derecho y Jurisprudencia*, tomo LV, n° 1, 1958, pp. 399 a 422.

Fueyo Laneri, Fernando, *Instituciones de Derecho Civil Moderno*, Editorial Jurídica de Chile, 1990.

Giorgianni, Michele, *La obligación*, Biblioteca de Derecho Privado, Ediciones Olejnik, Santiago, 2018.

González Perez, Jesús, *El principio general de la buena fe en el derecho administrativo*, Civitas, Madrid, 1983.

Guzmán Brito, Alejandro, "La buena fe en el Código Civil de Chile", *Revista Chilena de Derecho*, Vol. 29 N° 1, 2002, pp. 11 a 23.

Hirschfeld, Julius, "Status", *Journal of the Society of Comparative Legislation*, vol. 4, no. 2, 1902, pp. 168-172.

Justiniano, *Digesto,* (Traducc. Ildefonso García del Corral, Barcelona, Kriegel, Hermann y Osenbrüggen editores, 1897).

López Santa María, Jorge y Elorriaga de Bonis, Fabián, *Los contratos,* Parte general, 6ª ed., Thomson Reuters, 2017.

Mosterín de las Heras, Jesús, *Conceptos y teorías en la ciencia,* 4ª ed., Alianza Editorial S.A., Madrid, 2016.

Paterson, Jeannie Marie, "Good Faith Duties in Contract Performance", *Oxford University Commonwealth Law Journal,* vol. 14, no. 2, 2014, 283-309.

Phillips, Jaime, *La protección de expectativas en el derecho administrativo chileno. Una propuesta para la aplicación del principio de protección,* tirant lo blanche, Valencia, 2020.

Pizarro Wilson, Carlos, "La culpa como elemento constitutivo del incumplimiento en las obligaciones de medio o de diligencia", *Revista de Derecho,* Pontificia Universidad Católica de Valparaíso, N° 31, 2008, pp. 255 a 265.

Platón, *Las leyes,* Libro VII, 822e a 823b, en *Diálogos IX,* Biblioteca Clásica Gredos, 266, Madrid, 1999.

Radi Elias, Roni Adil. "How Good Must the Government's Good Faith be? Defining the Boundaries of the Contractual Duty of Good Faith and Fair Dealing in Public Contracts", *Charleston Law Review,* vol. 10, no. 1, Spring 2016, pp. 105 a 158.

Ramirez Arrayás, José Antonio, "Interpretación constitucional y principio de la buena fe", *Estudios Constitucionales,* vol. 1, num. 1, 2003, pp. 739 a 756.

Real Academia Española, *Diccionario de la Lengua Española,* (22.a ed.), 2001.

Saavedra Galleguillos, Francisco Javier, "El principio general de la buena fe", en *Instituciones Modernas de Derecho Civil,* Editorial Jurídica Cono Sur, 1996.

Saccoccio, Antonio, "Dall'obbligo alla prestazione degli alimenti alla *obligatio ex lege",* *Rivista Di Diritto Dell'integrazionee Unificazione del Dirittoin Eurasia e in America Latina,* N° 35, 2014, pp. 3-40.

Sainz Moreno, Fernando, "La buena fe en las relaciones de la administración con los administrados", *Revista de Administración Pública,* N° 89, Madrid, 1979, pp. 293 a 314.

Schopf Olea, Adrián, "La buena fe contractual como norma jurídica", *Revista Chilena de Derecho Privado,* N° 31, diciembre 2008, pp. 109 a 153.

Turpin, Colin, "*Bonae Fidei Iudicia*", *Cambridge Law Journal,* N° 23, 1965, p. 260 a 270.

Valsan, Remus, "*Fides, bona fides,* and *bonus vir,* Relations of Trust and Confidence in Roman Antiquity", *Journal of Law, Religion and State,* N° 5, Brill Academic Publishers, 2017, pp. 48 a 85.

Sentencias del Tribunal Constitucional (STC):

– STC Rol N° 480.
– STC Rol N° 1.234.

Sentencias de la Corte Suprema (SCS):

–   SCS 17 de mayo de 1921, *Revista de Derecho y Jurisprudencia*, t. 18, sec. 1.ª, p. 359.
–   SCS, 18 de marzo de 1929, *Revista de Derecho y Jurisprudencia*, t. 27, sec. 1.ª, p. 190.
–   SCS, 9 de octubre de 1981, *Revista de Derecho y Jurisprudencia*, t. 78, sec. 5.ª, p. 207.
–   SCS Rol N° 4.083-2001.
–   SCS Rol N° 4004-2003.
–   SCS Rol N° 667-2008.
–   SCS Rol N° 5.779 de 2009.
–   SCS Rol N° 1.174-2010.
–   SCS Rol N° 5.417-2012.
–   SCS Rol N° 375–2013.
–   SCS Rol N° 13.977-2013.
–   SCS Rol N° 29.358 de 2014.
–   SCS Rol N° 2.581-2015.
–   SCS Rol N° 4.886-2015.
–   SCS Rol N° 9.976-2015.
–   SCS Rol N° 21.019-2015.
–   SCS Rol N° 7.546 de 2016.
–   SCS Rol N° 16.629-2016.
–   SCS Rol N° 38.189-2016.
–   SCS Rol N° 40.681-2016.
–   SCS Rol N° 47.588-2016.
–   SCS Rol N° 62.128-2016.
–   SCS Rol N° 92.858-2016.
–   SCS Rol N° 97.628-2016.
–   SCS Rol N° 99.957-2016.
–   SCS Rol N° 4.001-2017, sentencia de reemplazo.
–   SCS Rol N° 4.795-2017.
–   SCS Rol N° 14.574-2017.
–   SCS Rol N° 3.361-2018.
–   SCS Rol N° 5.218-2018.
–   SCS Rol N° 22.084-2018.
–   SCS Rol N° 29.945-2018.
–   SCS Rol N° 199-2019.
–   SCS Rol N° 4.168 de 2019.
–   SCS Rol N° 19.135 de 2019.

- SCS Rol N° 24.978-2019.
- SCS Rol N° 99.957-2016.

Dictámenes de la Contraloría General de la República (CGR)

- N° 12.820 de 1986.
- N° 18.567 de 1991.
- N° 19.900 de 1996.
- N° 2.965 de 1998.
- N° 45.522 de 1998.
- N° 51.254 de 2002.
- N° 45.415 de 2003.
- N° 6.502 de 2004.
- N° 48.352 de 2005.
- N° 38.949 de 2006.
- N° 16.238 de 2007.
- N° 57.642 de 2007.
- N° 58.965 de 2007
- N° 29.069 de 2008.
- N° 31.991 de 2008.
- N° 35.205 de 2008.
- N° 36.737 de 2008.
- N° 21.551 de 2009.
- N° 14.916 de 2010.
- N° 47.496 de 2010.
- N° 38.395 de 2011.
- N° 60.713 de 2011.
- N° 60.626 de 2011.
- N° 61.949 de 2011.
- N° 68.161 de 2011.
- N° 47.660 de 2012.
- N° 65.497 de 2012.
- N° 70.465 de 2012.
- N° 2.444 de 2013.
- N° 3.539 de 2013.
- N° 7.640 de 2013.
- N° 31.671 de 2013.
- N° 52.317 de 2013.

- Nº 69.089 de 2013.
- Nº 37.173 de 2014.
- Nº 72.378 de 2014.
- Nº 93.952 de 2014.
- Nº 1.275 de 2015.
- Nº 96.251 de 2015.
- Nº 17.738 de 2016.
- Nº 21.233 de 2019.
- Nº 47.885 de 2016.
- Nº 91.126 de 2016.

PROBIDAD ADMINISTRATIVA EN LA ETAPA DE EVALUACIÓN DE LA LICITACIÓN PÚBLICA*

Juan Carlos FLORES RIVAS
Doctor en Derecho, Universidad de los Andes, Chile
Profesor de Derecho Administrativo, Universidad de los Andes, Chile

1. INTRODUCCIÓN

El presente artículo tiene por objeto analizar el régimen jurídico de las Comisiones Evaluadoras previstas en los procedimientos de licitación pública, y sujeción al principio probidad como manifestación del principio de buena fe y rectitud que inspiran el actuar de los órganos públicos.

Para estos efectos sustentamos que las licitaciones públicas deben regirse por el principio de buena fe, bajo la creencia objetiva que sus miembros deben actuar con honradez y sujetos a una conducta recta, en el sentido de privilegiar el interés público sobre el privado al momento de seleccionar la oferta más conveniente para la satisfacción de la necesidad pública. La buena fe, y específicamente, la probidad administrativa obliga al Estado y a quienes participen en el proceso de licitación en ventilar los eventuales conflictos de interés directos o indirectos, a evitar comunicaciones formalizadas o desformalizadas entre los licitantes y las Comisiones Evaluadora, y finalmente

---

*   Este trabajo forma parte del Proyecto Fondecyt de Iniciación N°11180639, "Recepción del principio de equilibrio económico y financiero en los contratos administrativos de suministro y prestación de servicios, de construcción de obra pública y de concesión de obra pública", del que el autor es investigador principal.

evaluar y seleccionar la oferta más adecuada en términos objetivos siguiendo los criterios dispuestos por la ley y por la propia Administración en las Bases de Licitación, quedando prohibido la incorporación de elementos o la omisión de requisitos no previstos ni en la ley ni en las bases de licitación, que puedan generar situaciones de privilegios entre los oferentes.

2. LAS COMISIONES EVALUADORAS EN EL PROCEDIMIENTO LICITATORIO

Temporalmente, una vez presentadas y aceptadas las ofertas que cumplen con las exigencias legales y administrativas previstas en las bases de licitación, corresponde que la Administración licitante evalúe los aspectos técnicos, administrativos y económicos de las ofertas, conforme a los parámetros de evaluación y ponderación establecidos por el legislador o aquellos emanados de las bases de licitación.

Por mandato expreso del principio general de igualdad, y específicamente por la prohibición estatal de discriminar económicamente, las ofertas presentadas durante la licitación deben ser sometidas a un régimen de evaluación y revisión colegiado efectuado por un órgano administrativo interno denominado, indistintamente como Comisiones Evaluadoras. Si bien la relevancia de la etapa de la evaluación de las ofertas en las licitaciones públicas, las Comisiones Evaluadoras cuentan con una regulación mínima y dispersa en las normas que regulan contratos administrativos tipificados. Así por ejemplo, en el caso de la Ley N° 19.886 sobre los Contratos de Suministro y Prestación de Servicios, las Comisiones Evaluadoras son reguladas con algún grado de detalle el DS N° 250, que contiene el Reglamento de la Ley N° 19.886 sobre Contrato de Suministro y Prestación de Servicios.

En primer lugar, en cuanto a la forma de nombramiento de los miembros de las Comisiones Evaluadoras, el artículo 22 N° 10 del Reglamento, señala que la forma en que serán designados los miembros de las Comisiones Evaluadoras estará establecida en las Bases Administrativas del respectivo proceso de licitación. Sin embargo, el artículo 37 de la misma norma establece que los miembros de la Comisión Evaluadora no podrán tener conflictos de intereses con ninguno de los oferentes.

Luego, el artículo 38 y 40 bis del Reglamento regulan materias propias del funcionamiento interno de las Comisiones de Evaluación. El artículo 38 dispone que los miembros de la Comisión Evaluadora podrán elaborar pautas que precisen la forma de calificar los factores y subfactores definidos en las bases de licitación. Y, el artículo 40 bis establece el contenido que debe tener el informe de la Comisión Evaluadora, informando a la autoridad competente la proporción de adjudicación.

Una regulación más prolífica encontramos en los artículos 84 y siguientes del DS N° 75, de 2004 del Ministerio de Obras Públicas que aprueba el Reglamento para Contratos de Obras Públicas, que se encargan de reglamentar el funcionamiento y composición de las Comisiones de Evaluación de las Ofertas Técnicas y Económicas, las cuales deberan ser compuestas por tres miembros profesionales nombrados de conformidad con las bases de licitación.

Señala el DS N° 75 que la Comisión de Evaluación ostenta funciones relevantes para el procedimiento de licitación y posterior selección de la oferta más conveniente. En primer lugar, le corresponde a la Comisión Evaluadora la revisión y análisis detallado de las propuestas técnicas presentadas por los oferentes, verificando si se han incluido correctamente todos los requisitos dispuestos por la ley y las bases de licitación, rechazando las ofertas que no cumplan lo específicado, mediante un informe fundado. A su vez, dicha comisión verificará el estricto cumplimiento de la capacidad económica mínima disponible, correspondiente al 10% del valor del presupuesto oficial o estimativo, regulado en el artículo 73 del Reglamento.

Luego las ofertas técnicamente aceptadas pasaran a la etapa de apertura de las ofertas económicas, mientras que las ofertas tecnicamente rechazadas se les devolverá a los licitantes sus respectivas ofertas económicas por no cumplir con los requisitos mínimos para la siguiente etapa. A continuación, la Comisión de Evaluación procede a comprobar la consistencia y armonía entre la oferta técnica y el análisis de precios entregado en la oferta económica, con el objetivo de detectar posibles errores aritméticos y seleccionar la propuesta económica más conveniente.

En el caso que las ofertas pre-seleccionadas no presenten errores, la Comisión de Evaluación procederá a adjudicar la licitación de la oferta, elaborando un informe con la propuesta de adjudicación proponiendo la oferta más conveniente para que el Ministerio de Obras Públicas. Y en el caso, que dicho ministerio no tuviere observaciones respecto del Informe de Adjudicación, lo comunicará a los interesados.

Por su parte, respecto del Contrato de Concesión de Obra Pública, el artículo 7 del DS N° 900, que contiene la Ley de Concesiones de Obra Pública, señala que la licitación de la obra a concesionar se decidirá evaluando las ofertas técnicamente aceptables, de acuerdo a las características propias de las obras, atendiendo uno o más de los factores señalado en el mismo precepto, tales como la estructura tarifaria, el plazo, el nivel de riesgo, entre otros. A nivel reglamentario, el artículo 22 del DS Nº 956, de 1999, del MOP, que reglamenta la Ley de Concesiones, regula la existencia de una Comisión de Evaluación de las Ofertas, distinta de la Comisión de Apertura de las Ofertas, y compuesta por un profesional representante del Director General de Obras Públicas, un representante del Jefe del Servicio a quien corresponda la obra, uno designado por el Ministerio de Obras Públicas, y uno designado por el Ministerio de Hacienda, sin perjuicio que las bases contemplen designación de miembros adicionales.

A los miembros de la Comisión de Evaluación, en materia de concesiones de obra pública, les corresponde la calificación de las ofertas en forma independiente atendida la magnitud de la obra, su complejidad y documentación presentado. En primer lugar, la Comisión estudiará y calificará la Oferta Técnica de confomidad con los criterios dispuestos por la ley y aquellos establecidos en las bases. Las ofertas serán declaradas técnicamente aceptables o no aceptables, de conformidad con lo establecido en los parametros de aceptación técnica, sin que proceda recurso o reclamación alguna sobre esta decisión ante el Ministerio de Obras Públicas. Las ofertas técnicamente aceptables pasarán a la etapa siguiente de la evaluación consistente en la apertura y evaluación de las ofertas económicas.

La Comisión de Evaluación verificará si los antecedentes presentados en la oferta económica se ajusta a las bases de licitación y asignará un puntaje a la misma considerando los factores regulados en el artículo 7 del DS Nº 900, de 1996. Finalmente, la Comisión Evaluadora levantará un Acta de Calificación, que será firmada por todos los integrantes de la misma, en la que establecerá el orden de los licitantes en función del puntaje final obtenido.

Como se puede apreciar, respecto de los contratos administrativos típicos, esto es, que encuentran una regulación sustantiva determinada en nuestro ordenamiento jurídico, existe alguna regulación más o menos específicas de las Comisiones de Evaluación, y su funcionamiento, lo cual no existe o no concurre en otros contratos administrativos, como aquellos celebrados por las Municipalidades o las Empresas Públicas, donde son las Bases de Licitación, el instrumentos normativos que regula los aspectos esenciales de las Comisiones de Evaluación.

3. PRINCIPIO DE PROBIDAD: ANTECEDENTES GENERALES

Una vez analizadas las normas que regulan con mayor o menor intensidad la etapa de evaluación de las ofertas y las Comisiones de Evaluación en los procesos de licitación, corresponde estudiar si existe reglas o principios que deban cumplir las Comisiones de Evaluación al momento de revisar y evaluar las ofertas que le permitan de manera objetiva e imparcial seleccionar la oferta más conveniente para los intereses estatales sin infringir los derechos legítimos de los licitantes.

En este sentido, planteamos que a los procesos de evaluación y especialmente a las Comisiones Evaluadoras, le es aplicable en su íntegridad el principio de probidad, consistente en un privilegiar el interés general por sobre el interés particular canalizándose en deberes tales como ventilar los diferentes conflictos de interés que puedan ocurrir entre los miembros de la Comisiones de Evaluaciones y los oferentes, evitar durante el proceso de evaluación las relaciones formales o informales entre los oferentes y los miembros de las Comisiones de Evaluación.

Respecto del principio de probidad, en su sentido natural y obvio significa honradez, siendo la rectitud y moralidad a que tiene que ajustarse la conducta humana en el ejercicio de funciones públicas. De esta forma, la probidad impone el deber a los funcionarios del Estado de actuar de conformidad a los intereses públicos y fines a los cuales debe servir, prohibiendo otorgar preferencias o disfavores a él u otras personas[1].

Una definición expresa del principio de probidad administrativa, se encuentra recogida en el artículo 52 inciso segundo del DFL N° 1-19.653 de 2001, que fija el texto refundido, coordinado y sistematizado de la Ley N° 18.575, Orgánica Constitucional de Bases Generales de la Administración del Estado, que conceptualiza el principio de probidad como aquel que consiste en observar una conducta funcionaria intachable y un desempeño honesto y leal de la función o cargo, con preeminencia del interés general sobre el particular.

Por su parte, el artículo 53 agrega que *"(…) el interés general exige el empleo de medios idóneos de diagnóstico, decisión y control, para concretar, dentro del orden jurídico, una gestión eficiente y eficaz. Se expresa en el recto y correcto ejercicio del poder público por parte de las autoridades administrativas; en lo razonable e imparcial de sus decisiones; en la rectitud de ejecución de las normas, planes, programas y acciones; en la integridad ética y profesional de la administración de los recursos públicos que se gestionan; en la expedición en el cumplimiento de sus funciones legales, y en el acceso ciudadano a la información administrativa, en conformidad a la ley"*.

---

[1]   Cordero Vega, Luis: *Lecciones de Derecho Administrativo*, LegalPublish, Santiago, 2015, p.119.

Aclarado lo anterior, podemos efectuar algunas consideraciones respecto del principio de probidad para determinar su aplicación a las Comisiones Evaluadoras durante el procedimiento licitatorio. En primer lugar, podemos señalar que el principio de probidad tiene por destinatario los funcionarios públicos individualmente considerados, por cuanto, tal como señala Bermúdez es un principio que vincula tanto a las autoridades de la Administración del Estado, cualquiera sea su denominación en las leyes, como a los funcionarios de la Administración Pública, sean de planta, a contrata, siendo incluso aplicables a los servidores públicos contratados a honorarios[2].

En este sentido, la Contraloría ha extendido el principio de probidad a los Ministros de Estado, que de conformidad con la Carta Fundamental ostentan la calidad de colaboradores directos e inmediatos del Presidente de la República, que si bien en tanto ciudadanos conservan el derecho cívico a tener opiniones políticas y manifestar sus convicciones personales, ello no implica que dichas opiniones deban hacerse durante su jornada de trabajo y usando recursos públicos. En este sentido, por mandato del principio de probidad, la apoliticidad de quienes desarrollan una función o cargo público constituye una obligación permanente y se extiende a todo el período en que se encuentren ejerciendo sus labores y no solo a aquel en que se desarrolla un proceso electoral[3].

Una segunda consideración del principio de probidad se relaciona con la definición de probidad que establece nuestro ordenamiento jurídico, esto es, privilegiar el interés general por sobre el interés personal. Dicha definición es complementada por los supuestos fácticos regulados en la ley como atentario del principio de probidad, que a la postre tanto la Contraloría General de la República y los Tribunales Ordinarios de Justicia los han extendido a realidades originalmente no previstas[4].

---

[2]   Bermúdez Soto, Jorge: *Derecho Administrativo General*, 2ª edición, Abeledo Perrot, Santiago, 2011, p. 340.

[3]   Contraloría General de la República, Dictamen N° 61.301, de 2012.

[4]   Valdivia, José Miguel: *Manual de Derecho Administrativo*, Tirant Lo Blanch, Valencia, 2018, p. 130. En el mismo sentido, Barra Gallardo, Nancy: *Probidad Administrativa. Aproximación a la Ley N° 19.653 y a la Jurisprudencia Administrativa*. 3° edición, Editorial Lexisnexis, Santiago, 2007, p. 28. En este sentido, el Contraloría General de la República, Dictamen N° 30.733 de 2000, "(…) señala que *las actuaciones de un funcionario que impliquen una vulneración del referido principio de probidad son múltiples,* y que *el legislador no ha limitado a un número determinado las actuaciones funcionarias que vulneran el mismo, sino que, por el contrario, se ha preocupado de dejar claramente establecido cuáles conductas no pueden dejar de ser consideradas como una transgresión del referido principio".*

Nos hacemos la pregunta ¿es aplicable el principio de probidad a los funcionarios públicos que componen las comisiones evaluadoras, no obstante no desempeñen dicha función en forma permanente? En segundo lugar, nos preguntamos que obligaciones o deberes le impone el principio de probidad en el proceso interno de evaluación de las ofertas?

4. APLICACIÓN DEL PRINCIPIO DE PROBIDAD A LAS COMISIONES EVALUADORAS

La doctrina entiende que el principio de probidad consiste en la mantención de un conducta funcionaria intachable y el desempeño honesto y leal, siendo esencial la posición preeminente el interés general sobre el particular[5]. Respecto de la obligación de observar una conducta funcionaria intachable y un desempeño honesto y leal, se refiere al quehacer diario de los funcionarios públicos, que se concreta en las ideas general de mantener una vida pública y privada ajustada a la dignidad del cargo. La frase conducta funcionaria intachable y desempeño honesto y leal alude al deber de actuar en forma recta, proba, de buena fe, intachable desde el punto de vista ético, y por tanto, puede considerársela como un valor y una virtud moral que pueden poseer o desarrollar las personas para guiar su comportamiento en el sentido de la corrección moral en el desempeño de cualquier actividad o trabajo que lo requiera, sea éste en el ámbito particular o público.

Para asegurarse que quienes desarrollen funciones públicas tengan una conducta intachable y un desempeño honesto y leal, el legislador impone una serie de obligaciones que tienen por objetivo anular cualquier elemento exógeno que sea capaz de afectar la conducta imparcial y objetiva que se exige de los funcionarios públicos, principalmente, al momento de elaborar y dictar un acto administrativo. Entre el grupo de obligaciones impuestas por el legislador encontramos las inhabilidades, incompatibilidades y conductadas atentarias del principio de probidad.

Respecto de las inhabilidades, estas consisten en impedimientos legales para ejercer cargos públicos por encontrarse en una situación de hecho o jurídica que potencialmente puede afectar la imparcialidad en el ejercicio de la función pública, como por ejemplo tener conflictos económicos con

---

[5]   Barra Gallardo, Nancy: *Probidad Administrativa. Aproximación a la Ley N° 19.653 y a la Jurisprudencia Administrativa.* 3° edición, Editorial Lexisnexis, Santiago, 2007, p. 29.

el Estado (contratos y cauciones por 200 UTM), o relaciones de familia (cónyuges, hijos, etc.) o mantener litigios pendientes con el Estado. Por otro lado, respecto de las incompatibilidades, estas dan por supuesto que la persona asumió un cargo público, pero que en forma sobreviniente ha ocurrido un hecho que perturba el fiel y oportuno cumplimiento de los deberes funcionarios, por ejemplo el ejercicio de actividades particulares que total o parcialmente afectan el norma desarrollo de la jornada de trabajo en el servicio público, generando un conflicto entre el cumplimiento de las funciones públicas o el desarrollo de la actividad particular.

Finalmente, respecto de las conductas contraria al principio de probidad administrativa, se trata de un concepto amplio y evolutivo, descrito en términos generales en el artículo 62 de la Ley N° 18.575, que entrega un catálogo de atentado al principio de probidad.

Así, son algunos atentados especiales al principio de probidad: (i) usar en beneficio propio o de terceros la información reservada o privilegiada a que se tuviere acceso en razón de la función pública; (ii) hacer valer indebidamente la posición funcionaria para influir sobre una persona con el objeto de conseguir un beneficio directo o indirecto para sí o terceros; (iii) solicitar, hacer prometer o aceptar, en razón del cargo o función para sí o para terceros, donativos, ventajas o privilegios de cualquier naturaleza; (iv) intervenir, en razón de las funciones, en asuntos en que tenga interés personal o en que lo tenga el cónyuge, hijos o parientes hasta el tercer grado de consanguinidad y segundo de afinidad; (v) participar en decisiones en que exista cualquier circunstancia que le reste imparcialidad; (vi) omitir o eludir la propuesta pública en los casos que la ley la disponga.

A mayor abundamiento, la jurisprudencia de la Contraloría ha sostenido que las conductas descritas en el artículo 62 no son taxativas, por cuanto "*las actuaciones de un funcionario que impliquen una vulneración del referido principio de probidad son múltiples, y que el legislador no ha limitado a un número determinado las actuaciones funcionarias que vulneran el mismo, sino que, por el contrario, se ha preocupado de dejar claramente establecido cuáles conductas no pueden dejar de ser consideradas como una transgresión del referido principio*"[6].

Aclarado lo anterior, resolvamos la interrogante sobre si ¿es aplicable el principio de probidad a los funcionarios públicos que componen las Comisiones Evaluadoras? De la lectura de las normas citadas en este trabajo, se puede demostrar que el principio de probidad es plenamente aplicable

---

[6]   Contraloría General de la República, Dictamen N° 30.733 de 2000.

a las Comisiones de Evaluación, por cuanto éstas se encuentran compuestas principalmente por funcionarios públicos propios del órgano administrativo contratante, y no por personas ajenas a la Administración Pública, respecto de las cuales sea dudosa la aplicación del principio de probidad.

Así, en materia de obra pública, los artículos 84 y siguientes del DS N° 75, de 2004 del Ministerio de Obras Públicas regulan la Comisión de Evaluación como una instancia interna compuesta por funcionarios del Ministerio de Obras Públicas, la misma idea es reiterada en el Reglamento de la Ley de Concesiones de Obras Públicas.

La única duda que se nos presenta sobre la aplicación del principio de probidad a las Comisiones de Evaluación, se encuentra respecto del Contrato de su Suministro y Prestación de Servicios, donde el inciso 5° del artículo 37 del Reglamento admite que las Comisiones de Evaluación se encuentren compuestas por funcionarios públicos internos y externos. Y solo en casos excepcionales, y de manera fundada, la Comisión de Evaluación puede estar integrada por personas ajenas a la Administración.

Sin embargo, incluso es esos casos, el principio de probidad administrativa le resulta aplicable, por cuanto la persona ajena a la Administración puede no tener la calidad de funcionario público (v.gr., planta, contrata, honorario) pero por el solo hecho de integrar la Comisión de Evaluación inmediatamente pasa a ejercer una función pública de interés general[7], y es dicha función la que publifica el estatuto jurídico aplicable a los miembros de las Comisiones de Evaluación. En este sentido, la Contraloría ha señalado que las personas contratadas a honorarios en calidad de agentes públicos, deben ser consideradas funcionarios públicos, fundamentalmente para efectos de la responsabilidad administrativa[8].

5. DEBERES Y PROHIBICIONES IMPUESTAS POR EL PRINCIPIO DE PROBIDAD A LA COMISIONES DE EVALUACIÓN

Habiendo despejado el ámbito de aplicación del principio de probidad a las Comisiones Evaluadoras, nos corresponde determinar los deberes, obligaciones y prohibiciones específicas impuestas por el principio de probidad a las

---

[7]   Contraloría General de la República, Dictamen N° 25.132 de 2017.
[8]   Contraloría General de la República, Dictámenes N° 66.002, de 2011 y 53.573, de 2015.

Comisiones de Evaluación. Cabe señalar, que existen obligaciones generales establecidas en la Ley Orgánica Constitucional de Bases Generales de Administración del Estado, en leyes especiales que regulan cada contrato administrativo tipificado, en la ley que regula específicamente los conflictos de intereses, Ley N° 20.880, y en la Ley N° 20.730 que regula el Lobby, y finalmente, existen deberes nítidos impuestos por las directrices emitidas por la Contraloría General de la República, como por la Dirección de Compras Públicas.

5.1. Obligaciones de informar conflictos de interés

Como hemos adelantado, la Ley N° 18.575 Orgánica Constitucional de Bases Generales de la Administración del Estado, regula en términos generales los conflictos de interés en cuanto a establecer inhabilidades para ingresar a la Administración Pública cuando existan conflictos económicos o litigiosos con el Estado o se presenten relaciones de familia que le impidan a algún miembro potencial de la Comisión Evaluadora ejercer su función en forma independiente e imparcial, con claro perjuicio del interés general. La misma idea, se puede inferir respecto de las incompatibilidades reguladas en el mismo cuerpo legal, con la finalidad de emplear la mayor dedicación y tiempo al ejercicio de la función pública de evaluación de las ofertas sin que distraciones privadas afecten la prudencia y concentración que exige dicho ejercicio intelectivo.

Con mayor especificidad el artículo 1° de la Ley N° 20.880, de 2016 sobre Probidad en la Función Pública y la Prevención de los Conflictos de Intereses, señala que existe conflicto de intereses en el ejercicio de la función pública cuando concurren a la vez el interés general propio del ejercicio de las funciones con un interés particular, sea o no de carácter económico, de quien ejerce dichas funciones o de los terceros vinculados a él, o cuando concurren circunstancias que le restan imparcialidad en el ejercicio de sus competencias.

En el plano contractual administrativo, lo anterior es precisado por el artículo 37 del DS N° 250, que regula el Reglamento de la Ley N° 19.886, que establece que los miembros de las Comisiones de Evaluación, no podrán tener conflictos de interés con los oferentes, lo cual se traduce en que los funcionarios públicos que integren las Comisiones Evaluadoras se encuentran obligados a revisar y evaluar las ofertas de manera objetiva. y transparente, respetando la igualdad de los oferentes y la estricta sujeción a las bases[9].

---

[9]   Contraloría General de la República, Dictamen N° 305, de 2016.

En este sentido, mediante la Directiva de Contratación Pública N° 14, contenida en la Resolución Exenta N° 111B, de 17 de febrero de 2016, la Dirección de Contratación y Compras Pública señala que es obligación de los miembros de las Comisiones Evaluadoras que una vez designados en el cargo suscribir una declaración jurada en la que exprese no tener conflicto de interés alguno en relación con los actuales y los potenciales oferentes en los proceso licitatorios.

En efecto, la obligación de ventilar los conflictos de intereses, tiene por objetivo reforzar el principio de imparcialidad, consistente en que los actos emitidos por los miembros de la Comisión Evaluadora deben ser objetivos, probos y ajustados a derecho en su tramitación y decisión, debiendo el funcionario público abstenerse en intervenir en aquellos casos en que tenga un interés comprometido[10]. Por lo tanto, el principio de imparcialidad tiene por objetivo garantizar un mínimo de objetividad, mediante la regulación estricta de las causales de implicancias, recusaciones y deberes de abstención, tanto en la sustanciación del procedimiento como en la decisión que se adopte, incluso respecto de aquellos casos en los cuales no es muy claro o evidente el conflicto de interés.

5.2. *Obligación de abstenerse en el procedimiento y en la evaluación de las ofertas*

Como consecuencia de la existencia de conflictos de interés de alguno de los miembros de la Comisión de Evaluación, surge el deber de abstenerse de intervenir en el procedimiento licitatorio, y en consecuencia en la decisión final. Por lo tanto, En consecuencia, el funcionario miembro de una Comisión de Evaluación se encuentra obligado a comunicar dicha situación a su superior jerárquico antes de iniciar el procedimiento de evaluación y de comprometer la responsabilidad administrativa e institucional.

El principio de abstención se encuentra expresamente regulado en el artículo 12 de la Ley N° 19.880, de 2003 que regula los procedimientos administrativos, señalando que constituyen causales de abstención: (i) Tener interés personal en el asunto de que se trate o en otro en cuya resolución pudiera influir la de aquél; ser administrador de sociedad o entidad interesada, o tener cuestión litigiosa pendiente con algún interesado; (ii) Tener parentesco de consanguinidad dentro del cuarto grado o de afinidad dentro del

---

[10]   Poblete Vinaixa, Julia: *Actos y Contratos Administrativos*, 4ª Edición, Lexis Nexis, Santiago, 2008, p. 41.

segundo, con cualquiera de los interesados, con los administradores de entidades o sociedades interesadas y también con los asesores, representantes legales o mandatarios que intervengan en el procedimiento, así como compartir despacho profesional o estar asociado con éstos para el asesoramiento, la representación o el mandato; (iii) Tener amistad íntima o enemistad manifiesta con alguna de las personas mencionadas anteriormente; (iv) Haber tenido intervención como perito o como testigo en el procedimiento de que se trate; y (v) Tener relación de servicio con persona natural o jurídica interesada directamente en el asunto, o haberle prestado en los dos últimos años servicios profesionales de cualquier tipo y en cualquier circunstancia o lugar.

Por su parte, el artículo 6 bis del Reglamento de la Ley N° 19.886, establece respecto del deber de abstención, que *"Las autoridades y funcionarios, así como los contratados a honorarios en los casos en que excepcionalmente participen en procedimientos de contratación, de los organismos regidos por la Ley N° 19.886 y el presente Reglamento, deberán abstenerse de participar en los procedimientos de contratación regulados por dichos cuerpos normativos, cuando exista cualquier circunstancia que les reste imparcialidad, en los términos del artículo 62, N° 6, de la Ley N° 18.575 Orgánica Constitucional de Bases Generales de la Administración del Estado"*.

Como se puede apreciar, la finalidad de la norma es impedir que participen en el examen, estudio o resolución de determinados asuntos, aquellas personas que ejerciendo una función pública puedan verse afectados por un conflicto de interés en el desarrollo de su empleo o función, en virtud de circunstancias que objetivamente puedan alterar la imparcialidad con que éstos deben desempeñarse[11]. De esta forma, se busca que quienes participen en la decisión administrativa no se encuentren implicados de modo que pueda afectarse la objetividad de la decisión, por cuanto la finalidad es asegurar la plena realización y consecución del bien común, al margen de otros intereses o consideraciones particulares no objetivas, como favorecer a parientes o actuar en beneficio político partidista, o perseguir a personas por razones ajenas al interés público[12].

Lo anterior, ha sido precisado por la jurisprudencia de la Contraloría General de la República. En primer lugar, el ente contralor es partidario de entender que cualquier circunstancia que reste imparcialidad configura una causal de abstención para el funcionario público, aun cuando el ries-

---

[11]   Contraloría General de la República, Dictamen N° 21.414, de 2014.
[12]   Contraloría General de la República, Dictamen N° 2.196, de 1993.

go sea solo potencial[13]. En segundo lugar, la falta de imparcialidad debe ponderarse en base a circunstancias objetivas, en este sentido la Contraloría General de la República ha señalado que *"En este orden normativo es posible sostener que, para que se entienda que se presenta un conflicto de intereses que implique que una autoridad deba inhibirse de conocer un determinado asunto, es menester que existan antecedentes que objetiva y fundadamente acrediten que se ha configurado tal hipótesis"*[14].

Por lo tanto, si en un asunto concreto y de acuerdo a los antecedentes que lo acrediten se advierte que un servidor puede hacer primar su interés particular por sobre el interés general en una determinada decisión, aquél se encuentra sujeto al cumplimiento del señalado deber de abstención, porque de lo contrario infringiría el principio de probidad administrativa[15]. En efecto, el integrante de una Comisión de Evaluación afectado por dicho conflicto deberá abstenerse de participar en la Comisión de Evaluación, debiendo poner en conocimiento de su superior jerárquico la circunstancia que le resta imparcialidad para que dicha autoridad dicte el acto administrativo que lo sustituya en la Comisión de Evaluación.

En suma, el deber de abstención es la consecuencia natural de la infracción al principio de probidad, por cuanto tiene por objetivo impedir que tomen parte en la resolución, examen o estudio de determinados asuntos o materias aquellos funcionarios que puedan verse afectados por un conflicto de interés en el ejercicio de su empleo o función, en virtud de circunstancias que objetivamente puedan alterar la imparcialidad con que éstos deben desempeñarse, aun cuando dicha posibilidad sea sólo potencial[16].

5.3. *Prohibición de mantener contacto con los oferentes en el procedimiento licitatorio*

Otra obligación derivada del principio de probidad consiste en restringir las instancias de contacto entre los miembros de las Comisiones de Eva-

---

[13] Contraloría General de la República, Dictamen N° 65.376, de 2016. Señala la Contraloría que *"(…) la finalidad de la referida disposición es salvaguardar el principio de probidad administrativa, en el sentido de impedir que en los acuerdos adoptados por el concejo municipal, participe un concejal que, por interés personal o de sus parientes, pudiera no actuar con la debida imparcialidad, haciendo prevalecer los intereses particulares por sobre el interés público"*.

[14] Contraloría General de la República, Dictamen N° 51.933 de 2016.

[15] Contraloría General de la República, Dictamen N° 28.099, de 2013.

[16] Contraloría General de la República, Dictámenes N°s 75.791, de 2011; 25.336, de 2012 y 30.313 y 53.466, ambos de 2013.

luación y los potenciales oferentes, durante el procedimiento licitatorio, solo a aquellas formalmente dispuestas por la ley o por las bases de licitación. De esta forma, no se ajusta al principio de probidad que los miembros de la Comisión de Evaluación individual o colectivamente, sostengan reuniones dentro o fuera del servicio público, con uno o más oferentes, sin que el resto de los licitantes puedan participar u objetar, tanto la reunión como el contenido de la misma.

Al respecto, el artículo 39 del Reglamento de la Ley N° 19.886, señala que durante el período de evaluación, los oferentes solo podrán mantener contacto con la entidad licitante para los efectos de la misma, tales como solicitud de aclaraciones, entrevistas, visitas a terreno, presentaciones, exposiciones, entrega de muestras o pruebas que ésta pudiese requerir durante la evaluación y que hubiesen sido previstas en las bases, quedando absolutamente prohibido cualquier otro contacto[17].

Para garantizar que la Comisión Evaluadora desarrolle sus funciones en forma imparcial, exenta de presiones e influencias externas es recomendable que se incorporen en las bases de licitación, cláusulas que prohiban a los integrantes de las Comisiones Evaluadoras –mientras ejerzan sus funciones– aceptar solicitudes de reunión de terceros, sobre asuntos referidos al proceso licitatorio, tanto en términos formales como informales.

Esta obligación es necesario relacionarla con la exigencia del artículo 4 N° 7 de la Ley N° 20.730, que regula el lobby, y que considera como sujetos pasivos de lobby a los integrantes de las Comisiones Evaluadoras, sólo en lo que respecta al ejercicio de dichas funciones y mientras integren esas Comisiones, por cuanto ostenta una posición jurídica decisoria respecto de la evaluación y eventual adjudicación.

Lo anterior, implica que los miembros de las Comisiones Evaluadoras deben registrar las audiencias y reuniones que relicen con algún oferente del proceso licitatorio. Declarar y registrar los viajes que realice en razón de su cargo, su objeto, costo total y persona jurídica que lo financió, así como cualquier visita a terrenos durante el proceso de licitación. Así como registrar los donativos oficiales y protocolares, y aquellos de costumbre y buena educación.

Finalmente, estrechamente relaciona con la prohibición de contacto entre los miembros de las Comisiones de Evaluación y los oferentes se encuentran en la obligación de mantener en forma confidencial los antece-

---

[17]   Contraloría General de la República, Dictamen N° 11.176, de 2009.

dentes (oferta, datos, precios, aspectos técnicos, etc.) a que hayan tenido acceso durante el procedimiento de licitación y en la etapa de evaluación de las ofertas. Por lo tanto, se solicita que todos los miembros integrantes de las Comisiones Evaluadoras suscriban un acuerdo de confidencialidad o declaración jurada que contenga un compromiso de confidencialidad relativo a las bases, las ofertas, los antecedentes anexos y todas las deliberaciones ocurridas durante el período de evaluación[18].

5.4. Prohibición de innovar en los requisitos de las bases de licitación.

Una obligación esencialmente delicada en la etapa de evaluación de las ofertas consiste en la prohibición de incorporar elementos exogenos a los parametros de evaluación previstos en la ley y especialmente en las bases de licitación, ni omitir requisitos en favor de un licitante, ni dar por cumplido un requisito de una oferta en perjuicio del resto de los oferentes, sin que existan instancias formales que garanticen que todo los oferentes se encuentren y sean tratados de la misma forma.

La Contraloría ha señalado que la entidad licitante y la Comisión Evaluadora no pueden solicitar a los proponentes la complementación de su oferta, porque los oferentes no pueden mantender ningún tipo de contacto con la entidad licitante, con excepción de las solicitudes de aclaraciones y las peticiones de los oferentes para salvar errorres u omisiones formales, siempre y cuando las rectificaciones a dichos vicios u omisiones no le confieran una situación de privilegio respecto de los demás competidores[19].

La Comisión Evaluadora podría admitir ofertas que evidencien defectos de forma, errores de suma, errores u omisiones sin importancia, siempre que éstos sean susceptibles de aclararse con los demás documentos contenidos en la propuesta y no afecten el principio de igualdad de los oferentes. Por lo tanto, cuando las falencias de las ofertas sean cualitativa y cuantitativamente relevantes, que de haberse permitido una aclaración, ello hubiese involucrado una modificación o un cambio sustancial que hubiese dejado al oferente en una posición privilegiada, no son toleradas por el ordenamiento jurídico[20].

---

[18]   Directiva de Contratación Pública N° 14, contenida en la Resolución Exenta N° 111B, de 17 de febrero der 2016, de la Dirección de Contratación y Compras Pública, N° 3.2.4.

[19]   Contraloría General de la República, Dictamen N° 30.050 de 2013.

[20]   CA., Stgo., 24 de agosto de 2018, Rol N° 169-2018.

Otro error frecuente en que pueden incurrir las Comisiones Evaluadoras es incorporar o exigir requisitos que la entidad licitante no reguló en términos formales y explicitos en las bases de licitación que gobiernan el procedimiento licitatorio. Así, la Corte de Apelaciones de Santiago ha señalado que:

> "(…) no es atendible la argumentación que hace la reclamante en su libelo, al señalar que dada la naturaleza del contrato licitado (la ejecución de un proyecto de mantención de luminarias públicas), exige un mayor rigor en cuanto a la acreditación de la experiencia requerida, pues la oportunidad para haber considerado dicha circunstancia era en la etapa de elaboración de las Bases Generales de Licitación y en caso de estimarse necesario y de relevancia, debió incluirse tal parámetro en dichas Bases y, ello no se hizo. La Comisión de Evaluación, al evaluar el criterio de la experiencia de la oferente que ha demandado teniendo en cuenta solamente la cantidad de puntos luminosos acreditados por certificados emitidos por otros municipios y excluyendo aquéllos –la mayoría, por cierto– que fueron acreditados por certificados otorgados por Chilectra S.A., incurrió en una ilegalidad, toda vez que no se ajustó a lo establecido en las Bases Generales. De la misma manera, se infringió lo establecido en la letra D. de las Bases Generales relativa a la "Evaluación de las Ofertas", en virtud de la cual estaba obligada a fundar su evaluación"[21].

En consecuencia, las Comisiones de Evaluación se encuentran sujetas a las reglas y mandatos conferidos por las bases de licitación, y cualquier innovación u omisión en los requisitos y factores para evaluar las ofertas, que no sean extendido a todos los oferentes, bajo condiciones de igualdad, y que busque generar situaciones de privilegio, que no sean capaz de sortear el test de discriminación no arbitrario y la motivación suficiente y razonable.

Lo anterior genera la responsabilidad funcionaria y personal de los miembros de la Comisión de Evaluación, por infracciones graves al principio de probidad, que después de un sumario administrativo, puede dar lugar a la expulsión de su calidad de funcionario público. Cabe señalar que, nuestro ordenamiento no define que se entiende por infracción grave del principio de probidad, ni tampoco regula los criterios para determinar la gravedad de una conducta, correspondiendo a la Administración Activa calificar la gravedad, debiendo respetar el debido proceso. La Contraloría es categórica en señalar que:

> "(…) es de competencia de esta Entidad velar porque los procedimientos sumariales se ajusten estrictamente al principio de juridicidad, consagrado en los artículos 6°, 7° y 19, N° 3, de la Carta Fundamental, y en el artículo 2° de la Ley

---

[21]   CA., Stgo., 26 de enero de 2018, Rol N° 12162-2017.

Nº 18.575, de Bases Generales de la Administración del Estado, vale decir, que se substancien con estricto apego a la legislación respectiva, emitiendo decisiones justas, exentas de discriminaciones arbitrarias –luego de considerarse todos los hechos fehacientemente establecidos–, y aplicando sanciones que se correspondan con la gravedad de los hechos y la responsabilidad del servidor en ellos, resguardando, de este modo, el principio de la proporcionalidad contemplado en el artículo 120 de la Ley Nº 18.883, cuerpo estatutario de los funcionarios municipales"[22].

6. CONCLUSIONES

Una vez analizado el estatuto jurídico de las Comisiones de Evaluación de las ofertas en los procedimientos de licitación pública, podemos arribar a las siguientes conclusiones:

1. Que existe una regulación básica y suscinta de las Comisiones de Evaluación en los contratos administrativos tipificados, no obstante, se puede apreciar un vacio relevante respecto de los contratos que no cuenta con una regulación más prolífica, como los contratos municipales o aquellos celebrados por empresas públicas.

2. Que la regulación existente de las Comisiones de Evaluación solo aborda materias como la integración de las mismas y su relación la evaluación de las ofertas técnicas y económicas, existiendo vacios respecto de aspectos sustanciales, como la aplicación del principio de probidad, la existencia de deberes de confidencialidad y el cumplimiento del principio de imparcialidad y objetividad.

3. Que el principio de probidad, aun cuando en algunos casos pueda resultar dudoso, es plenamente aplicable a las Comisiones de Evaluación en los procedimientos de licitación pública, obligando que dichas entidades privilegien el interés general por sobre el particular, al momento de seleccionar la oferta más conveniente para el interés público.

4. Que el principio de probidad impone obligaciones y deberes específicos a los miembros de las Comisiones de Evaluación, tales como declarar los conflictos de interés que efectiva y potencialmente puedan afectar a los miembros respecto de los oferentes. Asimismo, el principio de probidad obliga a los miembros que tengan conflictos

---

[22]   Contraloría General de la República, Dictamen Nº 17.746 de 2009.

de intereses a abstener de participar en el proceso de evaluación de las ofertas.

5. Que el principio de probidad impone a los miembros de las Comisiones de Evaluación, la prohibición de incorporar elementos exógenos al proceso de evaluación, así como omitir requisitos previstos en las Bases de Licitación, con el objetivo de privilegiar a un o unos oferentes respecto de otros, con clara infracción a los principios de estricta sujección a las bases e igualdad de los oferentes.

BIBLIOGRAFÍA CITADA

Barra Gallardo, Nancy: *Probidad Administrativa. Aproximación a la Ley N° 19.653 y a la Jurisprudencia Administrativa.* 3° edición, Editorial Lexisnexis, Santiago, 2007.

Bermúdez Soto, Jorge: *Derecho Administrativo General,* 2ª edición, Abeledo Perrot, Santiago, 2011.

Cordero Vega, Luis: *Lecciones de Derecho Administrativo,* LegalPublish, Santiago, 2015.

Poblete Vinaixa, Julia: Actos y Contratos Administrativos, 4ª Edición, Lexis Nexis, Santiago, 2008.

Valdivia, José Miguel: *Manual de Derecho Administrativo,* Tirant Lo Blanch, Valencia, 2018.

Jurisprudencia citada

–   CA., Stgo., 24 de agosto de 2018, Rol N° 169-2018.

–   CA., Stgo., 26 de enero de 2018, Rol N° 12162-2017.

–   Contraloría General de la República.

–   Dictamen N° 61.301, de 2012.

–   Dictamen N° 30.733 de 2000.

–   Dictamen N° 25.132 de 2017.

–   Dictámenes N° 66.002 de 2011.

–   Dictamen N° 53.573 de 2015.

–   Dictamen N° 305, de 2016.

–   Dictamen N° 21.414, de 2014.

–   Dictamen N° 2.196, de 1993.

–   Dictamen N° 65.376, de 2016.

–   Dictamen N° 51.933 de 2016.

–   Dictamen N° 28.099, de 2013.

–   Dictámenes N°s 75.791 de 2011

- Dictamen N° 25.336, de 2012
- Dictamen N° 30.313 de 2013.
- Dictamen N° 53.466 de 2013.
- Dictamen N° 11.176, de 2009.
- Dictamen N° 30.050 de 2013.
- Dictamen N° 17.746 de 2009.

DERECHO CANÓNICO

ALGUNOS ASPECTOS SOBRE LA BUENA FE EN EL MATRIMONIO CANÓNICO

Anastasía Assimakópulos Figueroa

Doctora en Derecho, Universidad de los Andes, Chile
Profesora de Derecho Canónico, Universidad de los Andes, Chile

1. INTRODUCCIÓN

El Código de Derecho Canónico de 1983 (en adelante CIC) trata de la buena fe en relación con dos materias: la prescripción (c. 198) y el matrimonio putativo (c. 1061 § 3). El presente artículo se refiere a esta última institución. Sin embargo, queremos mencionar que respecto del primer caso, el canon 198 señala que para que opere la prescripción se debe tener buena fe al inicio y durante todo el tiempo requerido, salvo en relación con la acción penal del canon 1362 § 2[1].

La institución del matrimonio putativo se aplica una vez que se ha declarado nulo el matrimonio, cuando al menos uno de los contrayentes ha contraído el vínculo esponsal de buena fe y se aplica hasta que ambos tienen certeza de la nulidad.

---

[1]   Código de Derecho Canónico de 1983, canon 198: "Ninguna prescripción tiene validez si no se funda en la buena fe, no sólo al comienzo, sino durante todo el decurso de tiempo requerido para la misma, salvo lo establecido en el c. 1362".
Código de Derecho Canónico de 1983, canon 198 1362 § 2: "El tiempo para la prescripción comienza a contarse a partir del día en el que se cometió el delito, o, cuando se trata de un delito continuado o habitual, a partir del día en que cesó".

2. EL MATRIMONIO EN EL ORDENAMIENTO CANÓNICO

El matrimonio en el Derecho Canónico está íntimamente relacionado con la naturaleza de la persona humana como ser sexuado, libre, con autoconciencia y que tiene la capacidad de ser "para" y "con" otras personas.

En esencia el matrimonio es la unión de un hombre y una mujer, en cuanto hombre y en cuanto mujer, fruto de un acto de voluntad de ambos, para constituir un consorcio de por vida con el fin de buscar el bien recíproco y la generación y educación de los hijos. Así lo expresa el canon 1055 § 1 del Código de Derecho Canónico de 1983:

> "1055 § 1 La alianza matrimonial, por la que el varón y la mujer constituyen entre sí un consorcio de toda la vida, ordenado por su misma índole natural al bien de los cónyuges y a la generación y educación de la prole, fue elevada por Cristo Señor a la dignidad de sacramento entre bautizados".

Este canon expresa los elementos del matrimonio: el consentimiento matrimonial como causa eficiente del vínculo conyugal; la unión en las naturaleza masculina y femenina del hombre y la mujer que se casan, que incluye la dimensión sexual; las propiedades de la unidad e indisolubilidad esponsales que se derivan del elemento anterior; los fines de la mutua ayuda y la procreación y educación de la prole.

A partir de estos elementos, el ordenamiento canónico establece los requisitos del consentimiento, la forma de manifestarlo y los derechos y obligaciones conyugales recíprocos. Además, el Derecho Canónico reconoce el natural derecho a casarse, que para los fieles católicos es una forma de vivir el cristianismo. Una manera de proteger el matrimonio de los católicos es ponerlo bajo la jurisdicción de dicho ordenamiento. Así lo establece el canon 1059:

> "1059 El matrimonio de los católicos, aunque sea católico uno solo de los contrayentes, se rige no solo por el derecho divino sino también por el canónico, sin perjuicio de la competencia de la potestad civil sobre los efectos meramente civiles del mismo matrimonio".

La jurisdicción eclesiástica respecto del matrimonio se traduce en el ejercicio de la potestad legislativa, ejecutiva y judicial. Además de sistematizar la formación del consentimiento matrimonial, sus requisitos de validez, y establecer la forma de expresar dicho consentimiento, el Derecho canónico subsana ciertos defectos de la voluntad esponsal, señala los efectos del vínculo conyugal y determina la competencia de tribunales eclesiásticos para analizar y declarar la validez o nulidad de una unión esponsal concreta.

3. EL *IUS CONNUBII* Y EL *FAVOR MATRIMONII*

El *ius connubii* es la aptitud jurídica para contraer matrimonio y a la vez derecho a contraerlo. Es un derecho humano y en la Iglesia Católica es una especificación de la libertad en la elección del estado de vida determinada en el canon 219[2]. El canon 1058 del CIC, consagra el derecho a casarse en los siguientes términos:

"1058 Pueden contraer matrimonio todos aquellos a quienes el derecho no se lo prohíbe".

El Derecho canónico establece requisitos de forma y de fondo para proteger y garantizar el derecho a contraer matrimonio de sus miembros[3]. En este sentido el *favor matrimonii* es una ayuda para el ejercicio legítimo del *ius connubii*, y ambos son los ejes del sistema matrimonial canónico. El canon 1060 del Código de Derecho Canónico de 1983 expone el *favor matrimonii* de la siguiente forma:

"El matrimonio goza del favor del derecho; por lo que en la duda se ha de estar por la validez del matrimonio mientras no se pruebe lo contrario".

Se puede afirmar que el *favor matrimonii* es la expresión del valor positivo que el ordenamiento canónico otorga a la realidad natural del *ius connubii* y al matrimonio. La unión conyugal de un hombre y de una mujer exige la protección, defensa y fomento por parte del sistema jurídico, dada la importancia que tiene para los propios cónyuges, para sus hijos y para toda la sociedad eclesial[4].

Este principio informa todas las normas sobre la unión esponsal y tiene como principal consecuencia la presunción de validez de los matrimonios celebrados. Tiene en consideración la natural tendencia de las personas a casarse[5]. La presunción antes mencionada se aplica en la formación del vínculo conyugal y al aplicar normas procesales[6].

---

[2]   Código de Derecho Canónico de 1983, canon 219: "En la elección del estado de vida, todos los fieles tienen el derecho a ser inmunes de cualquier coacción".

[3]   Martín de Agar, J. T. "Matrimonio putativo y convalidación automática del matrimonio nulo", en *Ius Canonicum*, XLI, N. 81, 2001, p. 295.

[4]   Bañares, J. I., "El 'favor matrimonii' y la presunción de validez del matrimonio contraído. Comentario al discurso de Juan Pablo II al Tribunal de la Rota Romana de 29.I.2004", en *Ius Canonicum*, XLV, 89, p. 246.

[5]   Errázuriz, C. J., Il matrimonio e la famiglia quale bene giuridico eccesiale, EDUSC, Roma, 2016, p. 77.

[6]   Bañares, J. I., "El 'favor matrimonii' y la presunción de validez del matrimonio contraído. Comentario al discurso de Juan Pablo II al Tribunal de la Rota Romana de

4. EL PACTO CONYUGAL

El pacto conyugal, es decir, la expresión del consentimiento matrimonial es la causa eficiente del matrimonio. Al manifestar su voluntad esponsal, el hombre y la mujer generan el vínculo conyugal[7], dado que solo los contrayentes pueden entregarse y aceptarse recíprocamente como cónyuges.

El canon 1057 del Código de Derecho Canónico trata de esta materia en los siguientes términos:

> "1057 § 1. El matrimonio lo produce el consentimiento de las partes legítimamente manifestado entre personas jurídicamente hábiles, consentimiento que ningún poder humano puede suplir.
>
> § 2. El consentimiento matrimonial es el acto de la voluntad, por el cual el varón y la mujer se entregan y aceptan mutuamente en alianza irrevocable para constituir el matrimonio".

El pacto conyugal es un único acto que requiere la concurrencia de las voluntades del hombre y de la mujer que se casan. Deben tener la habilidad jurídica de emitir un consentimiento válido. Es decir, deben ser libres, tener la discreción de juicio proporcionada al objeto del matrimonio y ser capaces de asumir las obligaciones matrimoniales. Además, se requiere que la voluntad expresada sea manifestación de la voluntad interna[8]. Por medio del pacto conyugal, los esposos unen sus personas y asumen libremente los efectos de dicha unión[9]. Por esto, cualquier defecto en el consentimiento matrimonial hace nulo el matrimonio.

5. INTELIGENCIA Y VOLUNTAD EN LA FORMACIÓN DEL PACTO CONYUGAL

Como decíamos más arriba contraer matrimonio es siempre un acto libre, es decir un acto de la voluntad ilustrada por la inteligencia. Si bien hay múltiples factores que acompañan y fomentan la decisión de casarse

---

[7]   29.I.2004", en *Ius Canonicum*, XLV, 89, p. 244.
    García Hervás, D. (dir), *Manual de Derecho matrimonial canónico*, COLEX, Madrid, 2002, p. 120.

[8]   García Hervás, D. (dir), *Manual de Derecho matrimonial canónico*, COLEX, Madrid, 2002, p. 120.p. 41.

[9]   Hervada, J. y Lombardía, P., El Derecho del pueblo de Dios. Hacia un sistema de Derecho Canónico. III. Derecho Matrimonial (1), Ediciones Universidad de Navarra, S. A., Pamplona, 1973, p. 322.

(afectos y sentimientos, proyecto de vida, etapa vital), lo determinante es el acto volitivo. Sin embargo, conocer los elementos del matrimonio y la persona con la que se contrae el vínculo son el presupuesto teórico del acto de voluntad esponsal[10].

Para la formación del consentimiento matrimonial se requiere el acto de la voluntad de ambos contrayentes que consienten en la entrega y aceptación recíprocas como cónyuges. La inteligencia conoce el matrimonio en sus rasgos fundamentales y presenta al contrayente como cónyuge. La interacción de la inteligencia y de la voluntad en la decisión de casarse se refiere principalmente al matrimonio y sus elementos esenciales y a la persona del otro contrayente como cónyuge. Ambos aspectos son importantes, y la discordancia entre la idea intelectual y la realidad puede incidir de manera determinante en la voluntad matrimonial.

Es importante señalar que como en todo acto humano, en la formación de la voluntad de cada contrayente, la interacción del intelecto y de la voluntad no es correlativa de una sobre la otra, ni determinante del conocimiento sobre la decisión. Si bien la voluntad actúa sobre la base de lo que le presenta la inteligencia, la decisión no necesariamente está dirigida en el sentido de lo propuesto intelectualmente. Por otra parte, la voluntad es impulso para el intelecto[11].

En ámbito matrimonial la acción del intelecto y de la voluntad debe dirigirse a los elementos fundamentales de la unión esponsal y la identidad del contrayente. Las imperfecciones intelectuales sobre matrimonio en sí mismo y el futuro cónyuge no inciden necesariamente en el acto libre. No es relevante la profundidad de dicho conocimiento, sino que este sea verdadero, es decir, que se adecúe a la realidad.

6. LA BUENA FE EN EL MATRIMONIO CANÓNICO

Lo dicho en los apartados anteriores es el marco teórico para exponer la buena fe en el matrimonio católico, que se puede considerar un aporte del Derecho canónico a la ciencia del Derecho[12].

---

[10]   Fumagalli Carulli, Ombretta, Intelletto e volontà nel consenso matrimoniale in diritto canonico, Pubblicazioni della Università del Sacro Cuore, Milano, 2ª ed., 1981, p. 237.

[11]   Fumagalli Carulli, Ombretta, Intelletto e volontà nel consenso matrimoniale in diritto canonico, Pubblicazioni della Università del Sacro Cuore, Milano, 2ª ed., 1981, p. 233.

[12]   Facco, J, "Apuntes sobre la *aequitas* en la tradición canónica medieval", en *Revista Jurídica Digital UANDES* 2/2 (2018), 29.

La buena fe en el Derecho Canónico se ha comprendido en sentido teológico y jurídico. En el primer significado se ha entendido como la ausencia de pecado, es decir, proceder con rectitud y justicia[13]. La calificación teológica que se da al acto efectuado de buena fe se refiere a que está en armonía en la relación con Dios, con las demás personas y con la persona misma que obra y se relaciona con la conciencia del ser humano[14].

En el aspecto jurídico, el concepto de buena fe se ha desarrollado en un doble significado: psicológico o posesorio, y en sentido objetivo, ético y contractual[15]. En el primer aspecto dice relación con una situación subjetiva, con la convicción de estar realizando un acto jurídico válido. En el segundo aspecto, se refiere al comportamiento socialmente esperado[16]. Se podría afirmar que la buena fe matrimonial es aquella por la cual los novios, o al menos uno de ellos, quieren contraer una verdadera unión conyugal y lo celebran bajo esa suposición[17].

Albisetti sostiene que la novedad de la buena fe en el ámbito canónico radica es ser sustancialmente bivalente: ser un concepto teológico y jurídico al mismo tiempo, aunque ambos términos no sean interdependientes[18].

La doctrina sobre el matrimonio putativo ha rehuido establecer una división radical y excluyente entre la buena fe psicológica, fundada en la ignorancia de la causa de nulidad, y la concepción ética de la buena fe, como ausencia de pecado[19]. Sin embargo, en este trabajo nos referiremos al aspecto jurídico.

La buena fe en el matrimonio canónico aparece en fuentes recogidas por las Decretales de Gregorio IX[20], para legitimar a los hijos nacidos o concebidos en matrimonios nulos. Cabe señalar que hasta el Concilio La-

---

[13]   Navarrete, U. (1959), *La buena fe de las personas jurídicas en orden a la prescripción adquisitiva*. Roma: Librería Editrice dell' Università Gregoriana, p. 42.

[14]   Facco, J, "Apuntes sobre la *aequitas* en la tradición canónica medieval", en *Revista Jurídica Digital UANDES* 2/2 (2018), 28.

[15]   Albisetti, A., "Riflessioni sulla *bona fides* canonistica dopo il *Codex* del 1983, en AA. VV., *Studi in onore di gaetano Catalano*, Soveria Mannelli, Rubbettino, p. 280.

[16]   Scavo Lombardo, L., 1959, "Buona fede", en "Enciclopledia del diritto", t V. Giuffrè, Milano, p. 664.

[17]   Aznar Gil, F., "Derecho matrimonial canónico" (vol. I): cánones 1055-1094, Universidad Pontificia de Salamanca, Salamanca, 2015, p. 136.

[18]   Albisetti, Studi in onore di Gaetano Catalano, Soveria Mannelli, Rubberttino, 1998, tomo I, 19. p. 284.

[19]   López Alarcón, M., "Algunas consideraciones sobre el matrimonio putativo", *en Ius canonicum*, Vol. 39, N° Extra 1, 1999, p. 913.

[20]   Por ejemplo, X.4.17.2; X.4.33.+

teranense de 1215, el impedimento matrimonial de parentesco era más amplio: llegaba al séptimo grado de consanguinidad, incluía la afinidad y el parentesco espiritual[21]. Además, ya existía el impedimento de pública honestidad[22].

Los hijos nacidos de un matrimonio nulo o concebidos antes de la declaración de nulidad se consideraban legítimos, con tal que al menos uno de los contrayentes haya estado de buena fe. Se requería que el matrimonio haya sido celebrado *"in facie Ecclesiae"*.

Parte de la doctrina afirma que también se introdujo el matrimonio putativo, para salvaguardar uniones que aunque eran nulos, no eran del todo ilícitos ya que respondían a los preceptos canónicos, si bien no completamente[23].

Aplicado al vínculo conyugal, la buena fe matrimonial consiste en la convicción haber celebrado una unión esponsal válida e ignorar la causa de la nulidad del vínculo[24]. Quien se casa de buena fe, supone que no hay un impedimento, incapacidad, vicio del consentimiento o de la forma canónica. Es un fenómeno subjetivo que depende de hechos o circunstancias personales (por ejemplo, la madurez, la confianza infantil, la ingenuidad). Dicha situación es fruto de la interacción de la inteligencia y de la voluntad, que analizamos en un apartado anterior. La inteligencia ha presentado el matrimonio y sus componentes fundamentales y al contrayente como cónyuge. El intelecto desconoce la existencia de situaciones que impiden la generación del vínculo conyugal. Aquí juega un papel importante la voluntad, porque asiente en lo que le presenta la inteligencia, pero también puede moverla a no indagar o pasar por alto la presencia de alguna causal de nulidad matrimonial. En cualquier caso, la voluntad consiente en el matrimonio con la seguridad de que se trata de un vínculo válido.

La falta de equidad que resultaba aplicar rígidamente el principio de que los actos nulos no producen efectos, llevó a buscar una solución que se apoyara en una causa justa, para que un matrimonio nulo tuviera efectos,

---

[21]   Ferrando G. y Querci, A., "l'invalidità del matrimonio e il problema dei suoi effetti, 2007, IPSOA, Milano, p. 243.

[22]   Por ejemplo, la Decretal de Celestino III (X, IV, 17,10) en relación con la cuasiafinidad.

[23]   Por todos, Albisetti, A., "Tra Diritto Ecclesiastico e canónico", 2009, giuffrè Editore, Milano, p. 91.

[24]   Albisetti, A., "Buena fe", en *Diccionario General de Derecho Canónico*, vol. 1, ThomsomReuters, Pamplona, 2012, p. 766.

principalmente respecto de los hijos. Dicha justa causa fue la buena fe de al menos uno de los contrayentes al momento de casarse[25].

Desde su origen medieval hasta el canon 1060 § 3 del Código de Derecho Canónico de 1983, la noción de la buena fe matrimonial se identifica con la situación subjetiva, psicológica, de desconocimiento de la nulidad del víncu-lo. Se trata de un error de percepción o la ignorancia de una circunstancia que invalida el vínculo y que padecen uno o ambos contrayentes[26].

La buena fe debe ser continua desde la celebración del matrimonio has-ta la declaración de nulidad[27]. La putatividad cesa en el momento en que ambos contrayentes tienen certeza de la nulidad matrimonial. El cónyuge que presenta una demanda de nulidad de su matrimonio pierde la buena fe, o expresa que no la tuvo al momento de celebrarlo.

7. EL MATRIMONIO PUTATIVO: LA RECEPCIÓN DE LA BUENA FE EN EL MATRIMONIO CANÓNICO

El matrimonio putativo es una institución jurídica en la que se dan efec-tos a un vínculo conyugal celebrado canónicamente pero nulo, siempre y cuando alguno de los contrayentes lo ha contraído de buena fe.

El canon 1063 § 3 del Código de Derecho Canónico de 1983 define el matrimonio putativo en los siguientes términos:

> "1063 § 3 El matrimonio inválido se llama putativo, si fue celebrado de buena fe al menos por uno de los contrayentes, hasta que ambos ad-quieran certeza de la nulidad".

La buena fe es el elemento central de la configuración del matrimonio putativo[28]. Como señalamos en el apartado anterior, consiste en la con-vicción de haber celebrado un matrimonio válido, aunque realmente sea nulo[29]. Al ser el elemento constitutivo, parte de la doctrina ha afirmado

---

[25]   López Alarcón, M., "Algunas consideraciones sobre el matrimonio putativo", en *Ius canonicum*, Vol. 39, N° Extra 1, 1999, p. 908.

[26]   Albisetti, A., "Buena fe", en *Diccionario General de Derecho Canónico*, vol. 1, ThomsomRe-uters, Pamplona, 2012, p. 766)

[27]   Fernández Castaño, J. M., "Legislación matrimonial de la Iglesia", 1994, Editoriak San Esteban, Salamanca, p. 133.

[28]   López Alarcón, M., "Algunas consideraciones sobre el matrimonio putativo", en *Ius canonicum*, Vol. 39, N° Extra 1, 1999, p. 907.

[29]   Jordano Barea, J. B. "El matrimonio putativo como apariencia jurídica matrimonial", en *Anuario de derecho civil*, Vol. 14, N° 2, 1961, p. 359.

que la buena fe tiene una función creadora de efectos jurídicos[30]. Otros autores consideran que es una ficción del Derecho, por la cual una unión esponsal conserva ciertos efectos después de que ha sido declarado nulo[31], debido a que se ha dado una apariencia fáctica de matrimonio[32].

Si hay apariencia de matrimonio, el Derecho canónico le da efectos a una unión conyugal por razones de justicia, principalmente respecto de los hijos, pero también respecto del contrayente que se casó de buena fe. En otras palabras, se trata de un matrimonio que ha tenido efectos respecto de los cónyuges, los hijos e incluso de terceros, pero que deja de tenerlos o más bien se interrumpen, al declararse la nulidad del vínculo.

El matrimonio putativo se puede considerar como una excepción al principio de que un acto jurídico nulo no produce efectos en el mundo del Derecho. Por otra es un supuesto de la irretroactividad de la sentencia judicial.

Asimismo, se puede señalar que el matrimonio putativo es una expresión del *favor matrimonii* del canon 1060 mencionado en un apartado anterior. Se da valor jurídico al matrimonio celebrado de buena fe debido al favor del que goza el matrimonio en el ordenamiento canónico[33]. La apariencia formal del matrimonio posee en sí misma un valor jurídico porque genera la presunción de validez del vínculo, ya que la forma canónica es el medio por el que se expresa el consentimiento matrimonial[34].

La preparación para el matrimonio es uno de los medios que el Derecho Canónico ha establecido para que el matrimonio celebrado sea válido y celebrado de buena fe. El canon 1066 del Código de Derecho Canónico de 1983 establece que antes de la celebración del matrimonio, debe constar que nada impide que sea válido y lícito[35]. Y el canon 1067, entrega a las Conferencias Episcopales de cada lugar, la facultad de reglamentar el

---

[30]   Vassalli, F., "Il matrimonio putativo", en *Studi* Giuridici, I, Milano, 1960, p. 148.
[31]   López Alarcón, M., "Matrimonio putativo", en *Diccionario General de Derecho Canónico*, vol. V, ThomsomReuters, Pamplona, 2012, p. 339.
[32]   Aznar Gil, F., "Derecho matrimonial canónico" (vol. I): cánones 1055-1094, Universidad Pontificia de Salamanca, Salamanca, 2015, p. 136.
[33]   Dalla Torre, G. "Il 'favor iuris' di cui gode il matrimonio", en Pietro Antonio Bonnet y Carlo Gullo (coords.) *Diritto matrimoniale canónico*, vol I, Librería Editrice Vaticana, Città del Vaticano, 2002, p. 222.
[34]   Errázuriz, C. J., *Corso fondamentale sul Diritto nella Chiesa*, vol II, Giuffr}e Editore, Milano, 2017, p. 407.
[35]   Código de Derecho Canónico de 1983, canon 1066: "Antes de que se celebre el matrimonio debe constar que nada se opone a su celebración válida y lícita".

modo de efectuar la investigación a los novios, para tener certeza moral de su capacidad y ausencia de impedimentos para casarse, así como de su preparación suficiente para contraer el vínculo[36].

Parte de la competencia de la Iglesia en el ámbito matrimonial se refiere a la verificación de la capacidad de los contrayentes, la concesión de dispensas de ciertos impedimentos, la dispensa de la forma de celebración (cánones 1079, 1080 y 1127 del CIC), la sanación en la raíz de matrimonios nulos, por defectos en el modo de contraerlo o por la presencia de un impedimento (cánones 1161 a 1165 del CIC). De este modo se procura que la celebración válida de los matrimonios.

7.1. Otros requisitos del matrimonio putativo

Para que opere el matrimonio putativo, además de la buena fe mencionada en el apartado anterior, se deben dar copulativamente los siguientes requisitos: que el matrimonio haya sido celebrado bajo la forma canónica y que sea nulo.

Un elemento jurídico del pacto conyugal es la necesidad de una forma externa de manifestación de la voluntad esponsal. El Código de Derecho Canónico de 1983, establece en el canon 1108 que dicha forma es un requisito de validez y en qué consiste:

> 1108 § 1. Solamente son válidos aquellos matrimonios que se contraen ante el Ordinario del lugar o el párroco, o un sacerdote o diácono delegado por uno de ellos para que asistan, y ante dos testigos, de acuerdo con las reglas establecidas en los cánones que siguen, y quedando a salvo las excepciones de que se trata en los cc. 144, 1112 § 1, 1116 y 1127 § § 1 y 2.
>
> § 2. Se entiende que asiste al matrimonio solo aquel que, estando presente, pide la manifestación del consentimiento de los contrayentes y la recibe en nombre de la Iglesia.

Como señalábamos en el apartado anterior, el matrimonio nulo para ser considerado putativo debe tener al menos apariencia de validez, la

---

[36]   Código de Derecho Canónico de 1983, canon 1067: "La Conferencia Episcopal establecerá normas sobre el examen de los contrayentes, así como sobre las proclamas matrimoniales u otros medios oportunos para realizar las investigaciones que deben necesariamente preceder al matrimonio, de manera que, diligentemente observadas, pueda el párroco asistir al matrimonio".

que se asegura con la celebración *in facie Ecclesiae*[37]. Es decir, se debe haber celebrado de acuerdo con la forma canónica, sea ordinaria (c. 1108) o extraordinaria[38] (c. 1116), aunque la propia forma adolezca de alguna causa de nulidad[39]. También puede considerarse la forma civil de celebración u otra ceremonia pública, cuando la forma canónica ha sido dispensada por la autoridad competente, por motivos fundados y con ciertos requisitos[40].

---

[37]   Corral, C. (dir.), Diccionario de Derecho Canónico, 2ª ed., Universidad Pontifica Comillas-Tecnos, Madrid, 2000, p. 437.

[38]   Código de Derecho Canónico de 1983, canon 1116: "§ 1. Si no hay alguien que sea competente conforme al derecho para asistir al matrimonio, o no se puede acudir a él sin grave dificultad, quienes pretenden contraer verdadero matrimonio pueden hacerlo válida y lícitamente estando presentes sólo los testigos.
1.º en peligro de muerte;
2.º fuera de peligro de muerte, con tal de que se prevea prudentemente que esa situación va a prolongarse durante un mes.

[39]   Albisetti, A., "Tra Diritto Ecclesiastico e canónico", Giuffrè Editore, Milano, 2009, pp. 91-92.

[40]   Código de Derecho Canónico de 1983, canon 1127: "§ 1. En cuanto a la forma que debe emplearse en el matrimonio mixto, se han de observar las prescripciones del can. 1108; pero si contrae matrimonio una parte católica con otra no católica de rito oriental, la forma canónica se requiere únicamente para la licitud; pero se requiere para la validez la intervención de un ministro sagrado, observadas las demás prescripciones del derecho.
§ 2 Si hay graves dificultades para observar la forma canónica, el Ordinario del lugar de la parte católica tiene derecho a dispensar de ella en cada caso, pero consultando al Ordinario del lugar en que se celebra el matrimonio y permaneciendo para la validez la exigencia de alguna forma pública de celebración; compete a la Conferencia Episcopal establecer normas para que dicha dispensa se conceda con unidad de criterio"; Conferencia Episcopal de Chile, Legislación complementaria de la Conferencia Episcopal de Chile al Código de Derecho Canónico de 1983,Conferencia Episcopal de Chile, 4ª ed., Santiago, 2006, pp. 79-80, Referente al canon (en adelante "Conferencia Episcopal de Chile, Legislación complementaria... cit., R."). 1127, § 2: "La forma canónica de la celebración del matrimonio es condición para su validez. No obstante, el Ordinario del lugar puede dispensar también de la forma canónica cuando concurran causas graves que dificulten el cumplimiento de esta condición.
Se consideran como tales las siguientes:
a. la posición irreductible de la parte no católica.
b. el que un número considerable de familiares de los contrayentes rehúya la forma canónica.
c. la pérdida de amistades muy arraigadas
d. el quebranto económico.
e. un grave conflicto de conciencia de los contrayentes, insoluble por otro medio.
f. si una ley civil extranjera obligase a uno, al menos, de los contrayentes a una forma religiosa distinta de la católica".

Al haberse celebrado bajo la forma canónica se genera una apariencia fáctica de matrimonio que durará indeterminadamente, hasta que no se declare la nulidad del vínculo al final de un proceso eclesiástico.

Dado que se exige la celebración de un matrimonio *"in facie Ecclesiae"*, la institución del matrimonio putativo se aplica solo a los vínculos celebrados en los que al menos una de las partes es miembro de la Iglesia Católica y está relacionada con la jurisdicción canónica de los matrimonios católicos. Por tanto, no opera para las uniones esponsales de no bautizados, ni de comunidades cristianas no católicas.

Los requisitos de validez del matrimonio canónico se pueden sintetizar en la ausencia de impedimentos, el consentimiento matrimonial exento de vicios, la capacidad matrimonial de los contrayentes y la forma canónica válida.

En sentido contrario, un matrimonio canónico es nulo por la presencia de impedimentos matrimoniales no dispensados (1083 a 1094, 1102 y 1103), la simulación o exclusión del consentimiento esponsal (c. 1101). También por vicios del consentimiento (cc. 1096 a 1099): el error de derecho, el error en la persona, el error en las cualidades personales, el error doloso, la violencia y el miedo grave. Otra causal de invalidez es la incapacidad de los contrayentes (c. 1095) y los defectos de la forma canónica (cc.1105 y 1108).

7.2. *Efectos del matrimonio putativo*

Los efectos del matrimonio putativo se equiparan a los de un matrimonio válido hasta que ambos tienen certeza de la nulidad del vínculo. Es decir, la unión conyugal tiene los efectos propios del vínculo mientras no se declare que es inválido[41]. Por tanto, la institución del matrimonio putativo priva a la sentencia de nulidad de ciertos efectos retroactivos[42]. Además, si bien los efectos del vínculo nulo se conservan no seguirán produciéndose en el futuro[43].

El canon 1063 § 3 del Código de Derecho Canónico de 1983 determina que la buena fe se pierde cuando las partes tienen certeza de la nulidad.

---

[41]   Jordano Barea, J. B. "El matrimonio putativo como apariencia jurídica matrimonial", en *Anuario de derecho civil*, Vol. 14, N° 2, 1961, p. 344.

[42]   López Alarcón, M., "Algunas consideraciones sobre el matrimonio putativo", *en Ius canonicum*, Vol. 39, N° Extra 1, 1999, p. 910.

[43]   Fuenmayor, A., "El Derecho sucesorio del cónyuge putativo", en Revista General de legislación y Jurispridencia, 1941, 2° semestre, pp. 441-442.

Adquieren esta certeza al final del proceso de nulidad matrimonial, cuando un tribunal ecleciástico dicta una sentencia que declara la invalidez del vínculo conyugal.

La certeza que entrega la decisión judicial es la certeza moral[44]. Es decir, el tribunal tomando en consideración todos los elementos de juicio, llega a la conclusión de que el matrimonio es nulo, excluye toda duda razonable y bien fundada de una decisión contraria, aunque no descarta totalmente la posibilidad de error.

La necesidad de una sentencia judicial que declara la nulidad del vínculo relaciona el matrimonio putativo con el impedimento de vínculo anterior no disuelto del canon 1085 § 2:

> "1085 § 2 Aun cuando el matrimonio anterior sea nulo o haya sido disuelto por cualquier causa, no por eso es lícito contraer otro, antes de que conste legítimamente y con certeza la nulidad o disolución del precedente".

Los efectos del matrimonio putativo se refieren a los cónyuges y a los hijos. Con respecto al cónyuge que contrajo de buena fe, el matrimonio putativo tiene los efectos de los cánones 1135 y 1136 del Código de Derecho Canónico de 1983. El canon 1135 señala que ambos cónyuges tienen los mismos derechos y deberes respecto del consorcio de vida conyugal. Mientras que el canon 1136 afirma que los padres tienen el derecho primario y la obligación de cuidar la educación de los hijos en todos los aspectos de sus vidas: físico, social, cultural, moral y religioso, en la medida de sus posibilidades.

En relación con los hijos nacidos o concebidos durante el matrimonio putativo, el canon 1137 señala que son hijos legítimos, mientras que el canon 1139 determina que los hijos no matrimoniales se legitiman con el matrimonio válido o putativo de los padres[45].

---

44 Código de Derecho Canónico de 1983, canon 1608 § 1: Para dictar cualquier sentencia, se requiere en el ánimo del juez certeza moral sobre el asunto que debe dirimir.
§ 2. El juez ha de conseguir esta certeza de lo alegado y probado.
§ 3. El juez debe valorar las pruebas según su conciencia, respetando las normas sobre la eficacia de ciertas pruebas.
§ 4. Si no hubiera alcanzado esa certeza, el juez ha de sentenciar que no consta el derecho del actor y ha de absolver al demandado, a no ser que se trate de una causa que goza del favor del derecho, en cuyo caso debe pronunciarse en pro de ésta.
45 Código de Derecho Canónico de 1983 canon1137: Son legítimos los hijos concebidos o nacidos de matrimonio válido o putativo.

Además, el matrimonio putativo genera el impedimento de pública honestidad llamado también de "cuasiafinidad", regulada en el canon 1093 del Código de Derecho Canónico de 1983. Que una pareja celebre un matrimonio inválido e inicie la vida en común, prohíbe que luego de declarado nulo ese vínculo el varón pueda contraer un matrimonio canónico con alguna de las consanguíneas en primer grado de línea recta de la mujer, y viceversa[46].

Cabe señalar que el Derecho Canónico contempla formas de convalidación del vínculo y sanación en la raíz de la causa de nulidad[47], que se pueden aplicar a matrimonios nulos antes de que los contrayentes pierdan la buena fe[48].

8. ALGUNOS SUPUESTOS EN LOS QUE OPERA EL MATRIMONIO PUTATIVO

Los supuestos que a continuación se señalan son algunas de las posibilidades en las que opera el matrimonio putativo, ya sea que ambos o solo uno de los contrayentes están de buena fe.

8.1. Relacionados con los impedimentos matrimoniales

Los impedimentos matrimoniales son circunstancias o factores que afectan a una persona o a una pareja y que la inhabilita para contraer el vínculo conyugal. Sus efectos se producen con independencia del conocimiento o la voluntad de los contrayentes[49]. Se encuentran tipificados en el

---

1138 § 1. El matrimonio muestra quién es el padre, a no ser que se pruebe lo contrario con razones evidentes.

§ 2. Se presumen legítimos los hijos nacidos al menos 180 días después de celebrarse el matrimonio, o dentro de 300 días a partir de la disolución de la vida conyugal.

1139 Los hijos ilegítimos se legitiman por el matrimonio subsiguiente de los padres tanto válido como putativo, o por rescripto de la Santa Sede.

1140 Por lo que se refiere a los efectos canónicos, los hijos legitimados se equiparan en todo a los legítimos, a no ser que en el derecho se disponga expresamente otra cosa.

[46] Código de Derecho Canónico de 1983 canon 1093: "El impedimento de pública honestidad surge del matrimonio inválido después de instaurada la vida en común o del concubinato notorio o público; y dirime el matrimonio en el primer grado de línea recta entre el varón y las consanguíneas de la mujer y viceversa".

[47] Código de Derecho Canónico de 1983, cánones 1156 a 1160.

[48] Martín de Agar Martín de Agar, J. T. "Matrimonio putativo y convalidación automática del matrimonio nulo", en *Ius Canonicum*, XLI, N. 81, 2001, p. 297.

[49] Geringer, K-T, "Impedimento matrimonial", en en *Diccionario Enciclopédico de Derecho Canónico*, Herder, Barcelona, 2008, p. 445.

Código de Derecho Canónico de 1983 entre los cánones 1083 a 1094 y solo la autoridad suprema de la Iglesia los puede determinar.

A continuación, expondremos brevemente cada uno de los impedimentos matrimoniales y señalaremos algunas situaciones que darían origen al matrimonio putativo.

El canon 1083 determina la edad mínima para contraer matrimonio: 14 años cumplidos para las mujeres y 16 años cumplidos para los varones[50]. Se podría contraer un vínculo inválido en el que opere el matrimonio putativo si uno de los contrayentes altera el certificado de bautismo y aumenta su edad para aparecer con la edad mínima para casarse, situación que es desconocida por la otra parte. Cabe señalar que el certificado de bautismo es el documento por el que consta la recepción de dicho sacramento y de otros que reciba el fiel.

Una circunstancia similar se puede presentar en el caso de que uno de los novios esté impedido por haber contraído un matrimonio anterior que no ha sido disuelto[51]. La persona casada puede ocultar este hecho al otro contrayente y presentarse como soltero, sea porque altera el certificado de bautismo, sea porque expresa que no está bautizado para ocultar su estado de casado, que está anotado al margen de la inscripción de su bautizo. Algo semejante puede ocurrir en el caso de la disparidad de culto del canon 1086[52]. Para resguardar la fe del católico, el canon 1086 prohíbe que se case con un no bautizado, a menos que se dé la dispensa. Puede darse el supuesto de matrimonio putativo si una persona no bautizada se quiere casar con una persona católica y oculta este hecho falsificando un certificado de bautismo.

---

[50]　Código de Derecho Canónico de 1983, canon 1083 § 1: "No puede contraer matrimonio válido el varón antes de los dieciséis años cumplidos, ni la mujer antes de los catorce, también cumplidos.

[51]　Código de Derecho Canónico de 1983, canon 1085 § 1 "Atenta inválidamente el matrimonio quien está ligado por el vínculo de un matrimonio anterior, aunque no haya sido consumado".

[52]　Código de Derecho Canónico de 1983, canon 1086 § 1. Es inválido el matrimonio entre dos personas, una de las cuales fue bautizada en la Iglesia católica o recibida en su seno y no se ha apartado de ella por acto formal, y otra no bautizada.
§ 2. No se dispense este impedimento sí no se cumplen las condiciones indicadas en los cc. 1125 y 1126.
§ 3. Si al contraer el matrimonio, una parte era comúnmente tenida por bautizada o su bautismo era dudoso, se ha de presumir conforme al c. 1060, la validez del matrimonio, hasta que se pruebe con certeza que uno de los contrayentes estaba bautizado y el otro no.

Con respecto al parentesco, es decir, el vínculo que relaciona a las personas entre sí en virtud de la naturaleza (consanguinidad) o la ley (afinidad, cuasiafinidad, adopción). El Derecho Canónico establece impedimentos para contraer matrimonio en ciertos grados y líneas de estas clases de parentesco[53]. Podría darse la situación de que una pareja no sabe que son hermanos consanguíneos, adoptivos, afines, o que uno de los contrayentes conoce el hecho y no lo expone a la otra parte.

Los impedimentos matrimoniales orden sagrado y de voto se fundamentan en que los clérigos y los religiosos eligen libremente un estado de vida incompatible con la asunción del estado conyugal[54].

En el caso de la impotencia *coeundi*[55], puede ocurrir que ninguno de los contrayentes conocía la situación que afectaba a la parte impotente, o que esta lo ocultó al otro contrayente.

Finalmente, el crimen del cónyuge propio para casarse con otra persona o asesinar al cónyuge de este con el fin de casarse con ella[56], puede dar lugar al matrimonio putativo si el asesino no da a conocer esta circunstancia al otro contrayente, quien se casa de buena fe.

---

[53] Código de derecho Canónico de 1983 canon 1091: § 1. En línea recta de consanguinidad, es nulo el matrimonio entre todos los ascendientes y descendientes, tanto legítimos como naturales.
§ 2. En línea colateral, es nulo hasta el cuarto grado inclusive.
1092 La afinidad en línea recta dirime el matrimonio en cualquier grado.
1093 El impedimento de pública honestidad surge del matrimonio inválido después de instaurada la vida en común o del concubinato notorio o público; y dirime el matrimonio en el primer grado de línea recta entre el varón y las consanguíneas de la mujer y viceversa.
1094 No pueden contraer válidamente matrimonio entre sí quienes están unidos por parentesco legal proveniente de la adopción, en línea recta o en segundo grado de línea colateral.

[54] Código de Derecho Canónico de 1983, canon 1087: Atentan inválidamente el matrimonio quienes han recibido las órdenes sagradas.
Canon 1088: Atentan inválidamente el matrimonio quienes están vinculados por voto público perpetuo de castidad en un instituto religioso.

[55] Código de derecho Canónico de 1983 canon 1084: § 1. La impotencia antecedente y perpetua para realizar el acto conyugal, tanto por parte del hombre como de la mujer, ya absoluta ya relativa, hace nulo el matrimonio por su misma naturaleza.
§ 2. Si el impedimento de impotencia es dudoso, con duda de derecho o de hecho, no se debe impedir el matrimonio ni, mientras persista la duda, declararlo nulo.

[56] Código de derecho Canónico de 1983 canon 1090 § 1: Quien, con el fin de contraer matrimonio con una determinada persona, causa la muerte del cónyuge de esta o de su propio cónyuge, atenta inválidamente ese matrimonio.

8.2. Relacionados con los vicios del consentimiento matrimonial

Los vicios del consentimiento matrimonial pueden generar el matrimonio putativo si una de las partes o ambas se casan de buena fe y desconocen el defecto de la voluntad esponsal.

El canon 1096 determina el conocimiento mínimo que los contrayentes deben tener respecto de los elementos basilares del matrimonio para emitir un acto de voluntad válido[57]. Podría darse la circunstancia de que alguna de las partes o ambas ignoraran tales elementos o tuvieran una falsa estimación de ellas. Dichos supuestos permitirían la aplicación del matrimonio putativo hasta que los contrayentes perdieran la buena fe.

El error en la persona del otro contrayente también vicia el consentimiento matrimonial[58]. Si bien se exige un conocimiento mínimo, al menos de su identidad física, debe ser verdadero. Por lo que si una de las partes es suplantada por otra persona y el otro contrayente no es consiente de ese error el matrimonio es nulo, pero se podría aplicar la figura del matrimonio putativo.

El error en una cualidad personal también vicia el consentimiento esponsal cuando una característica de uno de los contrayentes sea "pretendida directa y principalmente" por la otra persona[59]. En la voluntad del que yerra, está presente el contrayente, pero se quiere la característica "más principalmente", mientras que la persona con la que se casa se quiere "menos principalmente"[60]. En esta clase de error puede suceder que quien yerra sobre la cualidad que ha sustantivado del otro contrayente no lo haya manifestado a este, quien tampoco es consiente del vicio de la voluntad esponsal en que se incurre.

El dolo en materia matrimonial puede definirse como toda maquinación fraudulenta, intencionadamente urdida y dirigida para hacer errar

---

[57] Código de Derecho Canónico de 1983, canon 1096: § 1. Para que pueda haber consentimiento matrimonial, es necesario que los contrayentes no ignoren al menos que el matrimonio es un consorcio permanente entre un varón y una mujer, ordenado a la procreación de la prole mediante una cierta cooperación sexual.

[58] Código de Derecho Canónico de 1983, canon 1097: "§ 1: El error acerca de la persona hace inválido el matrimonio".

[59] Código de Derecho Canónico de 1983, canon 1097§ 2: El error acerca de una cualidad de la persona, aunque sea causa del contrato, no dirime el matrimonio, a no ser que se pretenda esta cualidad directa y principalmente.

[60] Assimakópulos, A., "El matrimonio canónico ante la ley de matrimonio civil, Thompson Reuters, Santiago, 2013, 217.

a uno de los contrayentes, respecto de una cualidad del esposo/a[61] y se encuentra tipificada en el canon 1098 del Código de Derecho Canónico de 1983[62]. Para que se configure el dolo, uno de los cónyuges ha contraído matrimonio fruto de un engaño[63], por tanto, es una figura en la que fácilmente se aplica el matrimonio putativo.

El vicio de la fuerza se determina en el Derecho Canónico bajo las figuras de la violencia y el miedo grave[64]. En el primero, quien la provoca busca dominar el cuerpo del contrayente y su capacidad expresiva, situación de la que puede no ser consiente el que la sufre. El miedo es el estado de turbación o consternación producido en el ánimo de una persona, causada por los daños inferidos por otra o por la amenaza de sufrirlos[65]. Tal temor lleva al que lo sufre a la conclusión de que solo celebrando el matrimonio, podrá liberarse del daño o la amenaza de sufrirlo. En este caso podría suceder que el otro contrayente no supiera que quien sufre la amenaza o el daño contrae matrimonio solo para eludir el sufrimiento, por lo que se casaría de buena fe, aunque el vínculo sea nulo.

8.3. Relacionados con la simulación o la exclusión del matrimonio

El canon 1101 del CIC expone la presunción de simetría entre la voluntad interna y la manifestada por los novios en la ceremonia nupcial y tipifica la exclusión o simulación del consentimiento[66]. En este caso, puede aplicarse el matrimonio putativo cuando uno de los contrayentes no quie-

---

[61] Viladrich, P. J., "Comentario al canon 1098", en Ángel Marzoa, Jorge Miras y Rafael Rodríguez-Ocaña (coords.), *Comentario Exegético al Código de Derecho Canónico*, EUNSA, 3ª ed., Pamplona, 2002, vol. III/2, p. 1289.

[62] Código de Derecho Canónico de 1983, canon 1098: Quien contrae el matrimonio engañado por dolo provocado para obtener su consentimiento, acerca de una cualidad del otro contrayente, que por su naturaleza puede perturbar gravemente el consorcio de vida conyugal, contrae inválidamente.

[63] Bañares, J. I., "La relación intelecto-voluntad en el consentimiento matrimonial: notas sobre los cánones 1099-1102 del CIC de 1983", en *Ius Canonicum* XIII, n. 66 1993, p. 597.

[64] Código de Derecho Canónico de 1983, canon 1103: "Es inválido el matrimonio contraído por violencia o por miedo grave proveniente de una causa externa, incluso el no inferido con miras al matrimonio, para librarse del cual alguien se vea obligado a casarse".

[65] García Hervás, D. (dir), *Manual de Derecho matrimonial canónico*, COLEX, Madrid, 2002, p. 212.

[66] Código de Derecho Canónico de 1983, canon 1101 § 1. El consentimiento interno de la voluntad se presume que está conforme con las palabras o signos empleados al celebrar el matrimonio.

re casarse o quiere hacerlo descartando ciertos elementos fundamentales del vínculo. La doctrina y la jurisprudencia canónicas tratan esta forma de simulación en tres figuras: la exclusión de la prole, de la indisolubilidad y de la fidelidad y unidad.

8.4. *Relacionados con la forma canónica del matrimonio*

Como decíamos más arriba el consentimiento matrimonial debe expresarse en alguna de las formas válidas para el Derecho canónico y es un requisito para que opere el matrimonio putativo, aunque esta sea nula.

Algunos supuestos por los que la forma canónica es nula sin que lo sepan los contrayentes puede ser la falta de facultad del sacerdote o diácono para actuar como testigo cualificado del matrimonio y la nulidad del mandato en el caso del matrimonio por representante[67].

8.5. *Relacionados con la incapacidad matrimonial*

Para prestar un consentimiento matrimonial válido, se requiere uso de razón suficiente, discreción de juicio sobre los derechos y obligaciones que nacen de la entrega y aceptación mutua de los esposos, y aptitud para asumirlos.

El canon 1095 del CIC tipifica la inhabilidad para casarse en los siguientes términos:

"1095. Son incapaces de contraer matrimonio:

1° quienes carecen de suficiente uso de razón;

---

§ 2. Pero si uno de los contrayentes, o ambos excluye con un acto positivo de la voluntad el matrimonio mismo, o un elemento esencial del matrimonio o una propiedad esencial, contrae inválidamente.

[67] Código de Derecho Canónico de 1983, canon 1105 § 1. Para contraer válidamente matrimonio por procurador, se requiere:
1.º que se haya dado mandato especial para contraer con una persona determinada;
2.º que el procurador haya sido designado por el mandante, y desempeñe personalmente esa función.
§ 2. Para la validez del mandato se requiere que esté firmado por el mandante y, además, por el párroco o el Ordinario del lugar donde se da el mandato, o por un sacerdote delegado por uno de ellos, o al menos por dos testigos; o debe hacerse mediante documento auténtico a tenor del derecho civil.
§ 3. Si el mandante no puede escribir, se ha de hacer constar esta circunstancia en el mandato, y se añadirá otro testigo, que debe firmar también el escrito; en caso contrario, el mandato es nulo.

2° quienes tienen un grave defecto de discreción de juicio acerca de los derechos y deberes esenciales del matrimonio que mutuamente se han de dar y aceptar;

3° quienes no pueden asumir las obligaciones esenciales del matrimonio por causas de naturaleza psíquica".

Las posibilidades de nulidad del vínculo conyugal por incapacidad consensual son múltiples, por lo que los supuestos en los que se puede aplicar el matrimonio putativo son muchos. Por ejemplo, que uno o ambos contrayentes no tengan la suficiente discreción de juicio para casarse y no eran consientes de ello. O que no se llegó a valorar el alcance de un trastorno psiquiátrico de uno de los novios, que por su gravedad impide hacerse cargo de los deberes esenciales del matrimonio.

9. CONCLUSIONES

La historia bimilenaria del Derecho Canónico ha generado instituciones que se encuentran vigentes en la actualidad y que han sido fuente para los sistemas jurídicos civiles. Dentro de las figuras creadas por el Derecho Canónico se encuentra el matrimonio putativo, que tiene su fundamento en la buena fe de al menos uno de los contrayentes.

Si bien el Derecho Canónico no creó la institución de la buena fe en el mundo jurídico, sí le dio una impronta original, al determinar que en el caso del matrimonio putativo se trata de una buena fe subjetiva. O sea, la convicción de haber celebrado una unión esponsal válida. La buena fe en el matrimonio putativo tiene un carácter de creador y de sustento de dicha institución.

El tratamiento de la buena fe en el matrimonio putativo muestra de una manera peculiar la centralidad del consentimiento matrimonial, porque lo que pide el Derecho canónico es la buena fe de los contrayentes, y no la del ministro de culto o los testigos de la celebración esponsal. Solo la libertad de los esposos da origen al matrimonio.

Asimismo, el matrimonio putativo es una expresión de la importancia de las personas para el ordenamiento canónico. Existen razones de justicia natural por las que conviene mitigar los efectos de ciertas instituciones jurídicas como la nulidad o la retroactividad de las sentencias judiciales.

Por otra parte, el matrimonio putativo es una manifestación del *favor matrimonii*. Es decir, una unión esponsal católica celebrada bajo la forma canónica se presume siempre válida. Solo la declaración de nulidad del vínculo por la autoridad eclesiástica competente rompe dicha presunción.

REFERENCIAS

Fuentes históricas

– Decretales de Gregorio IX.

Fuentes canónicas

– Código de Derecho Canónico de 1983.
– Conferencia Episcopal de Chile, Legislación complementaria de la Conferencia Episcopal de Chile al Código de Derecho Canónico de 1983, Conferencia Episcopal de Chile, 4ª ed., Santiago, 2006.

Doctrina

Albisetti, Studi in onore di Gaetano Catalano, Rubberttino, Soveria Mannelli, 1998, Tomo I, 19.pp. 277-285.

Albisetti, A., "Tra Diritto Ecclesiastico e canónico", Giuffrè Editore, Milano, 2009.

Albisetti, A., "Buena fe", en *Diccionario General de Derecho Canónico*, vol. 1, ThomsomReuters, Pamplona, 2012, pp. 763-768.

Assimakópulos, A., "El matrimonio canónico ante la ley de matrimonio civil, Thompson Reuters, Santiago, 2013.

Aznar Gil, F., "Derecho matrimonial canónico" (vol. I): cánones 1055-1094, Universidad Pontificia de Salamanca, Salamanca, 2015.

Bañares, J. I., "La relación intelecto-voluntad en el consentimiento matrimonial: notas sobre los cánones 1099-1102 del CIC de 1983", en *Ius Canonicum* XIII, n. 66 1993, pp. 553-606.

Bañares, J. I., "El 'favor matrimonii' y la presunción de validez del matrimonio contraído. Comentario al discurso de Juan Pablo II al Tribunal de la Rota Romana de 29.I.2004", en *Ius Canonicum*, XLV, 89, pp. 243-257.

Corral, C. (dir.), Diccionario de Derecho Canónico, 2ª ed., Universidad Pontifica Comillas-Tecnos, Madrid, 2000.

Dalla Torre, G. "Il 'favor iuris' di cui gode il matrimonio", en Pietro Antonio Bonnet y Carlo Gullo (coords.) *Diritto matrimoniale canónico*, vol I, Librería Editrice Vaticana, Città del Vaticano, 2002.

Errázuriz, C. J., *Il matrimonio e la familia quale bene giuridico eccesiale*, EDUSC, Roma, 2016.

Errázuriz, C. J., *Corso fondamentale sul Diritto nella Chiesa*, vol II, Giuffr}e Editore, Milano, 2017.

Facco, J, "Apuntes sobre la *aequitas* en la tradición canónica medieval", en *Revista Jurídica Digital UANDES* 2/2, 2018, pp. 18-32.

Fernández Castaño, J. M., "Legislación matrimonial de la Iglesia", Editorial San Esteban, Salamanca, 1994.

Ferrando G. y Querci, A., "L'invalidità del matrimonio e il problema dei suoi effetti, IPSOA, Milano, 2007.

Fuenmayor, A., "El Derecho sucesorio del cónyuge putativo", en *Revista General de legislación y Jurispridencia*, 1941, 2.o semestre, pp. 431-474.

Fumagalli Carulli, Ombretta, *Intelletto e volontà nel consenso matrimoniale in Diritto canonico*, Pubblicazioni della Università del Sacro Cuore, 2ª ed., Milano, 1981.

García Hervás, D. (dir), *Manual de Derecho matrimonial canónico*, COLEX, Madrid, 2002.

Geringer, K-T, "Impedimento matrimonial", en *Diccionario Enciclopédico de Derecho Canónico*, Herder, Barcelona, 2008, p. 445-448.

Hervada, J. y Lombardía, P., El Derecho del pueblo de Dios. Hacia un sistema de Derecho Canónico. III. Derecho Matrimonial (1), Ediciones Universidad de Navarra, S. A., Pamplona, 1973.

Jordano Barea, J. B. "El matrimonio putativo como apariencia jurídica matrimonial", en *Anuario de derecho civil*, Vol. 14, Nº 2, 1961, pp. 343-382.

López Alarcón, M., "Matrimonio putativo", en *Diccionario General de Derecho Canónico*, vol. V, ThomsomReuters, Pamplona, 2012, pp. 339-343.

López Alarcón, M., "Algunas consideraciones sobre el matrimonio putativo", *en Ius canonicum*, Vol. 39, Nº Extra 1, 1999, pp. 907-920.

Martín de Agar, J. T. "Matrimonio putativo y convalidación automática del matrimonio nulo", en *Ius Canonicum*, XLI, N. 81, 2001, pp. 293-317.

Navarrete, U. (1959), *La buena fe de las personas jurídicas en orden a la prescripción adquisitiva*. Roma: Librería Editrice dell' Università Gregoriana, p. 42.

Scavo Lombardo, L., "Buona fede", en *Enciclopledia del Diritto*, Tomo V. Giuffrè, Milano, 1959, p. 664.

Vassalli, F., "Il matrimonio putativo", en *Studi* Giuridici, I, Milano, 1960, pp. 131-178.

Viladrich, P. J., "Comentario al canon 1098", en Ángel Marzoa, Jorge Miras y Rafael Rodríguez-Ocaña (coords.), *Comentario Exegético al Código de Derecho Canónico*, EUNSA, 3ª ed., Pamplona, 2002, vol. III/2, p. 1289-1296.

DERECHO CIVIL

EL PRINCIPIO DE BUENA FE EN EL DERECHO CIVIL. RIQUEZAS Y MISERIAS[1]

Hernán Corral Talciani

Doctor en Derecho, Universidad de Navarra
Profesor de Derecho Civil, Universidad de los Andes, Chile

SUMARIO: 1. LA BUENA FE: DE CONCEPTO A PRINCIPIO. 1.1. La buena fe: orígenes romanos y derecho moderno. 1.2. La buena fe en el Código Civil chileno. 1.3. La buena fe como principio general del derecho civil y de todo el derecho. 2. LAS RIQUEZAS DEL PRINCIPIO DE BUENA FE EN EL DERECHO CIVIL. 2.1. Superación de la interpretación literalista. 2.2. Madre de otros principios. 2.3. Moralización de las relaciones jurídicas. 2.4. Justicia del caso concreto. 3. ¿Y LAS MISERIAS? 3.1. Indeterminación: el síndrome del *Mentholathum*. 3.2. Inseguridad jurídica. 3.3. Inestabilidad contractual. 3.4. Decisionismo judicial. 4. ¿CÓMO POTENCIAR LAS RIQUEZAS Y MINIMIZAR LAS MISERIAS? BIBLIOGRAFÍA.

1. LA BUENA FE: DE CONCEPTO A PRINCIPIO

1.1. *La buena fe: orígenes romanos y derecho moderno*

Fue el genio jurídico de los romanos el que acuñó la expresión "*bona fides*" con la unión de un sustativo "*fides*" que significa "confianza, fe, creencia" y la de un adjetivo: "*bona*", que significa literalmente "buena, recta, justa, correcta". Se trataba de un ablativo que se entendía como "de o con una creencia o confianza recta"[2].

El concepto tuvo dos grandes aplicaciones, en materia de posesión y en materia de acciones. En posesión se le usó para privilegiar a ciertos posee-

---

[1] Este trabajo ha sido elaborado para el libro en homenaje a los 30 años de la Facultad de Derecho de la Universidad de los Andes, sobre la base de algunas ideas formuladas en la clase magistral de inauguración del año académico de la Facultad de Derecho, Universidad San Sebastián, en sus sedes de Santiago (16 de abril de 2019) y de Puerto Montt (23 de mayo de 2019).

[2] Según D'Ors (1991), p. 61, la *fides*, idea central del pensamiento jurídico romano, era la lealtad a la palabra empeñada, que posibilitaba ir más allá del rigor de las formas y era el fundamento de todas las obligaciones no formales.

dores que podían adquirir la cosa por usucapión: se hablaba de un poseedor de buena fe, en el sentido de que pensaba que era el dueño por una
creencia errónea pero legítima, por ejemplo, si compraba la cosa a alguien
que se presentaba como dueño sin serlo.

En materia de acciones se distinguió entre acciones de derecho estricto
(*actiones stricti iuris*) y acciones de buena fe (*bonae fidei iudicia*). En las de
derecho estricto el juez sólo podía condenar al demandado a lo que se pre-
veía en la fórmula de la acción, mientras que en las de buena fe, gracias a
una cláusula que autorizaba al juez para proceder *ex fide buona*, se entendía
que el juez tenía mayores facultades para ordenar otras conductas que le
parecieran necesarias según la responsabilidad del demandado y el interés
del demandante[3]. La calificación de las acciones pasó a los contratos, ya
que las acciones protegían su fuerza obligatoria. Originalmente, contratos
de buena fe fueron los de compraventa, arrendamiento, mandato y sociedad[4], pero luego se fue extendiendo para cubrir otros[5].

De esta originaria distinción, ha surgido la que, en nuestro actual Derecho, distingue entre "buena fe subjetiva": la creencia de estar actuando correctamente, y "buena fe objetiva": la exigencia de cómo debería actuarse
para proceder de manera honesta, leal y sincera[6].

La buena fe objetiva recibe también el nombre de principio de buena
fe, que en el Derecho Civil moderno de tradición codificada ha ido ganan-
do cada vez más importancia, sobre todo en el plano de la interpretación y
ejecución de los contratos.

Hay que constatar que en los ordenamientos del *Common Law* esta forma de buena fe es resistida y se desconfía de ella por su indeterminación y
el peligro de introducir en un contrato estipulaciones que no fueron previstas. Atiyah, por ejemplo, señala que la buena fe es muy difícil de definir

---

[3]   D'Ors (1991), pp. 511 y ss. Un desarrollo histórico de los *iudicia bonae fidei*, como flexi-
        bilización del procedimiento formulario puede verse en Schemaier, M. J. (2000), pp.
        63 y ss.

[4]   Se trataba de cautelar la lealtad en las relaciones obligatorias recíprocas que normal-
        mente provenían de acuerdos no solemnes, sino consensuales. Los cuatro contratos
        consensuales y con obligaciones recíprocas fueron la compraventa, el arrendamiento,
        el mandato y la sociedad (cfr. D'Ors, 1991, pp. 509 y ss.).

[5]   Guzmán Brito, A. (2002), t. I, pp. 188-189, agrega la acción del depósito en los tiempos
        clásicos y la acción de los contratos de comodato, prenda, permuta y estimatorio en el
        período postclásico.

[6]   Una distinción entre ambos tipos de buena fe puede verse en López Santa María, J. y
        Elorriaga De Bonis, F. (2017), pp. 431-438.

o sistematizar y que los jueces no desean intervenir en los deberes contractuales con un concepto tan amplio y que permitiría a imponer criterios de moralidad y equidad que son inconsistentes con los tratos comerciales[7]. En Estados Unidos, sin embargo, existe una tendencia a reconocer la buena fe como principio en el derecho contractual, aunque es muy reciente y aún no del todo consolidada[8].

De esta resistencia unida a la falta de Códigos Civiles con reglas supletorias, se origina, pensamos, la mucha mayor extensión que tienen los contratos del *common law*, comparada con los de países de sistema codificado, mucho más escuetos.

1.2. *La buena fe en el Código Civil Chileno*

La buena fe fue recepcionada en el Código Civil de Bello en muchas situaciones, pero principalmente en las dos romanas. En materia de posesión, la buena fe es un requisito de la posesión regular que permite la prescripción ordinaria en tiempos más breves (2 años para los muebles y 5 para los inmuebles). El Código la conceptualiza como creencia: "La buena fe es la conciencia de haberse adquirido el dominio de la cosa por medios legítimos, exentos de fraude y de todo otro vicio" (art. 706 CC).

También aparece en materia de contratos como una fuente de extensión de los deberes de las partes: "Los contratos deben ejecutarse de buena fe, y por consiguiente obligan no sólo a lo que en ellos se expresa, sino a todas las cosas que emanan precisamente de la naturaleza de la obligación, o que por la ley o la costumbre pertenecen a ella" (art. 1546 CC).

---

[7] Atiyah, P. S. (1995), pp. 212-213.

[8] Sólo en tiempos más recientes en Estados Unidos se ha ido reconociendo que en todo contrato existiría un "*implied covenant*" (compromiso implícito) de actuar lealmente o de buena fe: cfr. Corte de Nueva York, Kirk La Shelle Co. v. Paul Armstrong Co., 263 N.Y. 79, 188 N.E. 163 (1933). Su mayor respaldo proviene de la recepción que en la década de los 60' tienen en los estados que conforman la Unión, el *Uniform Commercial Code* que dispone un deber de actuar de buena fe en la ejecución de los contratos (section 1-203), lo que resultará reafirmado por el *Restatement of Contract Second*, promulgado en 1981, que lo extiende a los contratos no comerciales (§ 205). Señala Summers, R. S., (2000), pp. 119, que antes de 1960 no podía decirse que los estados reconocieran algún deber general de actuar de buena fe en materia contractual. Hoy, si bien se acepta el principio, existen discusiones sobre cómo debiera aplicarse y se duda entre el "*Excluder analysis*" y el "*Forgone opportunity analysis*": cfr. Farnsworth, F. A. (2004), t. II, pp. 398 y ss.

No es de extrañar que muchos autores hayan reconocido en el art. 706 la buena fe subjetiva (buena fe como creencia) y en el art. 1546 la buena fe objetiva (la buena fe como regla o criterio normativo)[9].

Otros autores, aunque por diversas razones, estiman que hay un solo concepto de buena fe, rechazando la tesis dualista[10].

Estimamos que, en realidad, la buena fe es un concepto unitario puesto que la llamada buena fe subjetiva debe ajustarse también a criterios normativos. Por ejemplo, el Código Civil exige que la conciencia de haberse adquirido el dominio se deba a un justo error de hecho, es decir, a un error que resulta excusable por no poder vencerse conforme a la diligencia debida (art. 706.4 CC)[11].

Por eso nos parece más acertado lo que propone el civilista español Luis Díez-Picazo que sugiere distinguir entre la buena fe como supuesto de hecho de una norma y buena fe como principio jurídico[12].

1.3. La buena fe como principio general del derecho civil y de todo el derecho

La buena fe, que el art. 1546 del Código Civil ordena aplicar como principio o norma abierta en materia de contratos, ha sido elevada por la doctrina y la jurisprudencia al rango de principio inspirador de todo el Derecho Civil, por lo que regiría en materias de familia, sucesorias y de bienes o derechos reales[13]. Se acude, entonces, a la noción de "espíritu general de

---

[9] Así Ducci Claro, C. (2002), pp. 29-30.

[10] Así, Peñailillo Arévalo, D. (1996), p. 40, sostiene que la buena fe objetiva es la forma de determinar la subjetiva mediante antecedentes objetivos o externos reveladores de la conciencia, que es imposible de auscultación directa (cfr. también Peñailillo Arévalo, D., 2003, p. 52). Saavedra, F. J. (1996), pp. 365-366, sostiene que siempre la buena fe incluye un modelo de comportamiento exigido, por lo que nunca es puramente subjetiva. En contra, Alcalde Rodríguez, E. (2018), pp. 335-336, parece compartir la distinción proponiendo que la buena fe subjetiva debe aplicarse en concreto y la objetiva en abstracto. Por su parte, Carvajal Ramírez, P. (2009), pp. 31-45, postula que la definición de buena fe como creencia que se impone a la realidad es parcial porque existen casos en los que procede lo contrario.

[11] Guzmán (2002), pp. 21-22, señala que la buena fe es unitaria ya que en materia de posesión si bien se refiere a una conciencia subjetiva de haberse adquirido el dominio se exige que ello sea de manera legítima y sin fraude, lo que requiere una valoración normativa de la conducta; y si se ha equivocado su error debe ser calificado de "justo", lo que implica nuevamente un contraste con un estándar de conducta normativa

[12] Díez-Picazo, L. (1982), pp. 11-12.

[13] No entraremos aquí en si técnicamente la buena fe es una concepto jurídico indeterminado, un concepto válvula, una cláusula general, una máxima legal o un estándar

El principio de buena fe en el derecho civil. Riquezas y miserias

111

la legislación" que el art. 24 del Código contempla como una de las fuentes de interpretación de las leyes.

De principio jurídico de ámbito civil, la buena fe ha devenido en un principio general de Derecho, y así se habla de buena fe procesal, buena fe administrativa (a la que ahora se denomina confianza legítima), buena fe comercial, buena fe laboral, buena fe internacional, etc.[14] Incluso en algunos ámbitos se entiende que la buena fe debe aplicarse en su alcance más exigente: por eso se señala que en el Derecho de Seguros no sólo se aplica la buena fe, sino una buena fe máxima: *uberrima bona fides*[15].

Nos ocuparemos ahora sólo del principio de buena fe en el Derecho Civil, discurriendo primero sobre sus riquezas o fortalezas.

2. LAS RIQUEZAS DEL PRINCIPIO DE BUENA FE EN EL DERECHO CIVIL

2.1. *Superación de la interpretación literalista*

Una primera riqueza o aporte del principio de buena fe ha sido su utilidad en el proceso de superación de la escuela exegética de interpretación tanto de la ley como de las estipulaciones contractuales. De esta manera, la buena fe presta utilidad para descartar la primacía absoluta del tenor literal, lo que dice la letra, y contribuye a entender que el sentido no depende sólo del texto y que muchas veces hay que indagar cuál es el fin o espíritu de la estipulación.

Como en el *Common Law* no existe la buena fe, Shakespeare en *El Mercader de Venecia* tuvo que salvar la vida de Antonio haciendo una interpretación literalista del contrato. Recuérdese que Antonio había firmado un contrato con el prestamista judío Shylock en el que se comprometía a devolver 3.000 ducados en cierta fecha y, en caso de incumplimiento, se obligaba a pagar una libra de su propia carne, elegida por su acreedor. Antonio no puede cumplir a tiempo, y Shylock pide al Tribunal de Venecia que

---

de conducta (cfr. Eyzaguirre, C. y Rodríguez, J., 2013, p. 147), porque todas ellas pueden quedar integradas en la noción de "principio general".

[14] Hay ya estudios sobre la aplicación de la buena fe en estas otras disciplinas. Así, en materia laboral puede verse a Irureta Uriarte, P. (2011), pp. 133-188, y en derecho procesal puede consultarse a Romero Seguel, A. (2003), pp. 167-172.

[15] Sobre esta aplicación de la buena fe en los contratos de seguros de vida puede verse a Ruiz-Tagle, C. (2010).

se cumpla el contrato y se le permita cortar con su cuchillo una libra de carne de la parte más cercana al corazón de Antonio. Cuando ya está por ejecutarse la sentencia, arriba un jurisconsulto, que en realidad es Porcia disfrazada, que resuelve el caso con la idea de que el contrato no dice nada sobre el derecho de Shylock a derramar la sangre de Antonio, de modo que Shylock puede cortar la libra de carne pero sin derramar una gota de sangre, ya que de lo contrario será castigado como homicida.

Si el jurisconsulto del drama isabelino hubiera contado con el principio de buena fe, podría haber resuelto el tema sobre la base de un abuso del derecho a cumplir el contrato ya que Shylock no reportaba utilidad económica alguna y procedía inspirado sólo por el odio y el deseo de venganza[16].

Y esto mismo nos lleva a otra de las riquezas de la buena fe: su potencialidad para parir nuevos principios.

2.2. Madre de otros principios

Son muchos los principios jurídicos que pueden considerarse "hijos" de la buena fe[17]. Por mencionar algunos, tenemos el que impide aprovecharse del propio dolo y el que prohíbe ir contra los propios actos cuando han generado legítimas expectativas en terceros.

La doctrina del abuso del derecho se basa también en la buena fe al vedar que se lesione a otro invocando la cobertura de un derecho subjetivo. Del abuso del derecho podemos pasar también al abuso de la persona

---

[16]   Un estudio del drama desde el punto de vista jurídico puede verse en Banfi del Río, C. (2015), pp. 37-62. Banfi hace ver que bien podría haberse invocado el abuso del derecho en contra de Shylock en vez de una "interpretación contractual insensata" como la efectuada por Porcia (pp. 60-61). Jocelyn-Holt, E. (2018), p. 227-228, explica cuál sería la razón por la que se presenta como solución una interpretación literalista del contrato: "todos en la obra entienden que la cláusula y el contrato no pueden ser anulados, ya que afectaría la seguridad y certeza jurídica y comercial de Venecia... Estamos ante el principio del *Pacta Sunt Servanda*: el contrato es una ley para las partes. Dicho principio es absolutamente clave en el derecho privado. Crea seguridad jurídica, estabilidad y certeza para el intercambio comercial... En cierto sentido, estamos de acuerdo. Incluso Antonio lo está. No es llegar y decir que la ley no se cumplirá... Como ninguna autoridad de Venecia puede cambiar el contrato, la ley está del lado de Shylock. Los contratos se cumplen al pie de la letra. Porcia lo dice claramente... Quizás es por esto que Porcia acude a la literalidad de la ley y del contrato, para que sea posible incumplirlo".

[17]   Se ha dicho así que por su amplitud y extensión el principio de buena fe es fundante de otros principios: cfr. Peñailillo Arévalo, D. (2003), p. 50.

jurídica, que permite inquirir quiénes se ocultan bajo esa figura formal, mediante la teoría del "levantamiento del velo"[18].

El principio de la realidad tan aplicado en Derecho del Trabajo es también un descendiente del principio de buena fe, como lo es el principio de confianza legítima que se aplica en materias de Derecho Administrativo cuando la Administración deja sin efecto sus actos perjudicando a terceros que confiaron en su legalidad y validez.

2.3. Moralización de las relaciones jurídicas

Una tercera "riqueza" de la buena fe es la de configurar un puente entre la ética y la ley, contribuyendo a "moralizar" las relaciones jurídicas[19]. La lealtad, la sinceridad, la veracidad son virtudes propias del ámbito moral, que normalmente quedan fueran del espacio de lo jurídico, que se centra en un valor ético indispensable para la convivencia: la justicia. Las leyes tratan de obtener que, al menos exteriormente, las personas se comporten de una manera justa con los demás, es decir, reconociendo y respetando sus derechos.

La buena fe, en cambio, pone el parámetro un poco más allá de la simple y mera justicia, y exige que las personas se conduzcan leal y honestamente en sus relaciones jurídicas. Así, por ejemplo, si un contrato dispone que el vendedor debe entregar la cosa en el plazo de diez días, pero en esos días se le muere un hijo, la buena fe exigirá al comprador que comprenda el retardo en la entrega y no pida indemnización de perjuicios o la resolución del contrato, aunque esto procediera en derecho estricto

2.4. Justicia del caso concreto

Finalmente, el principio de buena fe proporciona al juez una herramienta para reemplazar las circunstancias particulares de cada caso y así buscar la solución que, aunque conforme con la ley, se ajuste mejor a esa específica situación.

---

[18]   Sobre esto puede verse a López Díaz, P. (2015), pp. 102-112.
[19]   Muchos autores destacan esta función de la buena fe. Fueyo Laneri, F. (1990), p. 146, afirma que "la buena fe, y el principio general de la buena fe, se nutren de la moral". Abeliuk Manasevich, R. (2014), t. I, p. 156, señala que el principio de buena fe y del acto propio constituyen una manifestación de la tendencia hacia la moralización del Derecho.

Pongamos un ejemplo: si en el metro se prohíbe ingresar con animales, y resulta que una persona no vidente entra con su perro lazarillo, y la policía le cursa una multa, el juez podrá revocar la sanción sobre la base de que el principio de buena fe permite interpretar la prohibición como no conteniendo a animales que son necesarios para personas discapacitadas.

3. ¿Y LAS MISERIAS?

De todo lo anterior, hay mucho escrito. En cambio, poco se ha dicho sobre las "miserias" de la buena fe y usamos la palabra como sinónimo de debilidades, defectos o vicios en que se puede incurrir invocando el principio sin el rigor que amerita su profundidad y relevancia[20].

3.1. *Indeterminación: el síndrome del* Mentholathum

Justamente como se trata de un concepto jurídico flexible y plástico, el principio de buena fe puede ser invocado para apoyar cualquier pretensión. Esto es lo que podemos llamar el síndrome del *mentholatum*: una pomada que se puede usar para tratar cualquier dolor o malestar.

El problema es que cuando todo es buena fe, la alegación de esta pierde su utilidad práctica y no ayuda a discernir cuál es la solución más adecuada a un conflicto jurídico.

Consideremos como ejemplo un caso real que fue juzgado por nuestros tribunales. La empresa inmobiliaria Cidsur arrendó un inmueble ubicado en Vitacura a la sociedad Glide. En el contrato se dejó expresa constancia que el inmueble se destinaría a instalar y gestionar un campo de mini golf. También se dejó establecido que la arrendataria se haría cargo de gestionar los permisos administrativos. Al comenzar los trabajos para instalar el mini golf, Glide pidió la autorización correspondiente a la Municipalidad, pero esta la rechazó porque el terreno no cumplía con los requisitos urbanísticos y municipales para ese rubro de negocios. La sociedad Glide demandó a Cidsur pidiendo que se diera por terminado el arrendamiento y que se le indemnizaran los perjuicios.

En este caso, ¿qué nos puede decir el principio de buena fe? Puede alegarse, y así lo hizo la demandante, que la contraparte estaba obligada a

---

[20]   En este sentido, puede consultarse a De Trazegneis Granda, F. (2004), pp. 21-46.

informar que el terreno no cumplía con las condiciones para el objeto del contrato, ya que alguien de buena fe habría sido leal y no se habría aprovechado de la ignorancia del arrendatario. Pero la demandada también puede invocar la buena fe en su favor porque ella bien podría no haber sabido que había problemas respecto de este tipo de negocios en los cuales no es experta, y que en cambio un mínimo de honradez y diligencia exigía que fuera el arrendatario quien hiciera las indagaciones sobre si el terreno arrendado tenía los requisitos para ser habilitado como mini golf (Corte de Apelaciones de Santiago, 29 de noviembre de 2007, Corte Suprema, 19 de mayo de 2008, rol N° 1287-2008)[21].

Como vemos, la alegación de buena fe puede sostener dos pretensiones absolutamente contrapuestas, con lo que ambas alegaciones terminan por neutralizarse y no ayudan a solucionar el problema.

Por eso, nuestra experiencia como árbitro nos sugiere que cuando uno de los abogados de una causa comienza a invocar el principio de buena fe es porque no tiene argumentos de peso para sostener su posición, y usa la buena fe como una especie de conjuro mágico que parece prestarle una aparente seriedad a su pretensión de la que en verdad carece. No deja ser efectivo lo que afirma el jurista peruano Fernando de Trazegnies, en el sentido de que "la mayor parte de las definiciones de la buena fe no son sino malabarismos lingüísticos, delicadamente envueltos dentro de una bruma de candor y hasta de beatitud, que difícilmente pueden ser utilizados con rigor por el legislador y los tribunales..."[22].

3.2. *Inseguridad jurídica*

Otra miseria de la buena fe es que bajo su manto un juez puede sentirse autorizado para ir contra lo que establecen las reglas del sistema jurídico y en vez de hacer justicia con las reglas ya establecidas, suplantarlas por otras más de su gusto.

Pero las reglas son necesarias no sólo para lograr una buena convivencia sino también para garantizar un espacio de libertad a las personas. Para

---

[21]   De la Maza, Í. (2014), p. 212, señala que en este caso la Corte de Apelaciones ponderó los intereses en juego privilegiando la exigencia de un comportamiento leal y honesto (buena fe) por sobre el deber de autorresponsabilidad. Pero también podría plantearse que la autorresponsabilidad es una exigencia que deriva de la buena fe.

[22]   De Trazegnies, F. (2004), p. 25.

ello es necesario que sean conocidas con anterioridad a la conducta que van a regir.

Si los jueces las desprecian e inventan sus propios criterios normativos para resolver un caso defraudan la legítima expectativa de los ciudadanos y generan la indefensión y el desorden propios de la inseguridad jurídica.

Como ha enseñado el filósofo Jorge Millas, para que puedan prevalecer el máximo de valores como la justicia, la paz, la solidaridad, el derecho debe asegurar el valor más básico de la seguridad jurídica aunque esto implique sacrificar en situaciones puntuales alguno de los otros valores. Es la paradoja que llama como "aberración axiológica" del derecho[23]. El mismo Millas señala también que la creatividad judicial no puede implicar que el juez se desvincule de las normas que prefiguran la conducta de los ciudadanos: "Decidir sin normas que hagan genéricamente previsible lo que va a decidirse, es decidir como déspota, no es juez, porque no juzga aunque dictamine"[24].

3.3. Inestabilidad contractual

Lo anterior trae como corolario la inestabilidad de los contratos. Bajo el pretexto de interpretar o integrar un contrato conforme a los parámetros de la buena fe, un juez podría sencillamente revisar y reescribir lo que se había pactado por las partes[25]. Con ello no sólo se frustran las expectativas de esos contratantes, sino que se emite un mensaje social nefasto: que los contratos son sólo declaraciones de intenciones o buenos deseos, pero no compromisos vinculantes.

El contrato es una regla prospectiva que intenta domeñar las contingencias del futuro. Las partes ya saben lo que deben hacer y lo que van a recibir una de la otra y organizan sus actividades conforme a esa previsión. Cuando se revisa un contrato y se lo cambia, se emite la señal de que cualquier contrato puede ser intervenido y modificado, y se merma la estabilidad de estos instrumentos, produciendo una desconfianza general en la palabra

---

[23]   Millas, J. (2012), pp. 360 y ss. Dice Millas resumiendo esta paradoja: "Extraño como pueda parecer, el orden jurídico antepone la seguridad a todo otro valor como un medio para favorecer el imperio de todos los valores" (p. 362).

[24]   Millas, J. (2012), p. 380.

[25]   Sobre todo porque la línea fronteriza entre integrar y modificar, hace que sea muy tentador para el juez intervenir en el contrato con el pretexto de estar llenando una laguna o vacío en sus estipulaciones. Cfr. Eyzaguirre, C. y Rodríguez, J. (2013), p. 185.

empeñada y desestimulando los contratos de larga duración que son indispensables para el desarrollo económico y social.

Además, reformular un contrato con el pretexto de que no es compatible con la buena fe es contradictorio con el primer mandato de la buena fe que es cumplir con la palabra empeñada y no engañar. El principio *pacta sunt servanda*: los pactos deben ser observados, es de la esencia del principio de buena fe[26].

El principio inverso, el *rebus sic stantibus* (mientras se mantengan las circunstancias), sólo puede regir en los casos en que la ley así lo haya previsto. Esta es una de las razones por las cuales nunca nuestros tribunales han aceptado la teoría de la imprevisión o de la excesiva onerosidad sobreviniente, aun cuando hay autores que señalan que debiera admitirse justamente sobre una concepción onmiabarcante de la buena fe.

Incluso el solo hecho de que la buena fe sea tan difícil de precisar con antelación introduce una tensión con la certeza jurídica y la previsibilidad de los pronunciamientos judiciales. Como señala Schopf, estos elementos "tienen una especial importancia en el ámbito del derecho de contratos, donde la seguridad jurídica constituye un presupuesto indispensable para la fluidez del tráfico y el normal desarrollo de las relaciones de intercambio y cooperación que constituyen el comercio, todas las cuales se canalizan a través de la figura del contrato"[27].

3.4. Decisionismo judicial

Si se confunde el principio de buena fe con la equidad se corre el riesgo de abonar el terreno para el activismo judicial, que preferimos denominar "decisionismo judicial"[28]. Se trata de que el juez se entiende a sí mismo no cómo un aplicador leal de las reglas jurídicas, ya sean legales o contractuales, sino como un justiciero, que debe hacer justicia, según su personal pa-

---

[26]   Por lo mismo, no debe invocarse la buena fe para realizar una interpretación que desconozca el texto del contrato, que en principio es lo que contiene la intención común de las partes. En este sentido, De Trazegnis, F. (2004), pp. 42-46. Eyzaguirre, C. y Rodríguez, J. (2013), p. 187, advierten que, tratándose de contratos entre partes con poder de negociación equivalente, "pretender obtener ventajas no negociadas ni acordadas mediante el expediente de la buena fe en estos casos tiende a modificar el contenido del contrato más que integrarlo".

[27]   Schopf Olea, A. (2018), p. 112.

[28]   Sobre este concepto puede verse a Corral Talciani, H. (2018).

recer, con prescindencia del contenido prescriptivo de las reglas y normas aprobadas por el Congreso Nacional o por las partes de un contrato.

Es la contraposición que hacía Max Weber entre la justicia del Cadí y la justicia de los jueces modernos. Esta última es una justicia que se ejercita racionalmente y con lealtad hacia las reglas para preservar e incrementar la previsibilidad de la vida en sociedad.

El Cadí, un juez islámico de la shariah o derecho sagrado islámico, en cambio juzga conforme a criterios religiosos y éticos que dependen del caso y de su intuición personal y subjetiva de lo justo[29]. El principio de buena fe puede servir como excusa para que un juez moderno como el que necesitan nuestras sociedades complejas, se transforme en un Cadí, aunque con la falsa apariencia de estar respetando el Derecho[30].

4. ¿CÓMO POTENCIAR LAS RIQUEZAS Y MINIMIZAR LAS MISERIAS?

Por cierto, no se trata de eliminar por completo la plasticidad de la buena fe en el Derecho Civil, ya que esa rigidez le impediría cumplir las funciones benéficas que se le reconocen unánimemente. Pero de alguna manera es necesario que esa flexibilidad sea "domesticada", es decir, racionalizada y sistematizada para que no se generen o agraven los efectos negativos o miserias que hemos apuntado.

---

[29]   Cfr. Weber, M. (2014), pp. 843 y 1118. El término fue acuñado por el jurista alemán Richard Schmidt, como reconoce el mismo Weber.

[30]   Wieacker, F. (1982), p. 28, señala que si se pretendiera que la buena fe atiende a un valor metajurídico como la caridad, el bien social o común, "se estaría incidiendo en una arbitraria justicia del cadí". Sin embargo, desde el ámbito anglosajón, se observa que en realidad la buena fe opera como una fachada para impedir que el juez sea percibido como creando o corrigiendo reglas jurídicas, porque los jueces del sistema de *civil law* se sienten incómodos con el papel de creadores de derecho y no simples aplicadores de la ley: "Los jueces de derecho civil pueden haberse sentido algo culpables cuando cambian o crean nuevas reglas porque ellas no estarían democráticamente legitimadas. Por lo tanto, era más fácil para ellos, en lugar de declarar abiertamente que han cambiado la ley, afirmar que simplemente la aplicaron, invocando la cláusula general de buena fe en el Código que ha sido adoptado por el legislador elegido democráticamente" (Hesselink, M., 2011, p. 645). Se observa que es una manipulación de la buena fe para encubrir un papel que no corresponde a los jueces en los sistemas de tradición codificada, en que se les pide que interpreten las leyes, pero no que las modifiquen según su personal criterio.

Una propuesta en tal sentido ha hecho Íñigo de la Maza, poniendo de relieve que, al ser la buena fe, un principio jurídico, opera como un mecanismo de ponderación entre los intereses que subyacen en el Derecho de contratos, pero como él mismo señala la ponderación tampoco está exenta de críticas por los riegos de arbitrariedad[31].

Por nuestra parte sugerimos varias vías, que debieran ser complementarias, y utilizables tanto por jueces como abogados.

En primer lugar, debe distinguirse el comportamiento exigido por la buena fe de aquél que exigiría la equidad[32] o, incluso más, la ética de virtudes como la caridad, la generosidad, la austeridad, etc. No hay duda de que la buena fe introduce criterios de moralidad y contribuye a soluciones que pueden ser más equitativas, pero estos criterios deben ser compatibles con lo que se espera de una persona en el ámbito de las relaciones sociales y jurídicas, sin excesivos idealismos. Se ha dicho así que la buena fe debe remitir al estándar de un contratante (ciudadano) leal y honesto, el que implica comportarse considerando no sólo los propios intereses sino también los de la parte contraria[33], lo que puede ser aceptado ya que las personas tienen una expectativa legítima de que los demás se relacionarán con ellas sin comportamientos dolosos, abusivos y deshonestos. Sin esta confianza recíproca, el mundo sería invivible y el tráfico jurídico y económico se haría muy difícil. Pero la buena fe no puede requerir que una persona deba privilegiar los intereses ajenos por sobre los propios, aunque ello pueda ser exigido o recomendado por la equidad o la moral[34]. Sólo excepcionalmente la buena fe puede dar lugar a deberes positivos en beneficio de la otra parte, como en casos en los que existe una relación entre los contratantes que permite suponer que existe una particular vinculación y confianza[35].

---

[31] De la Maza, Í, (2014), p. 221.

[32] Sobre esto es significativo que Bello no haya seguido al Código francés que en su art. 1135 señala como factores de la buena fe la ley, el uso y la equidad. Bello sustituyó la equidad por un criterio más objetivo: la naturaleza de la obligación. Cfr. Guzmán Brito, A. (2002), p. 16.

[33] Schopf Olea, A. (2018), p. 115.

[34] De Trazegneis, F. (2004), pp. 24 y ss. rechaza que la buena fe sirva para introducir una moral que tiende a la perfección humana, haciendo ver que el Derecho moderno no pretende hacer buenos a los hombres, sino que a lo sumo que no sean socialmente malos. Díez-Picazo, L. (1982), p. 15, señala que la ética de la buena fe no es la ética material-normativa, de validez universal y de carácter atemporal ni tampoco la de las convicciones morales imperantes en una determinada comunidad histórica, es más bien "un asunto de la clase o del estamento de los juristas... Es una ética jurídica".

[35] Eyzaguirre, C. y Rodríguez, J. (2013), p. 182.

Una segunda vía de racionalización consiste en la exigencia de fundamentar la aplicación del principio de buena fe respecto de cada caso[36]. No basta con invocar la buena fe, sino que es necesario explicitar por qué la buena fe beneficia a una de las partes en un determinado caso y no a la otra[37]. Además, la aplicación que se haga de la buena fe y las valoraciones que deba hacer el juez para ello, deben ir en línea con las normas y valores del ordenamiento jurídico. La buena fe no puede ser un pretexto para que el juez aplique sus propios y personales criterios de regulación[38].

Una tercera vía debiera ser no aplicar el principio de buena fe cuando hay reglas, principios o doctrinas jurídicas más concretos con los que se puede resolver el caso[39]. Así, por ejemplo, si un contratante afirmó algo y luego quiere actuar en contradicción con ello, vulnerando la confianza de su contraparte, en vez de recurrir a la buena fe habrá que aplicar el principio del no ir contra los propios actos. Lo mismo habría que decir respecto de los estándares jurídicos de que nadie puede alegar su propio dolo o torpeza o de que no se admite el ejercicio abusivo de un derecho. Con ello habrá que precisar si se cumplen los requisitos que la doctrina y la jurisprudencia han ido configurando específicamente para la aplicación de estos principios particulares.

Quizás la vía de domesticación más efectiva, aunque más exigente, sea la de identificar grupos o constelaciones de casos en los que debería aplicarse el principio de buena fe, sobre todo en materia de contratos[40]. Es lo que ha realizado la doctrina y la jurisprudencia alemana al interpretar el parágrafo 242 del *BGB*, el Código Civil alemán, que se limita a señalar que un deudor debe actuar de buena fe, considerando los usos de tráfico. Se ha elaborado así los que se suele llamar "constelaciones o grupos de casos" (*fallgruppen*) que orientan sobre las circunstancias concretas en que puede

---

[36]   En este sentido, Eyzaguirre, C. y Rodríguez, J. (2013), p. 201, sostienen que "la única manera de evitar que esa discrecionalidad se torne en arbitrariedad es que el juez formule en los términos más claros posible su decisión, señalando cuales son las exigencias de la buena fe en el caso concreto y su consecuencia jurídica".

[37]   En este sentido, en relación con la aplicación de la doctrina del levantamiento del velo sobre la base de la buena fe: López Díaz, P. (2015), pp. 112-113.

[38]   En este sentido, Schopf Olea, A., (2018), pp. 132-138, hace ver que la exigencia de actuar de buena fe, si bien es una cláusula general, es una norma jurídica establecida por el legislador que debe ser aplicada en consonancia con los criterios y valores del derecho vigente.

[39]   Eyzaguirre, C. y Rodríguez, J. (2013), p. 196, señalan que "debe privilegiarse la interpretación de la ley y la aplicación de doctrinas más específicas antes de echar mano a la buena fe, a fin de no dilatar en exceso el ámbito de aplicación de esta última".

[40]   Cfr. Schopf Olea, A., (2018), pp. 138-141.

El principio de buena fe en el derecho civil. Riquezas y miserias

121

reconocerse una aplicación justa y sensata del principio. Se trataría de una especie de tipificación jurisprudencial de los casos en los que se lesiona la buena fe contractual[41].

También entre nosotros se han realizado esfuerzos en este sentido, como puede verse en el libro de Jorge López Santa María sobre contratos[42], o el de Cristián Boetsch sobre la buena fe contractual[43]. En el mismo sentido, puede verse el libro colectivo que contiene una recopilación de sentencias sobre la buena fe con comentarios de varios profesores y que fuera dirigido por Lilian San Martín[44].

Podríamos resumir todas estas vías en un apotegma o regla general, con el que nos gustaría concluir este breve ensayo: "Debe aplicarse de buena fe el principio de buena fe".

BIBLIOGRAFÍA

Abeliuk Manasevich, R. (2014), *Las obligaciones*, Thomson Reuters, 6ª edic., Santiago, 2014.

Alcalde Rodríguez, E. (2018), *La responsabilidad contractual. Causa y efectos de los contratos y sus obligaciones*, Ediciones UC, Santiago, 2018, pp. 118-125.

Atiyah, P. S (1995), *An introduction to the Law of Contract*, Clarendon Press, 5ª edic., Oxford, 1995.

Banfi del Río, C. (2015), "Comentarios jurídicos sobre El Mercader de Venecia", en Barría, M. y otros (edit.), *Estudios de Derecho Privado. Homenaje al profesor Ramón Domínguez Águila*, Thomson Reuters, Santiago, 2015, pp. 37-62.

Baraona González, J. (2015), "La interpretación contractual: una insistencia su giro objetivo", en Departamento de Derecho Privado Universidad de Concepción (coords,), *Estudios de Derecho Civil XI*, Thomson Reuters, Santiago, 2015, pp. 439-449.

Boetsch Giller, C. (2011), *La buena fe contractual*, Editorial Jurídica de Chile, Santiago, 2011.

---

[41]   En este sentido, es paradigmática la obra de Franz Wieacker sobre el § 242 del BGB: Wieacker, F. (1982). Entre nosotros, recomienda este método, De la Maza, Í. (2014), pp. 221-224.

[42]   López Santa María, J. y Elorriaga De Bonis, F. (2017), pp. 438-460

[43]   Boetsch, C. (2011), pp. 137-156.

[44]   San Martín Neira, L. (edit.) (2015). También nosotros hemos hecho un aporte en esta dirección en un artículo destinado a sistematizar la jurisprudencia del art. 1546: Corral Talciani, H. (2006), 187-226, y que hoy puede verse en Corral Talciani, H. (2010), pp. 67-103.

Carvajal Ramírez, P. (2009), "Artículo 706 del Código Civil chileno: crítica como pretendido núcleo textual del principio de la buena fe", en Pizarro Wilson, C. (coord..), *Estudios de Derecho Civil IV*, LegalPublishing, Santiago, 2009, pp. 31-45.

Corral Talciani, H. (2006), "La aplicación jurisprudencial de la buena fe objetiva en el ordenamiento civil chileno" (versión ampliada), en De la Maza, Íñigo (edit.), *Temas de contratos*, Cuadernos de Análisis Jurídicos, Colección de Derecho Privado, U. Diego Portales, Santiago, 2006, pp. 187-226.

Corral Talciani, H. (2010), *Contratos y daños por incumplimiento*, AbeledoPerrot, Santiago, 2010.

Corral Talciani, H. (2018), "Constitucionalización del Derecho Civil, neoconstitucionalismo y activismo judicial", en *Revista de Derecho Aplicado LLM UC*, N° 2, 2018, disponible en http://ojs.uc.cl/index.php/RDA/article/view/149/609

D'Ors, Á. (1991), *Derecho privado romano*, Ediciones Universidad de Navarra, 8ª edic., Pamplona, 1991.

De la Maza, Í. (2014), "La buena fe como dispositivo de ponderación", en De la Maza, Í., Morales, A. y Vidal, A., *Estudios de Derecho de contratos. Formación, cumplimiento e incumplimiento*, Thomson Reuters, Santiago, 2014, pp. 201-228.

De Trazegneis Granda, F. (2004), "Desacralizando la buena fe en el Derecho", en Córdoba, Marcos M. (dir.), *Tratado de la buena fe en el derecho*, La ley, Buenos Aires, 2004, t. II, pp. 21-46.

Díez-Picazo, L. (1982), "Prólogo" a Franz Wieacker, *El principio general de la buena fe*, trad. José Luis Carro, Civitas, Madrid, 1982, pp. 9-23.

Ducci Claro, C. (2002), *Derecho Civil. Parte general*, Editorial Jurídica de Chile, 4ª edic., Santiago, 2002.

Eyzaguirre Baeza, C. y Rodríguez Diez, J. (2013), "Expansión y límites de la buena fe objetiva. A propósito del Proyecto de Principios Latinoamericanos de Derecho de los Contratos", en *Revista Chilena de Derecho Privado*, 2013, n° 21, pp. 137-216.

Farnsworth, F. A. (2004), *Farnsworth on Contracts*, Aspen Publishers, 3ª edic., New York, 2004.

Fueyo Laneri, F. (1990), *Instituciones de Derecho Civil moderno*, Editorial Jurídica de Chile, Santiago, 1990.

Guzmán Brito, A. (2002), "La buena fe en el Código Civil de Chile", en *Revista Chilena de Derecho*, vol. 29, 2002, 1, pp. 11-23.

Hesselink, M. (2011), "The concept of good faith", in Arthur Harkamp *et al.* (eds.) *Towards a European Civil Code*, 4ª edic., Kluwer International Law, The Netherlands 2011, pp. 619-649.

Hunter Ampuero, I. (2008), "No hay buena fe sin interés: la buena fe procesal y los deberes de veracidad, completitud y colaboración", en *Revista de Derecho* (U. Austral de Chile), 21, 2008, 2, pp. 151-182.

El principio de buena fe en el derecho civil. Riquezas y miserias

123

Irureta Uriarte, P. (2011), "Vigencia del principio de buena fe en el Derecho del Trabajo chileno", en *Ius et Praxis* 17, 2011, 2, pp. 133-188.

Jocelyn-Holt, E. (2018), *Del caos al imperio del Derecho. La búsqueda de la justicia en Shakespeare*, Rubicón, Santiago, 2018.

Johow Santoro, C. (2005), "La interpretación del contrato y la buena fe", en Varas, J. A. y Turner, S. (coords.), *Estudios de Derecho Civil. Código y dogmática en el Sesquicentenario de la Promulgación del Código Civil*, LexisNexis, Santiago, 2005), pp. 213-233.

Larroucau Torres, J. (2013), "Tres lecturas de la buena fe procesal", en Revista Chilena de Derecho Privado 21, 2013, pp. 259-305.

López Díaz, P. (2015), "La sentencia del caso Salomón Catrilef Hernández y otros con Pesca Cisne S. A. y la buena fe como fundamento de la doctrina del levantamiento del velo", en San Martín Neira, L. (edit.), *La buena fe en la jurisprudencia. Comentarios y análisis de sentencias*, Thomson Reuters, Santiago, 2015, pp. 91-113.

López Santa María, J., y Elorriaga de Bonis, F. (2010), *Los contratos, Parte General*, LegalPublishing, 6ª edic., Santiago, 2010, pp. 464-465.

Millas, J. (2012), *Filosofía del derecho*, Universidad Diego Portales, Santiago, 2012.

Peñailillo Arévalo, D. (1996), "Los elementos subjetivos en las instituciones y conceptos del derecho civil y su establecimiento", en AA.VV., *Instituciones Modernas de Derecho Civil. Homenaje al profesor Fernando Fueyo Laneri, Conosur*, Santiago, 1996, pp. 34-43.

Peñailillo Arévalo, D. (2003), *Obligaciones. Teoría general y clasificaciones. La resolución por incumplimiento*, Editorial Jurídica de Chile, Santiago, 2003.

Romero Seguel, A. (2003), "El principio de buena fe procesal y su desarrollo en la jurisprudencia, a la luz de la doctrina de los actos propios" en *Revista Chilena de Derecho*, 30, 2003, 1, pp. 167-172.

Ruiz-Tagle Vial, C. (2010), *La buena fe en el contrato de seguro de vida*, Editorial Jurídica de Chile, Santiago, 2010.

Saavedra, F. J. (1996), "El principio general de la buena fe", en AA.VV., *Instituciones Modernas de Derecho Civil. Homenaje al profesor Fernando Fueyo Laneri, Conosur*, Santiago, 1996, pp. 357-373.

San Martín Neira, L. (edit.) (2015), *La buena fe en la jurisprudencia. Comentarios y análisis de sentencias*, Thomson Reuters, Santiago, 2015.

Schemaier, M. J. (2000), "*Bona fides in Roman Contract Law*", en Zimmermann, R. y Whittaker, S. (edits.), *Good Faith in European Contract Law*, Cambridge University Press, Cambridge U.K., 2000, pp. 63-92.

Schopf Olea, A. (2018), "La buena fe contractual como norma jurídica", en *Revista Chilena de Derecho Privado* Nº 31, 2018, pp. 109-153.

Summers, R. S. (2000), "*The conceptualisation of good faith in American contract law: a general account*", en Zimmermann, R. y Whittaker, S. (edits.), *Good Faith in*

European Contract Law, Cambridge University Press, Cambridge U.K., 2000, pp. 118-141.

Weber, M. (2014), *Economía y sociedad*, trad. José Medina Echavarría, Fondo de Cultura Económica, México, 2014.

Wieacker, F. (1982), *El principio general de la buena fe*, trad. José Luis Carro, Civitas, Madrid, 1982.

LA CODIFICACIÓN DE LA BUENA FE OBJETIVA COMO CLÁUSULA GENERAL Y PRINCIPIO DE INTERPRETACIÓN EN EL DERECHO SUSTANTIVO Y ADJETIVO BRASILEÑO

Priscila Machado Martins
Doctora en Derecho, Pontificia Universidad Católica de Valparaíso
Profesora de Derecho Procesal, Universidad de los Andes, Chile

SUMARIO: 1. INTRODUCCIÓN. 2. ESCLARECIMIENTOS ACERCA DE LOS ALCANCES DE LA INTERPRETACIÓN EN VIRTUD DE LA LEY DE INTRODUCCIÓN AL CÓDIGO CIVIL BRASILEÑO. 3. EL CÓDIGO CIVIL BRASILEÑO DE 1916 Y SU INTERPRETACIÓN: CONTEXTO IDEOLÓGICO Y EL DOGMA DE LA PLENITUD DE LOS CÓDIGOS. 4. INSERCIÓN DEL DERECHO CIVIL EN EL ESTADO SOCIAL Y LA DESCODIFICACIÓN: DISPERSIÓN DE LAS REGLAS DE INTERPRETACIÓN. 5. EL CÓDIGO CIVIL BRASILEÑO DE 2002: LA FUNCIÓN SOCIAL Y LA BUENA FE OBJETIVA COMO PRINCIPIOS INTERPRETATIVOS. 6. EL PRINCIPIO DE LA BUENA FE OBJETIVA. 7. LA BUENA FE OBJETIVA EN EL CÓDIGO DE PROCEDIMIENTO CIVIL EN 2015. 8. CONCLUSIÓN. BIBLIOGRAFÍA.

1. INTRODUCCIÓN

Lo que se pretende por medio de este artículo es demostrar que, no obstante el cambio legislativo que significó la dictación del nuevo Código Civil brasileño del año 2002, el método tradicional de interpretación de la ley se mantuvo incólume –salvo su modificación respecto la observación del espíritu de la ley–, constituyéndose como un criterio que actualmente se enfrenta al sentido social, ético y de concreción, que Miguel Reale le imprimió al Código de 2002 y del Código de Proceso Civil brasileño, todo a la luz de la Constitución Federal de 1988.

Por medio de la lectura y análisis de las reglas de interpretación de los códigos civiles y la recepción del principio de la buena fe objetiva al sistema procesal brasileño, se intenta explorar el traslado del "culto" al Código Civil antiguo y su patrimonialismo, al moderno culto a la Constitución, en cuanto fruto del movimiento constitucionalista, y la centralización de la interpretación en la persona humana.

2. ESCLARECIMIENTOS ACERCA DE LOS ALCANCES DE LA INTERPRETACIÓN EN VIRTUD DE LA LEY DE INTRODUCCIÓN AL CÓDIGO CIVIL BRASILEÑO

En primer lugar, es menester destacar que en Brasil, a diferencia de otros países de la órbita del derecho continental, existe una ley autónoma y ajena al Código Civil, sin embargo anexa a él, que determina los alcances y límites de la interpretación de las leyes infraconstitucionales. Pues bien, la Ley de Introducción al Código Civil fue elaborada con la forma de Decreto-Ley[1], y regula la *vacatio legis*, vigencia, la revocación expresa o tácita, de la interpretación, del derecho adquirido, y también de las reglas generales de derecho internacional.

La primera Ley de Introducción al Código Civil fue aprobada en el año 1916 conjuntamente con el Código Civil de aquel año. De ahí el nombre adoptado. Posteriormente, fue sustituida por el Decreto-Ley n° 4.657/42, que todavía está en vigencia. Con la aprobación del nuevo Código Civil Brasileño de 2002, se mantuvo la vigencia de la referida ley por estar pacificado el entendimiento de que no existe vinculación estricta con el Código Civil, sino con todos los ramos del derecho[2]; en efecto, y a modo ejemplar, se cita que el artículo 3° de la Ley de Introducción al Código Civil, establece que nadie puede excusarse por el desconocimiento de la ley. En consecuencia, establece la prohibición del *non liquet*, esto es, que el juez no puede eximirse de fallar por ausencia de normas específicas al caso concreto[3], lo que configura una exigencia jurídica transversal que excede los márgenes de alcance del Código Civil.

En relación a las reglas de interpretación, el artículo 4° de la Ley de Introducción al Código Civil Brasileño dispone acerca de la integración de

---

[1]   La Ley de Introducción al Código Civil fue publicada en 04 de septiembre de 1942, de modo que la Constitución vigente en esta época era de 1937. La referida Carta Política, establecía en su artículo 180 que "mientras que no se reúna el parlamento nacional, el Presidente de la Republica tendrá el poder de expedir decretos-leyes sobre todas las materias de competencia legislativa de la Unión".

[2]   Varios proyectos de ley fueran elaborados y posteriormente archivados, y actualmente está tramitando en el Congreso Brasileño el Proyecto n° 243/2002, de autoría del senador Moreira Mendes con 45 artículos, el proyecto trata de temas como domicilio, separación y divorcio, regimenes de bienes, problemas acerca de la aplicabilidad de la ley y acerca de las relaciones entre extranjeros y brasileños.

[3]   El articulo 126 del Código de Proceso Civil Brasileño establece que "El juez no se exime de fallar o resolver alegando laguna u oscuridad de la ley. En el juzgamiento del litigio le corresponde aplicar las normas legales, no habiéndolas, recurrirá a la analogía, a la costumbre y a los principios generales del derecho". (Traducción libre).

la ley u orden de prelación de fuentes, estableciendo que cuando la ley es omisa, el juez decidirá el caso conforme la analogía, las costumbres y principios generales del derecho[4].

El artículo 5°, por su parte, establece que el juez en la aplicación de la ley atenderá a los fines sociales que se dirige y a las exigencias del bien común. A la luz de dicha regulación, se puede entender, por tales exigencias, todo aquello que sea más benéfico para la sociedad, exigiendo con ello al intérprete, la obligación de considerar el aspecto utilitarista de la ley.

Estos pocos artículos son aquellos que se mantuvieron en vigencia con la dictación del actual Código Civil brasileño, no obstante que dicho nuevo dispositivo legal cambió de modo significativo el sentido de la interpretación consagrado en el cuerpo legal civilístico anterior.

3. EL CÓDIGO CIVIL BRASILEÑO DE 1916 Y SU INTERPRETACIÓN: CONTEXTO IDEOLÓGICO Y EL DOGMA DE LA PLENITUD DE LOS CÓDIGOS

El Código Civil Brasileño de 1916 era fruto del individualismo y de la tradición patrimonialista del derecho civil, pues, como es sabido, el movimiento de la codificación civil liberal tenía como valor necesario de la realización de la persona, la propiedad[5]. Las relaciones civiles eran tratadas con un marcado acento patrimonial, lo que explica que sus principales institutos fueran justamente el derecho de propiedad y derecho de los contratos. En este sentido, el patrimonio prevalecía como valor individual a ser tutelado.

Podemos observar en el Código Civil Brasileño de 1916 una atención que se dirige a regulación de la pequeña sociedad burguesa y conservadora existente en el Brasil de la época, mas que enfocada en los grandes problemas jurídicos de carácter humano. Pablo Stolze Gagliano[6] afirma que, sin dismi-

---

[4]   Artículo semejante al artículo 4° del proyecto de Código Civil Chileno de 1853 (Anteproyecto manuscrito).

[5]   Hans Kelsen, en su *Teoría pura del derecho*, São Paulo, Martins Fontes, 1987, nota 25, p. 183, demuestra como es muy significativa, en este aspecto la filosofía jurídica de Hegel, para quien la esfera exterior de la libertad es la propiedad: "aquello que nosotros llamamos persona, o sea, el sujeto que es libre, libre para si y si da en las cosas una existencia: solo en la propiedad la persona es como razón."

[6]   Gagliano, Pablo S.; Pamplona, Rodolfo F., *Novo curso de direito civil: parte geral*, Saraiva, São Paulo, 2004, v. 1, p. 23.

nuir la magnitud técnica del Código de 1916, este se trataba de un código patriarcal, cruel, autoritario y egoísta, fiel reflejo del Brasil del siglo XIX.

El Código Civil se constituyó como el centro normativo más destacado y respetado de la sociedad brasileña, desde que de las siete Constituciones Brasileñas, de las cuales 3 fueron impuestas, ninguna fue realmente observada, con excepción de la de 1988. Las primeras Constituciones, en nada regulaban acerca de las relaciones privadas, cumpliendo las exigencias del Estado Liberal, por lo que, apartadas de la vida cotidiana, permitió al Código Civil, configurarse como el dispositivo legal de mayor influencia.

La experiencia brasileña vivenció lo que Norberto Bobbio denominó "fetichismo legislativo"[7], una vez que se desarrolló en este período un culto a la codificación, teniendo como protagonista al Código Civil. Sabemos que, modernamente, la producción legislativa es monopolio del Estado, por lo tanto el dogma de la plenitud es un de los componentes de la concepción estatalista del Derecho.

A medida que el Estado moderno se desarrolla, surgió la necesidad de que el derecho estatal regulase todo caso de relevancia jurídica posible, por lo que, para mantener el monopolio de la producción de normas jurídicas, el derecho emanado del Estado debe servir para todo uso y regular todas las situaciones[8]. Así, las grandes codificaciones son la expresión macroscópica de esta voluntad de plenitud, dogma que sostenía que el ordenamiento jurídico debe ser completo para que en todo caso pueda ofrecer al juez una solución sin tener que recurrir a la equidad. *"Así surgía el Código Civil como expresión de la voluntad general, no admitiendo concurrencia alguna de los usos y costumbres, si de las elaboraciones legislativas particulares"*[9].

Describiendo el dogma de la plenitud y el culto al Código Civil, Miguel Reale[10] resalta que la ley fue colocada en un plano tan alto que pasó a ser considerada la fuente única del Derecho. El problema de la Ciencia del Derecho se resolvió, en cierta manera, en un problema de la mejor interpretación de la ley.

Dentro de esta perspectiva, la escuela que se impuso fue la escuela de la exégesis y la de la pandectista alemana[11], que tenía como carácter peculiar

---

7   Bobbio, N., *Teoría general del derecho*, Temis, Bogotá, 1994, pp. 212-213.
8   Bobbio, ob. cit. p. 212.
9   Reale, M., *Introducción al derecho*, Pirámide, Madrid, 1982. p. 215.
10   Idem.
11   "Hasta cierto punto, hay una relativa correspondencia entre la escuela de los pandectistas en Alemania y la escuela de la exégesis en Francia, en lo que se refiere al prima-

la admiración incondicional por la obra cumplida por el legislador por medio de las codificaciones, y una fe ciega en la suficiencia de las leyes, en definitiva la creencia de que el código, una vez dictado, se basta completamente en si mismo, es decir, no tiene lagunas, en otras palabras cumple el dogma de la plenitud jurídica[12].

Norberto Bobbio[13], haciendo una crítica a este período señala que la ilusión de la codificación es la plenitud, esto es, la existencia de una regla aplicable para cada caso concreto. El código es para el juez un prontuario que le debe servir infaliblemente y del cual no se puede apartarse. De ahí el termino fetichismo legislativo, que es que la tendencia de los juristas y jueces atenerse escrupulosamente a los códigos, que se extendió no solo a Brasil, pero también en las naciones codificadas (pos-código napoleónico).

En este ambiente la interpretación era vista desde dos puntos de vista: por un lado, el punto de vista literal o gramatical; y, por otro, el punto de vista lógico-sistemático. En el primero, debe el intérprete analizar la norma a fin de captar plenamente lo que en ella se quiere expresar; la ley era la expresión de la voluntad del legislador y, por consiguiente, debía ser reproducida con fidelidad. Además de la investigación filológica, al intérprete le correspondía hacer un análisis lógico-sistemático de la norma, por cuanto ninguna de ellas estaría aislada de las demás, de modo que era preciso interpretar la ley conforme sus valores y significados lingüísticos, pero siempre situándolos dentro del conjunto del sistema.

En este escenario queda claro el significado y relevancia del Código Civil para el derecho privado, en cuanto cuerpo codificado al que pertenecen todas las reglas patrimoniales; así, para la escuela de la exégesis, la división entre derecho público y derecho privado constituyeron dos ramos rígidamente compartimentados: para el derecho civil, los principios constitucionales equivaldrían a normas políticas, cuyo destinatario es el legislador, y sólo, excepcionalmente, para el intérprete, quien podría tímidamente utilizarlas en la medida que se enmarcara en los términos del articulo 4° de la Ley de Introducción al Código Civil, esto es, como fórmula

---

do de la norma legal y las técnicas de su interpretación. A causa de la inexistencia de un Código Civil, los juristas alemanes se mostraran menos 'legalistas', prestando más atención a los usos y costumbres y aceptando una interpretación más elástica del texto legal" in: REALE, M., *Introducción al derecho*, Pirámide, Madrid, 1982, p. 219.

12   Bobbio, ob. Cit. p. 213.
13   Idem.

de confirmación o legitimación de un principio general de derecho[14]. El sentido patrimonialista se revela palmario en el resultado del análisis de la norma por el intérprete del Código Civil de 1916.

4. INSERCIÓN DEL DERECHO CIVIL EN EL ESTADO SOCIAL Y LA DESCODIFICACIÓN: DISPERSIÓN DE LAS REGLAS DE INTERPRETACIÓN

La ideología social, traducida en los valores de justicia social o distributiva pasó a dominar el escenario constitucional del siglo XX. La propuesta civilista fundada en el individualismo empezó a presentar desgastes. Orlando Gomes, civilista brasileño, en 1985, tres años antes de la promulgación de la actual Constitución Brasileña, afirmaba que "no obstante continuar siendo un punto de referencia de la reflexiones habituales, el Código Civil entra en agonía"[15].

Los movimientos políticos-sociales ligados al cuadro político que caracterizó al siglo XX en occidente, generaron la construcción de un Estado volcado a las cuestiones sociales, despreciando el individualismo propio del liberalismo clásico, y, por lo tanto, en desconexión con el modelo adoptado para la confección de los códigos.

En Brasil estos reflejos son fácilmente verificados en las Constituciones de 1934 (conocida como "democratizadora") y después en la del año 1946. La consagración de un modelo compatible con la noción de un Estado Social, impuso la necesidad de una inevitable intervención pública en la economía, cercenando la plena libertad de contratación y otros valores propios del liberalismo clásico. Surgía, entonces, el denominado dirigismo contractual, lo que fue acompañado de la convicción de que era necesario, además, limitar la autonomía privada, el derecho de propiedad y favorecer el control de bienes y su tráfico.

No es difícil notar que el individualismo que sustentaba el contenido de la codificación civil estaba por naufragar. El centro de las atenciones deja de ser la persona poseedora de bienes y pasa a ser la persona

---

[14]   Tepedino, G., *O código civil, os chamados microsistemas e constituição: premissas para uma reforma legislativa*, disponible en http://www.idcivil.com.br, aceso en 16 de junio de 2020.

[15]   Gomes, O., *A agonia do código civil*, in: Revista de direito comparado luso-brasileiro, Forense, São Paulo, 1985, año IV, jul.1985, n. 7, p. 9.

poseedora de derechos, muchos de ellos, sin siquiera connotación patrimonial.

En Brasil, el Código Civil de 1916 continuaba regulando las relaciones privadas de manera general, sin embargo, asistimos a un fenómeno de inflación legislativa a partir de la década del 30, época en la cual surgieron numerosos estatutos, incorporando una amplia variedad de regulaciones de las relaciones jurídicas de diferentes ramos del derecho. Los referidos cuerpos legislativos sistematizaban no sólo el derecho material, sino también reglas procesales, de derecho administrativo, reglas interpretativas propias a la materia, y reglas de derecho penal.

Las reglas de interpretación de la ley civil, entonces, pasan a tener un carácter fragmentario, donde cada estatuto trae consigo sus métodos y principios interpretativos[16]. Este es el caso del Código de Defensa del Consumidor, el Estatuto del Niño y del Adolescente, Estatuto de la Persona Mayor, que posen reglas de derecho material, reglas de derecho penal, reglas sobre la interpretación de la norma, y aspectos procesales referentes al tema. La aplicación de las reglas del Código Civil en estos ramos pasó a tener un carácter subsidiario.

Vivimos entonces el fenómeno de la descodificación de la ley civil brasileña, con el desplazamiento del centro de gravedad del derecho privado, que antes tenía un cuerpo legislativo monolítico, por lo tanto, llamado de monosistema, para una realidad legislativa plural y fragmentada. Para Francisco Amaral[17], tratando del tema de la descodificación en Brasil, entiende que el conjunto de valores e ideas que formaran el caldo de cultura de los grandes códigos se encuentran superados, principalmente sus funciones políticas, filosóficas y técnicas.

En relación a estos estatutos, el Código Civil perdió capacidad de influencia normativa, configurando un polisistema, caracterizado por el conjunto creciente de leyes como centros normativos autónomos y llamados de microsistemas[18].

---

[16] Tepedino, G., *O código civil, os chamados microsistemas e constituição: premissas para uma reforma legislativa*, disponible en http://www.idcivil.com.br, aceso en 16 de junio de 2020.

[17] Amaral, F., *A descodificação do direito civil brasileiro* in: Revista do Tribunal Regional Federal da 1ª Região, Brasilia, 1996, p. 545-657, out. /dez. 1996.

[18] Natalito, I., *L'etâ della decodificazione*, Giuffrè, Milano, 1989, *passim*.

5. EL CÓDIGO CIVIL BRASILEÑO DE 2002: LA FUNCIÓN SOCIAL Y LA BUENA FE OBJETIVA COMO PRINCIPIOS INTERPRETATIVOS

Con el advenimiento de la Constitución de 1988 y el constitucionalismo, en cuanto doctrina de amplia aceptación en Brasil, la interpretación de las leyes pasó a sujetarse a los contenidos de la Constitución. Fue Gomes Canotilho, constitucionalista portugués, quien elaboró la noción básica del principio que *"en caso de normas con semántica plural o plurisignificativas debe darse preferencia a la interpretación que ofrezca un sentido en conformidad con la Constitución"*[19].

Con la interpretación mirando hacia la Constitución, se reveló un nuevo centro de gravedad del derecho brasileño: la dignidad de la persona humana, en posición de privilegio en el sistema al patrimonio. Miguel Reale, redactor del nuevo Código Civil de 2002[20], escribió un artículo llamado *"Constitución y el Código Civil"*, donde explica la influencia constitucional y la necesidad de una nueva codificación civil.

El Código de 2002, nace, entonces, del desgaste de la legislación civil de 1916, además caracterizada por estar pensada para la sociedad agrícola decimonónica y su carácter eminentemente patrimonialista. Uno de los principales puntos destacados por Miguel Reale[21] fue que "en primer lugar, al contrario de los juristas alemanes denominados pandectistas, que pretendían resolver todos los problemas jurídicos solamente mediante categorías jurídicas – tal como pasa en el Código Civil Alemán de 1900 – los elaboradores de la nueva Ley Civil brasileña optaran por la comprensión del Derecho en función de los principio jurídicos y metajurídicos como la ética y la perspectiva social".

De ahí la consecuencia del nuevo entendimiento de lo que sea el sujeto de derecho, no más entendido como un individuo *in abstracto*, en una igualdad formal, pero si en razón de lo individuo situado concretamente en el complejo de sus circunstancias éticas y socio-económicas.

Tanto es así que, los valores de la ética y de la sociabilidad presidieran la elaboración del Código Civil de 2002, a empezar por el reconocimien-

---

[19]   Canotilho, J. J. Gomes, *Direito Constitucional e Teoria da Constituição*, Almedina, Coimbra, 2002, 6. ed. P. 1212.

[20]   También el Código Civil de 2002 no trae un título específico a la interpretación.

[21]   Reale, M., *Constituição e o directo civil* disponible in: http://www.miguelreale.com.br (Sao Paulo, 2003).

to de la necesaria indemnización de daños puramente morales, y por la exigencia de la probidad y la buena fe en la ejecución y conclusión de los negocios jurídicos. El derecho de propiedad sigue los designios impuestos por la Constitución de 1988, en cuanto a que "la propiedad[22] atenderá su función social".

Por ejemplo, podemos encontrar en el Código Civil de 2002, en su artículo 113 que "los negocios jurídicos deben ser interpretados conforme la buena fe y los usos del lugar de su celebración". También el artículo 421 que la "libertad de contratar será ejercida en razón y en los límites de la función social del contrato". El artículo siguiente, el 422, establece que "los contratantes son obligados a guardar, tanto en la conclusión, como en la ejecución de los contratos, los principios de la probidad y de la buena fe".

Sobre los cambios hechos en el Código Civil, Reale[23] aclaró que "el gran cambio fue el cambió de espíritu. De un código individualista pasamos para un código social, que lleva en cuenta valores colectivos. Es un código que tiene un espíritu ético de moralidad fundamental, de tal manera que es dado al juez una grande atribución de completar y rever las situaciones.

Es obvio que Miguel Reale expresó su idea de la tridimensionalidad del derecho en el nuevo código. El rol que pasa a tener el juez es muy ajeno a la interpretación literal de la ley. El papel del juez en la nueva codificación civil está en realizar o concretizar la norma al caso concreto, atendiendo a la ética y a su finalidad social. Es una legislación que aspira la concretud de la norma.

6. EL PRINCIPIO DE LA BUENA FE OBJETIVA

Ya ampliamente aceptado por la doctrina y por la jurisprudencia brasileña, y en especial por Pablo Luiz Netto Lôbo, el principio de la buena fe objetiva considera que "*a boa-fé objetiva é regra de conduta dos indivíduos*

---

[22]   También el artículo 1.228 del Código Civil de 2002: O proprietário tem a faculdade de usar, gozar e dispor da coisa, e o direito de reavê-la do poder de quem quer que injustamente a possua ou detenha. § 1º O direito de propriedade deve ser exercido em consonância com as suas finalidades econômicas e sociais e de modo que sejam preservados, de conformidade com o estabelecido em lei especial, a flora, a fauna, as belezas naturais, o equilíbrio ecológico e o patrimônio histórico e artístico, bem como evitada a poluição do ar e das águas.

[23]   Reale, M., *entrevista al Jornal da USP*, disponible en: http://www.conjur.com.br/2006-abr-17/leia_entrevista_concedida_reale_jornal_usp, aceso en 17 de junio de 2020.

nas relações jurídicas obrigacionais. Interessam as repercussões de certos comportamentos na confiança que as pessoas normalmente neles depositam. Confia-se no significado comum, usual, objetivo da conduta ou comportamento reconhecível no mundo social. A boa-fé objetiva importa conduta honesta, leal, correta. É a boa-fé de comportamento".

En este sentido, la buena fe objetiva significa una actuación reflexionada, una actuación que se proyecta en el otro, esto es, en la contraparte contractual, respetando sus intereses legítimos, sus expectativas razonables, sus derechos y prerrogativas, actuando con lealtad, sin abusos, sin obstrucción, sin provocar lesiones o desventajas excesivas, cooperando para alcanzar el buen fin de las obligaciones: el cumplimiento objetivo contractual y la realización de los intereses de las partes[24].

El principio de la buena fe objetiva es un reflejo del aspecto social, reflejado por la cláusula general establecida en el artículo 422 del Código Civil brasileño. El legislador estableció la buena fe objetiva como cláusula general de modo que faculta al interprete la apertura del sistema jurídico para permitir el ingreso de principios y valores de modo no casuistico. La cláusula general es una valiosa técnica legislativa que, no obstante su vaguedad semántica representa un importante instrumento de vivificación del ordenamiento jurídico, desde cuando, sea prudentemente y razonablemente aplicada por la judicatura.

7. LA BUENA FE OBJETIVA EN EL CÓDIGO DE PROCEDIMIENTO CIVIL EN 2015

El nuevo Código de Proceso Civil, Ley N° 13.105 de 2015, buscando la garantía del debido proceso legal, entre otros principios, trajo el principio de la buena fe objetiva para las relaciones jurídico procesales. Interesado en reprimir comportamientos ímprobos y no cooperativo de las partes, el Código de Proceso Civil, por medio de la buena fe objetiva, trata de estimuar las partes a la cooperación judicial, para así el proceso sea célere y eficaz en la solución de los conflictos.

El artículo 5° del referido código establece que *"Aquele que de qualquer forma participa do processo deve comportar-se de acordo com a boa fé".* El referido artículo inspirado en el derecho suizo, que en su artículo 52 establece

---

[24]   Marques, C. Lima. Contratos no Código de Defesa do Consumidor. 3ª edição. São Paulo, Revista dos Tribunais, 1999, v. I, p. 106-107.

igualmente el principio de la buena fe objetiva. Dicho dispositivo tiene por fundamento el comportamiento justo, desprovido de maldad o segundas intenciones. Es una forma de rechazar la mala fe subjetiva, o sea, la conducta dolosa que tiene por objetivo lesar a otra parte en el proceso.

Desde el derecho romano, ya se pensaba en la buena-fe direccionada a la conducta de las partes, principalmente en las relaciones negociales y contractuales. De la subjetivización pasamos para la objetivización de este principio, lo que está consolidado por las codificaciones europeas. Otros códigos también traen el principio acá estudiado, tales como el Código Civil Portugués de 1966, el Código Civil Italiano de 1942 y el BGB Alemán, normas que serviran como marco teórico para el derecho civil brasileño de 2002.

Delante de tal principio, es considerado inadmisible el comportamiento que tiene como objetivo atrasar el proceso o poner dificultades para la parte contraria y así perjudicarla. Por otro lado, dicho principio se ocupa también de la cooperación entre las partes, dando soporte para la colaboración, por medio de los mecanismos de la mediación y conciliación, que son objetivos del nuevo código.

8. CONCLUSIÓN

Finalmente, desde el artículo 4º del Código de Defensa del Consumidor, pasando por el Código Civil de 2002 y con la publicación del Código de Proceso Civil de 2015, la buena fé para a ser una regla general en el derecho brasileño y una regla de interpretación general tanto para el derecho sustantivo como para el derecho adjetivo.

De este modo, todo el actuar, sea en las relaciones jurídicas negociales o en las relaciones jurídicas procesales, las partes deben actuar con lealtad y buena fe. Dentro de esta perspectiva, inferese que la justicia debe venir de manos y conciencia limpias (*equity must come with clean hands*).

BIBLIOGRAFÍA

Amaral, F., *A descodificação do direito civil brasileiro* in: Revista do Tribunal Regional Federal da 1ª Região, Brasilia, 1996, p. 545-657, out. /dez. 1996.

Bobbio, N., *Teoría general del derecho*, Temis, Bogotá, 1994.

Bonavides, P., *Curso de Direito Constitucional*, Malheiros, São Paulo, 2010.

136   Priscila Machado Martins

Canotilho, J. J. Gomes, *Direito Constitucional e Teoria da Constituição*, Almedina, Coimbra, 2002.

Gagliano, P. Stolze; PAMPLONA, R. Filho, *Novo curso de direito civil: parte geral*, Saraiva, São Paulo, 2004.

Gomes, O., *A agonia do código civil*, in: Revista de direito comparado luso-brasileiro, Forense, São Paulo, 1985, año IV, jul.1985, n. 7.

Kelsen, H., *Teoría pura do Direito*, São Paulo, Martins Fontes, 1987.

Natalito, I., *L'etâ della decodificazione*, Giuffrè, Milano, 1989.

Reale, M., *Constituição e o directo civil* disponible in: http://www.miguelreale.com.br, São Paulo, 2003.

Reale, M., *entrevista al Jornal da USP*, disponible en: http://www.conjur.com.br/2006-abr-17/leia_entrevista_concedida_reale_jornal_usp, aceso en 17 de junio de 2010.

Reale, Miguel, *Introducción al derecho*, Pirámide, Madrid, 1982.

Rodríguez, S., *Directo Civil: parte geral*, São Paulo, Martins Fontes, 1987.

Tepedino, G., *O código civil, os chamados microsistemas e constituição: premissas para uma reforma legislativa*, disponible en http://www.idcivil.com.br, aceso en 16 de junio de 2010.

LA BUENA FE Y ALGUNAS ACCIONES
DE ESTADO: OBSERVACIONES EN TORNO
A UN CASO

María Sara RODRÍGUEZ

Doctora en Derecho, Universidad Autónoma de Madrid
Profesora Titular de Derecho Civil, Universidad de los Andes, Chile

SUMARIO: 1. INTRODUCCIÓN. 2. EL RECONOCIMIENTO VOLUNTARIO DE UN HIJO EFECTUADO POR ERROR. 2.1. Los hechos en que se funda la pretensión. 2.2. Conocimiento y capacidad en la *ratio* que decide el juicio. 2.3. Argumentos del voto de minoría. 3. CONOCIMIENTO Y CAPACIDAD PARA HACER VALER ACCIONES DE ESTADO. 3.1. Desconocimiento judicial de una filiación matrimonial y otros derechos y acciones. 3.2. Nulidad de matrimonio por vínculo matrimonial no disuelto. 4. LA ACCIÓN DE NULIDAD DEL RECONOCIMIENTO COMO ACCIÓN DE ESTADO. 5. CONCLUSIÓN. BIBLIOGRAFÍA CITADA.

1. INTRODUCCIÓN

La buena fe puede ser interpretada como una ignorancia. La mala fe como un conocimiento. Esto se relaciona con el aforismo latino que afirma que el plazo comienza a correr desde el momento en que se tiene conocimiento y capacidad. En otras palabras, al impedido no le corre plazo. Al que ignora los presupuestos de hecho y las consecuencias jurídicas de una acción no le corre plazo para ejercitarla. Este principio parece tener la mayor importancia en materia de acciones de filiación y, tal vez, más genéricamente en acciones de estado. Las acciones de estado tienen por objeto constituir o declarar un estado civil (padre, madre, hijo, soltero, divorciado). Las acciones de estado son típicas. La legitimación activa y pasiva está estrictamente tasada en la ley. Tienen plazos de ejercicio y caducidad. Por esta razón es que sería interesante resolver si a pesar de un texto restrictivo de la ley, al legitimado le puede correr plazo mientras ignora o está incapacitado para ejercitar una acción.

Este es el problema que se plantea en un caso fallado por la Corte Suprema de Chile (acción de nulidad de reconocimiento acogida) donde se afirma que al legitimado para pedir la nulidad por error no le corre plazo mientras no pudo salir de la ignorancia y buena fe (falsa representación de la realidad) que lo movió a actuar. La pregunta es si este principio podría extenderse a otras acciones de estado o si debe hacerse una interpretación máximamente restrictiva de él. En este capítulo se propone una interpretación de esta materia según el contexto de la ley, de modo que los plazos en materia de acciones de estado se interpreten de modo que haya entre todos ellos la debida correspondencia y armonía. Especialmente, de un modo que respete el principio general subyacente de que al impedido no le corre plazo; y que para ejercitar las acciones se requiere que el legitimado tenga conocimiento y capacidad.

A continuación ofrecemos una recapitulación del caso sobre el que se efectúan estas reflexiones. A continuación se aborda la problemática general del conocimiento y la capacidad para hacer valer acciones de estado. En seguida, se reflexiona sobre los motivos que hay para considerar la acción de nulidad del reconocimiento como una acción de estado, en cuanto tiene consecuencias directas en el hecho de encontrarse determinada o no una filiación.

2. EL RECONOCIMIENTO VOLUNTARIO DE UN HIJO EFECTUADO POR ERROR

2.1. Los hechos en que se funda la pretensión

Los hechos se configuran de la siguiente forma. El demandante pide que se declare nulo un reconocimiento de paternidad efectuado voluntariamente por él el 22 de mayo de 2013, respecto de la que creía ser su hija, nacida el 16 de diciembre de 2011. Alega haber salido del error que lo movió a actuar en marzo de 2016 por los resultados de una prueba de ADN que excluye su paternidad, corroborados por una segunda prueba realizada por el Servicio Médico Legal. Interpone demanda de nulidad del reconocimiento por error el 26 de abril de 2016 contra la que pasaba por hija suya y su madre.

El demandante reconoce haber tenido relación con la madre de la que creyó ser su hija. Afirma nunca haber hecho vida en común con ella ni con la supuesta hija. La parte demandada no niega la evidencia que demuestra el error del demandante (Cons. Séptimo). Es decir, que el demandante no es verdadero padre de la que pasa por hija suya, cuestión que es cierta en el juicio. Tampoco niega la falta de una vida en común que pudiera haber configurado posesión notoria de estado, cumpliéndose los requisitos legales para ello[1].

---

[1]   Cf. Arts. 200 y 201 CCch.

Como única defensa, la parte demandada alega el encontrarse prescrita la acción para pedir la invalidación del acto por error. Por este motivo es que el Juzgado de Familia de Linares rechaza la demanda. Esta sentencia es revocada por la Corte de Apelaciones de Talca, que ordena que se deje sin efecto el acta de reconocimiento de 22 de mayo de 2013 y que se cancele la subinscripción correspondiente. La parte demandada interpone recurso de casación en el fondo, que es rechazado por la Corte Suprema el 11 de diciembre de 2018[2].

2.2. *Conocimiento y capacidad en la* ratio *que decide el juicio*

El tribunal considera que el que reconoce a un hijo por error, de buena fe, confiando en la declaración de la madre con quien no hace vida en común, independientemente de la buena o mala fe de esta, no está obligado a asumir una paternidad que no se fundamenta en una filiación subyacente real (Cons. Noveno). El demandante alega haber salido del error después de tres años de efectuado el reconocimiento por los resultados de una prueba biológica excluyente; y haber hecho valer la nulidad del acto inmediatamente después de conocer esta evidencia. Se comprende que no pudo hacerlo antes, mientras confiaba en la declaración de la madre y seguía en el error que lo movió a actuar.

Para alcanzar esta conclusión, la Cuarta Sala considera que no incurren en un error de derecho los sentenciadores que cuentan el plazo de un año a que se refiere el artículo 202 CCch "desde el momento en que [el actor] pudo efectivamente desprenderse de [la] falsa representación de la realidad" que lo afectaba (Cons. Décimo). El plazo de prescripción solo podría contarse desde que el que padece el vicio sale del error; es decir, desde que conoció su ignorancia y, por tanto, pudo hacer valer este derecho.

Obiter dicta, la Sala considera que negar al demandante el derecho a impetrar la invalidez de dicho acto podría conculcar su "derecho a la tutela judicial efectiva" (Cons. Octavo). El punto tiene interés pues efectivamente, según el artículo 216 CCch, el que reconoce voluntariamente a un hijo no está legitimado para impugnar la filiación así determinada, aunque no corresponda a una verdad biológica subyacente[3]. El reconocimiento de fi-

---

[2]   Corte Suprema (Cuarta Sala), 11 de diciembre de 2018, Rol 4275-2018 (recurso de casación en el fondo rechazado).

[3]   Subsiste el derecho del hijo, de su representante legal en interés de éste y de cualquier persona "que pruebe un interés actual en ello" para impugnar esta filiación por no ser el declarante verdadero padre del hijo que pasa por suyo (art. 216 CCch.)

liación no matrimonial es irrevocable[4]. Negar al declarante el ejercicio del derecho a desvincularse de un acto que realizó por error significaría privarlo del único mecanismo que tiene para obtener la ineficacia de dicho acto.

La *ratio decidendi* apela, como se observa, a la lógica de los plazos de las acciones de estado para resolver el problema del cómputo del término que existe para pedir la nulidad de un acto de reconocimiento, efectuado por error. El plazo debe computarse desde que los legitimados, es decir, "aquellos en cuyo favor la han establecido las leyes, sus herederos o cesionarios"[5] tienen conocimiento y capacidad para ejercitar el derecho. Numerosas acciones de estado se computan desde que el legitimado conoce el o los hechos que fundamentan su derecho y puede hacerlo valer ante la justicia. La acción de nulidad del reconocimiento por error o fuerza debe ser tratada como una acción de estado, al menos para efectos del cómputo del plazo dentro del que el legitimado para hacer valer el derecho puede pretender la invalidez por el vicio de error. La misma lógica, por lo demás, impregna la institución de la suspensión de plazos de prescripción y el cómputo del plazo de otras acciones civiles; por todas, la acción de responsabilidad civil extracontractual[6].

2.3. *Argumentos del voto de minoría*

La sentencia tiene el voto en contra de dos ministros que estuvieron por acoger el recurso. Para ellos, no corresponde aplicar las consideraciones anteriores a una acción de nulidad del acto de reconocimiento. La acción del artículo 202 CCch sería meramente una acción de nulidad relativa, "*no es propiamente una acción de filiación*". Se trataría de atacar un acto jurídico en el brevísimo plazo de un año y no en el cuadrienio de que habla el artículo 1691 CCch; aunque la reducción del plazo tenga el mismo fundamento "*que subyace a la brevedad de los plazos de caducidad en materia de impugnación*", la estabilidad del estado civil.

---

[4]   Art. 189 CCch.

[5]   Cf. art. 1684 CCch. La acción de nulidad del reconocimiento no tiene legitimados tasados especialmente, por lo que la doctrina sostiene que lo estarían los que menciona el art. 1684 CCch. Si la nulidad se pide por un vicio del consentimiento, el legitimado sería el que obró por error o fuerza.

[6]   Parece consolidarse la tendencia jurisprudencial que considera que el plazo para hacer valer la responsabilidad civil extracontractual debe computarse desde que se manifiesta el daño (conocimiento) que produce el hecho ilícito imputable al demandado y la víctima puede hacer valer este derecho (capacidad). *Erices Contreras con Fisco de Chile.* Corte Suprema (Tercera Sala), sentencia de 19 de abril de 2018 (recurso de casación en el fondo acogido), Rol N° 12.221-2017

A este argumento se suman otros, que resumidamente son los siguientes: 1°, La idea de que el demandante actuó reflexivamente porque el reconocimiento tuvo lugar después de un año del nacimiento. 2°, Que la determinación del vínculo jurídico de filiación no está necesariamente relacionada con una identidad biológica subyacente, como se desprendería del artículo 201 CCch (posesión notoria del estado de hijo), del artículo 182 CCch (determinación de la filiación por técnicas artificiales de reproducción humana) y del artículo 191 CCch (facultad del hijo de repudiar el reconocimiento por escritura pública sin expresión de causa). Por lo demás, el voto agrega la idea de que la identidad personal tendría un aspecto "dinámico" que no está relacionado con la dimensión "estática" que proporciona el dato biológico. 3°, El voto de minoría destaca, por último, que cada vez que el legislador quiso que un plazo corriera desde el conocimiento de ciertos hechos, así lo señala expresamente, como en el artículo 1216 CCch (la acción de reforma de testamento empieza a correr desde que los legitimarios tuvieron conocimiento del testamento y de su calidad de tales).

Los razonamientos que usa la Sala para acoger el recurso de casación, como también, los del voto de minoría exigen considerar el problema del conocimiento y de la capacidad para hacer valer derechos en materia de acciones de filiación y, más genéricamente, en acciones de estado. Esto es lo que se efectúa a continuación.

3. CONOCIMIENTO Y CAPACIDAD PARA HACER VALER ACCIONES DE ESTADO

El conocimiento del legitimado y su capacidad para hacer valer el derecho que le confiere la ley aparecen en diversos lugares del Código Civil. Por ejemplo, en materia posesoria (artículos 646, 702, 706, 707, 900, 906, 907, 909, 911) y sucesoria (artículos 976, 1216, 1267, 1268). En diversas partes del derecho de las obligaciones y contratos adquiere relevancia el conocimiento y la capacidad del interesado para que le sean oponibles determinadas obligaciones o derechos. Así ocurre en los artículos 1455, 1490, 1546, 1575, 1576, 1626 (beneficio de competencia), 1737 (sociedad conyugal), 1814 (compraventa), 1853 (evicción), 1913 (cesión de derechos litigiosos), 1916 (acción de saneamiento del arrendatario), 1925, 2058 (sociedad), 2070 (sociedad), 2089, 2122 (mandato), 2173, 2202 (mutuo), 2301 (pago de lo no debido), 2302, 2303, 2339 (fianza), 2406 (prenda), 2510 (prescripción).

La cuestión podría tener especial relevancia en materia de acciones de estado, donde el Código Civil parece recoger el principio de modo especialmente cuidadoso. Sin pretensiones de un estudio exhaustivo de casos, podemos observar este fenómeno en el desconocimiento judicial de la filiación matrimonial y en las acciones de impugnación de filiación; y también en la acción de nulidad de matrimonio por vínculo matrimonial no disuelto.

3.1. Desconocimiento judicial de una filiación matrimonial y otros derechos y acciones

El que se casa con una mujer embarazada del hijo de otro hombre puede desconocer judicialmente la filiación que se presume respecto de él si demuestra que "*no tuvo conocimiento de la preñez al tiempo de casarse*"[7]. Esta acción se debe ejercitar en el plazo de 180 días siguientes al día en que el legitimado "*tuvo conocimiento del parto*"[8]; o dentro del plazo de un año, si prueba que "*a la época del parto se encontraba separado de hecho de la mujer*". El Código Civil agrega que la residencia del marido en el lugar del nacimiento del hijo o su regreso a ese lugar hará presumir que "*supo inmediatamente*" de él, salvo "*ocultación del parto*"[9].

Si el marido muere "*sin conocer el parto, o antes de vencido el término para impugnar*" la acción corresponde a sus herederos[10]. Como esta acción se funda en una falsa paternidad, el supuesto hijo, por sí, puede interponer la acción de impugnación de filiación matrimonial "*dentro de un año, contado desde que alcance la plena capacidad*"[11]. Conocimiento de la falsa paternidad y capacidad para ejercitar el derecho deben confluir en el mismo sujeto legitimado.

El conocimiento y la capacidad tienen relevancia también para la repudiación del reconocimiento. Se trata de una declaración unilateral solemne que puede hacer el hijo reconocido, libremente y sin expresión de causa, en el plazo de un año desde que, alcanzada la mayoría de edad (capacidad) "*conoció*" (conocimiento) del reconocimiento[12]. El reconocimiento no debe ser notificado al hijo ni a su representante legal. Puede ocurrir

---

[7]   Art. 184 CCch.
[8]   Art. 212 CCch.
[9]   Art. 212 CCch.
[10]   Art. 213 CCch.
[11]   Art. 213 CCch.
[12]   Art. 191 CCch.

que el hijo conozca del acto de reconocimiento mucho tiempo después de la fecha del acto; puede conocerlo, por ejemplo, cuando se abre el testamento cerrado después de la muerte del padre.

La repudiación consiste en el derecho a rechazar un reconocimiento de filiación no matrimonial efectuado, presuntivamente, en interés más del mismo declarante que del hijo reconocido. Se puede repudiar sin expresar ni probar la causa. El reconocimiento voluntario de filiación no matrimonial corresponde al verdadero padre; pero el hijo no está obligado a aceptar la determinación voluntaria del vínculo si desconfía del interés que mueve al verdadero padre; por ejemplo, si no contrajo matrimonio con la madre. La repudiación del reconocimiento no se relacionaría, como afirma el voto de minoría, en una concepción "dinámica" de la identidad, que minusvalora el dato biológico subyacente. La repudiación sin expresión de causa pretende evitar que el padre no matrimonial produzca extrajudicialmente o haya intentado la determinación de la filiación en su solo interés, y no en interés del hijo. Esto podría ocurrir, por ejemplo, si el hijo ha heredado de su madre o tiene la expectativa de hacerlo. Pero el hijo no está obligado a expresar la causa por la que impugna.

La misma situación de conocimiento y capacidad se exige para ejercitar la acción de impugnación de paternidad determinada por reconocimiento. A diferencia de lo que puede ocurrir con la repudiación, el fundamento de la impugnación es la falsa paternidad del demandado; es decir, un reconocimiento que no se apoya en la evidencia de una verdad biológica subyacente. Según el artículo 216 CCch, pueden impugnar la paternidad determinada por reconocimiento: 1°, el propio hijo en el plazo de dos años *"desde que supo de ese reconocimiento"*; 2°, el representante legal del hijo en interés de éste; 3°, los herederos del hijo, si muere *"desconociendo aquel acto"* o no habiendo todavía transcurrido el plazo que tenía para impugnarlo; y 4°, *"toda persona que pruebe un interés actual en ello, en el plazo de un año desde que tuvo ese interés y pudo hacer valer su derecho"*. Se observa cómo la legitimación estricta de la acción está vinculada a la capacidad del legitimado para ejercitarla y cómo el plazo se computa desde que el mismo legitimado pudo conocer los presupuestos de hecho en que se apoya.

Por otra parte, el Código Civil aclara que *"el reconocimiento no perjudicará los derechos de terceros de buena fe"* adquiridos antes de la subinscripción, por la que se presume que pueden conocer de él[13]. Están de buena fe los terceros que ignoran la filiación que se determina por reconocimiento. La

---

[13]   Art. 189 CCch.

buena fe es tenida como ignorancia de la filiación que afecta sus derechos. El principio vuelve a aparecer en el artículo 221 CCch, por el que la sentencia que acoja una acción de reclamación o impugnación *"no perjudicará los derechos de terceros de buena fe que han sido adquiridos con anterioridad a la subinscripción"*. La buena fe se refiere, nuevamente, a la ignorancia del estado civil que perjudicaría sus derechos. La obligación de subinscribir estos actos está destinada a dar conocimiento y hacer oponible dichos actos a terceros que podrían, de otro modo, ignorarlos. La ignorancia o buena fe de los titulares impide que corran plazos contra ellos. Aquí se acercan conocimiento y capacidad. No se puede hacer valer una acción (capacidad) cuyos presupuestos se ignoran (conocimiento).

Todas estas normas avalan la *ratio decidendi* de que el plazo de un año que tenía el demandante para pedir la declaración de nulidad del reconocimiento por error (ignorancia, buena fe) se debe contar *"desde el momento en que [el actor] pudo efectivamente desprenderse de [la] falsa representación de la realidad"* que lo afectaba (Cons. Décimo). Es decir, desde que tuvo conocimiento y capacidad. Esto no coincide siempre con la fecha del acto unilateral solemne en que consiste el reconocimiento.

3.2. *Nulidad de matrimonio por vínculo matrimonial no disuelto*

La cuestión ha sido discutida en materia de nulidad del matrimonio por bigamia. La acción de nulidad de matrimonio es una acción de estado. Está estrictamente tasada, tiene legitimados y plazo de ejercicio y tiene por objeto que declare la nulidad de un matrimonio con efectos directos en el estado civil de los presuntos cónyuges.

Interesa especialmente la causal de nulidad que consiste en contraer un matrimonio con *"vínculo matrimonial o acuerdo de unión civil no disuelto"*, el primero de los impedimentos absolutos para contraer matrimonio reconocido en la ley de matrimonio civil[14]. La existencia de la causal de nulidad al tiempo de celebrarse el (segundo) matrimonio es de fácil prueba: consiste en acreditar mediante certificados o partidas debidamente apostilladas o legalizadas que uno o ambos contrayentes se encontraban unidos con terceras personas por vínculo matrimonial o acuerdo de unión civil no disuelto.

---

[14]   Art. 5°, 1° ley N° 19.947, de 2004, con relación al art. 44, literal *a)* de la misma ley.

En general, según la ley N° 19.947, de 2004, la nulidad de un matrimonio "*sólo podrá intentarse mientras vivan ambos cónyuges*"[15]. Esta regla tiene dos excepciones: "*matrimonio celebrado en artículo de muerte*" y "*vínculo matrimonial no disuelto*" (bigamia)[16]. Estos dos casos legitiman "*también al cónyuge anterior o a su herederos*" para ejercitar la acción de nulidad después de la defunción de uno de los presuntos cónyuges[17]. Si no ha sido declarada en vida de los presuntos cónyuges, por la causal de "*vínculo matrimonial no disuelto*" la acción de nulidad de matrimonio puede intentarse "*dentro del año siguiente al fallecimiento de uno de los cónyuges*"[18].

La causal de nulidad es el vínculo matrimonial no disuelto y no la defunción del cónyuge. La defunción de uno de los cónyuges es un hecho bastante cierto como para iniciar el cómputo del plazo de descuento de la acción. Pero la misma índole de la acción exige, además, conocimiento del vínculo no disuelto que hacía nulo el matrimonio que se tiene derecho a impugnar, algo que no necesariamente ocurre en la fecha de la muerte de uno de los cónyuges.

La cuestión es si podría computarse el plazo de un año desde que el legitimado conoce el hecho en que se funda la acción. Antes de la ley N° 10.271, de 1952, no existía plazo para pedir la nulidad por bigamia después de disuelto el o los matrimonios por muerte de uno de los cónyuges. Por los problemas que se producían en la sucesión de personas bígamas, la ley de 1952 abrió un plazo especial de un año para deducir la acción de nulidad por bigamia después de la muerte de uno de los cónyuges. Este plazo se mantuvo en la ley N° 19.947, de 2004, pero no se han solucionado los problemas sucesorios a que da lugar la bigamia. En la práctica al difunto lo sobreviven dos o más cónyuges sobrevivientes, que quedan en situación de copropietarios en forma indivisa sobre la parte o cuota que la ley asigna a uno de ellos.

Hace algunos años, la Corte Suprema[19] acogió un recurso de casación en el fondo contra sentencia que confirmó el fallo de un tribunal de instancia que, de oficio y por aparecer de manifiesto en el acto o contrato, declaró

---

[15]   Art. 47 ley N° 19.947, de 2004.
[16]   Art. 46, literales *c)* y *d)*, ley N° 19.947, de 2004.
[17]   Art. 46, literal *d)* ley N° 19.947, de 2004.
[18]   Art. 48, literal *d)* ley N° 19.947, de 2004.
[19]   Por ejemplo, Corte Suprema (Cuarta Sala), sentencia de 19 de marzo de 2012, Rol 6.539-2011 (recurso de casación en el fondo acogido) (invalida sentencia que confirma un fallo de primera instancia que declara nula la inscripción en Chile de un matrimonio bígamo, de oficio, por aparecer de manifiesto en el acto o contrato).

nulo el (segundo) matrimonio del marido de la demandante. Se trataba de la petición subsidiaria de una demanda de nulidad de matrimonio por vínculo matrimonial no disuelto, rechazada en lo principal por haber expirado el plazo de un año desde la defunción de uno de los cónyuges. El marido de la demandante había fallecido el 29 de enero de 2003, después de haber contraído un (segundo) matrimonio en Asunción, Paraguay, el 18 de marzo de 1990. Este (segundo) matrimonio se inscribió en Chile cuatro días después de ocurrida la defunción del causante. La demandante había contraído matrimonio con el difunto en Chile el 29 de noviembre de 1961.

La nulidad fue intentada después de transcurrido el año "*siguiente al fallecimiento de uno de los cónyuges*"[20]; y rechazada por este motivo. El tribunal de primera instancia intenta resolver el sin sentido de la brevedad del plazo expirado acudiendo a las atribuciones que la ley le entrega para declarar nulo de oficio un acto o contrato cuando dicha invalidez "*aparece de manifiesto en el acto o contrato*"[21]. La bigamia del difunto aparecía de manifiesto; como también la inscripción del matrimonio bígamo en Chile después de la muerte de uno de los cónyuges. La demandante no alega haber ignorado la existencia de la causal que la legitimaba para pedir la nulidad; aunque probablemente sólo pudo conocer de dicho matrimonio después la muerte del marido o cuando constata que se inscribe el matrimonio en Chile después del deceso. En este caso no se discute la cuestión del cómputo del plazo para intentar la acción y el resultado es que sobreviven al difunto dos cónyuges, que tienen propiedad indivisa sobre por su parte o cuota en los bienes del causante.

Recientemente, vuelve a discutirse la cuestión de la forma en que debe computarse el plazo para pedir la nulidad de matrimonio por vínculo matrimonial no disuelto, en una gestión todavía pendiente ante la justicia. El Tribunal Constitucional rechaza un recurso de inaplicabilidad del artículo 48, letra *d)* de la ley N° 19.947, de 2004, por inconstitucionalidad[22]. El recurrente es cónyuge sobreviviente de una mujer peruana, que en 1995 contrajo (segundo) matrimonio en Chile con el demandado, con la finalidad de solucionar su situación migratoria en el país. El demandante alega haber hecho vida en común con su señora e hijos, antes y después de este matrimonio, que sería verdaderamente un matrimonio simulado[23].

---

[20]   Art. 48, letra *d)* ley N° 19.947, de 2004.
[21]   Art. 1683 CCch.
[22]   Tribunal Constitucional, sentencia de 10 de diciembre de 2019, INA Rol 5962-19.
[23]   Afirmando la sanción de inexistencia de los matrimonios internacionales simulados migratorios, Mondaca Miranda (2018) 623-658.

Después del fallecimiento de la mujer en el Perú en marzo de 2017, el recurrente alega haber tomado conocimiento de la existencia de este vínculo, al requerir la posesión efectiva de la herencia en el Registro Civil en Chile. La acción de nulidad por bigamia es rechazada por el Juzgado de Letras y Garantía de Purén por haber expirado el plazo de un año "*siguiente al fallecimiento de uno de los cónyuges*" que tenía el demandante para intentarla[24]. Esta sentencia se encuentra apelada ante la Corte de Apelaciones de Temuco[25], gestión pendiente respecto de la que se levanta la cuestión de inaplicabilidad por inconstitucionalidad, rechazada. El recurrente alega que la aplicación de este plazo al caso concreto tiene un resultado contrario a las garantías constitucionales de la tutela judicial efectiva (art. 19, número 3° CPR) y al derecho de propiedad (art. 19, n° 24° CPR). La acción constitucional es rechazada por considerar el voto de mayoría que dicho precepto no conculca las garantías constitucionales de una tutela judicial efectiva y del derecho de propiedad.

Este caso permite apreciar nuevamente la necesidad de conocimiento y capacidad del legitimado para ejercitar acciones de estado. La acción de nulidad de matrimonio está también estrictamente regulada en cuanto a sus legitimados y en cuanto a sus causales. La acción debe intentarse "*mientras vivan ambos cónyuges*"[26]. La muerte de cualquiera de ellos produce la caducidad de la acción, excepto en el caso de "*matrimonio celebrado en artículo de muerte*"[27] o "*vínculo matrimonial no disuelto*"[28]. Por esta última causal se abre un plazo especial de un año desde la defunción de cualquiera de los cónyuges para intentar la acción[29].

Si consideramos que las acciones de estado exigen conocimiento y capacidad para ejercerse, bien podemos concluir que al demandante no le podía correr plazo sino desde que conoció la existencia de un (segundo) matrimonio bígamo de la causante, con quien estuvo casado desde 1981, mucho antes de trasladarse la familia a vivir a Chile. Si el demandante no conocía ni razonablemente podía conocer que su cónyuge había contraído un (segundo) matrimonio, menos podía ejercitar una acción de nulidad por esta causa. Máxime si la mujer murió en el Perú y este hecho salió a la luz cuando los interesados piden la posesión efectiva de la herencia en Chile.

---

[24]   Art. 48, literal *d)* ley N° 19.947, de 2004.
[25]   Rol 388-2018 (Familia).
[26]   Art. 47 LMC.
[27]   Art. 46, literal *c)* LMC
[28]   Art. 46, literal *d)*, con relación al art. 48, literal *d)* LMC.
[29]   Art. 48, literal *d)* LMC.

4. LA ACCIÓN DE NULIDAD DEL RECONOCIMIENTO COMO ACCIÓN DE ESTADO

Hemos visto cómo el cómputo de los plazos en materia de acciones de estado considera, en general, el conocimiento y la capacidad del legitimado. A nadie le corre plazo mientras no conozca los presupuestos de hecho que le dan derecho de pedir y no tenga la capacidad para ejercitar el derecho. En general, los autores afirman que las acciones de desconocimiento judicial de la paternidad matrimonial[30] y de nulidad del reconocimiento[31] solo residualmente podrían considerarse de estado[32]; aunque algún efecto de estas se les pueda extender[33]. La acción de nulidad del reconocimiento, efectivamente, no tenía plazo especial antes de la ley N° 19.585, de 1998[34]. Es decir, duraba cuatro años por vicios del consentimiento[35] o diez años en los demás casos[36]. Tal vez por esto se tenía por una simple acción de nulidad. La abreviación del plazo para pedir la invalidación del acto de reconocimiento de filiación por vicios del consentimiento podría haber tenido por objeto el interés superior del niño[37] o la estabilidad del estado civil, como considera el fallo citado más arriba.

La pregunta es si antes o después de la ley N° 19.585, de 1998, podría considerarse que la acción de nulidad del reconocimiento, por vicios de la voluntad, o por cualquier otra causa que invalide el acto, puede considerarse una acción de filiación siquiera en sus efectos. Considerarla una acción de filiación por lo menos en sus efectos podría ser suficiente para computar los plazos para su ejercicio según los criterios que aparecen en las acciones de estado. Es decir, según conocimiento y capacidad del legitimado para ejercitar la acción.

Si se considera que la acción de nulidad del reconocimiento es una simple acción de nulidad relativa debería computarse el plazo del mismo modo que para las acciones patrimoniales[38]. Si se considera que la acción de nulidad del reconocimiento es una acción de filiación o de estado, siquiera en sus efectos, el brevísimo plazo fijado para ejercitarla debería

---

30   Art. 184 CCch.
31   Art. 202 CCch.
32   Corral (1999) 84.
33   Corral (1999) 101.
34   Corral (1999) 84. Cf. Somarriva (1983) 520
35   Art. 1691 CCch.
36   Art. 1683 CCch.
37   Quintana Villar (2015) 316
38   Según el artículo 1691 CCch (desde la fecha del acto o contrato).

computarse desde que el legitimado conoce del vicio por el que puede pedir la invalidación del acto y puede ejercitar la acción, según el criterio reconocido en el fallo que da lugar a estas páginas.

Pensamos que, efectivamente, la acción de nulidad del reconocimiento no es una simple acción de nulidad relativa. Aun como acción de nulidad, es una acción de estado, pues sus efectos producen la invalidez de un acto de determinación de filiación no matrimonial. También la acción de nulidad de matrimonio es una acción de estado y no una simple acción de nulidad de actos o contratos. Por tanto, no debería prevalecer en el futuro la opinión vertida en el voto de minoría. El texto del artículo 202 CCch no parece ser una simple reiteración del artículo 1691 CCch. Dicho texto fijó un brevísimo plazo para el ejercicio de una acción que produce la invalidez de un acto de determinación una filiación. Este plazo debería computarse desde que el afectado por el error sale de él, o desde que cesa la fuerza que lo movió a actuar. Conviene observar que la fuerza vicia el consentimiento cuando es un temor o fuerza moral. La fuerza física impide la manifestación de una voluntad vinculante. En realidad ambos supuestos pueden concurrir en uno solo: el error (ignorancia) y la fuerza (moral) que invalida el consentimiento solo se pueden alegar cuando el legitimado adquiere el conocimiento y la capacidad para ejercitar la acción. Cuando sale de la ignorancia. Cuando cesa el temor o fuerza moral que lo movió a actuar.

El voto de minoría apela a la lógica de la brevedad de los plazos en las acciones de estado para justificar el brevísimo plazo que tiene el declarante para pedir la invalidación del acto por nulidad, que se fundaría en la estabilidad del estado civil. Este argumento afirma la identidad de la acción de nulidad del reconocimiento como una acción de estado; y no como una acción de nulidad relativa, que no incide en el estado civil de una persona.

Además, si fuera una acción de nulidad relativa el artículo 202 CCch no sería más que reiteración del artículo 1691 CCch. De hecho el artículo 202 CCch pretendió darle un plazo breve a esta acción para distinguirla de las acciones de nulidad relativa, justamente por que incide en el estado civil de una persona.

Aceptar la habilitación del legitimado para ejercitar la acción de nulidad del reconocimiento por error es importante porque el reconocimiento es irrevocable[39] y el que reconoce voluntariamente no está legitimado para impugnar posteriormente esta filiación[40]. Aceptar una acción de im-

---

[39]   Art. 189 CCch)
[40]   Art. 216 CCch

pugnación sería admitir la revocación del acto. Iría contra sus actos propios quien pretendiera impugnar la filiación que antes voluntariamente reconoció. Pero el error no vincula jurídicamente al declarante, salvo que por su conducta posterior se presuma que convalida el acto nulo, incluso por el mero transcurso del tiempo desde que tuvo conocimiento de él.

Dado que el que reconoce voluntariamente a un hijo no tiene la acción de impugnación, es especialmente importante que haya actuado válidamente y sabiendas. Por el contrario, al impedido por una ignorancia u otro motivo no le corre plazo; y que, efectivamente, en las acciones de impugnación de una filiación se considera frecuentemente el conocimiento y la capacidad del legitimado para ejercitar el derecho[41]. El caso del testamento que puede impugnarse por los legitimarios desde que saben de él y de su condición de tales (artículo 1216 CCch) abona la idea del voto de mayoría: el conocimiento y la capacidad del legitimado son necesarios para que le empiecen a correr plazos.

El caso que motiva estas líneas sugiere también otra objeción, que fundamenta el voto de minoría. El demandante reconoció voluntariamente al hijo en mayo de 2013, largo tiempo después de haber nacido en diciembre de 2011. Podría pensarse que actuó reflexivamente y a sabiendas. Sin embargo, esta conducta no elimina el error que alega haberlo movido a actuar. Lo que invalida la declaración es el vicio de error, es decir, la ignorancia o falsa representación de la realidad con que actuó, aunque esta actuación no haya sido precipitada.

Los datos anteriores van también en sentido contrario a la idea de que la verdad biológica fuera un elemento secundario en la determinación de la identidad personal. En realidad la filiación se establece sobre la verdad del dato biológico subyacente. El hecho de que, en algunos casos, la ley se aparte de este principio no deroga la regla general que sigue siendo la verdad biológica subyacente. Por otra parte, después de la ley N° 19.585, de 1998, nadie puede impugnar ni pedir una filiación por causa de posesión notoria de estado. En juicios de filiación, la posesión notoria de estado es prueba de una excepción o defensa que busca mantener un *status quo ex ante* en interés del hijo, frente a pretensiones extemporáneas de terceros[42].

Sea o no verdadera la filiación, puede repudiarse por el hijo y este acto también es irrevocable[43]. Si el hijo no repudia, tiene todavía el derecho a

---

41   Cf. entre otros art. 184, inc. 2°; art. 212; art. 216; art. 217 CCch.
42   Arts. 200 y 201 CCch.
43   Art. 191 CCch.

impugnar la filiación que no responde a la verdad subyacente de la filiación, en el plazo de dos años desde que supo del reconocimiento[44]. Esta filiación también puede impugnarse por el verdadero padre, en cualquier tiempo, cuando simultáneamente reclama la paternidad para sí[45]. Ni prescripción ni fallo alguno podrá oponerse a quien se presente como verdadero padre del que pasa por hijo de otro[46].

En definitiva, la acción de nulidad del reconocimiento debe considerarse dentro del grupo de las cinco acciones de filiación que actualmente reconoce nuestro ordenamiento: acción de desconocimiento de paternidad matrimonial[47], acción de nulidad del reconocimiento[48], acción de reclamación de filiación[49], acción de reclamación e impugnación conjunta[50] y acción de impugnación de filiación[51]. La acción de nulidad de matrimonio también es una acción de estado; y deberían aplicársele las mismas normas sobre cómputo de plazos que exige la nulidad del acto de reconocimiento.

5. CONCLUSIÓN

La pregunta que plantea el caso expuesto al principio de este capítulo debería responderse afirmativamente. El conocimiento y la capacidad del legitimado son condiciones de ejercicio de la generalidad de las acciones de estado. La acción de nulidad del reconocimiento es una acción de estado en sus efectos. El ejercicio de la acción de nulidad del reconocimiento requiere que el legitimado conozca los presupuestos que lo habilitan para actuar y esté habilitado para hacerlo. Al impedido no le corre plazo. El mismo principio debería aplicarse a la acción de nulidad del matrimonio cuando el demandante intenta la declaración de nulidad dentro del plazo de un año desde que tuvo conocimiento de un matrimonio del cónyuge difunto celebrado contra un vínculo matrimonial o acuerdo de unión civil no disuelto.

La buena fe exige que los plazos se computen desde que el legitimado para ejercitar el derecho tenga conocimiento de los presupuestos que lo

---

44 Art. 216 CCch.
45 Art. 208 CCch.
46 Art. 320 CCch.
47 Art. 184, inc. 2° CCch.
48 Art. 202 CCch.
49 Art. 204 y siguientes CCch.
50 Art. 208 CCch.
51 Art. 211 y siguientes CCch.

habilitan para actuar y tenga capacidad para hacerlo. El principio que afirma que al impedido no le corre plazo es reconocido por el Código Civil chileno para acciones de estado y otras acciones civiles, las que deberían interpretarse todas de manera que exista entre ellas la debida correspondencia y armonía.

BIBLIOGRAFÍA CITADA

Quintana Villa, María Soledad (2015), *Derecho de Familia*, segunda edición actualizada, Valparaíso, Chile: Ediciones Universitarias, 525p.

Mondaca Miranda, Alexis (2018), "Un supuesto de ausencia de consentimiento matrimonial: los mal denominados 'matrimonios de conveniencia' o 'matrimonios de complacencia'", en *Revista Ius et Praxis*, Año 24, N° 1, pp. 623-658.

Corral Talciani, Hernán (1999), "Determinación de la filiación y acciones de estado en la reforma de la ley n° 19.585, 1998", en *Revista de Derecho de la Universidad Católica de Valparaíso* XX (Valparaíso, Chile), 39-109

Somarriva, Manuel (1983), *Derecho de Familia*, Santiago, Chile: Ediar Editores, 743pp.

Normas legales citadas

– Chile. Constitución Política de la República (CPR). Artículo 19, números 3° y 24°.

– Chile. Código Civil (CCch). Artículos 182, 184, 189, 191, 200, 201, 202, 212, 213, 214, 216, 320, 1216, 1684, 1691, 2509

– Chile. Ley N° 19.947, de 2004 (LMC). Artículos 5°, 46, 47, 48, 49.

Jurisprudencia citada

– Chile. Tribunal Constitucional. Sentencia de 10 de diciembre de 2019, Rol 5962-2019 (recurso de inaplicabilidad por inconstitucionalidad rechazado)

– Chile. Corte Suprema (Cuarta Sala). Sentencia de 11 de diciembre de 2018, Rol 4275-2018 (recurso de casación en el fondo rechazado).

– Chile. Corte Suprema (Tercera Sala), sentencia de 19 de abril de 2018 (recurso de casación en el fondo acogido), Rol N° 12.221-2017

– Chile. Corte Suprema (Cuarta Sala). Sentencia de 19 de marzo de 2012, Rol 6.539-2011 (recurso de casación en el fondo acogido).

LA MALA FE O FRAUDE EN LA RENUNCIA O CESIÓN DEL USUFRUCTO

Gian Franco Rosso Elorriaga

Doctor y Magister en Derecho Tor Vergata, Roma
Profesor Asociado de Derecho Civil, Universidad de Los Andes, Chile[1]

SUMARIO: 1. INTRODUCCIÓN. 2. FRAUDE: ¿DOLO O MALA FE?. 3. POSIBLES RESPUESTAS: ¿ACCIÓN PAULIANA ESPECIAL O INOPONIBILIDAD CON OTROS REQUISITOS?. 4. CESIÓN O RENUNCIA POSTERIOR AL EMBARGO DEL USUFRUCTO. 4.1. Embargo de usufructo sobre inmuebles o muebles inscritos o anotados en registro público. 4.2. Embargo de usufructo no inscrito o anotado. 5. CESIÓN O RENUNCIA ANTERIORES AL EMBARGO DEL USUFRUCTO. 5.1. Acreedores titulares de cauciones reales. 5.2. Acreedores sin cauciones reales. 6. ¿ES NECESARIA LA MALA FE DEL TERCERO?. BIBLIOGRAFÍA.

1. INTRODUCCIÓN

No hay dudas de que la buena fe es uno de los principios generales sobre los cuales se asienta el Derecho en general y, el Derecho Civil en particular. La buena fe se protege y la mala fe se reprueba o incluso sanciona. Sin embargo, la dificultad eterna, y que en gran medida inspira esta obra colectiva, ha sido la flexibilidad conceptual que presenta la buena fe, así como su contraposición que es la mala fe, lo que dificulta su aplicación o conduce a resultados tan variados como contradictorios, incluso en hipótesis fácticas similares. De ahí que la tendencia que se ha impuesto entre los autores ha sido más bien el estudio del concepto y funcionamiento de la buena fe en cada uno de los ámbitos particulares en que tiene presencia; o bien, derechamente, en casos específicos[2]. Estos esfuerzos parecen de

---

[1]   Contacto: grosso@uandes.cl. Este trabajo forma parte del Proyecto Fondecyt Regular N° 1191093, titulado "El objeto de los derechos reales de goce y garantía en el Derecho Civil Chileno: viabilidad dogmática y utilidad práctica de admitir la existencia de derechos reales en cosa de propiedad del titular".

[2]   Cfr. San Martín Neira, L. (Coord.): *La buena fe en la jurisprudencia. Comentarios y Análisis de Sentencias*. Thomson Reuters, Santiago, 2015; Corral Talciani, H.: "La aplicación jurisprudencial de la buena fe objetiva en el ordenamiento civil chileno", *Revista de Derecho Privado*, Universidad de Externado de Colombia, n° 12-13, julio-diciembre, 2007, pp. 143-177 (en p. 167, respecto del ejercicio de derechos reales).

mayor utilidad que los estudios generales y abstractos sobre el principio de la buena fe.

En este contexto, uno de los múltiples ámbitos donde tiene aplicación la buena fe, es en el resguardo del derecho de prenda general que tienen los acreedores respecto de todos los bienes de los deudores, en los términos dispuestos por el art. 2465 del Cc.Ch.[3]. Así, en vistas de tal resguardo de la buena fe que preside la relación entre los sujetos activos y pasivos, se deduce el deber para los deudores de administrar, conservar y disponer de sus bienes de manera diligente, a fin de mantener e incrementar honradamente el valor de su patrimonio, con el objeto de satisfacer íntegramente los créditos de sus acreedores.

Por el contrario, actuaciones negligentes o maliciosas de los deudores que disminuyen su caudal patrimonial, perjudicando el ejercicio total o parcial de los derechos de los acreedores, constituirían actos de deslealtad hacia éstos y, por tanto, actuaciones de mala fe[4].

El remedio general a estas actuaciones dispuesto por la ley en favor de los acreedores es, como sabemos, la acción pauliana o revocatoria, regulada en el art. 2468. Sin embargo, nuestra legislación civil contempla algunos remedios particulares para casos específicos de actuaciones de mala fe de los deudores.

Uno de estos casos dice relación con aquellos sujetos pasivos entre cuyos bienes que forman su patrimonio se comprende un derecho real de usufructo. Respecto a esta cosa incorporal, los acreedores cuentan con dos importantes derechos. Por una parte, al tenor del art. 2466 pueden ejercer la acción subrogatoria, a fin de obtener el cumplimiento de las respectivas obligaciones con los frutos producidos por el bien mueble o inmueble sobre el cual recae el usufructo. Por otra, conforme lo dispuesto en el art. 803 inc. 1°, los acreedores tienen la facultad de embargar el mismo usufructo y sacarlo a remate para con el precio que se obtenga pagarse sus créditos[5].

---

[3]	En adelante, salvo indicación en contrario, todos los artículos citados corresponden al Código Civil chileno.

[4]	Carrera, F.: *El sujeto activo de la acción pauliana (artículo 2468 del código civil)*. Imprenta Chile, Santiago, 1935, p. 49; Barros Bourie, E.: *Tratado de responsabilidad extracontractual*. Editorial Jurídica, Santiago, 2020, t. II, 458, p. 699.

[5]	Corral Talciani, H.: *Curso de derecho civil. Bienes*. Thomson Reuters, Santiago, 2020, p. 483; Abeliuk Manasevich, R.: *Las obligaciones*, Legal Publishing, Santiago, 2014, t. II, n° 837.I, p. 896. Cabe recordar que tradicional ha sido la disputa acerca de si lo que según el art. 803 inc. 1° se embarga es el derecho de usufructo o el derecho de emolumento contenido en éste. Concordamos con que, en caso de incumplimiento, el

En relación a este último, los usufructuarios deudores podrían burlar el derecho de prenda general de los acreedores, ya sea cediéndolo a terceros, ya sea renunciando al usufructo, lo que extinguiría el usufructo por consolidación con la nuda propiedad. En ambos casos, el referido derecho real ya no formaría parte del patrimonio del sujeto pasivo, imposibilitando su embargo.

A fin de impedir este pernicioso resultado para los acreedores, el inciso 2° del art. 803 establece que los acreedores *"[p]odrán por consiguiente oponerse a toda cesión o renuncia del usufructo hecha en fraude de sus derechos"*.

Es esta norma que queremos estudiar partiendo por el concepto de fraude.

2. FRAUDE: ¿DOLO O MALA FE?

¿Qué debe entenderse por "fraude", para los efectos del ejercicio del derecho a la inoponibilidad del inc. 2° del art. 803?

En general, la doctrina chilena ha tendido a identificar el concepto de fraude con el concepto de dolo. Por ejemplo, Vodanovic afirma que "el fraude se define, en general, como el acto efectuado intencionalmente con la finalidad de perjudicar los derecho o intereses ajenos"[6].

Pero el fraude se diferencia del dolo en cuanto a que no forma parte de sus requisitos el que la actuación esté dirigida necesariamente a producir daño a terceros, bastándole al fraude la eventualidad del perjuicio. Consi-

---

acreedor puede embargar el usufructo, subastarlo y pagarse con lo producido de la subasta (arts. 2424, 2397 y 2398; art. 29 del art. 14 de la L. 20.190). Además de los autores antes citados, véase Rosende Álvarez, H. y Warnier Readi, I.: "El código civil chileno permite la cesión del derecho de usufructo, esto es, la calidad de usufructuario, y no solo del derecho de emolumento o facultad de percibir los frutos de la cosa fructuaria", en Claudia Bahamondes, Leonor Etcheberry y Carlos Pizarro (Coords.). Estudios de derecho civil XIII, Legal Publishing, Santiago, 2018, pp. 86 y ss.; Peñailillo Arévalo, D.: *Los bienes*. Editorial jurídica, Santiago, 2019, pp. 1224 y 1225. En España, ha dado por cerrado el asunto en favor del embargo del derecho de usufructo, Camy Sánchez-Cañete, B.: *Garantías patrimoniales. Estudio especial de la hipoteca*. Aranzadi, Pamplona, 1993, p. 485.

6 Vodanovic Haklicka, A.: *Tratado de las obligaciones*. Ediciones Jurídicas, Santiago, 2016, n° 760, p. 195. En otra obra, el mismo autor señala que el fraude civil consiste en la "maniobra de mala fe ejecutada por una o ambas partes *dirigida* a perjudicar a terceros". Vodanovic Haklicka, A.: *Tratado de derecho civil*. Editorial Jurídica, Santiago, 1998, t. II, n° 1491, p. 356.

derando esta diferencia, a partir del desarrollo efectuado por la doctrina francesa, Domínguez ha sostenido en nuestro medio que el fraude civil en realidad "consiste en usar una regla jurídica para un fin ilícito o no tolerado por el Derecho"[7].

Precisamente, en el caso específico que tratamos, el ordenamiento jurídico les reconoce a los usufructuarios la facultad de disponer de su derecho real de usufructo. En general, porque son dueños de este derecho (art. 19 n° 24 de la Constitución Política del Estado; y arts. 582 y 583 del Código Civil); y, en particular, porque salvo prohibición expresa establecida en el título constitutivo, el art. 793 explícitamente así lo establece. Sin embargo, a través del ejercicio de dicha facultad, sea mediante cesión o renuncia, los usufructuarios pueden lesionar efectiva o eventualmente los derechos de los acreedores. De modo que a partir de la utilización de una regla jurídica que los favorece, los usufructuarios podrían alcanzar un fin ilícito o bien un resultado que el Derecho no ampara.

No parece sin embargo haber distinción entre mala fe y fraude, aunque quizás este último término se usa más para casos de engaño. Pero hay que señalar que para la acción pauliana la cuestión se basa en la distinción entre buena y mala fe, y no se necesita acreditar ni dolo ni intención de engañar.

Entonces, conforme al concepto de fraude civil, la pregunta es ¿cuándo la cesión o renuncia ejecutada por los usufructuarios es ilícita o no amparada por el Derecho y, por ende, fraudulenta o de mala fe?

3. POSIBLES RESPUESTAS: ¿ACCIÓN PAULIANA ESPECIAL O INOPONIBILIDAD CON OTROS REQUISITOS?

Tradicionalmente, la respuesta dada por nuestros autores estuvo influenciada por la doctrina francesa. Según los intérpretes del *Code*, el texto original del art. 1167[8] habría consagrado la *acción pauliana*, introduciendo un principio general de protección a los acreedores frente a los eventuales actos de disposición de los deudores que pudieran perjudicarlos. Luego, el

---

[7]   Domínguez Águila, R.: "Fraus omnia corrumpit. Notas sobre el fraude en el derecho civil", *Revista de derecho*, Universidad de Concepción, n° 189, enero-junio, 1991, pp. 7-34. En el mismo, sentido, Corral Talciani, H.: *Curso de derecho civil. Parte general*, Legal Publishing, Santiago, 2018, p. 121.

[8]   Decía el art. 1167 del código francés de 1804: «*Ils peuvent aussi, en leur nom personnel, attaquer les actes faits par leur débiteur en fraude de leurs droits*»

art. 622[9], que es fuente de nuestro art. 803 inc.2°[10], así como los arts. 788 y 1464 del Cc.Fr., sólo serían manifestaciones particulares de este principio[11].

La doctrina chilena clásica, sin mayores cuestionamientos, se limitó a reproducir en nuestro medio idéntica postura, afirmando que el derecho del inc. 2° del art. 803 sería una aplicación de la "acción pauliana o revocatoria", cuya regla general se encontraría en Chile consagrada en el art. 2468[12]. En consecuencia, la cesión o renuncia ejecutada era fraudulenta cuando a su respecto concurriesen los mismos requisitos exigidos por este artículo para configurar el fraude pauliano[13]. En tal contexto, Claro Solar afirma que, para la aplicación del art. 803 inc. 2°, se requiere del *eventus damni* para los acreedores (alude al derecho de emolumento) y "la intención fraudulenta, el *consilium fraudis*". Respecto de éste, la mala fe consistiría en que "el usufructuario que renuncia precisamente para perjudicar a sus acreedores, *a sabiendas* de que *el mal estado de sus negocios*

---

9   El art. 622 del Cc.Fr. dispone: "*Les créanciers de l'usufruitier peuvent faire annuller la renon-ciation qu'il aurait faite à leur préjudice*".

10   Claro Solar, L.: *Explicaciones de derecho civil chileno y comparado*. De los bienes III. Editorial jurídica, Santiago, 2015, vol. IV, t. 8°, n° 1246, p. 380.

11   Demolombe, C.: *Cours de Code Napóleon*. Auguste Duran – L. Hachette Libraires, París, 1854, t. X, n° 735, p. 691; Marcadé, V.: *Cours élémentaire de droit civil francais*. Librairie de Jurisprudence de Cotillon, París, 1850, t. II, art. 622, p. 523. Planiol, M.: *Traité élémentaire de droit civil conforme aux programme officiel des facultés de droit*. Librairie Générale des droit & de Jurisprudence, París, 1928, t. I, n° 2848, p. 954, explicando las causas de extinción del usufructo, y al corresponderle tratar la renuncia fraudulenta del usufructuario, se contenta con señalar que el art. 622 presenta una dificultad especial que será estudiada a propósito del art. 1167 y de la acción pauliana. Efectivamente, puede verse Planiol, M.: *Traité élémentaire de droit civil conforme aux programme officiel des facultés de droit*. Librairie Générale des droit & de Jurisprudence, París, 1931, t. II, n° 313, p. 123, donde el art. 1167 es explicado en relación a los arts. 622 y 788.

12   En todo caso, no sólo en Chile los autores se han limitado a repetir la doctrina clásica francesa. V. gr. idéntico esquema se puede ver en Cubides Camacho, J.: *Obligaciones*. Pontificia Universidad Javeriana, Bogotá, 2007, p. 372.

13   Los requisitos generales que ha delineado la jurisprudencia son: 1) Que el acto que se intenta atacar sea voluntario del deudor; 2) Que el acreedor que intenta la acción tenga interés, lo que ocurrirá cuando el deudor sea insolvente porque si tiene bienes suficientes para satisfacer a sus acreedores, la acción no puede prosperar, refiriéndose el artículo 2468 del Código Civil al perjuicio del acreedor y, 3) Que el deudor haya ejecutado el acto o contrato con el ánimo de perjudicar a sus acreedores, lo que se representa por el dolo o mala fe. Sobre este último requisito, de acuerdo con la letra del art. 2468, se ha entendido que esta mala fe consiste en el conocimiento, por parte del deudor, del mal estado de sus negocios. Se trataría sí de una presunción de mala fe que admitiría prueba en contrario de parte del deudor. Barrientos Grandon, J.: *El código civil. Su jurisprudencia e historia*. LegalPublishing, Santiago, 2016, t. II, pp. 1142-1145; De la Maza Gazmuri, I.: *Código civil. Sistematizado con jurisprudencia*. LegalPublishing, Santiago, 2015, t. II, pp. 1935-1938.

los dejará impagos. Por lo mismo, el fraude sería una cuestión que queda entregada a la apreciación del juez y que depende de las circunstancias de cada caso que permiten inducir la intención de causar el perjuicio". Adicionalmente, y dado que lo aplicado es el art. 2468, la acción debe deducirse en el plazo de prescripción de un año que éste establece en su regla 3ª[14].

En la actualidad, impera en nuestra doctrina una posición distinta. Domínguez ha señalado que la disposición "permite a los acreedores del usufructuario *oponerse* a toda cesión o renuncia del mismo (esto es, del usufructo) hecha en fraude de los acreedores", constituyendo por tanto la norma uno de los casos en que, frente al fraude civil, "la ley opta por prescindir de la maniobra que lo contiene". Para tales efectos, la norma consagra un "*derecho de oposición* conferido a los acreedores, aunque sin precisar su modo de ejercicio el que no podrá traducirse sino en el *desconocimiento de la cesión fraudulenta del usufructo*" (los destacados son nuestros)[15].

De modo que estamos frente a un derecho que, cualquiera que sea el mecanismo procesal a través del cual se ejerza, tiene como efecto concreto la inoponibilidad de la cesión o renuncia ejecutada por el usufructuario en fraude de sus acreedores. Este efecto es coincidente con la sanción general que debe aplicarse al fraude civil a falta de un castigo distinto expresamente establecido por el legislador.

Asimismo, es cierto que también se corresponde con la naturaleza jurídica que según la mayoría de la doctrina nacional tendría la acción pauliana o revocatoria[16], alternativa por la cual ya la legislación civil extranjera se ha inclinado. Ejemplo de ello es la reforma al *Code* del año 2016, en la cual el art. 1167 fue sustituido por el art. 1341-2, estableciéndose precisamente el derecho de los acreedores a solicitar que se declare que les son inoponibles los actos ejecutados por el deudor en fraude de sus derechos, con la

---

[14]   Claro Solar, *Explicaciones de derecho civil chileno y comparado*, cit., De los bienes III, vol. IV t. 8°, n° 1246, p. 381.

[15]   Domínguez, "Fraus Omnia corrumpit", cit., pp. 15 y 27. Ratificando estas ideas, expresa Corral en *Curso de derecho civil. Bienes*, cit., p. 468, que "por nuestra parte, pensamos que lo que es *oponible* a los acreedores es la extinción por renuncia". En el mismo sentido, Johansson B., P.: *De la acción pauliana o revocatoria. Estudio del artículo 2468 del código civil.* Memoria. Talleres del Diario Ilustrado, Santiago, 1929, p. 37 y Deik Lamas, E.: *La Acción Pauliana.* Memoria, Universo, Santiago, 1928, p. 69.

[16]   Abeliuk, *Las obligaciones*, cit., II, 847, p. 907; Barros, *Tratado de responsabilidad extracontractual*, cit., t. II, 458, p. 698.

carga de probar respecto de aquellos de carácter oneroso que los terceros contratantes tenían conocimiento del fraude[17].

Si la acción pauliana o revocatoria se trata de una acción de inoponibilidad, la pretensión de la doctrina tradicional chilena de que el art. 803 inc. 2° es una aplicación del art. 2468 resulta admisible, pero sólo en cuanto estas dos disposiciones castigan el fraude con la misma sanción de ineficacia: la inoponibilidad del acto fraudulento a los acreedores.

Mas, una cosa es que haya coincidencia en la naturaleza jurídica de la sanción establecida por el legislador y otra, muy distinta, es que a partir de ella se entienda que los requisitos dispuestos por la ley sean los mismos. De modo que si tanto en el art. 2468 como en el art. 803 inc. 2° se ha consagrado un derecho de inoponibilidad en beneficio de los acreedores ante actos fraudulentos del deudor, el derecho deberá ser ejercido en cada caso cumpliendo los requisitos fijados por cada una de estas normas, sin confundirlos ni identificarlos.

Igualmente, para la determinación de la concurrencia o no de tales requisitos, se deberá acudir a las directrices que correspondan de acuerdo a cada disposición, no siendo posible tampoco la pretensión de aplicar los mismos criterios que permiten configurar los requisitos del art. 2468, a la configuración de los requisitos del art. 803 inc. 2°. Así, en lo que respecta a la mala fe, esta última norma en parte alguna menciona o relaciona el derecho de los acreedores del usufructuario con el mal estado de los negocios del usufructuario ni menos con el conocimiento de éste.

En síntesis, el art. 803 inc. 2° consagra un derecho a la inoponibilidad que presenta una individualidad propia, al igual que los criterios a los que debe recurrirse para configurar la mala fe o el fraude como requisito para su ejercicio y admisión. En este sentido, para alcanzar tal finalidad, es necesario, según el tenor de la disposición legal en comento, distinguir entre la hipótesis en que el usufructo aún no ha sido embargado, de aquella en que el embargo ya ha tenido lugar. Asimismo, dentro de cada una de estas hipótesis, es necesario realizar ulteriores subdistinciones. Procedemos entonces al análisis de la configuración del fraude para los efectos del art. 803 inc. 2° bajo este esquema.

---

17   Expresa el actual art. 1341-2 del Cc.Fr.: "*Le créancier peut aussi agir en son nom personnel pour faire déclarer inopposables à son égard les actes faits par son débiteur en fraude de ses droits, à charge d'établir, s'il s'agit d'un acte à titre onéreux, que le tiers cocontractant avait connaissance de la fraude*".

4. CESIÓN O RENUNCIA POSTERIOR AL EMBARGO
DEL USUFRUCTO

4.1. Embargo de usufructo sobre inmuebles o muebles inscritos o anotados en registro público

El embargo produce el efecto de privar al usufructuario tanto de su facultad de administración (arts. 450 y 451 del CPC)[18] como de disposición, según dispone el art. 1464 n° 3. Por lo mismo, los actos de enajenación de los bienes embargados adolecen de objeto ilícito y son sancionados con nulidad absoluta por el art. 1682. Por tanto, si ha tenido lugar el embargo del usufructo, de acuerdo a las reglas generales, su cesión o renuncia constituyen actos ilícitos, castigados por la ley civil con la nulidad absoluta.

Ahora bien, en principio, se entiende que el usufructo se encuentra embargado desde que se hace entrega real o simbólica del bien fructuario al depositario designado, que podrá ser el mismo usufructuario (art. 450 del CPC). Sin embargo, según el actual estado de nuestra legislación, si el usufructo recae sobre bienes inmuebles, el embargo no produce efectos respecto de terceros sino desde la fecha en que se inscribe en el respectivo registro (art. 453 del CPC). Concluye en este sentido González que la inscripción conservatoria del embargo sobre bienes inmuebles o derechos reales constituidos sobre ellos es parte integrante de su estructura, de modo que sin el conocimiento de los terceros acerca de su indisponibilidad, su enajenación no puede ser declarada nula absolutamente[19].

Ciertamente el art. 453 del CPC se refiere al embargo e inscripción de bienes raíces. Empero, donde existe la misma razón, debe existir la misma disposición, lo que lleva necesariamente a la aplicación de igual regla respecto del embargo de usufructos que recaen sobre bienes muebles sujetos a registro, pues el embargo también debe inscribirse o anotarse en él para que produzca los efectos señalados. En este sentido, la doctrina de los autores es indistintamente aplicable al embargo de bienes raíces como al de bienes muebles sujetos a registro[20], sin per-

---

[18] Abeliuk, *Las obligaciones*, cit., t. II, n° 873, p. 932.

[19] González Vidal, A.: "Las medidas conservativas como parte integrante de la estructura del embargo", Revista Chilena de Derecho, Universidad Católica de Chile, vol. 37, n° 1, 2010, pp. 107 y 119.

[20] "No habiéndose practicado la anotación registral, los efectos del embargo decretado no alcanzarán a los terceros; los que invocando una ignorancia excusable podrán evitar la nulidad absoluta que los amenaza y, conjuntamente con ello, evitar que se realice el efecto conservativo pretendido por el embargo y el consiguiente daño al

juicio de que así lo dispone habitualmente de forma expresa el propio legislador[21].

La existencia de un registro para los bienes inmuebles ha modificado entonces la regla del art. 1464 n° 3, en el sentido que sólo se entenderá embargado el usufructo cuando se practique la correspondiente inscripción[22], lo que debe, conforme a lo dicho, hacerse extensivo a los muebles sujetos a registro. Consiguientemente, la renuncia o cesión del usufructuario adolecerán de objeto ilícito y por ende de nulidad absoluta, sólo cuando sea posterior a la inscripción o anotación del embargo.

Originalmente, el art. 803 inc. 2° causó diversas reacciones en la doctrina. Para Johansson, esta disposición se trataba simplemente de una aplicación de las reglas generales del mismo código civil, esto es, del art. 1464

---

ejecutante", asevera González, "Las medidas conservativas como parte integrante de la estructura del embargo", cit., p. 118. Por su parte, antes de citar el art. 453 del CPC (inmuebles) y hacer referencia a los vehículos motorizados (muebles), Abeliuk, *Las obligaciones*, cit., t. II, n° 873, p. 933, fija la doctrina respecto del embargo de bienes: "tratándose de especies sujetas al régimen de transcripción, se impone la inscripción del embargo, so pena de inoponibilidad".

21   Algunos ejemplos sobre el particular. Dispone el art. 41 de la Ley de Tránsito (DFL N° 1 de 2009) que "*no serán oponibles a terceros ni se podrán hacer valer en juicio los gravámenes, prohibiciones, embargos, medidas precautorias [...], mientras no se efectúe la correspondiente anotación en el Registro*". El art. 830 inc. 2° del Código de Comercio establece que "*deberá tomarse nota al margen de su inscripción en el registro de matrícula, de todo documento por el que se constituya, transfiera, transmita, declare, modifique o extinga un derecho real sobre la nave y cualquiera otra limitación al dominio que recaiga sobre la misma, bajo sanción de ser inoponible a terceros, salvo las excepciones señaladas en la Ley de Navegación*". Y aunque no alude explícitamente a la inoponibilidad, es evidente que la misma finalidad persigue el art. 48 del Código Aeronáutico al establecer que "*en el Registro de Gravámenes y Prohibiciones se inscribirán: 2.- Los embargos, retenciones y medidas precautorias que recaigan sobre aeronaves*". El art. 23 de la Ley N° 18.046 expresa que "*la constitución de gravámenes y de derechos reales distintos al del dominio sobre las acciones de una sociedad, no le serán oponibles a ésta, a menos que se le hubiere notificado por ministro de fe, el cual deberá inscribir el derecho o gravamen en el Registro de Accionistas. El embargo sobre acciones no priva a su dueño del pleno ejercicio de los derechos sociales, excepto el de la libre cesión de las mismas que queda sujeta a las restricciones establecidas en la ley común*".

22   Corral, *Curso de derecho civil. Parte general*, cit., p. 586. Vial, en una posición solitaria, sostiene que el acto sigue siendo anulable por objeto ilícito, aunque no se haya inscrito el embargo, precisamente porque el Código Civil no exige el requisito de la inscripción. Vial del Río, V.: *Teoría general del acto jurídico*. Editorial Jurídica, Santiago, 2017, p. 178. Si bien teóricamente tiene razón, el problema que se suscita es que el acto de enajenación, aún declarado nulo, no es oponible al adquirente si se omitió la inscripción, lo que se traduce simplemente en que la enajenación se mantiene vigente. Luego, se llegaría al absurdo de que un acto declarado nulo absolutamente a la vez es un acto plenamente vigente.

n° 3, como asimismo de los arts. 1624 y 1619, en cuanto los dueños de los bienes embargados no podían disponer de ellos[23]. Deik estimaba por su parte que no había necesidad de introducir la disposición al código, precisamente por lo dispuesto en el art. 1464 n° 3, el cual bastaba para proteger a los acreedores[24].

A nuestro parecer, el art. 803 inc. 2° simplemente otorgó a los acreedores un derecho adicional, distinto a la acción de la nulidad absoluta y, por ende, al cual no se le aplica el régimen de ésta. Así, frente a la cesión o renuncia del derecho real de usufructo embargado, los acreedores gozan de la posibilidad de alegar en estrados su nulidad absoluta, acreditando el cumplimiento de sus requisitos, como asimismo perseguir sencillamente la ejecución de sus créditos sobre el usufructo como si no hubiera tenido lugar ninguno de estos actos, alegando el derecho de inoponibilidad de los mismos respecto de ellos, a la luz del art. 803 inc. 2°.

Aunque se trata de dos derechos distintos y de dos regímenes diferentes, sí creemos que la irrupción en 1902 del CPC con el art. 474 al CPC[25], actual art. 453 (475), produjo necesariamente consecuencias importantes no sólo para el art. 1464 n° 3, sino que también para el art. 803 inc. 2°. En relación a éste ratificó el derecho a la inoponibilidad de la cesión o renuncia en favor de los acreedores que ya consagraba, cuando el decreto judicial que ordenó el embargo del usufructo sobre inmuebles o muebles sujetos a registro haya sido inscrito o anotado. Pero, además, bajo los términos del citado art. 453, el fraude exigido por art. 803 inc. 2° queda configurado de pleno derecho. A los acreedores les basta sólo probar la cesión o renuncia efectuada por el usufructuario deudor después de la inscripción o anotación del embargo en el registro, para que puedan gozar de la inoponibilidad con que los favorece el código civil[26].

4.2. Embargo de usufructo no inscrito o anotado

Ciertamente es posible que se haya concedido el embargo del usufructo por parte del tribunal sobre inmuebles, pero la cesión o renuncia se produzca entre la fecha del decreto judicial y la inscripción; o bien, respecto de muebles sujetos a registro, entre la citada fecha y la anotación; o, por úl-

---

[23]   Johansson, *De la Acción Pauliana*, cit., p. 37.
[24]   Deik, *La Acción Pauliana*, cit., p. 69.
[25]   Vid. *Código de Procedimiento Civil*, Edición Oficial, Santiago de Chile, Imprenta, Litografía I Encuadernación Barcelona, 1902.
[26]   Corral, *Curso de derecho civil. Parte general*, cit., p. 665.

timo, que la cesión o renuncia diga relación con un usufructo embargado judicialmente que recae sobre bienes muebles no registrables.

Respecto de las dos primeras situaciones señaladas, y de acuerdo a lo explicado en precedencia, a partir de la modificación de la regla del art. 1464 n° 3 por el art. 453 del CPC y su extensión a los muebles sujetos a registro, mientras no tenga lugar la inscripción o anotación del decreto judicial respectivo, no habrá embargo.

Adicionalmente, lo que corroboraría lo anterior, la doctrina y la jurisprudencia han extendido el concepto de "embargo" para los efectos de la aplicación del art. 1464 n° 3, entendiendo que la medida precautoria consistente en la prohibición de celebrar actos y contratos o de gravar o enajenar respecto de un bien, constituye también un embargo[27]. Esta postura llevaría necesariamente a la aplicación del art. 297 del CPC, cuyo inciso 1° dispone que *"cuando la prohibición recaiga sobre bienes raíces se inscribirá en el registro del Conservador respectivo, y sin este requisito no producirá efecto respecto de terceros"*.

Así entonces, tanto por la aplicación del art. 453 como del art. 297 inc. 1° del CPC, habría que llegar a la conclusión de que la cesión o renuncia del usufructo hecha antes de la inscripción o anotación en los dos primeros casos, sería "oponible" *ipso iure* a los acreedores del usufructuario (salvo que se probara la mala de fe de los terceros). O sea, no habría embargo propiamente tal o prohibición equivalente a un embargo, por lo que los acreedores no podrían demandar ni al usufructuario, ni al nudo propietario ni a los cesionarios, según el caso, la nulidad absoluta del acto.

En cuanto a la tercera situación, esto es, el embargo de usufructo sobre muebles no sujetos a registro, no quedaría comprendida en el art. 453 del CPC, pero sí en cambio en el art. 297 inc. 2° del CPC para los efectos de la aplicación del art. 1464 n° 3 (en virtud de la extensión de la medida precautoria consistente en la prohibición de celebrar actos y contratos al concepto de "embargo"). El art. 297 inc. 2° del CPC dispone que *"cuando verse sobre cosas muebles, sólo producirá efecto respecto de los terceros que tengan conocimiento de ella al tiempo del contrato; pero el demandado será en todo caso responsable de fraude, si ha procedido a sabiendas"*.

De aplicase esta disposición, habría que entender que para lograr que se declarara inoponible la cesión o renuncia del usufructo a los acreedores,

---

[27]   Velasco Letelier, E.: *El objeto ante la jurisprudencia.* Nascimiento, Santiago, 1941, pp. 101 a 103; Vial del Río, *Teoría general del acto jurídico*, cit., p. 177; Vodanovic, *Tratado de las obligaciones*, cit., t. II, n° 721, p. 172.

éstos tendrían que demostrar que el cesionario, o el nudo propietario en el caso de la renuncia, tenían conocimiento del embargo al momento del acto, lo que equivaldría a probar la mala fe de quienes, además del usufructuario, se beneficiarían con el acto de disposición de éste. Desde el punto de vista de la nulidad absoluta, la ley habría añadido un requisito adicional para su declaración, así como para el ejercicio de acciones en contra de terceros (art. 1689).

A pesar de lo dicho, pensamos que a ninguna de las situaciones descritas son aplicables los arts. 453 y 297 del CPC. Primero, porque efectivamente compartimos lo dudosa que resulta la interpretación extensiva que se hace del art. 1464 n° 3, en circunstancias que se trata de un precepto excepcional del derecho a disponer de los propios bienes[28]. De modo que, rechazada la interpretación, no puede operar el art. 297 del CPC ni sus consecuencias, particularmente respecto de los bienes muebles. Segundo, porque una norma general puede derogar total o parcialmente una norma también general, pero nunca una disposición especial. El principio de la especialidad se mantiene incólume frente a una nueva norma general, requiriéndose de una norma especial que regule nuevamente en todo o parte el caso particular.

De ahí que el art. 453 del CPC pueda tener la fuerza de modificar el art. 1464 n° 3, pues ambos comparten el carácter de general. Lo mismo ocurriría con el art. 297 del CPC, si se insistiera en aplicarlo extensivamente al concepto de embargo, dado que también es una norma general. Por el contrario, ninguna de estas disposiciones ha modificado ni puede modificar el inc. 2° del art. 803, dado su carácter de norma especial. Entonces, de conformidad con ésta, embargado el usufructo, los acreedores mantienen incólume su derecho de inoponibilidad frente a toda cesión o renuncia del usufructuario.

A fin de que el resultado del ejercicio de este derecho resulte exitoso, los acreedores deberán probar por supuesto que la cesión o renuncia ha sido fraudulenta. Para estos efectos, en las tres situaciones descritas al inicio de este acápite entendemos que a los accionantes les bastará sólo acreditar el conocimiento del usufructuario del embargo. A su vez, la efectividad de este conocimiento, quedará establecida solamente con el hecho de que el acto de disposición se haya efectuado después de que le fue notificado al usufructuario el decreto judicial que ordenó el embargo de su derecho real de usufructo. Todo lo cual se debe entender sin perjuicio de que sería

---

[28]   Corral, *Curso de derecho civil. Parte general*, cit., p. 587.

perfectamente admisible que los acreedores probaran que el usufructuario tuvo conocimiento aún en un momento anterior al acto de notificación.

En conclusión, estamos nuevamente ante una mala fe que queda establecida objetivamente, sin requerirse consideraciones adicionales y que, acreditado el conocimiento del embargo, no admite prueba en contrario; o, si se prefiere, frente a una *mala fides ipsa loquitur*, equivalente a aquella que se configura cuando el acto de disposición tiene lugar iniciado un procedimiento concursal de liquidación (art. 130, Ley 20.720)[29].

5. CESIÓN O RENUNCIA ANTERIORES AL EMBARGO DEL USUFRUCTO

5.1. Acreedores titulares de cauciones reales

Frente al art. 622 del *Code*, y la determinación de los actos anulables por perjuicio a los acreedores, se perfiló como *communis opinio* entre los comentaristas franceses la diferenciación entre acreedores quirografarios y acreedores hipotecarios. En nuestro medio, en cambio, esta distinción ha sido rechazada, apelando a que la ley (art. 803) no distingue[30]

Si bien es cierto esto último, y no obstante nada diga nuestro código, en la práctica no es posible aplicar el inc. 2° del art. 803 sin efectuar alguna distinción desde la perspectiva de los efectos extintivos que produce la renuncia en el derecho real de usufructo y, en ciertos casos, la cesión, como asimismo las consecuencias que su extinción tiene sobre las garantías reales constituidas en favor de los acreedores.

De acuerdo al art. 806, constituyen causales de extinción del usufructo la renuncia y la consolidación del usufructo con la propiedad.

La renuncia, en sentido estricto, es un acto unilateral abdicativo, sobre el cual no existe ciertamente ninguna duda que produce el término de la vigencia del derecho real de usufructo. Para el objeto de este trabajo, no tiene ninguna influencia práctica si esta consecuencia se produce por confusión de titularidades, como plantea la doctrina tradicional, dado que regresaría el goce al propietario; o simplemente, como afirma la doctrina

---

[29]   Habla de una suerte de *dolus re ipsa*, Demolombe, *Cours de Code Napoléon*, cit., t. X, n° 735, p. 691.

[30]   Claro Solar, *Explicaciones de derecho civil chileno y comparado*, cit., De los bienes III, Vol. IV, t. 8°, n° 1246, p. 381; Corral, *Curso de derecho civil. Bienes*, cit., p. 494.

moderna, por finalizar la limitación de la propiedad para el dueño, pudiendo éste ejercer a continuación libremente el goce de la cosa respectiva.

En lo que respecta a la consolidación, según la doctrina clásica, la causa de extinción del usufructo es en realidad la confusión de las calidades de propietario y usufructuario, en virtud del principio *nemini res sua servit*, pues el dueño no podría ser titular de la propiedad y al mismo tiempo titular de un derecho real de usufructo. Asimismo, en cuanto a las hipótesis en que puede tener lugar la confusión, existen tres posibilidades: a) que por transmisión o transferencia el nudo propietario adquiera el derecho real de usufructo de parte del usufructuario; b) que, al revés, éste adquiera por transmisión o transferencia la nuda propiedad del dueño; y, c) que un tercero adquiera por trasmisión o transferencia el usufructo del usufructuario y la nuda propiedad del dueño.

Ahora bien, si dentro de la primera posibilidad la confusión se debiera a una transferencia del usufructuario al nudo propietario, ya sea a título gratuito (v. gr. por donación) o a título oneroso (v.gr. por compraventa), estaríamos técnicamente frente a una "renuncia convencional" y no a una cesión propiamente tal, por lo que operaría el inciso final del art. 806 y no su inciso 4°[31]. Por su parte, la consolidación correspondería técnicamente a la segunda situación antes descrita, tratándose simplemente de una especie de confusión como hemos dicho[32]. De ahí que para algunos el texto del art. 806 sea correcto en cuanto acogería este concepto de consolidación, mientras que para otros presentaría un error al hablar de consolidación importa la transmisión o transferencia de la nuda propiedad al usufructuario. Por último, la tercera posibilidad no estaría expresamente regulada por el art. 806, omisión que se resuelve ya sea aplicando el principio general *nemini res sua servit* o bien entender que constituye un caso de consolidación estricta, pues la propiedad se consolida con el usufructo, con la particularidad que concurre en el mismo momento en el que el usufructuario adquiere su derecho.

Como sea, si técnicamente es la confusión lo que pone término al usufructo o se entiende que a todos los casos en que hay reunión de la titularidad de la propiedad y el usufructo nuestro código los ha englobado

---

[31] Claro Solar, *Explicaciones de derecho civil chileno y comparado*, cit., De los bienes III, Vol. IV, t. 8°, n° 1209, p. 357.

[32] Entienden que consolidación en el art. 806 ha sido tomada en un sentido estricto, Claro Solar, *Explicaciones de derecho civil chileno y comparado*, cit., De los bienes III, Vol. IV, t, 8°, n° 1205, p. 354; Peñailillo, *Los bienes*, cit., p. 1239.

en el término amplio de consolidación (arts. 765, 771 y 806)[33]; o bien se entiende que nada se confunde o se consolida, sino que simplemente la limitación al dominio se acaba sin que entre a todos los casos de confusión el código, lo cierto es que el derecho real de usufructo se extingue.

Especialmente relevante resulta esta extinción cuando se ha constituido una hipoteca o prenda sobre el usufructo, pues la consecuencia del término de la vigencia del usufructo es la finalización, a su vez, de la vigencia de la caución. Aunque el Código Civil sólo lo señala expresamente para la prenda civil (art. 2406) y explícitamente la ley la ha extendido a la prenda sin desplazamiento (art. 1° inc. 2° del art. 14 de la Ley N° 20.190), la regla es igualmente aplicable a la hipoteca, pues ésta no es más que una prenda sobre inmuebles[34].

Por tanto, no resulta indiferente para establecer la mala fe del usufructuario, el que estemos ante un acreedor común o un acreedor hipotecario o prendario. Si existen cauciones reales constituidas por el usufructuario, éste sabe que su renuncia o la cesión que conlleve la terminación del usufructo por confusión o consolidación, provocarán la extinción del usufructo. Se trata entonces de un acto voluntario que, aun cuando no esté dirigido a acabar con la garantía otorgada, la producirá. Y no es posible dejar la vigencia de las cauciones particulares que resguardan el cumplimiento de la obligación sujetas a una decisión directa o indirecta del deudor.

Estimamos que en este caso nuevamente nos encontramos frente a una configuración objetiva de la mala fe o fraude del usufructuario, o simplemente como hemos dicho, de *una mala fides ipsa loquitur*. Una prueba en contrario sería inadmisible, pues ni siquiera podría alegar el usufructuario que no conocía la consecuencia extintiva de la garantía (art. 8°). De paso, se marca nuevamente una diferencia con el art. 2468, pues el fraude en este caso no exige ni el mal estado de los negocios del usufructuario deudor ni su conocimiento del mismo.

Incluso, hoy contamos con normas expresas en orden a que el constituyente de la caución real tiene por el contrario el deber de evitar su

---

[33]   Vodanovic Haklicka, A.: *Tratado de los derechos reales*. Ediciones Jurídicas, Santiago, 2016, t. II, n° 1019, pp. 169 y 170.

[34]   Alessandri Rodríguez, F.: *La hipoteca en la Legislación Chilena*. Memoria, Universo, Santiago, 1919, n° 259, pág. 274; Somarriva Undurraga, M.: *Tratado de las cauciones*. Nascimiento, Santiago, 1943, n° 474, p. 481; Lecaros Sánchez, J. M.: *Las cauciones reales. Prenda e Hipoteca*. Metropolitana, Santiago, 2009, n° 182, p. 403; Guzmán Brito, A.: *Tratado de prenda sin desplazamiento según el derecho chileno*. Editorial Jurídica, Santiago, 2011, p. 354.

extinción, como es el art. 18 inc. 3° de ley prenda sin desplazamiento (art. 14 de la Ley N° 20.190). Esta disposición en todo caso deriva y se une a la interpretación extensiva del concepto de "deterioro" del art. 2427, conforme al cual el dueño de la finca hipotecada no podría deteriorar no sólo materialmente el bien hipotecado, sino también jurídicamente, quedando comprendido entonces en él actos de extinción de la hipoteca. Nótese que en ambos casos el acto de disposición no está prohibido, pues las sanciones señaladas por las normas citadas son diversas (caducidad del plazo). Pero existe un deber de no perjudicar al acreedor en su garantía, debiendo asumirse las consecuencias de su infracción voluntaria.

De modo que la cesión o renuncia, de conformidad al inc. 2° del art. 803, resulta inoponible en el caso expuesto a los acreedores, lo que se traduce en la práctica en la continuación de la vigencia de la garantía real[35].

A diferencia de lo antes expuesto, si el usufructuario cede su derecho en favor de una persona distinta al nudo propietario, y este a su vez no le transfiera su nuda propiedad al cesionario, no tendrá lugar la extinción del usufructo. Consecuencialmente, la caución real de que gocen sus acreedores no será afectada por la cesión, por lo que mantendrán su derecho real de garantía incólume, así como el derecho de persecución del usufructo que de él nace, incluyendo la facultad de exigir el pago de la deuda a través de un concurso particular. Desde esta perspectiva, no resultan perjudicados por la cesión. Esto al menos jurídicamente pues cuestión distinta es si en la práctica la cesión importa una mayor dificultad para perseguir la ejecución de los créditos haciendo efectiva la garantía, en virtud de las características personales del cesionario o de las circunstancias fácticas que lo rodean.

En cambio, sí se verían afectados en la posibilidad de ejercer la acción subrogatoria que les concede el art. 2466. Esto debido a que el presupuesto

---

[35]   Se entendió tan patente el fraude en el caso expuesto, la consecuente inoponibilidad de la cesión o renuncia y la continuación por tanto de la hipoteca que, en las legislaciones extranjeras, ya desde mediados del siglo XIX, comenzó a exigirse sólo el acto de disposición voluntario del usufructuario. La calificación de fraudulento resultaba sencillamente demás. V. gr., art. 107 de la Ley Hipotecaria española de 1861, vigente hasta hoy; art. 2903 del Cc.Mex.; 2814 del Cc.It.; 699.3 del Cc.Port.; y 561-16.3 del Cc.Cat.

Respecto de esta última disposición, para evitar posibles fraudes ocasionados por la renuncia del usufructuario, los autores catalanes opinan que se debería aplicar por analogía a todos los contratos celebrados por los usufructuarios, de manera que sólo se terminen al momento de la extinción natural del usufructo. Del Pozo Carrascosa, P., Vaquer Aloy, A. y Bosch Capdevila, E.: *Derecho civil de Cataluña. Derechos reales.* Madrid, Marcial Pons, 2010, p. 55.

para el ejercicio de ésta es que el deudor sea titular de un derecho real de usufructo, en cuya titularidad los acreedores se subrogan. Si el deudor ha cedido el usufructo a un tercero, ha perdido la calidad de usufructuario y, por tanto, ya no concurre el citado presupuesto. Entonces, los acreedores titulares de cauciones reales sobre el usufructo cedido podrán perseguirlo, embargarlo y subastarlo, ejerciendo la acción real de que disponen. Por el contrario, no podrán subrogarse al mismo, en cuanto acreedores, ejerciendo la acción personal subrogatoria del art. 2466.

Respecto de esta acción, la situación para los acreedores titulares de cauciones reales es la misma que para los acreedores comunes. De hecho, para ambas clases de acreedores sólo nacerá el derecho de subrogarse en el usufructo de que sea titular el deudor una vez que éste tenga la calidad de insolvente, según los términos del art. 2466. Sin embargo, para los acreedores hipotecarios o prendarios el eventual perjuicio del acto fraudulento será muy menor en comparación con los acreedores comunes, al no gozar éstos de una acción real alternativa, como sí tienen los primeros. Es por esto que, si bien a continuación trataremos la configuración de una cesión o renuncia del usufructo en fraude de los acreedores comunes, todo lo que diremos resultará también aplicable a los acreedores titulares de cauciones reales en cuanto al ejercicio de sus acciones personales.

5.2. *Acreedores sin cauciones reales*

Desde luego, un usufructuario que cede o renuncia a su derecho real de usufructo podría tener sólo acreedores titulares de cauciones reales. Pero también podría ocurrir que además concurran conjuntamente acreedores comunes, o bien sólo haya contraído el usufructuario obligaciones con los de esta última clase. Como el art. 803 inc. 2° no distingue, parece innegable que estos acreedores comunes también son titulares del derecho de inoponibilidad que la norma consagra. En esto no puede haber dudas. La cuestión a dilucidar es cómo se configura a su respecto el requisito exigido del fraude del usufructuario. Se trata de la situación que presenta más dificultades para la aplicación del derecho de oponibilidad de los acreedores.

El acto de disposición del usufructuario ya sabemos que puede extinguir o no el derecho real de usufructo. En el primer caso mediante renuncia (que siempre es extintiva según lo dispuesto en el art. 806), o bien a través de una cesión gratuita u onerosa a un tercero que adquiere conjuntamente la nuda propiedad. En el segundo caso, mediante una cesión gratuita u onerosa a un tercero, que no adquiere conjuntamente la nuda propiedad.

Sin embargo, para los acreedores comunes resulta indiferente que el derecho real de usufructo se extinga o no con el acto dispositivo que el deudor realiza sobre el usufructo, pues en ambos casos implicaría una reducción en los bienes de su patrimonio sobre los cuales podían ejercer su derecho de garantía general. Ello porque éste no los autoriza a perseguir dichos bienes respecto de terceros, facultad de la que sí gozan los acreedores hipotecarios o prendarios en razón de la acción real de que son titulares. De modo que, ya sea porque el usufructo simplemente se terminó, ya sea porque cambió de titular, lo concreto es que no podrían solicitar que se trabe embargo sobre él a fin de que sea subastado, ni estarían en situación de ejercer a su respecto la subrogación que les concede el art. 2466. Es por esto que, como adelantamos, para los acreedores comunes el art. 803 inc. 2° tiene aún mayor importancia, pues les permitirá convertir en inoponibles a su respecto, actos de disposición que conforme al derecho de prenda general les resultarían oponibles. Pero ejercer el derecho a la inoponibilidad de la cesión o renuncia exige que se haya configurado el fraude.

Podría, a una primera vista, pensarse en que podría resultar relevante para los acreedores comunes concurrir con acreedores titulares de cauciones reales y que la extinción del usufructo produzca a su vez la extinción de éstas. Ello porque, como hemos establecido, la mala fe del deudor usufructuario se configura por el sólo hecho de que sepa o deba saber que su acto extinguirá las garantías. Luego, como se trata de una mala fe objetiva, que reconocidamente concurre respecto del usufructuario, debería entenderse que el acto de disposición fue ejecutado fraudulentamente en perjuicio de los acreedores, sin distinguir. Así, la mala fe que concurre y se configura frente los acreedores hipotecarios o prendarios, se extendería a los acreedores comunes.

Empero, nos parece que la extensión precedente no es posible conforme el tenor del art. 803 inc. 2°. Este exige como requisito para que los acreedores puedan oponerse, que la cesión o renuncia haya sido "hecha en fraude de *sus* derechos"; es decir, los beneficiados con la oposición deben experimentar un perjuicio real o eventual propio. Distinto habría sido que la disposición dispusiese genéricamente "hecha en fraude de *los* derechos" de ellos (de los acreedores). Por tanto, el texto que consagra el derecho de inoponibilidad de los acreedores obliga a configurar el fraude individualmente, al menos respecto de una misma categoría de acreedores. De manera que no puede confundirse la configuración del fraude frente a los acreedores titulares de cauciones reales que frente a los acreedores comunes. La determinación del fraude debe entonces ir por otro camino.

En esta línea, debe reconocerse que el legislador se preocupó especialmente de establecer un estatuto particular en relación a las consecuencias que tiene sobre el derecho real de usufructo el incumplimiento de las obligaciones contraídas con sus acreedores por parte de los usufructuarios. Y que dicho estatuto consagró tanto el derecho para los acreedores de embargar y subastar el usufructo en el art. 803 inc. 1°, como asimismo el derecho a subrogarse al usufructuario en su goce y pagarse sus créditos con los frutos que perciban según el art. 2466[36]. A su vez, sobre este último, tradicionalmente la mayoría de la doctrina ha citado este derecho como un posible caso de acción oblicua o subrogatoria[37].

Nos parece, sobre esta última interpretación, que tienen razón los autores que, ateniéndose a lo dispuesto en nuestro código y no a las doctrinas foráneas, afirman que más bien estamos en presencia de una modalidad de la acción ejecutiva de los bienes de que el deudor no es dueño, derivada de la garantía general de los arts. 2465 y 2469[38]. De manera que, el art. 2466 permite a los acreedores, como modalidad de ejecución, pagarse sus créditos, total o parcialmente, con los frutos que la cosa produzca. Es en este sentido que debe entenderse que se "subrogan" en los derechos del usufructuario, pero la ejecución y por tanto el goce, es individual[39]; o sea, no se producen los efectos que la mayoría de la doctrina propugna respecto de la llamada acción oblicua o subrogatoria, en cuanto a que su ejercicio por parte de un acreedor no sólo beneficia a éste, sino que a todos los acreedores, pues los frutos ingresarían al patrimonio del deudor y no al patrimonio del ejecutante[40].

---

[36] Corral Talciani, H.: *Curso de derecho civil. Bienes*. Thomson Reuters, Santiago, 2020, pp. 473 y 483; Alcalde Rodríguez, E.: "La acción subrogatoria", *Revista Chilena de Derecho*, Pontificia Universidad Católica de Chile, vol. 14, n° 2-3, mayo-diciembre, 1987, pp. 371 y 372.

[37] Vodanovic, *Tratado de las obligaciones*, cit., t. II, n° 738, p. 181; Meza Barros, R.: *Manual de derecho civil. De las obligaciones*. Editorial Jurídica, Santiago, 2009, n° 450, p. 151.

[38] Abeliuk, *Las obligaciones*, cit., II, n° 837.I, pp. 895-897. Además de reproducir las explicaciones de este autor, califica de un análisis más profundo de las normas citadas, Vodanovic, *Tratado de las obligaciones*, cit., t. II, n° 738, pp. 182 y 183.

[39] Junto con entender, contra la doctrina mayoritaria, que este es el efecto general de la acción oblicua o subrogatoria, Alcalde, "La acción subrogatoria", cit., p. 394 afirma consecuencialmente que es el efecto que en nuestra legislación produce el derecho de subrogación del usufructo contenido en el art. 2466.

[40] Abeliuk, *Las obligaciones*, cit., II, n° 835, p. 893; Vodanovic, *Tratado de las obligaciones*, cit., t. II, n° 736, pp. 180 y 181; Meza, *Manual de derecho civil*, cit., n° 453, p. 153; Rodríguez Grez, P.: *Responsabilidad contractual*. Editorial Jurídica, Santiago, 2012, n° 491, p. 307.

Entonces, nos encontramos con que si bien el derecho para embargar y subastar el usufructo y el derecho a gozar de la cosa en los mismos términos que estaba facultado el usufructuario son dos derechos individuales distintos con los que cuentan los acreedores, conjuntamente dan vida a un derecho alternativo de ejecución. De modo que la cesión o renuncia del usufructuario, lo que en definitiva afectará, será a esta alternativa de ejecución en favor de los acreedores.

Por lo mismo, nos parece que el criterio general para la configuración del fraude en la cesión o renuncia del usufructuario de su derecho real es entregado por la regulación del derecho a subrogarse individualmente en el usufructo que regula el art. 2466, el cual establece como presupuesto para que este nazca, que el deudor tenga la calidad de insolvente. Sólo concurriendo este requisito nacerá el derecho a la subrogación en el usufructo, así como la modalidad de ejecución alternativa para los acreedores[41].

Conforme a lo anterior, si algún acreedor común ejerciera el derecho de inoponibilidad del art. 803 inc. 2°, la mala fe del usufructuario no se configurará objetivamente, pues el hecho en que consiste la insolvencia del usufructuario al momento en que cedió o renunció deberá ser objeto de prueba[42]. En todo caso, a nuestro juicio, para la determinación del fraude no deberá acreditarse únicamente que el estado de insolvencia ya estaba presente al momento en que se realizó la cesión o renuncia; y menos que era "notorio". También se podrá probar para dicha determinación que el acto dispositivo generó la insolvencia. Incluso, pensamos que, aunque la cesión o renuncia no la concrete definitivamente, pero resultaba al menos previsible que ella podía producirse, esto es, existía potencialmente el ries-

---

[41]   Más allá de si el art. 2466, consagra o no propiamente la acción subrogatoria, requisito reconocido por la doctrina para su aplicación es que el deudor no tenga bienes suficientes para satisfacer íntegramente sus obligaciones, lo que perjudica a los acreedores. Meza, *Manual de derecho civil*, cit., n° 451, p. 152.

[42]   El concepto de insolvencia y su mayor o menor amplitud han sido objeto de discrepancia entre los autores, no siendo esta la sede para su profundización. Sin embargo, debe señalarse que la tendencia de la jurisprudencia ha sido entender que "la insolvencia se produce cuando un individuo se haya incapacitado para pagar una deuda, o cesa en el pago de sus obligaciones por comprometer su patrimonio más allá de sus posibilidades". Corte Suprema, Tercera Sala (Constitucional), sentencia de fecha de 7 de abril de 2014, Rol n° 9432/2013. La insolvencia como "incapacidad de pagar una deuda" ya había sido acogida por la Corte de Apelaciones Talca, sentencia de 11 de enero de 1916, ratificada por la Corte Suprema, *Revista de Derecho y Jurisprudencia*, Santiago, 1917, t. XIV, Sec. 1ª, pp. 147 y ss. Asimismo, Corte Suprema, sentencia de 11 de diciembre de 1937, *Revista de Derecho y Jurisprudencia*, Santiago, 1938, t. XXXV, Secc. 1ª, pp. 248 y ss.

go de alcanzar el estado de cesación en los pagos conforme a las circunstancias patrimoniales en que se encontraba el usufructuario, a pesar de lo cual igualmente renunció o cedió, deberá considerársele para todos los efectos que ejecutó el acto dispositivo en calidad de deudor insolvente[43].

En este último caso, no podrá evidentemente olvidarse que el art. 803 inc. 2° concede a los acreedores un derecho a la inoponibilidad de los actos de disposición del usufructo que no tienen respecto de los demás bienes. En otras palabras, todas las cesiones o renuncias de derechos distintos al usufructo son oponibles a los acreedores, pues el derecho de prenda general no les permite su persecución en manos de terceros. Por lo mismo, no podría sostenerse que debió preverse el futuro estado de cesión de pagos en todos y cada uno de los actos de disposición del usufructuario. De ahí que la falta de previsibilidad en la cesión o renuncia del usufructo debe ser grave, no admitiéndose actos calificables de meras actuaciones negligentes de administración de los propios negocios, o meros incumplimientos ocasionales de sus obligaciones. No en vano el código civil siempre equipara el fraude a la culpa grave u otras conductas equivalentes[44].

Lo expresado no debe confundirse con la carga de la prueba de la insolvencia efectiva, alcanzada o previsible al momento de la cesión o renuncia. Es evidente que, si uno o más acreedores están ejerciendo acciones en contra del deudor cedente o renunciante, es porque éste ha incumplido sus obligaciones. Luego, o ha dejado simplemente de pagar sus deudas, o bien ello se debe a que se encuentra en insolvencia. De modo que, si cedió gratuita u onerosamente su derecho real de usufructo, o renunció a él, deberá presumirse que lo hizo en fraude de sus acreedores[45]. Es decir, que al

---

[43]   En este sentido, explicando el art. 622, De Page, H. y Dekkers, R.: *Droit civil belge*. Établissements Émile Bruylant, Bruxelles, 1953, t. VI, n° 447, p. 362, expresan que "el deudor no tiene derecho a volverse a sabiendas insolvente".

[44]   V. gr. son incapaces de toda tutela o curaduría los que en el juicio subsiguiente a una guarda han sido condenados por fraude o culpa grave a indemnizar al pupilo (art. 497 n° 12); los tutores o curadores son removidos de su cargo por fraude o culpa grave en el ejercicio de su cargo (arts. 539 n° 2 y 541); no puede oponerse a la compensación una demanda de indemnización por un acto de violencia o fraude (art.1662); y, sólo producen acción solidaria los hechos ilícitos cuando han sido cometidos con fraude o dolo por dos o más personas (art. 2317).

[45]   Respecto del art. 622 del Cc.Fr. que sólo contemplaba la renuncia, ya Marcadé afirmaba una inversión del *onus probandi*, pues la gente conoce su propio estado patrimonial, de modo que cuando el usufructuario renuncia se debe presumir su mala fe. Sabía que estaba insolvente o que su acto lo volvería insolvente. Marcadé, *Cours élémentaire de droit civil francais*, cit., t. II, art. 622, p. 524. Consideraron también que configuraba una presunción de mala fe la renuncia en insolvencia, Proudhon, J. B. V.: *Trattato dei*

momento de celebrar el acto ya estaba en insolvencia, o el acto dispositivo la produjo, o era previsible que llegara a dicho estado. Corresponderá al cedente o renunciante probar lo contrario; o sea, que era solvente para cumplir con todos sus compromisos. Y, en la ponderación de la prueba que rinda, habrán de aplicarse los criterios precedentes.

6. ¿ES NECESARIA LA MALA FE DEL TERCERO?

La pretensión de la doctrina nacional tradicional de aplicar los requisitos del art. 2468 del art. 803 inc. 2°, obliga a referirse a la necesidad o no de la mala fe del tercero para la configuración del fraude en esta última disposición. En el caso del usufructo, este tercero será obviamente el cesionario, si se trata de una cesión, o el nudo propietario, si se trata de una renuncia.

Sobre la materia, se recordará que, para los efectos de establecer los requisitos que permiten a los acreedores solicitar la rescisión del acto fraudulento, el art. 2468 distingue entre actos gratuitos y onerosos, exigiendo sólo respecto de estos últimos la mala fe del adquirente en su regla 1ª. Mala fe que consiste en el conocimiento del mal estado de los negocios del deudor otorgante.

Por el contrario, el tenor del art. 803 inc. 2° resulta un tanto ambiguo sobre la exigencia o no de la mala fe del tercero. Por una parte, al señalar que podrán los acreedores oponerse a la "cesión o renuncia", quedan claramente comprendidos en esta expresión tanto actos gratuitos como onerosos, pues la renuncia tendrá siempre la primera naturaleza y las cesiones tendrán uno u otro carácter, no distinguiendo al respecto la disposición. Por otro lado, al establecer que la cesión o renuncia debe ser "hecha en fraude" de los derechos de los acreedores, tampoco la norma diferencia si particularmente en el caso de la cesión sólo debe ser "hecha" por el usu-

---

diritti d'usufrutto, d'uso personale e di abitazione. Trad. Giuseppe Cioppi, Studio Editorio, Napoli, 1945, vol. IV, n° 2372, p. 321 y Demolombe, *Cours de Code Napoléon*, cit., t. X, n° 735, p. 691. Actualmente, simplemente señala que los actos dispositivos del insolvente son objetivamente fraudulentos, no admitiendo siquiera prueba en contrario Jerez Delgado, C.: *Los actos jurídicos objetivamente fraudulentos (la acción rescisoria por fraude de acreedores).* Centro de Estudios Registrales, Madrid, 1999, pp. 297, 298 y 319. Desde luego la misma doctrina se extiende por su sola naturaleza a la cesión voluntaria. Pero, además, no vemos razón para no extender la misma doctrina a la cesión onerosa, con la diferencia que en ésta la contraprestación le permitirá probar de mejor manera la imprevisibilidad de la insolvencia.

fructuario deudor, o bien debe ser "hecha" por éste y, conjuntamente, por el cesionario.

En relación a esto último, y a pesar de la no diferenciación en la norma, naturalmente hay que hacer una primera distinción entre renuncia y cesión, pues en la renuncia, tratándose de un acto abdicativo de carácter unilateral, la participación de un tercero debe ser inmediatamente descartada. Así, la renuncia sólo pudo haber sido "hecha" exclusivamente por el renunciante en fraude de sus acreedores[46]. Para el caso en que la "renuncia" tuviera por causa un acuerdo entre usufructuario y nudo propietario, a cambio o no de una contraprestación, el acto quedará comprendido en la noción de cesión. Exclusivamente para recordar esta última posibilidad, citaremos en lo que sigue al nudo propietario.

En cuanto a la cesión, y frente a la no distinción del inc. 2° del art. 803, solamente caben dos opciones para la configuración del fraude que exige para que a los acreedores les sea inoponible la cesión: la disposición *nunca* exige la mala fe del cesionario (o del nudo propietario), trátese de actos gratuitos o de actos onerosos, o bien la disposición *siempre* exige la mala fe del cesionario (o nudo propietario), trátese de actos gratuitos o de actos onerosos. La tercera alternativa, que sería distinguir si la cesión fue gratuita o fue onerosa, no la contempla el inc. 2° del art. 803 y, la especialidad e individualidad propia del derecho consagrado en éste, no admiten, según hemos dicho, la aplicación de las reglas del art. 2468.

Ahora bien, entre las dos únicas opciones que permite el art. 803 inc. 2°, creemos que hay que inclinarse por la primera, descartándose la exigencia de la mala fe del tercero, cualquiera que sea la naturaleza del acto. Con ello, en todo caso, la solución sería parcialmente coincidente con la regla 2ª del art. 2468 respecto de los actos gratuitos, resultando diferente exclusivamente respecto de las cesiones onerosas del usufructo. Por cierto, esta diferencia termina produciendo una de las grandes dificultades que se han querido evitar con la sanción del fraude pauliano, como es el perjuicio a los terceros adquirentes de buena fe que la rescisión del acto les causaría. Pero, por odioso que pudiera considerarse este resultado, no debe tomarse en cuenta para restringir su interpretación (art. 23). De hecho, pensamos

---

[46]   Por lo demás, es una regla comúnmente aceptada, recogida en nuestro código (arts. 1238 y 1394), que para la impugnación de los actos de renuncia no se exige la mala fe de los terceros beneficiados con ellos. Cfr. Jerez Delgado, C.; "La acción pauliana en el Derecho Civil chileno y español: conexiones con el enriquecimiento injustificado y con la responsabilidad extracontractual". *Revista Jurídica Digital*, Universidad de los Andes, 1-2, 2017, DOI: 10.24822/rjduandes.0102.4, p. 68.

que fue lo querido por el legislador, llevándolo intencionalmente a redactar el texto del art. 803 inc 2° sin distinguir la naturaleza de la cesión ejecutada. Mas, hay otras buenas razones para esta conclusión.

En efecto, hemos señalado que, de acuerdo a la doctrina tradicional, la regla general sobre la acción pauliana que se encontraba consagrada en el art. 1167 del *Code*, en Chile se habría establecido en el art. 2468. Pues bien, la generalidad de la norma gala produjo en la doctrina francesa tres grandes discusiones. La primera, aquella relativa a la naturaleza jurídica de la institución consagrada en el art. 1167; la segunda, aquella relativa a la naturaleza de los actos que podían ser atacados (onerosos o gratuitos); y, la tercera, aquella que decía relación con los sujetos en los cuales debía concurrir la mala fe, esto es, sólo en el deudor o también en los terceros adquirentes. Bello tuvo conocimiento de estas controversias, resolviendo al menos consciente, clara y expresamente las dos últimas a través del art. 2468, disposición que introduce recién en el proyecto inédito (art. 2659). Incluso, se podría decir que también la primera, en cuanto simplemente introdujo una acción rescisoria, sino fuera porque la doctrina nacional continuó reproduciendo el debate sobre la naturaleza de la acción, a la luz de los comentarios de los autores franceses.

En particular, el codificador acogió la idea de que, para la configuración del fraude en las cesiones gratuitas u onerosas, no es necesaria la mala fe de los adquirentes. Así, a pesar del evidente conocimiento sobre la problemática, motivándolo a la adopción de las reglas establecidas en el art. 2468, no procedió a efectuar ningún cambio en el art. 803 inc. 2° que significara una excepción respecto de las cesiones onerosas y de los cesionarios de buena fe. Es más, la redacción definitiva del art. 803 se concretó en el proyecto inédito, alterando el texto del inciso 1° y eliminando el inciso 3° del art. 953 del proyecto de 1853, lo que da cuenta de una disposición revisada por el codificador. Se confirma entonces que se trató sin dudas de una decisión consciente.

Esto último es más patente aún si se toma en cuenta que, para fijar el sentido y alcance del art.1167, los autores franceses relacionaban esta disposición, a modo de establecer un principio general en el *Code*, con el art. 622 (además de los arts. 788 y 1464)[47], disposición esta última sindicada como la fuente del art. 803 inc. 2°[48]. Pues bien, dicho artículo sólo daba derecho a pedir la anulación de la renuncia del usufructuario que perju-

---

[47]   Vid. *supra* n° 11.
[48]   Vid. *supra* n° 10.

dicase a los acreedores. Es decir, no hacía ninguna referencia al fraude, además de aludir sólo a un acto gratuito, como es la renuncia. Bello en cambio al adoptar el art. 622, despeja toda duda acerca de la naturaleza de la acción, reemplazando la nulidad por la inoponibilidad. Asimismo, sobre el fundamento de ésta, reemplaza la alusión al "perjuicio" de los acreedores a que se refería la norma francesa por "en fraude" de sus derechos. Y, sin establecer ninguna diferencia respecto de la naturaleza del acto, añade a la renuncia la cesión, sin efectuar tampoco ninguna distinción acerca de si ésta es gratuita u onerosa.

Al respecto, llamativo es el hecho que Delvincourt, comentando la expresión "en perjuicio" contenida en el art. 622 del Cc.Fr., afirma que debe distinguirse si la renuncia es a título oneroso o a título gratuito. Si corresponde a la primera, porque el propietario pagó al usufructuario el precio por la renuncia (lo que hemos calificado técnicamente como cesión), ella no podía ser anulada sino en la medida que haya fraude de las dos partes[49]. La misma doctrina expone a propósito de los efectos de las obligaciones convencionales, señalando que los acreedores pueden atacar los actos ejecutados por su deudor "en fraude, o en perjuicio de sus derechos" de acuerdo con la regla general (art. 1167 en relación con el 622), sólo cuando exista "*fraude ex utraque parte*" (por ambas partes)[50].

En otras palabras, y a pesar de las fuentes tenidas a la vista y por todos conocidas, el redactor de nuestro código decide sujetar el acto de cesión, incluso oneroso, al régimen de la cesión gratuita, de manera que ni omitió la distinción, ni omitió efectuar un reenvío al art. 2468 cuando éste fue introducido. Simplemente su intención fue consagrar un derecho a la inoponibilidad con una configuración del fraude y sus consecuencias distintas a las del art. 2468.

Esta decisión del legislador de preferir incluso a los acreedores por sobre los cesionarios del usufructo que han realizado una contraprestación para adquirir el derecho real de usufructo nos parece que está de acuerdo con la concepción de éste como un derecho influido por la persona del usufructuario que está a la base del instituto, así como con el régimen jurídico que deriva de este carácter.

---

[49]   Delvincourt, C. E.: *Cours de Code Civil*. Videcoq Libraire, París, 1834, Vol. I, p. 547, Notes et Explications, pag. 159, nota (3).

[50]   Delvincourt, C. E.: *Cours de Code Civil*. Videcoq Libraire, Paris, Vol. II, 1834, p. 524, Notes et Explications, pag. 153, nota (10).

Si bien con la recepción en el código chileno de la cesión del derecho real de usufructo dejó de ser propiamente personalísimo (modificación a la institución introducida por el código de Napoleón), se mantuvo igualmente la idea de que al menos lo habitual es que se trate de un derecho que se concede en consideración a la persona del usufructuario o a sus circunstancias. Prueba de ello es la mantención de la pérdida de vigencia de este derecho real con la muerte del usufructuario, salvo que se introduzca una causa de terminación anticipada (arts. 773 y 806 inc. 2°). Igualmente, acredita la ligazón con la persona del usufructuario el que la cesión sólo constituya una facultad del usufructuario en la medida de que el constituyente no se lo haya prohibido, y bajo sanción de perder el derecho si, prohibida, lo cede (art. 793 incisos 3° y 4°).

Todo lo cual permite concluir que, aunque autorice en principio el código la cesión, el legislador no ve con buenos ojos que el usufructuario se deshaga del usufructo cualquiera sea la causa en que se funde, interesándole en realidad que mantenga el goce. Luego, si un tercero tiene interés en adquirir el usufructo a título oneroso, debe pues asumir las consecuencias negativas que ello conlleva, como sería el fraude del usufructuario a sus acreedores, y la imposibilidad de oponer la cesión a la acción ejecutiva sobre el usufructo, como si aún estuviera en cabeza del cedente.

En todo caso, esta carga para los cesionarios, en especial para los adquirentes a título oneroso, debe entenderse como un reequilibrio de los riesgos de la operación entre cedente y cesionario, en el contexto del carácter personal del usufructo. En este sentido, no puede olvidarse que, en el caso de la cesión del usufructo, el cedente permanece siempre directamente responsable al propietario, según reza el art. 793 inc. 2°[51]. De manera que, a la luz del régimen jurídico del usufructo consagrado en nuestro códi-

---

[51] La continuación de esta responsabilidad para el usufructuario luego de la cesión ha constituido el argumento tradicional preferido para los autores que sostienen que sólo puede cederse o subastarse el derecho de emolumento y no el usufructo propiamente tal, en virtud de su carácter personalísimo. Así como en la actualidad la tendencia es abandonar la idea de que se trata de un derecho personalísimo, es necesario simultáneamente reconocer y explicar la razón del por qué sigue existiendo un vínculo entre nudo propietario y usufructuario, aun cuando éste ceda su derecho. En España, ha tomado particularmente fuerza la distinción entre relación jurídica y derecho subjetivo formulada por De Castro y Bravo, F; *Derecho civil de España*. Aranzadi, Pamplona, 2008, vol. I, pp. 645 y 646, conforme a la cual una cosa es el derecho real de usufructo que es cedido por el usufructuario, y otra distinta es la relación jurídica de usufructo que se mantiene entre nudo propietario y cedente del usufructo. En Chile, algunos han recurrido al argumento del "usufructo simultáneo" para explicar la situación, de modo que, en caso de cesión, frente al nudo propietario existirá un "usufructuario di-

go civil, mientras el cedente asume el riesgo de verse expuesto a que el cesionario no restituya la cosa, o bien la restituya dañada, o surjan otros derechos que pueda el propietario hacer valer en su contra, el cesionario asume también ciertos riegos con la cesión, entre los cuales se cuenta el embargo del usufructo por parte de los acreedores del cedente si éste procedió con fraude.

Cuestión distinta será que en el título de la cesión, cedente y cesionario regulen estos riesgos y se presten las suficientes garantías para el caso que tengan que asumir responsabilidades derivadas de las actuaciones del otro.

No obstante, la conclusión de que el art. 803 inc. 2° no exige la mala fe de los terceros para la configuración del fraude, dejamos constancia de que en todo caso la realidad de los terceros respecto de las cesiones efectuadas por usufructuarios con acreedores titulares de cauciones reales será muy distinta de aquellos usufructuarios con acreedores comunes. Esto debido a que tanto la hipoteca como la prenda sin desplazamiento se constituyen mediante inscripción (art. 2410 del Código Civil y art. 25 del art. 14 de la Ley N° 20.190), por lo que los cesionarios (y nudos propietarios) tendrán con antelación pleno conocimiento de las garantías existentes sobre el usufructo, así como los efectos que la cesión o renuncia producirán. En especial, sabrán que, aunque tenga lugar alguno de estos actos dispositivos y el usufructo se extinga, ellos serán constitutivos de fraude para los respectivos acreedores por el sólo hecho de su otorgamiento, por lo que la cesión o renuncia será inoponible a éstos, pudiendo igualmente perseguir sus créditos sobre el usufructo supuestamente extinto. Lo mismo será aplicable a los muebles sujetos a registro cuando la excepcional hipoteca sobre ellos o la prenda haya sido inscrita o anotada en él. Por lo tanto, a mayor abundamiento, en estos casos, por el sólo hecho del registro y por el conocimiento o posibilidad de éste acerca de la extinción del derecho real de usufructo, se configurará igual y adicionalmente para cesionarios y nudo propietario una mala fe objetiva de su parte.

Todo lo dicho es sin perjuicio de que en la actualidad la inoponibilidad de las enajenaciones a los acreedores hipotecarios y prendarios, realizadas

---

recto" (cedente) y un "usufructuario indirecto" (cesionario). Vid. Rosende y Warnier, "El código civil chileno permite la cesión del derecho de usufructo", cit., p. 98.

Se trata en todo caso de una vinculación que tiende a desaparecer. El código civil catalán admite la cesión del usufructo si ha sido autorizado por el constituyente. Pero, una vez enajenado, es el cesionario quien asume los derechos y obligaciones directamente con el propietario por todos los daños, deterioros y reparaciones. Lázaro, C. M.: *Dret civil català. Drets reals.* En Adolfo Lucas (dir.), vol. IV (2), Bosch, Barcelona, 2015, p. 47.

por los propietarios de bienes objeto de cauciones reales con posterioridad a la constitución de la garantía (arts. 2415 y 2404 del Código Civil; 17 del art. 14 de la Ley N° 20.190), es ya una doctrina consolidada[52]. De modo que ésta no viene sino a ratificar la solución que ya había adoptado el art. 803 inc. 2°.

Finalmente, por lo expuesto, en los demás casos en que no exista registro de las cosas muebles fructuarias los terceros se verán igualmente afectados por la cesión o renuncia, aun cuando hayan estado de buena fe, pues los acreedores son preferidos por el inc. 2° del art. 803 a cesionarios y nudo propietario. Sólo podría arribarse a una conclusión distinta si existiese una norma especial en favor de los terceros[53].

BIBLIOGRAFÍA

Claro Solar, L.: *Explicaciones de derecho civil chileno y comparado. De los bienes III.* Editorial jurídica, Santiago, 2015, vol, IV, t. 8°, n° 1246; Domínguez Águila, R.: "Fraus Omnia corrumpit. Notas sobre el fraude en el derecho civil", *Revista de derecho*, Universidad de Concepción, n° 189, enero-junio, 1991, pp. 7-34; Carrera, F.: *El sujeto activo de la acción pauliana (artículo 2468 del código civil).* Imprenta Chile, Santiago, 1935; Jerez Delgado, C.: *Los actos jurídicos objetivamente fraudulentos (la acción rescisoria por fraude de acreedores).* Centro de Estudios Registrales, Madrid, 1999.

Disposiciones legales

– Ley N° 18.046. Sobre sobre sociedades anónimas. D. O. 22-10-1981.

– Ley N° 18.290. Ley de Tránsito. DFL N° 1, D.O. 29-10-2009, Ministerio de transportes y telecomunicaciones, subsecretaría de transportes: fija texto refundido, coordinado y sistematizado.

---

[52]   Alessandri, *La hipoteca en la Legislación Chilena*, cit., n° 217, p. 229; Cuneo Macchiavello, A.: "El usufructo constituido con posterioridad a una hipoteca: su eficacia frente al acreedor hipotecario". *Revista de Derecho y Jurisprudencia*, Santiago, 1998, Doctrina, t. LXXXV, n° 3, pp. 113-123.

[53]   Podría entenderse como tal el art. 25 inc. 3° de la Ley de Prenda sin Desplazamiento (art. 14 de la Ley N° 20.190), según el cual el derecho de prenda de los acreedores no será oponible a los terceros que adquieran el bien empeñado (en este caso el usufructo) por venta al detalle en una fábrica, feria, bolsa de productos, casa de martillo, tienda, almacén u otros establecimientos análogos en que se vendan cosas muebles de la misma naturaleza. Además de discutible que excepcione la norma especial del art. 803, si ya el otorgamiento de usufructo en garantía es excepcional, esta posible salvedad sería prácticamente de laboratorio respecto del usufructo.

– Ley N° 20.190. Introduce adecuaciones tributarias e institucionales para el fomento de la industria de capital de riesgo y continua el proceso de modernización del mercado de capitales. D.O. 05-06-2007.

Abreviaturas

– Cc.Cat. = Código Civil catalán
– Cc.Fr.= Código Civil francés
– Cc.It. = Código Civil italiano
– Cc.Mex. = Código Civil mexicano
– Cc.Port. = Código Civil portugués
– CPC = Código de Procedimiento Civil de Chile

Jurisprudencia citada

– Corte Suprema, Tercera Sala (Constitucional), sentencia de fecha de 7 de abril de 2014, Rol n° 9432/2013.
– Corte de Apelaciones Talca, sentencia de 11 de enero de 1916, *Revista de Derecho y Jurisprudencia*, Santiago, 1917, t. XIV, Sec. 1ª, pp. 147 y ss.
– Corte Suprema, sentencia de 11 de diciembre de 1937, *Revista de Derecho y Jurisprudencia*, Santiago, 1938, t. XXXV, Secc. 1ª, pp. 248 y ss.

LA BUENA FE Y LA FE PÚBLICA REGISTRAL A PROPÓSITO DE UN JUICIO DE ACCIÓN REIVINDICATORIA

Yasna Otárola E.
Doctora en Derecho, P. Universidad Católica de Chile
Profesora de Derecho Civil, Universidad de los Andes, Chile

SUMARIO: 1. INTRODUCCIÓN. 2. EL DERECHO DE DOMINIO Y LA SEGURIDAD DEL TRÁFICO. 3. LA LEGITIMACIÓN Y LA FE REGISTRAL 4. EL HEREDERO Y LOS TERCEROS. 5. LA BUENA FE Y EL JUSTO ERROR. 6. LA PROTECCIÓN DE LOS TERCEROS DE BUENA FE. 7. CONCLUSIONES. BIBLIOGRAFÍA.

1. INTRODUCCIÓN

Uno de los aspectos más relevantes de la seguridad del registro radica en que quien adquiere un derecho real sobre un inmueble no puede ser privado de él por una causa que desconoce al tiempo de la adquisición, esto es, si no sabía de la ineficacia que afectaba la adquisición.

En pos de aquello, los sistemas registrales han tendido a establecer ciertas seguridades basadas en la publicidad del registro, de modo de otorgar confianza a aquellos que contratan fiándose en la información que contiene[1].

> *Se trata de una de las funciones del registro, la publicidad, y que consiste en "que aquello de que se da noticia se hace coincidir con la realidad para los terceros que confían en lo que están conociendo, de suerte que podrán actuar con garantía predial"[2].*

Este propósito se cumple, tratándose de inmuebles, con el registro de propiedad; sin embargo, esta seguridad podría no ser tal en un caso en el que el *tradente* enajena bienes de la herencia que adquirió por sucesión por causa de muerte, luego de haber cumplido con las inscripciones estableci-

---

[1] Peñailillo, D.: *Los bienes. La propiedad y otros derechos reales*, 2ª edición, Thomson Reuters, Santiago, 2019. p. 244.

[2] Medina de Lemus, M.: *Derecho Civil. Derechos reales e inmobiliario registral*, Dilex, Madrid, 2006. p. 258.

das en la ley para poder disponer de ellos, estando pendiente un juicio en el que se discutía la filiación de un eventual heredero.

En ese contexto, determinada judicialmente la filiación, uno de los herederos interpone, por una parte, acción de petición de herencia en contra del otro heredero y, por otra, demanda de reivindicatoria en los términos establecidos en los artículos 889 y 1268 del Código Civil, en contra del tercero que posee los bienes (C-21936-2018. 24° Juzgado Civil de Santiago).

El ordenamiento jurídico nacional permite dirigirse en contra de los terceros que poseen los bienes, sobre la base del argumento de que tal acción se asienta en el principio de que nadie puede transferir más derechos que los que tiene y, por consiguiente, se trata de una tradición inoponible al demandante.

El problema que surge, en este caso, es que la aplicación del principio puede afectar a terceros que han actuado de buena fe, que han contratado en la creencia de que el vendedor era heredero universal, según da cuenta el artículo 1268 del Código Civil, que permite reivindicar las cosas que pasaron a terceros estén de buena o mala fe, generando así un conflicto entre el que asegura ser titular del dominio y los terceros adquirentes.

De ahí que resulta pertinente determinar si estos terceros de buena fe podrían ser protegidos por la seguridad que entrega el registro de inmuebles, por medio de los principios de legitimación y fe registral que informan, aparentemente, el sistema registral chileno.

2. EL DERECHO DE DOMINIO Y LA SEGURIDAD DEL TRÁFICO

Así, estamos frente a un caso en el que un heredero, sin saber que existe otro con igual derecho, obtiene para sí la posesión efectiva de los bienes del causante. Una vez que ello ha tenido lugar, realiza las inscripciones que ordena el artículo 688 del Código Civil, en particular, la inscripción de la posesión efectiva, y procede a enajenar los inmuebles. Los terceros contratan con la convicción de que el vendedor es heredero universal, puesto que posee una resolución administrativa que lo señala como tal, y es poseedor inscrito de los bienes hereditarios. De modo que no imaginan siquiera que el otro heredero pueda dirigirse en contra de ellos, debido a que quien les vendió no era el único dueño de los bienes que estaban en su poder y no podía transferir un derecho que no tenía, de acuerdo con los artículos 682 y 683 del Código Civil. Para el otro heredero, esto es, respecto del que se acaba de determinar la filiación, estos actos de disposición no son oponibles, puede recuperar los bienes de manos de quienes estén.

En ese sentido, los artículos 670 y 675 del Código Civil en cuanto se refieren al título traslaticio para la validez de la tradición exigen, además de la validez intrínseca del acto, la existencia de la facultad de disponer en el enajenante, debido a que el adquirente deriva su dominio de esta, sin la cual, en principio, la enajenación es ineficaz, aunque el acto sea válido. Siendo derivativa la tradición, no transfiere el adquirente más derecho que los que tenía el *tradente* y, concretamente, si este no era dueño de la cosa, no lo será el que recibe (artículos 682 y 683 del Código Civil).

En consecuencia, este efecto sucede del hecho de que la tradición se encuentra vinculada al título, este constituye un requisito de la tradición, es su causa o antecedente, por lo tanto, su validez y, en general, su eficacia traslaticia depende precisamente del título. Al contrario, si el título es ineficaz, también lo es la tradición[3].

Por de pronto, producido esto último, el adquirente entrará en posesión, debido a que recibió la cosa con ánimo de señor y dueño, según se desprende de que el Código faculta para poseer si se tiene un título injusto e incluso si no tiene título (2510 n° 3), de modo que con mayor razón debiera permitirse la posesión si el título es ineficaz.

En suma, siguiendo el caso, si se advierte que el *tradente* no es el único dueño de los bienes porque existe otro heredero, la tradición producirá el efecto de no hacer nacer el dominio, aunque el adquirente habrá entrado a poseer, toda vez que tendrá la tenencia con ánimo de señor y dueño.

A lo anterior se añade lo dispuesto en los artículos 687, 691, 696 y 2432 n.° 2 del Código Civil, que especifican que en el Registro Conservatorio de Bienes Raíces se inscribe el título en el que consta el acto jurídico que da cuenta de la titularidad que se posee en el objeto registrado. Tal inscripción en ocasiones es necesaria, porque es la única forma de producir el efecto previsto en el título. Así ocurre con la compraventa de bienes inmuebles en cuanto título traslaticio de dominio, la que de no ser inscrita conforme a los artículos 52 y 58 del Reglamento del Registro Conservato-

---

3   Peñailillo, D.: *Los bienes. La propiedad y otros derechos reales*, Editorial Jurídica de Chile, Santiago, 2016. p. 221-222.
    Sepúlveda, M.: *Teoría general del derecho registral inmobiliario*, Editorial Metropolitana, Santiago, 2014. p. 13.
    Ferretti, A.: *Sistema registral inmobiliario del Código Civil*, Edeval, Valparaíso, 2017. p. 14.

rio no produce el efecto de trasladar el dominio, porque la tradición en este caso debe efectuarse mediante la inscripción[4].

En el mismo sentido se ha pronunciado la jurisprudencia al señalar que mientras no se verifique la inscripción del inmueble en el Conservador, un contrato puede ser perfecto, pero no transfiere el dominio, ningún derecho real, ni tiene respecto de terceros existencia alguna (Corte Suprema, Rol 21900-2014; Corte de Santiago, 17 de agosto de 1989, t. 86, sec. 2ª, p. 87; Casación, 31 de agosto de 1972. Rev., t. 69, sec. 1ª, p. 146; Casación, 9 de mayo de 1950. Rev., t. 47, sec. 1ª, p. 169).

En consecuencia, en nuestro sistema, la tradición en cuanto sirve para adquirir el dominio de otro es un acto causado que requiere de un título anterior y por lo mismo su eficacia depende de la validez de ese título; de no ser así, deja al adquirente como poseedor, lo pone en posesión de la cosa en vías de ganar el dominio por prescripción.

Tal aseveración pone de manifiesto los efectos que respecto de terceros pueden producir estas normas, en el sentido de que el titular inscrito puede quedar sometido a la interrogante de si su antecesor habrá sido efectivamente dueño. Esto significa que la inscripción no certifica el dominio de una persona respecto de un inmueble determinado, sino tan solo que esa persona se puede considerar como poseedora del bien y que esa posesión se conserva mientras subsista la competente inscripción.

3. LA LEGITIMACIÓN Y LA FE REGISTRAL

Con todo, en otros sistemas, como el español, los terceros que contratan sobre inmuebles saben con quién deben convenir y quién es el dueño de los bienes. Esta aparente seguridad arranca fundamentalmente del hecho de que los datos contenidos en el registro son tenidos por verdaderos por los terceros, de modo que cuando ellos contratan y luego se detectan inexactitudes, son protegidos mediante la inoponibilidad de todo aquello que no está inscrito. Lo anterior, sin perjuicio de que la garantía nace también de la idea de que el derecho que se ha incorporado al Registro existe con las características que indica la inscripción conforme a los principios de legitimación y fe registral, respectivamente[5].

---

[4]   Alessandri, A. y Somarriva, M.: *Tratado de derechos reales. Bienes*, 6° edición, Editorial Jurídica de Chile, Santiago, 2010. p. 208 y 232 y Williams. J y Herrera, J.: *Teoría de la posesión. Nuestro sistema posesorio inscrito*, El Jurista, Chile, 2018. p. 205.

[5]   Lasarte, C.: *Compendio de derechos reales*, 7ª edición, Marcial Pons, Madrid, 2018. p. 357 y 368 y Medina de Lemus.: *Derecho Civil. Derechos reales e inmobiliario registral*, Dilex, Ma-

En consecuencia, tales principios hacen del registro un asiento exacto e íntegro.

> *En sentido positivo –presunción positiva de veracidad, el registro es exacto–, lo que el registro pronuncia para el tercero es exacto y, si adquiere conforme a él, deviene en titular del derecho y con el contenido que el registro declara; en sentido negativo –presunción negativa de veracidad, el registro es íntegro–, lo no inscrito no perjudica al tercero y puede rechazar todo lo que no aparezca inscrito en el registro[6].*

En Chile, el principio de legitimación permite que se repute como titular del derecho al que figura como tal en la inscripción, atribuyéndole todas las facultades inherentes a esa calidad, pudiendo disponer con plena eficacia de su derecho inscrito y también liberar al titular inscrito de la prueba, que deberá soportar quien asevera alguna disconformidad en el registro. En tanto, la fe pública registral no está consagrada en términos de que se repute exacto el registro y pueda, de esta forma, protegerse al adquirente que contrató con la convicción y la certeza de que el contenido del registro es exacto, según lo confirman situaciones tales como aquella que regula los efectos de la nulidad judicialmente declarada respecto de terceros (art. 1689 del Código Civil) y la cláusula que establece la obligación del vendedor de responder del saneamiento por evicción de acuerdo a los artículos 1837 a 1856 del Código Civil, con lo que la prueba del dominio ha de encontrarla recién en la prescripción[7]. En efecto, estos principios, aunque se dicen reconocidos o reflejados en el Reglamento –por ejemplo, en los artículos 13, que señala cuándo el Conservador de Bienes Raíces puede negar la inscripción; 57, que determina lo que se exige para llevar a efecto la inscripción; 61, de cuándo el apoderado o representante legal ha de presentar el título de su mandato o representación; 62, de la admisión como auténticas de las copias autorizadas, y 65, de la anotación del extracto de la copia auténtica en el Repertorio–, no parecen estar contemplados en las normas sustantivas del Código Civil, según demuestran las disposiciones citadas, lo que proyecta incoherencias entre ambas normativas, las que se deben resolver si se pretende proteger el tráfico inmobiliario.

---

drid, 2006. p. 343 y 353.

[6]   Lacruz, J. L. y Sancho Rebullida, F. de A.: *Derecho inmobiliario registral*, Editorial Bosch, Barcelona, 1968. p. 236

[7]   Mohor, E.: "Los principios del derecho registral en nuestro sistema". *Revista Fojas*, 2007. p. 55-56

Alcalde, J.: "De los bienes y de su dominio, posesión, uso y goce". *Revista Chilena de Derecho Privado*, n.° 32, 2019, pp. 157-182

Peñailillo, D.: *Los bienes. La propiedad y otros derechos reales*, 2ª edición, Thomson Reuters, Santiago, 2019. p. 785.

Así lo ha reconocido la jurisprudencia al señalar que lo fundamental en esta materia es que "los derechos y obligaciones adquieran certeza, y publicidad necesaria para lograr estabilidad social [...], por ende, es imprescindible la continuidad en sus registros debiendo éstos representar la real situación que afecta a los bienes o derechos comprometidos, en conformidad con el principio de fe registral, por el que se insta por la protección de los actos jurídicos que se hayan producido confiando en el contenido del registro, con el objeto de amparar a los terceros adquirentes de derechos, sobre la base de la información contenida en el Libro en que se deja constancia de la debida inscripción de los títulos" (Corte Suprema, Rol 10.251-2016; Corte Suprema, Rol 82.344-2016; Corte Suprema, Rol 10.646-2015; Corte Suprema, Rol 55.060-2016; Corte Suprema, Rol 918-2014; Corte de Apelaciones de Valdivia, Rol 60-2016).

En consecuencia, como se puede ver, en el caso en comento, la fe registral y la legitimación convergen en el interés que tiene el heredero –recientemente reconocida su filiación– de recuperar los bienes y el interés del tercer adquirente en torno a mantener los bienes en su poder porque se ha hecho de las cosas en la creencia de que las adquirió del heredero universal.

4. EL HEREDERO Y LOS TERCEROS

En la ley, este tema es tratado en el artículo 1268 del Código Civil; la disposición se refiere a la acción reivindicatoria que puede ejercer el heredero en contra de terceros de buena o mala fe, porque estima el interés del heredero por sobre el de los terceros[8].

Sin embargo, tratándose de terceros de buena fe, la doctrina nacional hace hincapié en que el heredero aparece como verdadero y único; provoca la creencia de que se contrata con la única persona que legalmente continúa la personalidad del causante y, por consiguiente, adquieren del único dueño[9]. *A posteriori*, propone que estos terceros están protegidos de la acción del nuevo heredero por medio de la apariencia y la buena fe, aunque con oposición de quienes sostienen que "*la eficacia no puede descansar en la apariencia, esta se basa en un error, esconde una realidad distinta, es una cosa*

---

[8]   Elorriaga de Bonis, F.: *Derecho Sucesorio*, 3ª edición, Thomson Reuters, Santiago, 2015. p. 613

[9]   Mohor, E.: "Los principios del derecho registral en nuestro sistema". *Revista Fojas*, 2007. p. 56.

que parece y no es"[10], sino en la veracidad y la calidad de la información que se consigna y publica en el Registro.

En nuestro país esta protección es aceptada en figuras como el pago de lo debido (art. 2303) y en la enajenación de bienes muebles efectuada por un cónyuge en sociedad conyugal (art. 1739), en ambas se requiere buena fe y que el acto o contrato sea a título oneroso. También, aunque con diferencias en la resolución, rescisión y revocación de las donaciones entre vivos (art. 1432) que altera las normas sobre nulidad respecto de terceros y en la resolución por incumplimiento conforme a lo dispuesto en los artículos 1490 y 1491 del Código Civil, si el tercer adquirente estaba de buena fe, no procede acción reivindicatoria, aunque la adquisición sea a título gratuito.

En cambio, no se protege la seguridad del tráfico en la nulidad, pues los artículos 1687 y 1689 regulan la restitución entre las partes y la acción reivindicatoria contra terceros poseedores sin distinción alguna. Ni menos, en el caso que convoca, aunque en el derecho comparado la tendencia sea otra. Por ejemplo, en el Derecho alemán, *"si alguien adquiere una herencia de una persona designada como heredero en un certificado de herencia […], el contenido del certificado de herencia se aplica a su favor en la medida que se ajuste a la presunción de § 2365, se estima como suficientemente correcto, a menos que sepa que es incorrecto o sepa que el tribunal ha solicitado la devolución del certificado de herencia por esta causa"*. A su turno, se presume que la persona designada como heredera en el certificado de herencia tiene derecho a la herencia […]. (parágrafos 2365 y 2366). En el mismo sentido, en el Derecho italiano, se dice que *"los derechos adquiridos, en virtud de acuerdos con el heredero aparente, no afectan a terceros que prueban que han contraído de buena fe"* (art. 534 del Código Civil italiano).

Así, el heredero que enajenó los bienes será aquel que se presentó ante terceros como heredero único, aunque después ese carácter no le corresponda. Se encuentra en posesión de la herencia de acuerdo con la resolución administrativa o judicial que se la ha concedido y se comporta como heredero real sin serlo, en virtud de un título idóneo por su naturaleza para adquirir la herencia, pero ineficaz –total o parcialmente– por existir circunstancias que lo privan de sus consecuencias jurídicas. En cambio, los terceros corresponden a aquellos que desconocen que se trata de un heredero que no es universal, inadvertencia que se asienta en la apariencia que ha exhibido el heredero al poseer los bienes del causante y que los terceros de buena fe no podían descubrir.

---

[10]   Sepúlveda, M.: *Teoría general del derecho registral inmobiliario*, Editorial Metropolitana, Santiago, 2014. p. 81.

5. LA BUENA FE Y EL JUSTO ERROR

Habiendo adquirido los terceros la posesión, la buena fe se da por *"la conciencia de haberse adquirido el dominio de la cosa por medios legítimos, exentos de fraude y de todo otro vicio"*. Así, en los títulos traslaticios de dominio la buena fe supone la persuasión de haberse recibido la cosa de quien tenía la facultad de enajenarla, y de no haber habido fraude ni otro vicio en el acto o contrato (art. 706, incisos 1o y 2°, del Código Civil).

Conforme a la disposición, este estado requiere: i) haber adquirido el dominio de la cosa; ii) haberlo adquirido por medios legítimos; iii) haberlo adquirido exento de fraude y iv) haberlo adquirido exento de todo otro vicio. También, solicita i) haber empleado medios legítimos; ii) no haber habido fraude y iii) no haber habido ningún otro vicio, aunque estas exigencias en la realidad no se den, empero asiste la convicción de que existen[11].

En consecuencia, la creencia que importa creer que es verdadera, aunque no lo sea; el que duda de la legitimidad de la adquisición posee de mala fe. Así queda de manifiesto en *"las palabras que usa la ley: 'conciencia' y 'persuasión'; ambas exigen una convicción en el adquirente, excluyendo un juicio vacilante"[12]*

Desde allí, habrá que probar la convicción o creencia que se formó el tercero desde la conducta del poseedor. Esto implica evaluar primeramente si ha habido ilegitimidad, fraude o vicio de parte del presunto culpable; de haberlo o no, solo así, se continúa con la evaluación sobre si estaba consciente de haber adquirido el dominio por medio de formas legítimas. ALESSANDRI y SOMARRIVA sostienen que si el tribunal de fondo considera de buena fe a un poseedor que no tiene la creencia firme de la legitimidad de su adquisición, que denota dudas sobre ella, dicho tribunal se pronuncia sobre una cuestión jurídica e infringe la ley, porque entra a calificar una situación con prescindencia de un elemento exigido por la ley[13].

---

[11]   Guzmán B., A.: "La buena fe en el Código Civil de Chile". *Revista Chilena de Derecho*, vol. 29, n.° 1, 2002, pp. 11-23.

[12]   Alcalde, J.: "De los bienes y de su dominio, posesión, uso y goce". *Revista Chilena de Derecho Privado*, n° 32, 2019, pp. 157-182
Alessandri, A. y Somarriva, M.: *Tratado de derechos reales. Bienes*, 6° edición, Editorial Jurídica de Chile, Santiago, 2010. p. 383.

[13]   Alessandri, A. y Somarriva, M.: *Tratado de derechos reales. Bienes*, 6° edición, Editorial Jurídica de Chile, Santiago, 2010. p. 385.

Probada la firme convicción, la cuestión está en determinar la causa que la origina, quizás proviene de un error, dado que el heredero presenta un título derivado de la ley. Según ALESSANDRI, el único requisito que deben cumplir los terceros para estar de buena fe es la ignorancia o el error que los indujo, siendo indiferente si es excusable e inexcusable, siempre que su actuar tenga una razón que lo fundamenta[14]. En cambio, ELORRIAGA DE BONIS plantea que el error debe ser insuperable o invencible, según refrenda el hecho de que el heredero haya tomado posesión de los bienes del difunto[15].

Esto último es, quizás, lo que ocurre en la situación que se examina, porque el heredero da a las personas que por su intermedio adquieren la posesión de la cosa un motivo para creerse propietario, sin que los hechos permitan adivinar que carecía de esta calidad la persona de la cual se adquirió el bien. Si el tercero no tiene tal conciencia, pese a su conducta anómala, "*es porque padeció un error de hecho que le hizo perder la razón de la ilegitimidad, del fraude o del vicio objetivamente existente [...]*"[16]. Este error, en nuestro ordenamiento, debe ser justo, pues solo "*un justo error en materia de hecho no se opone a la buena fe*" (art. 706, inciso 3º). La ley no acepta cualquier error de hecho, sino un "*justo error de hecho*".

Ahora bien, justo error será aquel que tiene un fundamento de razón o un motivo plausible conforme a los principios de justicia que informan nuestro ordenamiento. También, aquel en que puede incurrir una persona prudente y que presta a sus negocios el cuidado ordinario y mediano de un buen padre de familia[17] o, definitivamente, el que no es reprochable teniendo en cuenta la conducta que se desarrolló y, por consiguiente, la falsa representación de la realidad que se instaló en la mente del tercero. Sin embargo, todo indica que el hecho que produce realmente el error en el tercero no es la razón plausible, tampoco la diligencia o si es reprochable la conducta del que transfiere los bienes, sino el hecho de que no es posible dudar de quien tiene la posesión inscrita porque sí lo avala el sistema de registro.

---

[14]   Alessandri, A. y Somarriva, M.: *Tratado de derechos reales. Bienes,* 6° edición, Editorial Jurídica de Chile, Santiago, 2010. p. 381.

[15]   Elorriaga de Bonis, F.: *Derecho Sucesorio*, 3ª edición, Thomson Reuters, Santiago, 2015. p. 616.

[16]   Guzmán B., A.: "La buena fe en el Código Civil de Chile". *Revista Chilena de Derecho*, vol. 29, n. º 1, 2002, p. 22.

[17]   Claro Solar, L.: *Explicaciones de Derecho Civil Chileno y Comparado*, Jurídica de Chile-Temis, 1978, 473.

En definitiva, existe justo error del tercero si la adquisición del inmueble se hizo a una persona que afirma ser heredero y cuya apariencia aparece corroborada por la posesión de los bienes del causante. Todo indica que sí, porque su conciencia así lo cree y los elementos que definen la buena fe concurren en el caso que se describe.

6. LA PROTECCIÓN DE LOS TERCEROS DE BUENA FE

Para determinar si los actos de disposición realizados por el heredero son válidos, o sea, si podrían oponerse al otro heredero, según lo dicho, la situación debiera ajustarse a los requisitos exigidos en aquellas situaciones en que el legislador ha decidido situar la seguridad del tráfico por sobre el derecho de propiedad. Si se recuerda, los artículos 1432, 1491, 2303, 1739 del Código Civil aplican el principio de protección a terceros adquirentes de derechos reales, no obstante que el legislador no utiliza el mismo criterio en todas las normas, es decir, no distingue siempre entre terceros de buena o mala fe y adquirentes a título oneroso o gratuito. Sin embargo, la tradición causada estrechamente ligada al título demuestra la debilidad de la inscripción y amerita resolver el problema planteado por medio de la protección del tercero.

El tercero es protegido por medio del reconocimiento jurídico de la realidad, que se basa en actos realizados a partir de la convicción de estar celebrando con quien tiene derecho para disponer de los bienes o celebrar el negocio en cuestión. Se trata de casos en los que no existe correspondencia entre la actividad del individuo y la realidad de los actos que practica. Por esa razón, los terceros de buena fe pueden tener en cuenta esa exteriorización e ignorar la realidad oculta, de manera tal que su conducta se funda en la convicción de estar frente al verdadero detentor del derecho[18].

Así, se han determinado ciertos requisitos para que proceda esta protección: i) que se trate de un tercero registral; ii) que el tercero actúe de buena fe y iii) que la adquisición sea a título oneroso.

El tercero registral es aquel que se encuentra protegido por el registro, o bien quien ha adquirido los bienes de un sujeto que no es el que reclama los bienes. Su derecho deviene de que adquirió a título oneroso y de buena fe de quien aparece en el registro con el derecho inscrito, y que tiene, a su

---

[18]   Pantoja, C.: "El heredero aparente". *Revista Judicial*, Costa Rica, no 113, 2014, p. 219.

vez, inscrito su título. Como tercero que es, no forma parte del acto jurídico que pretende oponérsele, porque no participó en él[19].

La buena fe exigida al tercero para ser considerado como tal, consiste en ignorar la existencia de la inexactitud en lo publicado en el registro. De modo que debe ignorar las causales jurídicas que afectan al acto para que pueda ampararse en el principio de fe pública.

La buena fe del adquirente debe existir en el momento de la celebración del contrato mediante el cual se conviene la venta del inmueble; se discute si debe mantenerse hasta que se inscriba el título. ROCA SASTRE sostiene que *"la buena fe debe existir en el momento de celebrarse el contrato y mantenerse hasta el momento en que se produzca la entrega de la propiedad"*, pero no es necesario que sea hasta el momento de la inscripción. Por su parte, SANZ FERNÁNDEZ afirma que *"la buena fe debe subsistir hasta el momento de la inscripción del título del adquirente, debido a que todos los requisitos de la protección deben concurrir en el tiempo"*[20].

Entre nosotros, la buena fe –siguiendo las reglas de la posesión– sería inicial, por cuanto al entrar a poseer, el tercero ignora el vicio que afecta al título traslaticio en virtud del cual posee el bien. De ahí que la pérdida de la buena fe lo mantiene como poseedor regular y lo hace merecedor de las presunciones que obran a su favor (art. 702, inciso 2°, Código Civil)[21].

Enseguida, el que adquiere debe hacerlo a título oneroso, es decir, solo por medio de aquellos actos que tienen por objeto la utilidad de ambos contratantes, gravando cada uno a beneficio del otro[22]. La razón de aquello radica en que, si se invalida, el adquirente no solo deja de obtenerla utilidad, sino también el sacrificio patrimonial que hizo[23]. Finalmente, la onerosidad es un requisito que solo se pide a la adquisición del tercero[24].

19   Caicedo, E.: *Derecho Inmobiliario Registral*, 2a edición, Editorial Temis, Bogotá, 2001. p. 67.

20   Lacruz, J. L. y Sancho Rebullida, F. de A.: *Derecho inmobiliario registral*, Editorial Bosch, Barcelona, 1968. p. 231.

21   Alessandri, A. y Somarriva, M.: *Tratado de derechos reales. Bienes*, 6° edición, Editorial Jurídica de Chile, Santiago, 2010. p. 384.
      Peñailillo, D.: *Los bienes. La propiedad y otros derechos reales*, Editorial Jurídica de Chile, Santiago, 2016. p. 357.

22   Domínguez, R.: *Teoría general del negocio acto jurídico*, 2ª edición, Editorial Jurídica de Chile, Santiago, 2014. p. 27.

23   Medina de Lemus, M.: *Derecho Civil. Derechos reales e inmobiliario registral*, Dilex, Madrid, 2006. p. 355.

24   Lasarte, C.: *Compendio de derechos reales*, 7ª edición, Marcial Pons, Madrid, 2018. p. 370.

En ese contexto y habiendo reunido los requisitos que se citan, el tercero debe ser protegido, porque por sobre todo la inscripción del título es el presupuesto de su posesión inscrita; la tutela jurídica solo se concede a este titular, de modo que será amparado mientras se mantenga como tal.

7. CONCLUSIONES

El Código Civil establece en ciertas disposiciones el principio de protección de terceros fundado en la exigencia de buena fe y adquisición onerosa, esto indica que en ocasiones ampara por sobre otros bienes el tráfico jurídico de los inmuebles. Tratándose de los inmuebles, esto se ve reflejado en disposiciones del Reglamento del Registro Conservatorio, lo que demuestra que la legitimación y la fe registral son principios contemplados en nuestro sistema registral. De modo, que es posible en virtud de ambos, esto es, el Código Civil y el Reglamento del Registro Conservatorio de Bienes Raíces proteger al tercero que de buena fe adquirió a título oneroso un derecho de otro, que conforme al Registro Conservatorio de Bienes Raíces tiene título inscrito, y mantenerlo en su posición jurídica porque inscribió su derecho, aunque luego se determine que este no es eficaz.

BIBLIOGRAFÍA

Alcalde, J.: "De los bienes y de su dominio, posesión, uso y goce". *Revista Chilena de Derecho Privado*, n.° 32, 2019, pp. 157-182. https://dx.doi.org/10.4067/S0718-80722019000100157

Alessandri, A. y Somarriva, M.: *Curso de Derecho Civil*, Editorial Nascimento, Santiago, 1957.

— : *Curso de Derecho Civil. De los bienes*, 2ª edición, Editorial Nascimento, Santiago, 1957.

— : *Tratado de derechos reales. Bienes*, 6a edición, Editorial Jurídica de Chile, Santiago, 2010.

Caicedo, E.: *Derecho Inmobiliario Registral*, 2a edición, Editorial Temis, Bogotá, 2001.

Claro Solar, L.: Explicaciones de Derecho Civil Chileno y Comparado, Jurídica de Chile-Temis, 1978, 473.

Domínguez A., R.: *Teoría general del negocio acto jurídico*, 2ª edición, Editorial Jurídica de Chile, Santiago, 2014.

Elorriaga de Bonis, F.: *Derecho Sucesorio*, 3ª edición, Thomson Reuters, Santiago, 2015.

Ferretti, A.: *Sistema registral inmobiliario del Código Civil*, Edeval, Valparaíso, 2017.

Flores, M. y Peña, C.: *Sistema registral inmobiliario chileno*, Editorial Thomson Reuters, Santiago, 2014.

Fuentes, C.: "Eficacia de los sistemas registrales en relación con la protección jurídica del derecho de propiedad", en Rojas, E. (editor), *Manual de práctica registral chilena*, Editorial Biblioteca Americana, Santiago, 2007, pp. 75-82.

Guzmán B., A.: "La buena fe en el Código Civil de Chile". *Revista Chilena de Derecho*, vol. 29, n.º 1, 2002, pp. 11-23.

Juárez, A.: *Principio de fe pública registral* versus *tutela aquiliana de los titulares de derechos no inscritos sobre bienes inmuebles*. Cuadernos de Derecho Registral, Madrid, 2005.

Lacruz, J. L. y Sancho Rebullida, F. de A.: *Derecho inmobiliario registral*, Editorial Bosch, Barcelona, 1968.

Lasarte, C.: *Compendio de derechos reales*, 7ª edición, Marcial Pons, Madrid, 2018.

Medina de Lemus, M.: *Derecho Civil. Derechos reales e inmobiliario registral*, Dilex, Madrid, 2006.

Mohor, E.: "Los principios del derecho registral en nuestro sistema". *Revista Fojas*, 2007. http://fojas.conservadores.cl/articulos/los-principios-del-derecho-registral-en-nuestro-sistema (consultado el 20 de marzo de 2019).

Orrego J.: La posesión. Apuntes de Derecho Civil, 2019. https//https://www.juanandresorrego.cl/apuntes/apuntes-civil-2/

Pantoja, C.: "El heredero aparente". *Revista Judicial*, Costa Rica, no 113, 2014, pp. 213-241.

Peñailillo, D.: *Los bienes. La propiedad y otros derechos reales*, Editorial Jurídica de Chile, Santiago, 2016.

— : *Los bienes. La propiedad y otros derechos reales*, 2ª edición, Thomson Reuters, Santiago, 2019.

Rioseco, E.: *La posesión inscrita ante la jurisprudencia*, 2ª edición, Editorial Jurídica de Chile, Santiago, 1996.

Scotti, E.: *Derecho registral inmobiliario*, Editorial Universidad de Buenos Aires, Buenos Aires, 1980.

Sepúlveda, M.: Teoría general del derecho registral inmobiliario, Editorial Metropolitana, Santiago, 2014.

— : "Panorama actual de la calificación registral en Chile". *Cuadernos de Extensión Jurídica*, Santiago, n.º 30, 2018, pp. 109-124.

Vodanovic, A.: *Curso de Derecho Civil y los otros derechos reales*, 3a edición, Editorial Nascimento, Santiago, 1974.

Williams. J. y Herrera J: *Teoría de la posesión. Nuestro sistema posesorio inscrito*, Editorial El Jurista, Santiago, 2018.

DERECHO COMERCIAL

LA BUENA FE EN LA LEY DE COMPETENCIA DESLEAL[1]

Manuel BERNET PÁEZ

Doctor en Derecho, Universidad de los Andes, Chile
Profesor de Derecho Comercial, Universidad de los Andes, Chile

1. CONSIDERACIONES GENERALES

El 16 de febrero de 2007 se publicó la Ley N° 20.169 que regula la competencia desleal ("LCD"). En tal reglamentación, el legislador para efectos
de sancionar los ilícitos desleales dispuso de una regla de carácter genérica, conocida como cláusula general (art. 3 de la LCD), y un conjunto de
conductas especiales descritas, denominados tipos especiales (art. 4 de la
LCD). Respecto de la cláusula general, su tenor es el siguiente: "En general, es acto de competencia desleal toda conducta contraria a la buena fe o
a las buenas costumbres que, por medios ilegítimos, persiga desviar clientela de un agente del mercado.".

En este texto me abocaré a examinar la denominada cláusula general,
particularmente me centraré en dos cuestiones conflictivas: (i) determinar
si la noción de buena fe contemplada en la cláusula general es de carácter

---

[1] La redacción de este texto ha contado con la ayuda del Fondo Nacional de Ciencia y
Tecnología de la República de Chile, en el marco del Proyecto Fondecyt de Iniciación
N° 11180517 titulado «Los usos permitidos de una marca ajena en el Derecho comparado y en el Derecho chileno», en el cual su autor tiene la calidad de investigador
responsable.

subjetivo, o bien, objetivo, y (ii) una vez desentrañado este asunto, trataré de integrar normativamente el concepto de buena fe, para lo cual propondré algunas pautas al efecto.

Acerca de lo dicho, estimo que la solución de ambos problemas tiene una evidente relevancia, ya que como analizaré en su momento, en el ámbito de la jurisprudencia todavía no se delimitan criterios interpretativos estables respecto al contenido de la buena fe en la disciplina de la competencia desleal. Este defecto detectado ha impedido que la cláusula general tenga una mayor aplicación en la *praxis*, siendo este punto no deseable puesto que el elenco de tipos especiales en la LCD es algo escaso, de ahí que se deban entregar pautas interpretativas especificas a los usuarios para que la cláusula general goce de una amplia utilización por la judicatura a fin de sancionar aquellas conductas no específicamente descritas por el legislador.

2. PRIMERA CUESTIÓN: LA BUENA FE COMO PARÁMETRO DE ANTIJURICIDAD DE CARÁCTER OBJETIVO

2.1. *Aspectos generales sobre la buena fe en el derecho privado*

Desde un prisma del derecho privado –rama en la cual nace la competencia desleal– de manera común se alude a la buena fe en dos sentidos, a saber, uno subjetivo y otro objetivo. La primera acepción alude a la creencia o convicción de que la conducta que se realiza por un sujeto no va contra derecho, mientras que la segunda se refiere a un conjunto de reglas que configuran patrones de rectitud y honestidad[2].

A partir de estas premisas, cabe preguntarse si la LCD recoge el concepto de buena fe en su carga subjetiva –como creencia–, o bien, se decanta a su faz objetiva –como comportamiento–, para lo cual indagaré en su historia fidedigna de la ley, en la opinión de los autores, en la jurisprudencia, en el derecho comparado, para luego dar mi opinión sobre este asunto.

En este punto, como adelanto, cabe dar cuenta que esta cuestión no está del todo resuelta en la jurisprudencia. Así, a modo de ejemplo, en sentencia dictada por el 17° Juzgado Civil de Santiago de 27 de octubre de

---

[2]   Cfr. Peñailillo (2006:53); Ruiz-Tagle (2011: 60-63); Boetsch (2011: 80-82); Ekdahl (1989: 61-67).

2016, al parecer el sentenciador se inclina por la posición de la buena fe en un sentido subjetivo, al decir:

> "Doudécimo: Que la buena fe, para la materia en estudio, es la convicción del competidor de estar actuando con integridad y honradez en los actos que realice en el mercado, siendo deber del actor por tanto probar los actos constitutivos de la mala fe."[3].

Sin embargo, ese mismo tribunal en sentencia de 31 de marzo de 2015, al parecer opinó en un sentido que diverso, al indicar:

> "Décimo cuarto: Que previo al análisis detallado de la prueba, resulta necesario asentar que dada la dificultad que presenta dilucidar cual es la verdadera intención y voluntad interna del sujeto señalado como infractor, y si ésta iba o no encaminada a realizar ilícitos, es que la Ley 20.169, se refiere a la buena fe del tipo objetiva, es decir se requiere de la comprobación de ciertos hechos para considerar si el sujeto actuó o no con la certeza de estar en lo correcto, para lo cual por ejemplo, se vale de la enumeración no taxativa plasmada en el artículo 4° de la mentada Ley."[4].

Finalmente, como puede se puede estimar, este primer asunto que pretendo despejar resulta de sumo interés, ya que incide en la forma cómo se debe valorar la noción de buena fe, y de qué manera el juez debe realizar su enjuiciamiento al caso concreto. A nuestro parecer, como veremos de las diversas fuentes que se examinarán a continuación, la Ley N° 20.169 acoge una noción objetiva de buena fe.

2.1.1. La historia fidedigna de la Ley N° 20.169

La incorporación de la buena fue como parámetro de valoración de un comportamiento ejecutado en el mercado surgió de una indicación de los diputados señores Saffirio, Ortiz, Tuma, Errázuriz y Uriarte durante la tramitación del proyecto de ley que dio origen a la LCD. Así se propuso particularmente el siguiente artículo 3°:

> "Artículo 3°- Se considera acto de competencia desleal y, por tanto, ilícito y prohibido, toda conducta contraria a la buena fe comercial, a las sanas costumbres mercantiles o a la práctica honesta en materia indus-

---

3   Sentencia del 17° juzgado civil de Santiago, 27 de octubre de 2016, Rol N° C-22.345-2014.

4   Sentencia del 17° juzgado civil de Santiago, 31 de marzo de 2015, Rol N° C-23.573-2012.

trial o comercial, que tenga por objeto desviar clientela de la actividad, prestaciones mercantiles o establecimientos ajenos."[5].

En cuanto a la inclusión de la voz "buena fe comercial" en el precepto, en la discusión no se contemplan mayores antecedentes dogmáticos para delinearla. Sólo se indica que este concepto genérico de competencia desleal que se propone contiene un elemento subjetivo relacionado con la buena fe comercial.

Sin necesidad de entrar en mayores detalles sobre este punto, debemos mencionar que la incorporación de la denominación "buena fe comercial" en el texto examinado es un resabio directo del art. 7°, inc. 1° de la Ley de competencia desleal colombiana (ley 256 de 1996), que en lo que nos interesa indica: "(…) Los participantes en el mercado deben respetar en todas sus actuaciones el principio de la buena fe comercial"[6].

Sin embargo, con el devenir del iter legislativo esta noción de buena fe comercial fue eliminada, siendo reemplazado el art. 3° propuesto por una indicación presentada por los senadores señores Cariola, García y Orpis, texto en que se omite toda referencia a la buena fe:

> "Artículo 3°.- En general, es un acto de competencia desleal toda conducta contraria a las buenas costumbres comerciales que por medios ilegítimos persiga desviar clientela de un agente del mercado."[7].

Para fundamentar tal indicación dichos senadores esgrimieron que la competencia desleal debe definirse sobre la base de estándares generales, pues la experiencia comparada muestra que es ineludible recurrir a una regla general ante la dificultad de definir ex ante todos los ilícitos.

Sobre esto, los autores de la propuesta hicieron presente tres precisiones. La primera, es que resulta prudente conservar como criterio de ilicitud las buenas costumbres comerciales, noción que es recogida en el derecho

---

[5]   Primer Informe de la Comisión de Económica de la Cámara de Diputados, recaído en el proyecto de ley, en primer trámite constitucional, sobre competencia desleal, 15 de junio de 2005, Boletín N° 3.356-03, p. 29.

[6]   En la sentencia N° 11, 10 de noviembre de 2006, la Superintendencia de Industria y Comercio de Colombia define la buena fe comercial en los siguientes términos: "(…) la buena fe comercial es una especie de buena fe en general, pudiendo inferirse que implica ajustar la conducta a los parámetros del ordenamiento jurídico general y comercial en particular, en el desarrollo habitual u ocasional de operaciones comerciales, y que esta se presume en tanto no se demuestre lo contrario.".

[7]   Segundo Informe de la Comisión de Economía del Senado, recaído en el proyecto de ley, en segundo trámite constitucional, sobre competencia desleal, 8 de marzo de 2006, Boletín N° 3.356-03, p. 10.

comparado y es similar a la ocupada en el art. 10° bis 2. del Convenio de París[8]. La segunda, es que es conveniente efectuar alguna referencia que oriente a los jueces en el sentido que la competencia desleal no puede ser un instrumento que entrabe la competencia fuerte, pero legítima. Por eso argumentaron que parecía adecuado conservar en la cláusula general una referencia al propósito del acto de competencia desleal objeto de represión, esto es, desviar ilícitamente la clientela de terceros. La tercera, es que es necesario destacar que el adjetivo "desleal" lleva implícito un elemento intencional o de mala fe, pero sería conveniente dejarlo expresamente establecido para evitar que una simple conducta meramente descuidada pueda ser impugnada según las disposiciones de esta ley.

Ahora bien, los argumentos para remover la noción de buena fe en la cláusula general son expresados por el abogado asesor de la Comisión de Economía del Senado señor Enrique Barros, quien en los interesa afirma:

> "El señor Barros indicó que, en su opinión, se prefirió no hablar de 'buena fe', pues se trata de un concepto (sic) se ha desarrollado básicamente en el ámbito de la doctrina del contrato. El concepto de buenas costumbres, en cambio, si bien está en el ámbito del contrato, tiene un valor expansivo."[9].

A pesar de estos argumentos para excluir la noción de buena fe en la cláusula general proyectada, el senador señor Orpis insistió en su reincorporación en la cláusula general al argumentar que el concepto de "buenas costumbres" –único elemento para determinar la antijuricidad de una conducta en la cláusula general– no tendría una interpretación sistemática y homogénea en el tiempo, por lo que la expresión "buena fe" daría mayores certezas al respecto. Adicionalmente, este mismo senador sostuvo que la cláusula general, al emplear la denominación "medios ilegítimos" permitiría una menor subjetividad en el enjuiciamiento de las conductas en el mercado, ya que precisamente la prueba recaerá sobre tales medios, y no sobre conceptos del todo subjetivo como son las "buenas costumbres".

Por otro lado, la Comisión de Economía del Senado prefirió eliminar el adjetivo "comerciales" a la expresión "buenas costumbres", puesto que ello era un término empleado en el Código de Comercio, como también, pues-

---

[8]　Dicha norma prescribe lo siguiente: "2) Constituye acto de competencia desleal todo acto de competencia contrario a los usos honestos en materia industrial o comercial".

[9]　Segundo Informe de la Comisión de Economía del Senado, recaído en el proyecto de ley, en segundo trámite constitucional, sobre competencia desleal, 8 de marzo de 2006, Boletín N° 3.356-03, p. 12.

to que el atributo "comercial" podría dejar fuera de la aplicación de la ley a las actividades primarias, como lo son la agricultura, la pesca y la minería.

A partir de estas dos consideraciones mencionadas, la Comisión de Economía del Senado estimó que tanto la concepción de "buena fe" o "buenas costumbres" recogían adecuadamente el espíritu de la norma[10]. Dicho texto no sufrió modificaciones posteriores en el debate legislativo, quedando como la versión definitiva del art. 3° de la LCD.

Sin perjuicio que las notas mencionadas son los únicos elementos que se refieren a la buena fe en la construcción del art. 3°, lo cual impediría tomar una posición férrea sobre la cuestión examinada, estimo que en principio se podría entregar mayores argumentos a favor de la admisión de la buena fe en su sentido objetivo.

Ello, en primer lugar, puesto que de la historia de la norma queda suficientemente claro que en el examen de un ilícito desleal en el mercado se debe prestar especial atención a los medios empleados por el hechor, lo que es coincidente con la referencia explícita a los "medios ilegítimos", careciendo de interés por tanto el estudio del querer interno del autor del acto.

Sin perjuicio de lo dicho, se debe dejar asentado que algunos autores han esgrimido que el legislador –al redactar el art. 3° de la LCD– cometió una redundancia al incluir la referencia a los "medios ilegítimos", puesto que en caso alguno podría presentarse un acto contrario a la buena fe o las buenas costumbres que no se hubiese ejecutado por "medios ilegítimos"[11]. Dicha posición, a su vez, ha sido acogida por la Corte Suprema en algunas de las sentencias dictadas por dicho tribunal sobre la materia[12].

A mi parecer la referencia en la norma a los "medios ilegítimos" no es superflua ni reiterativa, sino que es una constatación de que la orientación elegida por nuestro legislador para controlar la deslealtad de un comportamiento tiene una directriz objetiva, y con ello –tal como opinó el senador señor Orpis– pierde relevancia la indagación de la creencia del agente infractor[13].

---

[10]   Ibídem.
[11]   Contreras (2012 :161).
[12]   Sentencia de la Corte Suprema, 25 de noviembre de 2015, Rol N° 23.680-2014, C° 4°; sentencia de la Corte Suprema, 5 de marzo de 2018, Rol N° 41026-2016, C° 7.
[13]   Por su parte Mauricio Inostroza sostiene que la mención de "medios ilegítimos" en la cláusula general no es superflua, puesto que da cuenta del "(…) deseo del legislador

Acto seguido, otro elemento de la historia de la norma que permite sostener la admisión de una mirada objetivizada de la buena fe se aprecia precisamente en su incorporación en la cláusula general como patrón de antijuricidad, puesto que en esta materia existe consenso en el derecho comparado que bajo ese prisma debe analizarse la buena fe dentro de la disciplina de la competencia desleal, cuestión que veremos al analizar el derecho comparado[14].

2.2. *La jurisprudencia sobre la Ley N° 20.169*

A pesar de las contadas sentencias dictadas por la Corte Suprema con relación a la cláusula general, ya es posible apreciar una tendencia marcada a considerar que la buena fe presente en la cláusula general debe ser comprendida en su sentido objetivo.

Así, es relevante en este extremo la sentencia de 25 de noviembre de 2015, en la cual la Corte Suprema entrega un conjunto de nociones dogmáticas referidas al ilícito de competencia desleal. Así, en primer término, indica que la cláusula general tiene un rol residual frente a los tipos especiales. Acto seguido, se afirma que la Ley de competencia desleal recoge el denominado modelo social de competencia desleal, por lo cual no ser requiere para el ejercicio de la acción que la víctima sea competidor del agente desleal, requisito que se llama relación de competencia[15]. Adicionalmente, en la configuración del ilícito desleal, la Corte Suprema determina que es de peligro, y de carácter objetivo, bastando que se acredite la violación de normas objetivas de conducta que establece el art. 3 de la LCD.

Ahora bien, en lo que dice relación con la buena fe, la Corte Suprema toma partido por considerar la buena en su sentido objetivo, siguiendo en este punto a Óscar Contreras:

---

de poner de manifiesto el requisito de ilicitud de la conducta para que pueda ser calificada de desleal.". Esta opinión se recoge en Inostroza (2017: 40).

[14] Se debe mencionar que la incorporación del concepto de buena fe en sede de competencia desleal es creación del legislador suizo, primero en su ley de competencia desleal de 1943, y luego en su ley de 1986 actualmente vigente. En este punto el autor suizo Edmond Martín-Achard afirma que: "(…) las normas de buena fe son de naturaleza normativa y sirven para evaluar un determinado comportamiento desde un punto de vista objetivo. Una persona puede haber violado, sin conciencia de maldad, las reglas de la buena fe e incluso cometer un abuso de la ley". Estas ideas se recogen en Martín-Achard (1988:39).

[15] Sobre la no exigencia de la relación de competencia en la LCD, por todos: Bernet (2018: 454-460).

"Quinto: (…) Por su parte, a diferencia de lo que ocurre con las buenas costumbres, que opera como un estándar jurídico, la buena fe constituye un principio general del derecho, de manera que para completar su contenido, el intérprete habrá de remitirse a las creencias ético – valorativas imperantes en el sector comercial de que se trate; y en un sentido objetivo, para apreciar si en el caso concreto se cumple o no con la regla de conducta que el principio de buena fe impone. (Contreras, ob.cit., pp. 160)."[16].

Con posterioridad, en sentencia de 14 de febrero de 2019, la Corte Suprema vuelve a dar luces interpretativas sobre la cláusula general, y en particular se refiere a la buena fe como un patrón de comportamiento. Es así que indica que la infracción al art. 3° se presenta por:

"Séptimo: (…) la calculación de normas objetivas de conducta, a saber, la buena fe o las buenas costumbres mercantiles, que instauran deberes de abstención o prohibiciones que constriñen a los agentes del mercado a no utilizar o evitar emplear medios desleales en su actividad competitiva."[17].

De esta manera, si bien estamos en presencia de un reducido elenco de sentencias de la Corte Suprema que analizan hermenéuticamente la cláusula general, de éstas se trasluce evidentemente que la buena fe en el ámbito de la competencia desleal no se concibe como la conciencia o conocimiento de la ilicitud por parte del agente (art. 706 del Código Civil), sino más bien, la buena fe cumple un rol como un límite a la libertad de competir en los mercados, y por ello, toda actuación que se aleja de este modelo legítimo de disputa entre los agentes económicos debe ser sancionada.

2.3. Opinión de los autores

En cuanto a la doctrina, Mauricio Tapia fue el primer autor que examinó dogmáticamente la LCD, y en lo que dice relación con la cláusula general sostuvo que este tipo de regla es necesaria ante la dificultad de determinar ex ante todos los ilícitos que se pueden cometer en el mercado[18]. Adicionalmente, en lo que dice relación a la buena fe, indica que debe tratarse de conductas especialmente reprochables, y serán aquellas que se

---

[16]   Sentencia de la Corte Suprema, 25 de noviembre de 2015, Rol N° 23.680-2014.
[17]   Sentencia de la Corte Suprema, 14 de febrero de 2019, Rol N° 34.587-2017.
[18]   Tapia (2007: 88).

distancian abiertamente de estos estándares, como la buena fe o las buenas costumbres[19].

Con posterioridad, Óscar Contreras de manera monográfica realizó un examen a la LCD. En lo que dice relación con la cláusula general, tal autor señala que un comportamiento será desleal si es contrario a la buena fe o las buenas costumbres, en un sentido objetivo, a través de la utilización de medios ilegítimos[20]. Adicionalmente, conceptualiza a la buena fe como una regla y/o estándar de conducta a que deben someterse los agentes en el mercado en su actividad de atraer clientela[21].

Un siguiente aporte significativo a la discusión es planteado por Mauricio Inostroza, quien da cuenta del debate existente acerca de cuál fue el sentido de buena fe escogido por el legislador de la Ley N° 20.169. En este punto, este autor se inclina por la noción objetiva de la buena fe, añadiendo un argumento de texto, al decir:

> "La norma exige que se trate de una conducta 'contraria a la buena fe' (lo que parece dar un sentido al requisito, como una conducta contraria a las exigencias que en el mercado deben ser tenidas por leales o rectas), y no que el agente 'actúe de buena fe' (lo que daría a entender una actuación conforme a la convicción del sujeto)."[22].

Finalmente, es menester dar cuenta de un posterior trabajo de Mauricio Tapia, quien alejándose de posiciones suyas respecto a la configuración el ilícito desleal como exclusivamente doloso y por ello abriéndose a la posibilidad de ilícitos meramente imprudentes, da cuenta de un interesante desarrollo sobre la buena fe en materia de competencia desleal[23]. Así, en lo que nos interesa, este autor se decide por la buena fe en un sentido objetivo, al decir que ella se configura como un patrón de comportamiento objetivo, identificándola con los usos honestos y razonables del comercio[24].

En síntesis, en la doctrina se aprecia un alto grado de consenso acerca que la buena fe contenida en la Ley N° 20.169 es aquella denominada en un sentido objetivo, lo cual supone un contraste normativo que debe efectuar el juez con relación a cierta conducta con el modelo de comportamiento que demanda este concepto jurídico indeterminado.

---

[19]　Tapia (2007: 88).
[20]　Contreras (2012: 101).
[21]　Contreras (2012:102).
[22]　Inostroza (2017: 31).
[23]　Tapia (2017: 168).
[24]　Tapia (2017: 175).

2.4. El derecho comparado

Un paso siguiente es conocer qué se ha dicho en el derecho comparado sobre la noción de buena fe. Acerca de lo señalado, la incorporación de la buena fe como un parámetro para medir la disconformidad de una conducta ampliamente es conocida en el ámbito de la competencia desleal. Tal factor de antijuridicidad se encuentra recogido en leyes como la española[25], la que se tuvo especialmente a la vista en la discusión parlamentaria del proyecto que finalmente se convirtió en la Ley N° 20.169, y por ende estimo relevante revisar los desarrollos efectuados en dicho ordenamiento en torno a la noción de buena fe.

En el ámbito del Derecho español resulta incuestionable que la buena fe está desvestida de toda exigencia subjetiva[26]. En este sentido ya de manera temprana –antes de la Ley 3/1991– Aurelio Menéndez incardinó el ilícito desleal en el artículo 7.2. del Código Civil español, afirmando que tal infracción nace como consecuencia del ejercicio abusivo del derecho de la libre iniciativa económica (abuso institucional), y por consiguiente su conformación no depende de la intención del autor del acto[27]. Sin perjuicio de este postulado, el mismo autor confiesa que el criterio objetivo de la buena fe es incompleto puesto que el artículo precitado carece de un estándar delimitado con arreglo al cual se deba decidir cuándo el ejercicio del derecho a la libre iniciativa económica es abusivo y cuándo no.

Este vacío referido al criterio de antijuridicidad requerido para calificar una conducta como abusiva es colmado por la Ley de competencia desleal a través de la implantación de la buena fe como el canon de medida de todo acto de competencia. Según Aurea Suñol a partir de la Ley 3/1991 la antijuridicidad del acto de competencia desleal reside en la transgresión al principio de buena fe estructuralmente despojado de elementos subjetivos, y se define como un modelo de conducta que impone pautas y límites al derecho subjetivo a desarrollar libremente una actividad económica[28].

---

[25]   Artículo 4.1. de la Ley 3/1991 (antes artículo 5°) se dice: "Se reputa desleal todo comportamiento que resulte objetivamente contrario a las exigencias de buena fe". El origen de esta norma a su vez se encuentra en el artículo 2° de la Ley de competencia desleal de Suiza, de 19 de diciembre de 1986, cuyo texto es: "Cualquier comportamiento o práctica comercial que es engañoso o contraviene de cualquier otra forma el principio de buena fe y que afecta las relaciones entre competidores o entre proveedores y consumidores se considerará desleal e ilícita.". Están de acuerdo con esta natural conexión entre ambas normas: Fernández-Nóvoa (1992: 16); Vicent (1993: 9997).
[26]   Por todos: Massaguer (1999: 147-148).
[27]   Menéndez (1988:134-137).
[28]   Suñol (2009: 83).

En este mismo sentido opina Francisco Vicent al sostener que esta noción de buena fe debe ser entendida en clave objetiva, esto es, no en el sentido de buena intención o de ignorancia en los hechos, sino como una conducta exigible en el mercado para el desarrollo de una actividad empresarial, en términos similares a lo dispuesto en el artículo 1258 del Código Civil español y el artículo 57 del Código de Comercio español[29].

Esta posición ha sido seguida de manera constante por la jurisprudencia de dicho país[30], siendo manifestación de ello las siguientes opiniones recogidas en algunas decisiones judiciales, tales como: (i) que en el examen de la buena fe en sede de competencia desleal se debe prescindir de la intencionalidad (dolo o culpa) del sujeto[31]; o (ii) que el principio de buena fe objetiva sirve para expresar la confianza que legítimamente tienen todos los que participan en el mercado en que todos los que actúan en él tendrán una conducta correcta, y por ello puede actuarse contra la buena fe objetiva sin que exista mala fe subjetiva[32]; o bien (iii) que el propio concepto de buena fe contemplado no es el psicológico o identificado con la ignorancia, ni tampoco con el error disculpable o excusable, sino que se reconoce como un arquetipo o modelo de conducta socialmente aceptable y exigible, que impone determinados deberes y ciertos límites al ejercicio de los derechos y poderes jurídicos[33].

Estimo que los progresos alcanzados por el Derecho español deben ser considerados en nuestro entorno.

2.5. *Nuestra opinión*

De este modo, es a partir de la noción de buena fe objetiva que los autores[34] y la judicatura[35] han entendido que la buena fe es un principio

---

[29]   Vicent (1993: 9997).

[30]   Abundantes referencias jurisprudenciales se encuentran en: García (2008: 84-85).

[31]   *Vid.* Sentencia del Tribunal Supremo español, 15 de abril de 1998 (RJ 1998\2053).

[32]   *Vid.* Sentencia de la Audiencia Provincial de Salamanca, 28 de octubre de 2005 (AC 2005\1985).

[33]   *Vid.* Sentencia de la Audiencia Provincial de Barcelona, 11 de octubre de 1999 (AC 1999\7393).

[34]   Fueyo (1990: 158).

[35]   Cfr. Sentencia de la Corte Suprema, 25 de julio de 2012, Rol N° 4877-2012, en cuyo considerando 9° se dice: "Que nuestro sistema normativo no establece una regulación específica en relación con la teoría de los actos propios, la cual, sin embargo, ha adquirido amplia acogida durante los últimos tiempos en la doctrina de los autores y en la jurisprudencia, donde se la reconoce como un criterio orientador derivado del principio general de la buena fe –concebida ésta en su faz objetiva– a la que se refiere el artículo 1546 inciso 3° del

general de nuestro Derecho, el cual despliega importantes funciones normativas en el ordenamiento tales como servir de límite al ejercicio de los derechos subjetivos, fundamentar la prohibición de contradecir los actos propios, dar amparo al error excusable, justificar las apariencias y operar como un patrón de conducta exigible[36].

En relación con tales funciones es particularmente relevante el rol que le compete a la buena fe como límite al ejercicio de un derecho subjetivo, de forma que quien sobrepase tales fronteras incurrirá en un ilícito consistente en el ejercicio abusivo del mismo[37].

En el ámbito de la disciplina en examen esta conceptualización del ejercicio abusivo del derecho –en particular del Derecho a desarrollar actividades económicas– por infringir el principio de la buena fe es especialmente recepcionada en el Derecho comparado[38]. En este mismo sentido, en la doctrina y en la jurisprudencia nacional ya se aprecia cierta línea que admite la competencia desleal como una hipótesis de abuso del derecho, el cual se manifiesta por la contradicción de una conducta con los parámetros de la buena fe en un sentido objetivo.

Es así que en ámbito de los autores, Mauricio Inostroza da cuenta que el derecho a desarrollar actividades económicas consagrado en el artículo 19 N° 21 de la Constitución Política tiene como límite el empleo de medios ilegítimos para competir que sanciona el artículo 3° de la LCD[39].

Así, en sede judicial se ha reconocido el natural engarce entre el abuso del derecho a competir y la buena fe como límite, tal como colige la Corte de Apelaciones de Santiago en los siguientes términos:

> "(...) el acto que se reprocha debe necesariamente implicar un uso excesivo de la libertad económica en régimen de competencia económica en perjuicio de un competidor, uso que es contrario al principio de lealtad que debe imperar en el mercado."[40].

Código Civil (...)"; Sentencia de la Corte Suprema, 10 de junio de 2013, Rol N° 4178-2012, en cuyo considerando 4° se añade: "Que según se expuso el recurso plantea la inobservancia del artículo 1546 del Código Civil. A este respecto es menester tener presente que dicha disposición consagra una regla que contempla el principio de la buena fe (...)".

[36]   Cfr. Boetsch (2011: 64-78).
[37]   Cfr. Barros (2006: 629); Díez-Pícazo (1963: 141).
[38]   Por todos: Molina (1993: 60-63).
[39]   Inostroza (2017: 43).
[40]   Sentencia de la Corte de Apelaciones de Santiago, 12 de diciembre de 2010, Rol N° 5181-09, C° 2. En una similar línea sentencia de la Corte de Apelaciones de Santiago, 13 de enero de 2010, Rol N° 868-2009, C° 3.

Ahora bien, cabe recordar que la buena fe en el sector de la competencia desleal desempeña el papel de modelo de conducta abstracto que permite enjuiciar ciertas actuaciones a fin de considerarlas abusivas o no, de manera tal que conceptualmente es más próxima a la noción de la buena fe en un sentido objetivo[41], instituto en el que pierde importancia el aspecto psicológico del individuo al convertirse en una verdadera regla del comportamiento humano adecuado y socialmente apreciable[42].

No obstante lo expresado, no es posible asimilar íntegramente la buena fe objetiva propia de los contratos de aquella aplicable a la disciplina de la competencia desleal[43], puesto que la buena fe contenida en la cláusula general no tiende a valorar una conducta de un sujeto con relación a una determinada persona –como ocurre en una relación contractual– sino su corrección con las reglas generales que gobiernan el sistema de libre competencia aplicable a todos los partícipes en el mercado[44]. Como consecuencia de lo anterior es que el ilícito desleal no se configura como un abuso del derecho propiamente individual[45] –que presupone la intención inequívoca de dañar a un determinado sujeto[46]– sino que la antijuridicidad se construye como un abuso de naturaleza objetivo al no observarse por un partícipe las reglas generales de comportamiento que se imponen por igual a todos los agentes que actúan en el mercado[47].

De esta manera, para los efectos de determinar si el derecho a realizar actividades económicas se ejerce de manera abusiva aparece como medida

---

[41] Cfr. Molina (1993: 265-266), en particular esta autora española en las páginas citadas destaca el paralelismo entre el artículo 1258 del Código Civil español que se refiere a la buena fe en sede de contratos y el artículo 5º de la Ley de competencia desleal que contemplaba la cláusula general, ambas normas con un claro cariz objetivo. Similar opinión para nuestro derecho en: Contreras (2012: 154-155). En el ámbito del Derecho civil López Santa María pone de relieve que la buena fe objetiva se aprecia *in abstracto*, puesto que se prescinde en su examen de la intención psicológica del autor, enfocándose el control de la conducta en la equidad y los usos del tráfico. Estas ideas se encuentran en: López (1986: 292).

[42] Ekdahl (1989: 64-67). Esta misma autora añade en las páginas citadas que el juez al valorar *in abstracto* la buena fe objetiva está obligado a dejar de lado cualquier creencia de índole psicológica capaz de haber motivado la conducta de los sujetos, debiendo sólo tomar en consideración aquella actuación que socialmente le era exigible.

[43] Cfr. Emparanza (2000: 164).

[44] Cfr. Barona (2008: 303).

[45] Cfr. Emparanza (2000: 164).

[46] *Vid.* Corral (2003: 125).

[47] Acerca de lo dicho, resulta de interés las ideas de Enrique Barros sobre admitir en nuestro sistema jurídico la noción de abuso del derecho en su sentido objetivo. Estos conceptos se recogen en: Barros (1999: 18).

de control la buena fe, la que en clave objetiva permite sancionar el ejercicio excesivo de dicho derecho por razón de la inobservancia de las normas que regulan la competencia, ello con independencia de la indagación de la faz subjetiva o moral del infractor. De ahí que por ello se hable de un abuso institucional en atención a que el ilícito se funda en la perturbación y el falseamiento del orden concurrencial como un todo[48]. En otros términos, se daña el instituto jurídico de la competencia.

3. SEGUNDA CUESTIÓN: INTEGRACIÓN NORMATIVA DE LA BUENA FE EN SEDE DE COMPETENCIA DESLEAL

3.1. Dificultades en la aplicación de la cláusula general de competencia desleal

Una vez que hemos asentado el sentido cómo debe apreciarse la buena fe en materia de competencia desleal, cabe indagar acerca de cuáles serían los principios y reglas que conforman el patrón o modelo de comportamiento que debe guiar a todo agente del mercado. En otras palabras, determinar en qué hipótesis se está frente a una infracción al artículo 3° de la LCD, precisamente por que se han realizado conductas contrarias a la buena fe.

Esta tarea en el ámbito del derecho de la competencia desleal no ha estado exenta de problemas, en atención a que la indeterminación propia de toda cláusula general requiere de la intervención de los tribunales para que se complete la descripción del ilícito[49]. Así, para Alberto Emparanza, en virtud de la cláusula general de competencia desleal, el juez no puede practicar la técnica de la subsunción, sino que estará obligado a desarrollar derecho, lo cual no significa que es enteramente libre, puesto que deberá someterse a los límites del sistema interno del ordenamiento, y particularmente deberá obrar en consonancia con el modelo económico instaurado[50].

---

[48] Cfr. Menéndez (1988: 110). Para Cándido Paz-Ares la clave para comprender la categoría del abuso institucional se encuentra en que no se requiere ningún elemento subjetivo, a diferencia del abuso individual, donde la antijuridicidad del comportamiento es meramente subjetiva. Se tratará en la mayoría de los casos de comportamientos que tienen un interés para el agente, que él creerá conforme a derecho, pero que, por su alejamiento de la función político-económica y político-social del instituto, resultan reprochables. Esta opinión se recoge en: Paz-Ares (1981: 82-83).

[49] Acerca de las cláusulas generales en el derecho, por todos: Veluzzi (2017: 29-139).

[50] Emparanza (2000: 177-178). En el ámbito contractual, Schopf al tratar la buena fe objetiva, señala que esta facultad que la ley le otorga a los jueces para definir los deberes

De este modo, debido a que la integración normativa de la cláusula general, y en particular del concepto de buena fe descansa en los jueces, la doctrina en algunas ocasiones se ha mostrado crítica respecto a su aplicación práctica[51].

Así, para el derecho alemán, Gerhard Schricker, observó que un rasgo característico de la utilización de la cláusula general es aumentar de forma progresiva el ámbito de lo prohibido, sancionándose conductas carentes de mayor lesividad como lo son ciertas modalidades de obsequios de mercaderías o los diarios de anuncios gratuitos[52]. Mientras para el derecho español, Manuel Aréan y Rafael García, señalan que la aplicación de la cláusula general por los jueces está plagada de subjetivismo y ausencia de rigor, afirmando que usualmente se sustituye el concepto indeterminado de "buena fe" por otras nociones jurídicas imprecisas, como lo son la honradez, la lealtad o el justo reparto de la propia responsabilidad[53].

Adicionalmente a estos problemas dogmáticos, en el ámbito forense, la doctrina española ha observado que son relativamente pocas las sentencias que emplean la cláusula general como *ratio decidenci* de un caso. En este sentido, se argumenta que por seguridad jurídica los litigantes preferirán, al deducir sus demandas, encajar la conducta reprochada en alguno de los tipos especiales, mientras que respecto de los jueces, ellos tendrán cierta predisposición a declarar la validez de una conducta que ni siquiera fue encasillable en los supuestos específicamente descritos[54].

De este modo, a pesar de las dificultades planteadas en la aplicación de la cláusula general, no se debe olvidar que ella es una norma jurídica en un sentido técnico –y no un principio abstracto– cuya inobservancia puede servir de base para el ejercicio de una acción por competencia desleal[55]. Del mismo modo, se debe recordar que la aparente vaguedad o generali-

---

de conducta derivados de dicho concepto consistiría en una potestad delegada, pero estrictamente dirigida, puesto que su ejercicio deberá someterse a las directrices predeterminadas por el legislador. Tal opinión se contiene en: Schopf (2018: 137).

51   Por todos: Cabanellas de las Cuevas (2004: 723-738).
52   Schricker (1996: 3).
53   Aréan y García (2013: 356-357).
54   Por todos: Martínez (2009: 65-66). En este punto, es ilustrativo el siguiente pasaje de la sentencia dictada por la Audiencia Provincial de La Coruña, de 23 de enero de 2002: "(…) el hecho de que en el presente caso se acuda al principio general del artículo 5 de la LCD sin aludir a ninguno de los supuestos específicos de los artículos siguientes es un indicio claro de que difícilmente puede establecerse que la conducta de la demandada pueda considerarse como un acto desleal" (AC 2002,794).
55   Massaguer (1999: 152).

dad de esta cláusula es su principal virtud, a saber, ser un medio para reprimir aquellos comportamientos que carecen de una tipificación especial,
por lo que será tarea de los juristas tratar de dotarle contenido a la noción
de buena fe para intensificar su aplicación[56]. En los siguientes apartados
trataré de integrar normativamente esta noción de buena fe, teniendo a la
vista la opinión de los autores y la jurisprudencia.

3.2. Estado de la cuestión en nuestra doctrina y jurisprudencia sobre la integración normativa de la buena fe en materia de competencia desleal

La determinación del contenido valorativo de la buena fe en sede competencia desleal no ha sido objeto de un tratamiento exhaustivo por nuestra doctrina y jurisprudencia.

En el caso de los autores, Óscar Contreras sobre este punto indica que:
"(...) el juez calificará la buena fe de un conducta según si esta se adecúa o
no a las creencias ético-valorativas imperantes en un tiempo definido, desde un punto de objetivo"[57], y luego agrega: "(...) siguiendo a la legislación
suiza a fin de aclarar los conceptos de buena fe y de buenas costumbres
que utiliza nuestra cláusula prohibitiva general, necesariamente debemos
remitirnos a los 'usos del tráfico", a fin de determinar cuáles son las exigencias de la conducta social media (...)"[58]. Como puede apreciarse, este autor
postula que para integrar valorativamente la noción de buena fe el juez
debe acudir a criterios externos al derecho, como son las creencias éticas
imperantes, o bien, a ciertos patrones de conducta derivados de reglas de
naturaleza social aplicables al tráfico.

Una línea más propiamente normativa se observa en Mauricio Inostroza, que siguiendo a la doctrina española, argumenta que: "(...) podemos
concluir que, desde un punto de vista positivo, observa una conducta ajustada a la buena fe el empresario que capta clientela en base al mérito o
eficiencia de las prestaciones que ofrece;(...)"[59].

Por el lado de la jurisprudencia, es difícil atenazar elementos hermenéu-
ticos que nos permitan obtener claridad sobre esta cuestión, recogiéndose
sólo frases o conceptos generales que no permiten allegar a una directriz
especifica sobre el concepto de buena fe.

---

[56]   García (2014: 1181-1182).
[57]   Contreras (2012: 154).
[58]   Contreras (2012: 155).
[59]   Inostroza (2017: 33).

Así, en sentencia de la Corte de Apelaciones de Santiago, de 12 de julio de 2010, en términos sintéticos se nos indica:

> "Cuarto: Que la buena fe y buenas costumbres deben analizarse en el ámbito de los mercados y, por lo tanto, desde un punto de vista económico"[60].

En una línea similar se encuentra la sentencia de la Corte Suprema, de 20 de septiembre de 2018, que inserta a la buena fe como una ética de los negocios, al razonar:

> "Cuarto: (…) La razón es sencilla, el artículo 3° de la Ley N° 20.169, como cualquier supuesto de competencia desleal, refiere a conductas que, precisamente, permitan competir, y que aunque de manera contraria a la moral del mercado, con quien alega dicha conducta."[61].

De esta manera, de las sentencias reseñadas se puede apreciar una suerte de remisión a los ordenamientos extralegales, como pudiesen ser los usos o costumbres en el tráfico, o bien, a una determinada moral de los negocios. Acerca de lo dicho, la doctrina autorizada da cuenta que esta interpretación de la cláusula general identifica a los empresarios como los sujetos preferentemente protegidos por la LCD, lo cual a mi parecer estaría en abierta discrepancia con el tenor del artículo 1° de la LCD que identifica como sujetos tutelados en un grado de igualdad a los competidores, consumidores y a toda persona afectada en sus intereses legítimos[62].

Una línea más ajustada a criterios normativos se aprecia en la sentencia de la Corte Suprema, de 18 de julio de 2018, puesto que en ella se pretende dotar de contenido a la cláusula general conforme a las guías hermenéuticas dispuestas por los tipos especiales y por el bien jurídico protegido por esta legislación especial. En concreto, la Corte Suprema nos enseña:

> "Quinto: (…) En particular, la cláusula general de su artículo 3° tiene por propósito recoger aquellas conductas que, en la dinámica de los negocios y de la actividad del mercado, se pueden ir generando explosivamente de modo que las previsiones legislativas se presentan como incapaces de anticipar. Sin embargo, pese a la aparente amplitud, esa disposición legal esta llamada actuar como una "figura residual". En efecto, el artículo 4° de esa ley contiene una enumeración casuística o la formu-

---

[60]   Sentencia de la Corte de Apelaciones de Santiago, 12 de julio de 2010, Rol N° 5181-2009.

[61]   Sentencia de la Corte Suprema, 20 de septiembre de 2018, Rol N° 9198-2017. En el mismo sentido, sentencia de la Corte de Apelaciones de Santiago, de 31 de enero de 2020, Rol N° 15.114-2008, C° 8.

[62]   Acerca de la cláusula general como norma creada en torno los intereses de los empresarios, por todos: Menéndez (1988: 79).

lación de enunciados de casos de competencia desleal, a vía ejemplar. Las partes o elementos –con mayor razón si pertenecen a una misma ley– deben tener armonía unitaria. Desde esa perspectiva, las situaciones que señalan a modo de ejemplo conforman un marco referencial para la descripción genérica que le antecede, en términos que es preciso que unas y otras respondan a su denominador común, que no es otro que la tutela del bien jurídico que las justifica, a saber, la competencia decente y leal. De ahí que cualquier otra situación que no responda a la idea matriz que subyace en los lineamientos de esas normas, es ajena a las hipótesis de competencia desleal"[63].

A modo de síntesis, tanto en la doctrina como en la jurisprudencia nacional nos encontraremos con un panorama al menos confuso, puesto que es posible aproximarnos a posiciones que consideran la cláusula general como una norma cuya integración descansa en elementos extrajurídicos –como la moral de los negocios–, o bien, se inclinan por entender que esta cláusula necesariamente debe ser desarrollada desde un prisma normativo. Esta cuestión examinada no es meramente teórica, sino esencialmente práctica, puesto que una u otra postura dará pie para considerar que la infracción al artículo 3° de la LCD por los jueces del fondo es una materia revisable por la Corte Suprema en sede de casación en el fondo por ser precisamente una cuestión de índole normativa[64].

Acerca de lo dicho, debemos indicar que, en ausencia de un cúmulo de sentencias de la Corte Suprema sobre esta área, al menos si es posible recoger un fallo de 7 de diciembre de 2012, que opta al parecer por estimar que la buena fe en el sector de la competencia desleal no sería revisable a través del recurso de casación en el fondo[65]. Por el contrario, advertimos que en el derecho comparado se ha sostenido por larga data que la integración de la cláusula general es una cuestión propiamente normativa, y no de hecho, de ahí que sea objeto de un control jurisdiccional efectuado

---

[63] Sentencia de la Corte Suprema, 18 de julio de 2018, Rol N° 11.482-2017.

[64] Acerca de este punto, resulta destacado que en el ámbito de la buena fe contractual, si bien la Corte Suprema ha mostrado reticencia para controlar vía casación en el fondo la aplicación del artículo 1546 del Código Civil, se aprecian algunos avances al entenderse que la noción de buena fe objetiva tendría un carácter normativo, y con ello revisable por el tribunal de casación. Sobre lo dicho, Corral (2010: 97-103); Schopf (2018: 138).

[65] Sentencia de la Corte Suprema, 7 de diciembre de 2012, Rol N° 8120-2010, en cuyo considerando duodécimo se dice: "(…) Por su parte, y considerando el concepto de buena fe que usa la ley al definir todo acto de competencia desleal, se establece una fórmula flexible que queda a la ponderación de los jueces del fondo, atendido los hechos acreditados en el proceso.".

mediante métodos estrictamente normativos, como lo es, a modo de ejemplo, la ponderación de los intereses en juego[66].

3.3. Nuestra opinión

Sobre la cuestión planteada, que es de suyo compleja, y que inevitablemente amerita un estudio específico creo que es posible presentar algunas ideas extraídas del derecho comparado. Es así que estimo que la cláusula general debe ser integrada normativamente recurriendo al sistema externo e interno de la LCD, y en caso alguno se debe acudir a estándares extrajurídicos, como lo son los usos honestos o la moral de los negocios[67].

Así, con relación a una integración normativa de corte externo, el primer punto de partida para comprender cómo se integra la buena fe en materia de competencia desleal es situar esta disciplina dentro de la denominada Constitución Económica[68]. En este sentido se ha sostenido que la cláusula general debe determinarse acudiendo a las directrices normativas impuestas por el sistema económico establecido en la Constitución[69]. Lo anterior es explicado de manera formidable por la sentencia del Tribunal Supremo español, de 21 de diciembre de 2007, que indica:

> "(…) el recurso al artículo 5 obliga a identificar las razones en que se funda la deslealtad de la conducta, y a este efecto hay que partir (…) de los principios constitucionales de libertad de empresa (artículo 38 CE) y de derecho del trabajo (artículo 35 CE), entre otros, como la protección de consumidores (artículo 51 CE), pues el artículo 5 LCD establece un límite jurídico al ejercicio del derecho a desarrollar una actividad económica en el mercado, esto es, un derecho de acceso al ámbito de desarrollo de la iniciativa económica privada sobre producción e intercambio

---

[66] Cfr. Podszun (2016: marg. 127); Tato *et al* (2010: 75-76): Menéndez (1988: 114).

[67] Podszun nos enseña que la determinación de la deslealtad de una conducta no debe cimentarse en las costumbres o prácticas comerciales usuales en el tráfico, puesto que las mismas deben estar subordinadas a las prescripciones normativas contenidas en la ley. De este modo, una conducta puede ajustarse a los usos comunes en el comercio, pero aún así pueden ser objetables conforme a la ley de competencia desleal. A partir de ello, este autor afirma que la infracción de un código de ética o código de conducta empresarial por un agente en el mejor de los casos podría ser un elemento indiciario de una deslealtad, pero no determinan per se la ilicitud del comportamiento. Estas ideas se recogen en: Podszun (2016: marg. 124-127). En el mismo sentido: Suñol (2009: 88-89); Virgos (1993: 19).

[68] Ghidini (1999: 34-37).

[69] Suñol (2009: 87).

de bienes y/o servicios, al ámbito de desarrollo de actividad productiva por cuenta ajena o propia, derecho que no puede ejercitarse a través de determinados comportamientos que supriman, restrinjan o falseen la estructura competitiva del mercado o las libres formación y desarrollo de las relaciones económicas del mercado."[70].

En una línea muy similar se ha pronunciado nuestra Corte Suprema siendo ilustrativa al respecto la sentencia de 24 de febrero de 2020, que, en lo que nos interesa afirma:

> "Sexto: Que el sistema jurídico establecido en nuestro ordenamiento jurídico corresponde a los aspectos orgánicos y substanciales destinados a resguardar el mercado, propender a la sana competencia entre quienes desarrollan actividades económicas, permitiendo de esta forma que se conjuguen diferentes leyes del mercado, entre ellas la libre iniciativa en materia económica, en que el precio de los bienes y servicios queda fijado por la ley de la oferta y la demanda, con lo cual la sociedad pueda obtener equilibrio entre la mejor calidad y menores precios posibles de los bienes y servicios transables comercialmente, con la justa ganancia de los actores del mercado."[71].

De esta manera, comprendiendo que nuestra Constitución impone un sistema de libertad de empresa, entonces deberíamos considerar contraria a la buena fe toda conducta que afecte el contenido mínimo de exigencias propias de un proceso competitivo, como lo son, la libertad de acceso y salida de los mercados por los operadores, libertad de los agentes para fijar el contenido de las ofertas, libre decisión de los consumidores y usuarios al momento de adoptar decisiones de consumo, la transparencia en el mercado que permita diferenciar las ofertas presentes, y que la actuación de los agentes económicos se base en su propio esfuerzo o mérito, entre otras[72].

Adicionalmente, se debe mencionar que algunos autores españoles han postulado que la compatibilidad constitucional con la LCD debe ir más allá de las normas propiamente económicas contenidas en la ley superior, sino que también con los valores y derechos constitucionalmente reconocidos, por lo que, a modo de ejemplo, se podría sancionar como desleal por ser contraria a la buena fe conductas tales como la publicidad atentatoria a la dignidad de las personas o la publicidad vejatoria para las mujeres[73].

---

[70]   Sentencia del Tribunal Supremo español, 21 de octubre de 2007 (RJ 2007\262),
[71]   Sentencia de la Corte Suprema, de 24 de febrero de 2020, Rol N° 44.266-2017.
[72]   Massaguer (1999: 154).
[73]   Tato *et al* (2010: 79).

Lo anterior, parece tener algún asidero en nuestro sistema jurídico, ya que la propia LCD sanciona conductas como la publicidad de tono personal, por el cual se castiga toda manifestación agraviante que versen sobre la nacionalidad, las creencias, ideologías, vida privada o cualquier otra circunstancia personal del tercero afectado y que no tenga relación directa con la calidad del bien o servicio prestado[74]. Por consiguiente, mirada la LCD desde un prisma constitucional, la cláusula general podría desplegar sus efectos más allá del llamado orden público económico, a fin de cautelar otros intereses constitucionales dignos de tutela, siempre que el acto infractor tenga una finalidad competitiva, o como dice la ley, persiga desviar clientela[75].

Un segundo paso de integración normativa de naturaleza externa es insertar la LCD, y con ello su cláusula general, dentro del entramado de disciplinas que le son afines, particularmente la Ley de defensa de la libre competencia, la Ley de propiedad industrial, la Ley de propiedad intelectual, y la Ley de protección a los derechos de los consumidores. La comunicación de estas leyes con la LCD aparece de su propio texto, como lo son sus artículos 1°, 2° y 10.

Así, con relación a la natural conexión entre la LCD y la Ley de defensa de la libre competencia, la doctrina sostiene que se puede hablar de una convergencia funcional entre estas dos disciplinas, puesto que ambas tutelan el mismo bien jurídico, a saber, la competencia económica[76].

Asimismo, tanto el derecho *antitrust* como el derecho de la competencia desleal, al perseguir que la competencia en los mercados no se vea falseada, igualmente sirven a los consumidores, de ahí que también ese sector normativo especial influye naturalmente en lo que se debe comprender por buena fe[77]. Por consiguiente, se debe considerar contrario a la buena

---

[74]   Artículo 4° letra d) de la Ley N° 20.169.

[75]   Sobre este requisito de la finalidad competitiva del acto de competencia desleal, *vid.* Bernet (2018: 448-452).

[76]   Font y Miranda (2005: 27). Conforme a Miguel Virgos para dar cumplimiento a la unidad funcional entre la competencia desleal y la libre competencia es preciso que el fenómeno concurrencial se desarrolle en el mercado de acuerdo con los siguientes principios complementarios, como lo son (i) el principio de igualdad de condiciones de todos los competidores en el mercado (*par conditio concurrentium*); (ii) el principio de competencia por propio esfuerzo o competencia por eficiencia; (iii) el principio de libre utilización de las ideas e iniciativas no protegidas: (iv) el principio de veracidad, y (v) el principio de legalidad, que impediría la obtención de ventajas competitivas a través de la infracción de normas. Sobre estas ideas, *vid.*Virgos (1993: 21).

[77]   Bercovitz (1992: 17).

fe en el ámbito de la competencia desleal todo comportamiento que perjudique a los consumidores en sus derechos, en particular por impedirles valorar las prestaciones ofrecidas en el mercado conforme a criterios transparentes[78].

En ejemplares términos, la Corte de Apelaciones de Santiago, en sentencia de 31 de enero de 2020, da cuenta de la unidad funcional que existe entre el derecho de la competencia desleal y el derecho de protección a los consumidores, y por ello ambos ordenamientos se influyen recíprocamente:

> "Noveno: (…) Conforme a todo lo que se ha venido señalando en esta sentencia, y particularmente a lo dicho en el considerando 3° precedente, los elementos que configuran esta hipótesis de competencia desleal, han quedado demostrados, con el conjunto de acciones desplegadas por el demandado, entre otras, emplear una marca fonética y visualmente similar a la que tiene licenciada la actora, empleando fotografías de los productos de la licenciante para promocionar los suyos, que no son medios legítimos para pretender distraer la clientela de su competencia, afectando así, consecuencialmente, otro de los bienes jurídicos protegidos por la ley, el derecho de los consumidores a una información veraz sobre el bien o servicio ofrecido, lo que se ve corroborado por el artículo 28 A) de la Ley 19.496 (…)"[79].

Finalmente, los vínculos de la competencia desleal con los derechos de exclusiva, como lo es la propiedad industrial y la propiedad intelectual, son de larga data, de ahí que se indique que la LCD cumpliría un rol de tutela suplementaria respecto a estos bienes inmateriales, ya sea través de la cláusula general o los tipos especiales[80]. En este punto, la Corte Suprema ya ha reconocido que un titular de un bien inmaterial, como una marca registrada, puede solicitar su protección de forma alternativa por medio de la ley especial o la LCD, demostrando con ello que las directrices valorativas de las Ley de propiedad industrial influyen en la LCD[81].

---

[78]   Domínguez (2003: 126).
[79]   Sentencia de la Corte de Apelaciones de Santiago, 31 de enero de 2020, Rol N° 15.114-2008.
[80]   Bernet (2015: 283).
[81]   Sentencia de la Corte Suprema, de 18 de junio de 2015, Rol N° 1121-2015: "Noveno: Que por otro lado, y en relación con el reproche formulado por el recurrente, referido a la imposibilidad de sancionar como competencia desleal la utilización de una marca registrada, basta señalar que el artículo 2° de la Ley N° 20.169, establece que una conducta puede ser calificada como competencia desleal conforme dicha normativa, aunque el mismo comportamiento sea susceptible de encuadrarse en las acciones reguladas, entre otras, por la Ley N° 19.039 sobre propiedad industrial.".

Una vez que he asentado las coordenadas valorativas de la LCD desde un plano externo, me abocaré a mencionar brevemente que consistiría integrar normativamente la cláusula general desde una faz interna. Sobre esto, existe consenso en la doctrina comparada que los tipos especiales deben ser la primera fuente de integración de la buena fe en sede de competencia desleal[82]. Así, para Alberto Bercovitz, de la tipificación que el legislador realiza de los supuestos especiales pueden deducirse criterios de carácter general, que exceden los tipificados, pero que sirven para conocer lo que el legislador entiende como desleal[83].

Acerca de lo dicho, es ilustrativo al respecto la sentencia de la Audiencia Provincial de Barcelona, de 6 de abril de 2005, que en este punto nos enseña:

> "Un paso más a los efectos de concretar el contenido normativo de la cláusula general exige atender, como fuente de integración de la norma, a los principios determinantes del reproche de deslealtad concurrencial acogidos en las tipificaciones especiales, que plasman en un plano positivo, los valores protegidos y las conductas combatidas, en particular aquellas que frustan o dificultan la libre formación de preferencias y adopción de decisiones en el mercado, como en general son las que restan transparencia al mercado, las técnicas de presión sobre el consumidor, así como el aprovechamiento o expolio del esfuerzo ajeno, la obstaculización, el uso de la fuerza de mercado o la predación"[84].

Este canon de integración ha sido recogido por nuestra jurisprudencia, tanto en la sentencia de la Corte Suprema de 18 de julio de 2018 precitada, como también en la sentencia de este mismo tribunal de 21 de noviembre de 2016, en la cual se dispone que todos los tipos especiales *per se* son contrarios a la buena fe, de ahí que naturalmente tiene una vocación integradora con relación a la cláusula general. Así, en particular indica la Corte Suprema:

> "Sexto: Que el citado artículo 3° consagra lo que la doctrina denomina una cláusula general prohibitiva, que establece genéricamente las conductas que han de ser tenidas como desleales y que debe aplicarse cuando no exista un tipo específico de deslealtad aplicable. Dichos tipos específicos se encuentran regulados en el artículo 4° de la ley y, como tales, se entiende que son expresión de la conducta genérica descrita en la cláusula general, que comprende dos elementos, i) se trata de

---

[82] García (2014: 1185).
[83] Bercovitz (2011: 102).
[84] Sentencia de la Audiencia Provincial de Barcelona, 6 de abril de 2005 (AC 2005, 856).

una conducta contraria a la buena fe o a las buenas costumbres y ii) tal conducta persigue desviar clientela de un agente del mercado, a través de medios ilegítimos. Dicho en otros términos, la norma establece una presunción en el sentido que las conductas que describe en el artículo 4°, son contrarias a la buena fe o a las buenas costumbres y persiguen desviar clientela de un agente del mercado, de manera que basta con acreditar el tipo específico que se invoca, para entender que se está ante un acto de competencia desleal."[85].

Por lo tanto, como ejemplo, al castigar el artículo 4° letra a) de la LCD el acto de confusión se confirma como principio mínimo de un sistema competitivo que los operadores deban diferenciar sus ofertas en el mercado a fin de que los posibles clientes puedan compararlas y elegir libremente entre ellas, concluyéndose por ello que todo acto que tienda a infringir esta regla básica de la competencia será necesariamente contrario a la buena fe.

Acerca de lo dicho, Alberto Bercovitz opina para el derecho español –y estimó que también es aplicable para nuestro ordenamiento en atención a su semejanza– que de los supuestos específicos reglamentados por la ley es posible apreciar un modelo de competencia que permitiría interpretar y aplicar la cláusula general, pudiendo delimitarse como sus notas características las siguientes: (i) claridad y diferenciación de las ofertas; (ii) que la actuación de los oferentes en el mercado se base en su propio esfuerzo; (iii) que los agentes económicos respeten la legalidad vigente; (iv) que a los operadores se les prohíbe la arbitrariedad en sus actuaciones con el resto, y (v) la libre decisión de los consumidores[86].

A modo de resumen de lo examinado, a mi parecer la integración de la buena fe en sede de competencia desleal debe alejarse de resabios corporativos, como lo es la moral de los negocios o los usos habituales en el comercio, y debe cimentarse en una aproximación normativa de esta noción. Para ello, postulo que la buena fe en este ámbito puede ser construida a través del sistema externo e interno de la LCD.

Ahora bien, tal tarea no significa que la cláusula general pasará a ser automáticamente operativa, pero creo que será un primer escalón para la elaboración de grupos de casos sistematizados en torno a la cláusula general, proporcionado con ello previsibilidad y certidumbre a los operadores jurídicos sobre la licitud de sus comportamientos concurrenciales[87].

---

[85]   Sentencia de la Corte Suprema, de 21 de noviembre de 2015, Rol N° 15897-2015.
[86]   Bercovitz (1992: 30-34).
[87]   Emparanza (2000), p. 178; Suñol (2003: 13). Sobre lo dicho, debemos mencionar que un modelo útil para la creación de casos en torno a la cláusula general puede ser el

En este punto, ya es posible apreciar una línea de construcción de casos en nuestra jurisprudencia, en la cual se contemplan como supuestos típicos contrarios a la buena fe la captación de clientela por trabajadores antes de hacer abandono de su empleador[88], la sustracción de secretos empresariales[89], la obstaculización a los competidores[90] y la obtención de ventajas competitivas por infracción de normas[91].

4. CONCLUSIONES

La buena fe desempeña un rol significativo en la LCD, puesto que es uno de los criterios de ilicitud que ha escogido el legislador para determinar si un acto ejecutado por un agente reviste la calificación de desleal, conforme se dispone en la cláusula general del artículo 3° de la ley. Así, en torno al concepto de buena fe inserto en esta disciplina hemos podido concluir que:

a. La noción de buena fe contemplada en la cláusula general es de carácter objetivo, puesto que se concibe como un modelo o patrón de conducta abstracto que permite determinar si cierto comportamiento constituye un uso excesivo del derecho a realizar actividades económicas. De este modo, en la fijación respecto a que si un acto es desleal no se deberá indagar en la faz subjetiva del infractor, puesto que tales motivos o creencias resultan ser intrascendentes para la mantención de un sistema de competencia no falseado o libre de distorsiones.

b. En cuanto a la integración del concepto de buena fe que deben realizar los sentenciadores, se propone que se deben huir de los están-

---

empleado históricamente por el derecho alemán, el cual a partir de la antigua cláusula general de su Ley de 1909, identificó cinco grupos de casos típicos: (i) los actos de captación de clientela (*Kundenfang*); (ii) los actos de obstaculización a los competidores (*Behinderung*): (iii) los actos de explotación de los esfuerzos ajenos (*Ausbeutung*); (iv) la creación de una ventaja competitiva por infracción de norma (*Rechtsbruch*), y (iv) los actos de perturbación del mercado (*Markstörung*). Sobre esta clasificación, *vid.* Podszun (2016: marg. 21); Virgos (1993: 22); Menéndez (1988: 122).

[88] Sentencia de la Corte de Apelaciones de Santiago, 29 de marzo de 2019; Rol N° 1569-2018, C° 4°; Sentencia de la Corte de Apelaciones de Santiago, 12 de julio de 2018, Rol N° 12.675-2016, C° 9.

[89] Sentencia de la Corte Suprema, 20 de septiembre de 2018, Rol N° 9198-2017, C° 5°.

[90] Sentencia de la Corte Suprema, 25 de noviembre de 2015, Rol N° 14.278-2008, C° 7°.

[91] Sentencia de la Corte de Apelaciones de Santiago, 29 de julio de 2014, Rol N° 7334-2013, C° 12 Y 13°.

dares extrajurídicos, como lo son los usos honestos o la moral de los negocios, puesto que ellos sólo atienden a los intereses de los empresarios, desconociendo con ello que la LCD –según dispone su artículo 1°– proyecta su protección a los intereses de todos los intervinientes del fenómeno concurrencial, en especial los de los consumidores.

c. Por el contrario, se propone que esta tarea de integración sea esencialmente normativa, para lo cual los jueces deberán acudir al sistema externo e interno de la LCD. Es así como en un plano externo, la cláusula general sólo puede ser aplicada en consonancia con las valoraciones normativas impuestas por la Constitución, como también con las demás leyes especiales cuya conexión valorativa resulta ser imprescindible, en especial el D.L. 211. Asimismo, desde un ángulo interno, el contenido de la cláusula general debe ser construido a partir de las orientaciones normativas que se extraen de los tipos especiales descritos en el artículo 4° de la LDC.

BIBLIOGRAFÍA CITADA

Areán Lalín, M. y García Pérez, R., "El enquistamiento de la jurisprudencia sobre competencia desleal", en *Estudios de derecho mercantil: Libro homenaje al Prof. Dr. Dr.h.c. José Antonio Gómez Segade*, Ana María Tobío Rivas (coord..), Marcial Pons, Madrid, 2013, pp. 355-368.

Barona Vilar, S., *Competencia desleal. Tutela jurisdiccional –especialmente proceso civil– y extrajurisdiccional.* Tirant lo blanch, Valencia, 2008.

Barros Bourie, E.: *Tratado de Responsabilidad Extracontractual.* Editorial Jurídica de Chile, Santiago, 2006.

— , "Límites de los derechos subjetivos privados. Introducción a la doctrina del abuso de derecho", en *Revista Derecho y Humanidades*, 7, 1999, pp. 11-37.

Bercovitz Rodríguez-Cano, A., "Artículo 4. Cláusula general", en *Comentarios a la Ley de Competencia Desleal*, Alberto Bercovitz Rodríguez-Cano (dir.), Aranzadi – Thomson Reuters, Cizur Menor (Navarra), 2011, pp. 93-113.

— . "Significado de la ley y requisitos generales de la acción de competencia desleal", en *La regulación contra la Competencia Desleal en la Ley de 10 de enero de 1991*, Alberto Bercovitz (coord.), BOE-Cámara de Comercio e Industria de Madrid, Madrid, 1992, pp. 13-34.

Bernet Páez, M., "El ámbito subjetivo de aplicación de la ley de competencia desleal" en *Ius et Praxis*, 2, 2018, pp. 431-468.

— , "La protección suplementaria de los signos distintivos a través del Derecho de la competencia desleal", en *Estudios de Derecho Comercial*, Legal Publishing, Santiago, 2015, pp. 279-299.

Boetsch Gillet, C., *La buena fe contractual.* Editorial Jurídica de Chile, Santiago, 2011.

Cabanellas de las Cuevas, G., "La buena fe en el derecho de la competencia desleal", en *Tratado de la buena fe en el derecho,* Marcos de Cordoba (dir.), La Ley, Buenos Aires, 2004, t. II, pp. 723- 738.

Contreras Blanco, Ó., *La competencia desleal y el deber de corrección en la ley chilena.* Ediciones Universidad Católica de Chile, Santiago, 2012.

Corral Talciani, H., *Contratos y daños por incumplimiento. Estudios sobre su régimen jurídico y la responsabilidad por incumplimiento.* Legal Publishing, Santiago, 2010.

— , *Lecciones de responsabilidad civil extracontractual.* Editorial Jurídica de Chile, Santiago, 2003.

Díez-Pícazo Ponce de León, L., *La doctrina de los actos propios. Un estudio crítico sobre la jurisprudencia del Tribunal Supremo.* Bosch, Barcelona, 1963.

Domínguez Pérez, E., *Competencia desleal a través de actos de imitación sistemática.* Thomson- Aranzadi, Cizur Menor (Navarra), 2003.

Ekdahl Escobar, M. F., *La doctrina de los actos propios. El deber jurídico de no contrarias conductas propias pasadas.* Editorial Jurídica de Chile, 1989, Santiago.

Emparanza Sobejano, A., *El boicot como acto de competencia desleal contrario a la libre competencia.* Civitas, Madrid, 2000.

Font Galán, J. I. y Miranda Serrano, L. M., *Competencia desleal y antitrust. Sistemas de ilícitos.* Marcial Pons, Madrid, 2005.

Fueyo Laneri, F., *Instituciones de Derecho Civil Moderno.* Editorial Jurídica de Chile, Santiago, 1990.

García Cruces, J. A., "Finalidad y ámbito de aplicación de la ley de competencia desleal. La cláusula general de deslealtad", en *Tratado de derecho de la competencia y de la publicidad,* José Antonio García-Cruces (dir.), Tirant lo blanch, Valencia, 2014, t. II, pp. 1091-1206.

García Pérez, R., *Ley de Competencia Desleal.* Aranzadi, Cizur Menor (Navarra), 2008.

Ghidini, G., Della concurrenza sleale. Giuffrè Milano,1999.

Inostroza Sáez, M. "El ilícito concurrencial general de la Ley N° 20.169 sobre Competencia Desleal", en *Ius et Praxis,* 1, 2017, pp. 21-66.

López Santa María, J., *Los contratos (Parte General).* Editorial Jurídica de Chile, Santiago, 1986.

Martín-Achard, E., *La Loi Fédérale contre la concurrence déloyale du 19 décembre 1986 (LCD).* Payot Lausanne, Ginebra, 1988.

Martínez Sanz, F., "Artículo 5. Cláusula General", en *Comentario Práctico a la Ley de competencia desleal,* Fernando Martínez Sanz (dir.), Tecnos, Madrid, 2009, pp. 61-77.

Massaguer Fuentes, J.,"La cláusula de prohibición de la competencia desleal", en *Competencia desleal y defensa de la competencia,* José Ramón Ferrándiz Gabriel (dir.), Consejo General del Poder Judicial, Madrid, 2002, pp. 93-142.

— , *Comentarios a la ley de competencia desleal*. Civitas, Madrid, 1999.

Menéndez, A., *La competencia desleal*, Civitas, Madrid, 1988.

Molina Blázquez, C., *Protección jurídica de la lealtad en la competencia*. Editorial Montecorvo, Madrid, 1993.

Paz-Ares, C., "El ilícito concurrencial: De la dogmática monopolista a la política antitrust (Un ensayo sobre el derecho alemán de la competencia desleal", en *Revista de derecho mercantil*, 159, 1981, pp. 7-147.

Peñailillo Arévalo, D., *Obligaciones. Teoría general y clasificaciones. La resolución por incumplimiento*. Editorial Jurídica de Chile, Santiago, 2006.

Podszun, R, "§ 3 Verbot unlauterer geschäftlicher Handlungen", en *Gesetz gegen den unlauteren Wettbewerb (UWG)*, Henning Harte-Bavendamm y Frauke Henning-Bodewin (eds.), Verlag C.H. Beck, München, 2016, extraído de la base de datos beck-online.

Schopf Olea, A. "La buena fe contractual como norma jurídica", en *Revista de Derecho Privado*, 31, 2018, pp. 109-153.

Schricker, G., "Centenario de la ley alemana contra la competencia desleal: luces y sombras", en *Actas de Derecho Industrial*, XVII, 1996, extraído de base de datos Vlex, referencia VLEX-262669.

Suñol Lucea, A., *El secreto empresarial. Un estudio al artículo 13 de la Ley de competencia desleal*. Civitas-Thomson Reuters, Cizur Menor (Navarra), 2009.

— , "La aplicación de la cláusula general prohibitiva de actos de competencia a los actos de obstaculización", *Aranzadi Civil*, 10, 2003, extraído de base de datos westlaw.es, referencia BIB 2003/1011.

Ruiz-Tagle Vial, Carlos, La buena fe en el contrato de seguro de vida. Editorial Jurídica de Chile, Santiago, 2011

Tapia Rodríguez, M., "Competencia desleal por culpa", en *Revista de Derecho Privado*, 29, 2017, pp. 167-207.

— , "Responsabilidad civil por actos de competencia desleal en el Derecho chileno", en *Competencia desleal: análisis crítico y elementos para la aplicación de la Ley N° 20.169, de 2007*, Marco Antonio González Iturra (ed.), Universidad de los Andes, Santiago, 2007, pp. 85-93.

Tato Plaza, Anxo et al, *La reforma de la Ley de competencia desleal*. La Ley, Madrid, 2010.

Veluzzi, Vito, Las cláusulas generales. Semántica y Política del Derecho, trad. César E. Moreno More. Zela, Punó (Perú), 2017.

Vicent Chulia, F., "Otra opinión sobre la Ley de Competencia Desleal", *Revista General de Derecho*, 589-90, 1993, pp. 9975-10017.

Virgos Soriano, M., *El comercio internacional en el nuevo derecho español de la competencia desleal (Un análisis del art. 4 de la Ley española de Competencia Desleal de 1991)*. Civitas, Madrid, 1993.

BUENA FE E INTERÉS SOCIAL: UNA APROXIMACIÓN A LOS LÍMITES DE LA ACTUACIÓN DEL CONTROLADOR EN LA JUNTA DE ACCIONISTAS DE LA SOCIEDAD ANÓNIMA

José Ignacio Díaz Villalobos
Master in Laws, Universidad de Duke
Profesor de Derecho Comercial, Universidad de los Andes, Chile.

Pablo Manterola Domínguez
Doctor en Derecho, Universidad de los Andes, Chile.
Profesor de Derecho Comercial, Universidad Católica del Norte.

1. INTRODUCCIÓN[1]

La noción de interés social ha sido objeto de una discusión, ya clásica en la doctrina societaria, referida a su *contenido*. Algunos piensan que este concepto hace referencia exclusivamente al interés de los accionistas, y luego intentan desarrollar en qué consiste precisamente ese interés. Otros proponen extender el concepto para comprender en él las posiciones de otros grupos, a quienes se denomina, con expresión tomada del derecho anglosajón, *stakeholders*. Esta polémica, cuyos orígenes pueden rastrearse al

---

[1] Los autores agradecen las observaciones de los profesores Rony Jara y Diego Pérez. Este trabajo utiliza las siguientes abreviaturas: CC (Código Civil chileno), CMF (Comisión para el Mercado Financiero), LMV (Ley N° 18.045 de Mercado de Valores), LSA (Ley N° 18.046 sobre Sociedades Anónimas), RSA (Reglamento de la Ley de Sociedades Anónimas) y SVS (antigua Superintendencia de Valores y Seguros, hoy CMF).

menos hasta principios del siglo pasado, perdura actualmente en nuestros días, como puede comprobarse tanto en el medio nacional como entre autores extranjeros.

Antes de esta discusión sobre el contenido, es preciso reflexionar sobre la *función* del interés social. ¿Qué busca el legislador al utilizar esta noción de textura abierta, carente de una definición normativa? El presente trabajo discurre sobre esta pregunta, es decir, sobre la función del interés social en el contrato de sociedad, y particularmente en la sociedad anónima, paradigma de las sociedades de capital en el ordenamiento nacional.

Este trabajo, que pretende ser solo un primer acercamiento al problema, propone que el rol del interés social en el marco del contrato social es análogo al rol de la buena fe en la generalidad de los contratos. Se puede decir con cierta libertad que la buena fe, en su vertiente objetiva, asume la forma del interés social en la sociedad anónima, adaptándose a sus particulares características.

Para efectuar este acercamiento, primero se describen dos formas en que diversos autores han comprendido la función del interés social: como un concepto general o como la remisión a la voluntad hipotética de los accionistas (2). Luego, se analizan algunas disposiciones de la LSA, y se sugiere que este cuerpo normativo ofrece asidero a la comprensión del interés social en ese segundo sentido, al que puede vincularse la buena fe (3). A continuación, se comparan las funciones que cumplen el interés social y la buena fe, en el marco de la sociedad anónima y de la generalidad de los contratos, respectivamente (4). Finalmente, se ofrecen algunas conclusiones (5).

2. DOS FORMAS DE ENTENDER LA FUNCIÓN DEL INTERÉS SOCIAL

En la doctrina es posible identificar dos acercamientos al interés social. Algunos autores presentan éste como un *concepto general y abstracto* en el que podrían subsumirse ciertos intereses, y, con ellos, ciertas decisiones que persiguen esos intereses y que idealmente los órganos sociales debieran adoptar. Por otro lado, otros autores enuncian el interés social como una *regla de remisión*, un precepto que, en lugar de determinar qué decisiones de los órganos son correctas o incorrectas, se limita a remitir a la voluntad hipotética de los accionistas, estableciendo así un método a través del cual determinar qué decisión es correcta o incorrecta. Naturalmente, esta forma de presentar los desarrollos en torno al interés social es una simplificación del debate, útil solo como acercamiento al modo en que debe entenderse su función.

2.1. *El interés social como un concepto general*

Desde una primera perspectiva, el interés social se comprende como un concepto general y abstracto en el que pueden subsumirse cierto espectro de intereses, junto con aquellas decisiones que cabe esperar del directorio y de la junta, según su mérito[2]. Como es evidente que las circunstancias de la vida social pueden exigir distintos cursos de acción según las circunstancias, el concepto general de interés social –como cualquier concepto general– se enuncia en términos abstractos, de forma que la amplitud de su significado permita que el enunciado goce de validez en cada tipo de sociedad y en cualquier circunstancia fáctica en que se desenvuelva la empresa[3]. Así, eventuales modificaciones del tipo de sociedad, de las cláusulas estatutarias o de las circunstancias en las que desarrolla su actividad, traerían diversas consecuencias en la concreción del interés social, pero serían indiferentes al enunciado mismo del concepto. El problema es precisamente determinar cuál es ese enunciado, cómo se define el interés social.

Ante todo, porque todavía no hay consenso sobre qué intereses pueden subsumirse en el interés social: si acaso se dirige a proteger el interés de la sociedad en sí, o bien el de los accionistas, o también los de otros grupos relacionados con la sociedad. La discusión es antigua: Roimiser da cuenta de cómo el debate se remonta al menos hasta principios del siglo pasado, con la amplia discusión que suscitaron las ideas de Rathenau sobre el interés de la "empresa en sí", situado en contraste con el interés de los inversio-

---

[2] Tomamos la expresión "concepto general abstracto" en el sentido que le da Larenz. Para este autor, una de las herramientas de que se vale la ciencia del derecho es la forja de un sistema a partir de conceptos generales y abstractos, elaborados mediante el análisis y generalización "de los supuestos de hecho que son objeto de una regulación jurídica", y que, al ser progresivamente despojados de sus "notas distintivas específicas particulares" e integrados en un sistema "formado según las reglas de la Lógica formal", permiten resolver los problemas jurídicos mediante la operación lógica de subsunción: Larenz, K.: *Metodología de la ciencia del derecho*, 2ª edición, Ariel, Barcelona, 2001, p. 438. La diferencia es que aquí el interés social no solo es un concepto sobre el que ha trabajado la dogmática, sino uno que emplea la propia ley.

[3] Sobre la progresiva abstracción de los conceptos generales, *ibid.*, pp. 443-447.

nistas[4]. Esta controversia fue reeditada, si bien en términos diversos, con el movimiento de la responsabilidad social de la empresa, que invitó a prestar atención no solo al interés del capital sino al del entorno en que la sociedad lleva a cabo sus tareas[5]. Y hoy puede decirse otro tanto, al constatar la creciente atención que –en buena hora– despierta la sustentabilidad corporativa, tanto en el medio nacional como en el extranjero[6]. Un sugerente estudio de McCall recuerda que estos debates pueden abordarse desde una comprensión clásica de la empresa, como cuerpo intermedio de la sociedad civil, y, así, el asunto linda con la filosofía política[7].

Además, aun cuando se admitiera que el interés social solo comprende los intereses de los accionistas, el concepto sigue siendo inasible, o al menos su enunciado preciso da lugar a complicados distingos, para poder hallar con una fórmula que garantice el mérito de las decisiones adoptadas en los órganos sociales. Entre nosotros, Puelma considera que el interés social refleja un equilibrio entre el supuesto interés propio de la sociedad, de crecer ilimitadamente y no repartir dividendos, y el de corto plazo de los accionistas, de no capitalizar y repartir como utilidad la mayor cantidad posible[8]: el interés social sería la justa medida entre mantener un nivel de inversión adecuado y un prudente reparto de dividendos[9]. Alcalde vincula el interés social con la causa del contrato de sociedad identificada en la mira de repartir beneficios provenientes de poner algo en común (art. 2053 CC), lo que se corresponde con el ánimo de lucro; sin embargo, ese ánimo de lucro queda modalizado por el objeto de la sociedad y por su carácter *común*, lo que permite excluir del análisis los intereses extrasocietarios[10]. En Italia, se ha distinguido entre intereses sociales típicos y atípicos,

---

[4]   Roimiser, M.: *El interés social en la sociedad anónima*, Depalma, Buenos Aires, 1979, p. 4 y ss.

[5]   Embid, J. M. y Del Val P.: *La responsabilidad social corporativa y el Derecho de sociedades de capital: entre la regulación legislativa y el soft law*, Agencia Estatal Boletín Oficial del Estado, Madrid, 2016, pp. 52-56.

[6]   Para Chile, véanse, entre otros muchos trabajos, los expuestos por los profesores Mauricio Baquero (2018), Isabel Zuloaga y Lorena Carvajal (2019) en las Jornadas Chilenas de Derecho Comercial, cuyas actas se encuentran en prensa.

[7]   McCall, B.: *La corporación como sociedad imperfecta*, trad. C. Gambra, Marcial Pons, Madrid / Barcelona / Buenos Aires / Sao Paulo, 2015, pp. 41-64 y 93-100.

[8]   Un buen ejemplo de esta tensión se puede encontrar en el icónico caso *Dodge v. Ford Motor Co.*, especialmente en la declaración de Henry Ford en dicho juicio. Véase Solomon, L., Schwartz, D., Bauman, J. y Weiss, E.: *Corporation Law and Policy*, 4ª edición, West Publishing, St. Paul, 1998, pp. 110 y ss.

[9]   Puelma, Á.: *Sociedades*, vol. II, 3ª edición, Editorial Jurídica de Chile, Santiago, 2006, pp. 617-618.

[10]   Alcalde, E.: *La sociedad anónima. Autonomía privada, interés social y conflicto de intereses*, Editorial Jurídica de Chile, Santiago, 2007, pp. 41-47.

y entre los primeros, el interés en la maximización de las utilidades, en la percepción de dividendos, en la influencia en las decisiones de la empresa social, en conservar la proporción en el capital, en la determinación del riesgo empresarial mediante modificaciones estatutarias, en la fijación de la duración de la inversión y en la posibilidad de ceder las acciones[11]. La determinación del contenido de la regla conduce a otros autores a enunciados de difícil concreción, como el "mínimo común denominador" a que se refería Roimiser[12], fórmula que ha tenido algún éxito doctrinal no obstante su imprecisión. Estos esfuerzos dogmáticos son dignos de mejor resultado, porque de hecho no han tenido –al menos en Chile– una clara recepción jurisprudencial.

2.2. *El interés social como una regla de remisión*

Desde esta segunda perspectiva, el interés social tiene por función remitir a la *voluntad hipotética de accionistas razonables* para resolver los conflictos que se presenten en el seno de los órganos societarios. La interpretación legal del interés social se resuelve así en un ejercicio de interpretación e integración contractual. La ley no ofrece *una solución concreta* al problema, sino que diseña un *método para resolverlo,* que consiste en la remisión a lo que los accionistas hubieran decidido de haber podido prever cada situación.

Precisamente por este carácter formal[13], el enunciado de la regla se hace entonces mucho más sencillo: los directores y accionistas han de actuar conforme a lo que los accionistas hubieran decidido, de haber podido prever el problema que se somete a discusión. El precepto conserva su vocación de generalidad, y de ahí que su aplicación práctica nunca estará

---

[11]   Así en Preite, D.: "Abuso di maggioranza e conflitto di interessi del socio nella società per azioni", en G. Colombo y G. Portale (eds.), *Trattato delle società per azioni*, t. 3, vol. II, UTET, Torino, 1993, pp. 24-27; la variedad de formas de describir el interés social suscitadas en la doctrina italiana –y eso, tomando solo las tendencias llamadas contractualistas, y solo hasta 1964– puede revisarse en Jaeger, P. G.: *L'interesse sociale*, Dott. A. Giuffrè, Milano, 2006, pp. 86-106.

[12]   Roimiser, *El interés social...*, cit., p. 33. La autora define el interés social como el "interés común de los socios en su calidad de tales", p. 31; véase también Iráculis, N.: *Conflictos de interés del socio. Cese del administrador nombrado por el accionista competidor*, Marcial Pons, Madrid / Barcelona / Buenos Aires / Sao Paulo, 2013, pp. 109-111. Al igual que haría Preite más tarde, Roimiser identifica varios intereses sociales distinguiéndolos por su contenido: Roimiser, *El interés social...*, cit., p. 59.

[13]   "Formal" no en el sentido de formalista o meramente procedimental, sino en el sentido de solo establecer un método de solución sin contener una solución concreta.

exenta de dificultades; sin embargo, estas dificultades no provienen del enunciado del criterio normativo sino de la calificación de los hechos. En este sentido, puede decirse que el interés social como regla de remisión tiene resultados concretos, porque sus exigencias dependerán no de la interpretación de una noción legal, sino de la observación de la realidad societaria, a partir de la cual se puede suponer aquello que unos accionistas razonables hubieran acordado de haber previsto cada circunstancia en que se haría necesaria una decisión de los órganos societarios.

Lo que exija concretamente el interés social será un *problema de interpretación contractual*. Los autores de esta corriente renuncian a los complejos distingos que intentaran otros autores, y se atienen a lo que las partes han pactado, real o presumiblemente. Ese pacto será real cuando la sociedad haya sido constituida con ciertos propósitos expresos (manifestados en acuerdos de *joint venture* o en pactos de accionistas otorgados por todos ellos, juntamente con los estatutos), o que pueden inferirse de las circunstancias en que se constituyó (el desarrollo de una empresa familiar, o de un negocio que tiene una perspectiva cultural o deportiva, o una particular vocación de sustentabilidad social, por ejemplo). Si no hay tal pacto expreso o tácito, porque no todos los actuales accionistas concurrieron al otorgamiento de la sociedad, entonces la remisión tiene por destino una voluntad hipotética, que es *la voluntad de inversionistas razonables en el contexto concreto* en que se realizó la inversión[14].

Esta concepción del interés social puede encontrar fundamentos en la literatura sobre contratos incompletos, afín a la corriente norteamericana del análisis económico del derecho. Estos autores describen la sociedad como un contrato entre los accionistas, que, dada su extensión temporal y la complejidad de su objeto (no un intercambio de bienes o servicios, sino el desarrollo conjunto de una empresa), está lleno de vacíos (*gaps*), es decir, de situaciones que no han sido previstas ni por las partes ni por la ley (por ejemplo, ¿puede un accionista mayoritario imponer en la junta la disolución de una sociedad próspera?). Es preciso establecer un método de llenado de esos vacíos, que, en principio, corresponde a la mayoría, pero

---

[14] De ahí que, en este caso –que será frecuente– el interés social operará como un concepto orientado por la función. De acuerdo a Larenz, esta categoría se distingue de los conceptos generales y abstractos, pues no se elaboran mediante la abstracción (que, cuanto más supuestos de hecho abstrae y generaliza, más vaciado de sentido queda), sino de conceptos en los que se contiene, si bien de forma abreviada, la "relación de sentido subyacente a una regulación", es decir, no se agota en un enunciado, sino que remite a un principio, como sucede precisamente con la buena fe: Larenz, *Metodología...*, cit., pp. 473-478.

secundariamente a los tribunales. Entre otros métodos, los tribunales norteamericanos han recurrido a la teoría de la voluntad hipotética (*"would have wanted" theory*): esos vacíos deben llenarse atendiendo a los que los accionistas hubieran decidido de haber previsto la situación concreta que se ha sometido a su conocimiento (a la pregunta sobre la disolución, debe responderse con otra pregunta: ¿hubieran los accionistas ingresado a la sociedad, aceptando la facultad del controlador de disolver la sociedad a voluntad, por próspera que sea? Y también ¿hubiera el controlador ingresado a la sociedad, si no hubiera gozado de la facultad de desinvertir a través de un mecanismo como este?)[15].

Este acercamiento permite, al menos teóricamente, no solo resolver los casos concretos, sino también arrojar luz sobre la orientación de la directriz en que consiste la promoción del interés social. Aunque no discurra sobre esta noción, característica de legislaciones de derecho continental, Easterbrook y Fischel se preguntan: "¿debieran las sociedades anónimas intentar maximizar sus utilidades a largo o a corto plazo? Nuestra respuesta a esta pregunta es: ¿a quién le importa? Si el New York Times se ha constituido para publicar un periódico en primer lugar, y para obtener utilidades en segundo lugar, nadie debiera objetarlo"[16].

La teoría de la voluntad hipotética asociada a los contratos incompletos puede ser fácilmente importada a legislaciones de derecho continental, con el objeto de dar un significado al concepto de interés social, en el sentido antes expuesto. Así lo ha hecho Alfaro, y otros autores más tarde[17]. Este acercamiento ha encontrado una recepción todavía incipiente en la literatura chilena[18]; sin embargo, desde una perspectiva práctica es posible

---

[15]   Un resumen de la discusión en O'Kelley, C. R. J.: "Filling Gaps in the Close Corporation Contract: A Transaction Cost Analysis", *Northwestern University Law Review*, vol. 87, 1, 1992, pp. 216-218. Véase también Thompson, R. B.: "Corporate Dissolution and Shareholders' Reasonable Expectations", *Washington University Law Quarterly*, vol. 66, 2, 1988, pp. 216-228; y Easterbrook, F. H. y Fischel, D. R.: *The Economic Structure of Corporate Law*, Harvard University Press, Cambridge / London, 1991, pp. 243-248.

[16]   *Ibíd.*, p. 36. La traducción es nuestra.

[17]   Alfaro, J.: *Interés social y derecho de suscripción preferente. Una aproximación económica*, Civitas, Madrid, 1995, pp. 22-38; Alfaro, J. y Massaguer, J.: "Artículo 204. Acuerdos impugnables", en *Comentario de la reforma del régimen de las sociedades de capital en materia de gobierno corporativo (Ley 31/2014). Sociedades no cotizadas*, Thomson / Civitas, Madrid, 2015, pp. 196-198; Sáez, M. I.: "Las bases económicas del derecho de la junta de socios", *Indret: Revista para el Análisis del Derecho*, vol. 2/2008, 2008, pp. 48-50.

[18]   Lagos, O.: "La cuestión de la licitud o ilicitud de los pactos de accionistas relativos al voto de los directores de sociedades anónimas", *Revista Chilena de Derecho*, vol. 46, 1, 2019, p. 15.

encontrar algunos ejemplos que ilustran las ventajas de asignar al interés social el carácter de una regla de remisión a la voluntad hipotética de los accionistas.

2.3. *Dos ejemplos del interés social entendido como regla de remisión*

La antigua SVS había resuelto, al menos en dos oportunidades, que los aumentos de capital pagaderos en especie constituyen una operación con parte relacionada, si los bienes con que se habrá de enterar el aumento son exclusivamente de propiedad del controlador, y aunque se dé a los demás accionistas la oportunidad de suscribir un aumento dinerario proporcional[19]. En ambos casos el controlador tuvo la iniciativa, proponiendo al directorio efectuar el aumento no dinerario, circunstancia que parece reforzar la afirmación del regulador. El argumento ha sido que en este aumento se cumplen los elementos de la definición legal: es una "*negociación, acto, contrato u operación*" en que debe intervenir la sociedad y su controlador, que es persona relacionada conforme al art. 100 LMV (art. 146 n° 1 LSA). Agregó el regulador que "a mayor abundamiento, la aprobación de la operación propuesta supone la celebración del o de los contratos de suscripción y pago de las acciones, los cuales se celebran entre la sociedad y el accionista controlador o con las sociedades de su mismo grupo"[20].

En sí, este fundamento no parece muy sólido. Si fuera por la literalidad del texto legal, cualquier aumento de capital, pagadero en especie o en dinero, constituiría una operación con parte relacionada, lo que sería difícil de admitir. En realidad, lo que condujo al ente fiscalizador a esta calificación es la existencia de un conflicto de interés insuficientemente resuelto, pues "quien estaría en condiciones de cumplir con el aporte en participaciones societarias sería solamente el controlador de la sociedad"[21]. De esta forma, "existe un conflicto entre la conveniencia para el interés social de Enersis S.A. [la sociedad controlada], de agregar dichos bienes a sus activos y a qué valor, y el natural interés del controlador aportante, respecto a la valoración que se haga de los bienes con que pagará las acciones que suscriba"[22], o aún más, respecto de la misma conveniencia del aumento.

---

19   Superintendencia de Valores y Seguros, *Oficio N° 18684*, 2012; *Resolución N° 353*, 2013. En este último caso, la SVS ordenó la suspensión de la junta extraordinaria convocada para pronunciarse sobre ese aumento.
20   Superintendencia de Valores y Seguros, *Oficio N° 18684*, cit., párr. 6.
21   *Ibid.*, párr. 7.
22   *Ibid.*

Independientemente de su corrección conforme a los textos legales, la decisión del regulador de calificar el aumento como operación con parte relacionada puede reformularse del siguiente modo: un aumento de capital parcialmente pagadero en especies de propiedad del controlador es contrario al interés social si no se somete a un procedimiento que provea plena información y guiado bajo la responsabilidad del directorio, *con independencia de la conveniencia material de ese aumento* (de su mérito desde un punto de vista financiero, económico o simplemente de oportunidad). La pregunta no es si el aumento con cargo al aporte en especie refleja o no un equilibrio entre el interés propio de la sociedad, de crecer ilimitadamente, y el de corto plazo de los accionistas, de no suscribir aumentos de capital en dinero; ni hace falta ponderar un interés en la maximización de las utilidades, en la percepción de dividendos, en la influencia en las decisiones de la empresa social, etc.; ni mucho menos es preciso establecer cuál sería el "mínimo común denominador" de todos los accionistas, o la causa del contrato de sociedad. La pregunta correcta es si, de haber previsto las circunstancias concretas de la sociedad al ingresar a ella, los accionistas que actualmente la integran razonablemente hubieran consentido en admitir que el controlador tenga la facultad de exigir aportes dinerarios a los demás, permitiéndose efectuar un aporte en especie. La respuesta podría ser: no, mientras la operación no quede sujeta a un procedimiento plenamente informado y bajo responsabilidad de un directorio que, al menos normativamente, es independiente del controlador (procedimiento que, da la casualidad, la ley ofrece a propósito de las operaciones con parte relacionada)[23].

El ya antiguo caso Chispas ofrece otro ejemplo similar para este acercamiento. Ciertos ejecutivos de la compañía Enersis, quienes controlaban otras sociedades (las llamadas "Chispas") que a su vez controlaban Enersis, negociaron la venta de sus acciones en Chispas a Endesa España, con quien Enersis negociaba al mismo tiempo una alianza estratégica. Por esta operación, que no se informó al directorio, los ejecutivos comprometían para con Endesa España su influencia en la administración de Enersis, tanto a

---

[23]   Naturalmente, otra cosa es que dicho procedimiento sea suficiente para garantizar que la operación se celebre en condiciones que hipotéticamente los accionistas hubieran consentido al ingresar a la sociedad. El respeto al procedimiento marca un mínimo, pero no garantiza la corrección de la operación. Así por lo demás lo expresa el inciso primero del art. 147 de la LSA, al establecer que las operaciones con partes relacionadas, sin perjuicio del procedimiento que desarrollará los numerales de ese artículo, siempre deben contribuir al interés social y efectuarse en condiciones de mercado.

través de su junta de accionistas como de su directorio. La SVS sancionó a los ejecutivos con fuertes multas, y ellos las recurrieron hasta llegar a la Corte Suprema. Argumentaron, entre otras cosas, que el clausulado de los contratos negociados con la adquirente del control alineaba su interés con el de la compañía que administraban. Sin embargo, la Corte Suprema no entra a examinar este punto: le basta constatar que ha habido un "conflicto de interés mal resuelto" –como había indicado la SVS– para considerar procedentes las sanciones.

La SVS afirmó en dicho proceso que el "interés social por el que obligatoria e inexcusablemente deben velar los directores y también los gerentes es *aquel común a todos los accionistas y que se relaciona con el objeto y fin de la sociedad, de manera que cualquier actuación que tienda a desviar dicho interés, provoca un grave quebrantamiento legal*"[24]. Sin embargo, más allá de esta definición (que parece inspirada en la doctrina más tradicional[25]), la aplicación del concepto que hace el fiscalizador –y que refrenda la Corte Suprema– puede reformularse en los siguientes términos: es contrario al interés social que los administradores de la sociedad negocien un contrato, aunque recaiga sobre sus bienes propios, si también se refiere a la forma en que cumplirán sus funciones en la sociedad y no se somete al conocimiento del resto del directorio, *con independencia de la conveniencia material de su clausulado* (de su mérito en términos de poner los incentivos correctos para que esos ejecutivos actúen en beneficio de la sociedad administrada). Y esto es así porque, si al ingresar a la sociedad los accionistas lo hubieran previsto, se hubieran negado a que los ejecutivos pudieran negociar la venta de sus acciones comprometiendo su actuación en la administración de la sociedad, o al menos no sin informar al resto del directorio, que debía aprobar la alianza estratégica con la compradora del paquete accionario. No hace falta –y de hecho sería muy difícil– indagar cuál es el interés común a todos los accionistas, o cómo se relaciona con el objeto y fin de la sociedad; ni determinar cuál sea ese fin, ni si esta actuación concreta tiende o no a desviar la conducta de los ejecutivos de dicho interés. Basta atender a la voluntad hipotética de accionistas razonables.

---

[24]   Argumento de la SVS, hoy CMF, en caso Chispas, Sentencia de la Corte Suprema, de 7 de julio de 2005, cita Legal Publishing N° 32405 (vistos, argumentos de la parte recurrida).

[25]   Al referir el interés social a un interés común relacionado con el objeto de la sociedad, en un sentido cercano al de Alcalde, *La sociedad anónima...*, cit., pp. 41-42.

3. EL INTERÉS SOCIAL EN LA LSA

Los ejemplos revisados, aunque solo sea de modo indiciario, sugieren las ventajas de entender el interés social solo como una regla de remisión; es preciso ahora determinar si la legislación chilena le ofrece algún asidero. Atenderemos, en primer lugar, a aquellas disposiciones de la LSA que se refieren explícitamente al interés social, y luego estudiaremos el art. 30 de la LSA, que, aunque no invoca este concepto de forma expresa, ha sido frecuentemente relacionado con él, y puede arrojar alguna luz sobre el tema.

3.1. *Usos de la expresión interés social en la LSA*

La LSA utiliza la expresión "interés social" textualmente, en los arts. 42, 43, 54, 56 y 147. La ley no define ni asigna un contenido específico al interés social, pero sí lo utiliza para establecer un marco para la actuación de los órganos de la sociedad anónima, y especialmente del directorio.

En efecto, en casi todas estas disposiciones, el destinatario del precepto es el directorio o los directores. En el art. 42, el concepto de interés social constituye un límite al actuar del órgano administrador, al que se prohíbe "*proponer modificaciones de estatutos y acordar emisiones de valores mobiliarios o adoptar políticas o decisiones que no tengan por fin el interés social*" (n° 1), junto con "*practicar actos ilegales o contrarios a los estatutos o al interés social*" (n° 7). Por su parte, el art. 43 exime a los directores de su obligación de confidencialidad respecto de la información social, cuando la reserva lesiona el interés social; mientras que el art. 54 libera a los directores de su obligación de entregar información de la sociedad en ciertos periodos, en los casos que la divulgación de dicha información social lesione dicho interés. Finalmente, el art. 147 exige que las operaciones con parte relacionada celebradas por una sociedad anónima abierta o sus filiales, además de respetar el procedimiento previsto en el Título XVI de la LSA, tenga por objeto contribuir al interés social.

Solo por excepción el interés social constituye una directriz también para los accionistas. En efecto, el art. 56 toma este concepto como punto de referencia al establecer cuáles son las materias de que puede conocer la junta. Así, por un lado, el directorio no podría incluir en la citación materias no explícitamente incluidas en las competencias de la junta, si no cuando el interés social lo exige; pero, por otro lado, puesto que también los accionistas pueden exigir la citación, o citarla directamente, o sencillamente celebrarla (arts. 58 y 60 LSA), esta es también una orientación válida para ellos.

A nuestro juicio, del conjunto de estas disposiciones es posible desprender que la LSA ofrece asidero a una lectura del interés social como regla de remisión. De ello ofrece un indicio, aunque algo sutil, el art. 42 n° 7. El texto distingue entre actos ilegales, contrarios a los estatutos y lesivos del interés social, lo que sugiere que el interés social no es un concepto general deducido de los textos legales, sino algo diverso tanto de la ley como de lo expresado en estatutos.

Además, en el art. 56 n° 4 el interés social no limita el contenido de las decisiones de la junta por su mérito, sino (antes) las materias sobre las que puede tomar una decisión (indirectamente, el art. 42 n° 1 viene a indicar lo mismo, aunque respecto de modificaciones estatutarias). Esta observación invita a considerar el interés social como límite a la actividad de la junta en cuanto órgano de recontratación, al impedirle siquiera pronunciarse sobre algunas cuestiones, con independencia de que puedan traer algún beneficio a la sociedad. Un par de ejemplos tomados de la jurisprudencia administrativa permitirán ilustrar a qué nos referimos[26].

En uno de los oficios relativos a la ya citada aprobación de un aumento de capital con cargo a aportaciones en especie, que el regulador calificó como operación con parte relacionada, se constató que "el directorio no se pronunció sobre el aumento de capital, en relación a su conveniencia para el interés social y el destino que se daría a los recursos obtenidos con el citado aumento, dado que consideró que sólo le correspondía manifestarse a los accionistas acerca de esta operación". Sin embargo, agregó, "ello corresponde a una obligación del directorio, conforme lo dispone a Ley de Sociedades Anónimas, máxime si la operación fue planteada por el controlador de la sociedad"[27]. Notemos que, aunque se hubiera tratado de un aumento de capital común y corriente, el juicio sobre su conformidad con el interés social seguiría radicado en el directorio (*ex* art. 42 n° 1), sin perjuicio de que también correspondería a los accionistas, conforme a lo razonado antes.

En el segundo caso, se consultó al regulador si constituía una operación con parte relacionada un acuerdo entre los directores y la sociedad, en virtud del cual ésta se comprometía a concurrir a los gastos en que incurrieran aquellos, derivados de procedimientos seguidos en su contra en exceso de lo cubierto por un seguro de responsabilidad civil (los llamados seguros D&O). La respuesta de la SVS fue que tal acuerdo del directorio no solo

---

[26]   Superintendencia de Valores y Seguros, *Oficio N° 18684*, cit.; *Oficio N° 13507*, 2017.
[27]   Superintendencia de Valores y Seguros, *Oficio N° 18684*, cit., p. 9.

constituiría una operación con parte relacionada, sino que no podría celebrarse de ningún modo, pues "no es procedente que la sociedad pague una indemnización al director que ha incurrido en un gasto con motivo de un hecho que a su vez reviste un perjuicio para la sociedad que administra, por cuanto dicha actuación, y su consecuente pago, no guardaría relación alguna con el interés social"[28]. La consulta indicaba que, de todas formas, esta operación sería sometida a junta, quizás como un resguardo adicional de la validez del acuerdo del directorio. El regulador indica que tal asunto no podría siquiera someterse a junta, porque esta materia escapa a sus competencias (ya que, al no contribuir al interés social, no puede estimarse incorporada en la cláusula de cierre de las materias de junta, art. 56 n° 4).

Estos ejemplos permiten notar cómo el interés social excluye algunos asuntos del mecanismo de recontratación en que consiste la junta (la decisión sobre si conviene al interés social una operación con parte relacionada, o el refrendo para la contratación de un seguro D&O). De lo anterior deviene que el mero respeto a las formas y procedimientos orgánicos no garantiza la adecuación al interés social, ni tampoco la adecuación al interés social consiste en un juicio sobre el mérito de la decisión. Si el interés social no está intrínsecamente relacionado con el respeto externo a los procedimientos ni tampoco con un juicio sobre el mérito, la única de forma de entenderlo –pensamos– es como una regla de remisión a la voluntad hipotética de las partes.

3.2. *El interés social y el art. 30 LSA*

En el apartado anterior hemos podido comprobar que la LSA utiliza la expresión "interés social" predominantemente en situaciones relacionadas con el órgano administrador y no con la junta de accionistas (con excepción del art. 56 n° 4). En cuanto a los deberes de los accionistas entre sí, en el marco del ejercicio de sus derechos sociales, la disposición clave es el art. 30 LSA, que señala que "*los accionistas deben ejercer sus derechos sociales respetando los de la sociedad y los de los demás accionistas*". Lyon advierte que esta redacción no prevé una sanción específica para su incumplimiento, más allá de eventuales sanciones impuestas por la SVS (hoy CMF) respecto de sociedades sujetas a su fiscalización, por lo que sugiere recurrir a los principios generales para determinarla[29]. En realidad, los principios generales

---

[28] Superintendencia de Valores y Seguros, *Oficio N° 13507*, cit.

[29] Lyon, A.: *Personas Jurídicas*, 4ª edición ampliada, Ediciones Universidad Católica de Chile, Santiago, 2003, p. 109. Salvo inadvertencia de nuestra parte, un análisis de los

del derecho, junto con los demás criterios de interpretación e integración legal, no solo se deben utilizar para determinar la sanción a la infracción del art. 30, sino también para interpretar su entero significado. Comencemos con la historia fidedigna del precepto.

En el proyecto original de ley de sociedades anónimas, esta norma se encontraba dividida en dos artículos. Por un lado, el art. 29 definía el concepto de controlador y establecía el deber de "usar su poder de modo que la sociedad realice sus fines y respetar y atender los derechos e intereses de los demás accionistas"[30]; por otro lado, el art. 30 afirmaba la responsabilidad del controlador por actos practicados con "abuso de poder", tipificando de forma no taxativa algunas de sus modalidades[31]. Ambas disposiciones fueron reemplazadas por el actual art. 30 LSA, de un contenido notoriamente más ambiguo. Entre otras razones, la Comisión conjunta revisora argumentó que los artículos 29 y 30 del proyecto original desdibujaban el concepto de sociedad anónima, ya que los auténticos responsables de la marcha de una empresa son los directores y gerentes, y no los controladores (cuya identidad, por otra parte, se consideró difícil de determinar). Además, indicaba la Comisión, la atribución de responsabilidad al controlador "desnaturaliza el elemento esencial de las sociedades anónimas, cual es la responsabilidad limitada", pues la responsabilidad del controlador devendría en ilimitada, "ya que todos sus bienes quedarían afectos en resguardo del cumplimiento de sus deberes" (lo que, por último, significaría un desincentivo a la inversión, e incluso un pretexto para "persecuciones de carácter financiero, o económico, e incluso político")[32].

Creemos que las indicadas por la Comisión conjunta, a la luz del desarrollo societario actual, no son buenas razones. Primero, porque eventuales dificultades en la identificación del controlador fueron luego superadas, al menos normativamente, con la dictación de la Ley N° 18.660 de 1987, que no solo definió el concepto de controlador, sino también el de grupo empresarial, acuerdo de actuación conjunta y persona relacionada, con deberes de información, presunciones y facultades del regulador orientadas a develar posibles vínculos entre distintas personas o sociedades. Segundo,

---

dictámenes de la antigua SVS y actual CMF que se encuentran disponibles en el sitio web del regulador (desde 2011), permite comprobar que el art. 30 LSA no ha sido decisivo para resolver las consultas que le han sido dirigidas.

[30] Historia de la Ley N° 18.046, disponible en https://www.bcn.cl/historiadelaley/historia-de-la-ley/vista-expandida/7574/ (fecha de consulta: 17 de diciembre de 2019).

[31] *Ibíd.*

[32] *Ibíd.*

porque la responsabilidad de los directores y gerentes en modo alguno excluye la del controlador, puesto que, al ser distintas sus atribuciones y facultades, también son distintos los actos que pueden dar origen a la responsabilidad. De hecho, aunque algunas modalidades de abuso de poder tipificadas en el art. 30 original pasaron al art. 42 LSA como prohibiciones para los directores, *mutatis mutandi*, existen diferencias importantes: desde luego, el art. 42 no recoge las modalidades de abuso del controlador definidas en los dos primeros numerales del texto original del art. 30: orientación de la sociedad a un fin extraño a su objeto y aprobación de modificaciones estructurales, ambas para favorecer los negocios del controlador o los de otras personas. Y tercero, porque la limitación de responsabilidad característica de la sociedad anónima se refiere a las deudas sociales, no a las derivadas de hechos propios (y el voto en la junta es un hecho propio del accionista[33]). De ahí que no puede decirse que la responsabilidad del controlador devenga en ilimitada solo porque responde de los perjuicios sufridos por otros accionistas o inversionistas, derivados de un acuerdo adoptado con su voto abusivo. Por el contrario, la responsabilidad del controlador era conocida en países con una sólida tradición en el desarrollo de las sociedades de capital, décadas antes de la dictación de la LSA[34].

Sea como fuere, la norma vigente que más claramente establece deberes de unos accionistas para con otros, tiene un contenido que parece ambiguo. Advirtamos, sin embargo, que esta aparente ambigüedad del contenido del art. 30 habla ya del carácter formal de los deberes de los accionistas (que la ley expresa no mediante conceptos generales sino mediante remisiones a su propia voluntad hipotética, en el sentido en que aquí hemos utilizado estas expresiones). Frente a un proyecto que exigía indagar el mérito de las decisiones (como la prohibición de "acordar o provocar la disolución de una sociedad próspera, o transformar, incorporar, fusionar o dividir una sociedad, todo ello con el objeto de obtener ventajas para sí o terceros relacionados"), el legislador optó por una redacción que se limita a exigir "*respeto*".

---

[33]   Es, en efecto, un acto jurídico emitido por cada accionista, aunque orientado a la formación de un acuerdo que constituirá un acto jurídico distinto, atribuido a la sociedad. Por todos, Girón, J.: *Derecho de sociedades*, t. I, Artes Gráficas Benzal, Madrid, 1976, p. 313.

[34]   Nos referimos, naturalmente, a los Estados Unidos de América. De acuerdo a Bainbridge, puede rastrearse esta orientación en la jurisprudencia americana desde 1939. Véase Bainbridge, S. M.: *Corporate Law*, 3ª edición, Foundation Press, St. Paul, 2015, pp. 184-206.

Evidentemente, el texto requiere interpretar qué significa aquí la palabra "*respeto*". En primer lugar, respetar los derechos de la sociedad y de los demás accionistas no requiere necesariamente posponer o subordinar el cumplimiento de los propios derechos[35]. El art. 29 del proyecto original exigía del controlador "usar su poder *de modo que la sociedad realice sus fines* y respetar y atender los derechos e intereses de los demás accionistas" (el destacado es nuestro). Bajo el vigente art. 30 no puede decirse que el ejercicio de los derechos sociales, particularmente los del controlador, deba orientarse a la realización de los fines de la sociedad: solamente debe respetar sus derechos. Otra diferencia con el texto del proyecto original refuerza esta lectura: mientras el art. 29 del proyecto instaba a la realización de los "*fines*" de la sociedad, y a respetar "*los derechos e intereses* de los demás accionistas", el vigente art. 30 exige respeto solo para los "*derechos sociales*", sean de la sociedad o de los demás accionistas: no sus fines o intereses, que no limitan el ejercicio de los derechos del accionista individual –al menos no por definición–.

El texto vigente exige un actuar deferente para con la sociedad y para con los demás accionistas. Sin embargo, una concepción instrumental de la persona jurídica societaria, que es una herramienta al servicio del tráfico y de los propios accionistas, impone comprender que la deferencia debida a la sociedad no está en el mismo plano que la debida a los demás accionistas; creemos, por tanto, que el art. 30 debe interpretarse desde una doble mirada. Cuando la ley establece que el accionista (para estos efectos, el controlador) debe ejercer sus derechos sociales respetando los derechos de la sociedad, sencillamente le recuerda la necesidad de observar las reglas del tipo societario aplicables en cada caso, lo cual es especialmente relevante en sus pretensiones frente al directorio. Así, no puede el controlador "mandatar" a un director para que recabe cierta información reservada que luego aquel compartirá con un tercero, aunque suscriba con él un acuerdo de confidencialidad en los términos del art. 80 RSA, porque la administración de esa información corresponde al directorio, y cada director puede compartirla con terceros sobre quienes pese un deber de confidencialidad, solo si así lo exige el mejor cumplimiento de sus deberes fiduciarios[36]. De este modo, solo en un sentido acotado podría hablarse

---

[35]   Como afirmó en las Jornadas Chilenas de Derecho Comercial de 2018 Lagos, O.: "Una mirada contractualista a las objeciones a la validez de ciertos pactos de accionistas en el derecho chileno", texto en prensa facilitado por el autor, sección 2.2. La idea es afirmada desde antiguo en la doctrina italiana: por todos, Ascarelli, T.: "Interesse sociale e interesse comune nel voto", *Rivista Trimestrale di Diritto e Procedura Civile*, vol. 5, 1951, pp. 1146-1147.

[36]   Superintendencia de Valores y Seguros, *Oficio N° 4418*, 2014.

de que el controlador debe observar un actuar de buena fe frente a la sociedad, como sinónimo de actuar leal[37]; en sus relaciones con la propia sociedad, basta que el controlador cumpla las reglas.

En cambio, cuando la norma indica que el controlador debe ejercer sus derechos sociales respetando los derechos de los demás accionistas, entendemos que pide algo más del accionista controlador: que no utilice la sociedad (ni sus mecanismos orgánicos, comenzando por el principio mayoritario) en perjuicio de los demás accionistas; es decir, que no abuse de la estructura de la persona jurídica societaria. Ya no se trata de que el controlador observe las reglas del tipo social, sino de que se abstenga de utilizarlas oportunistamente.

Resta ahora determinar, por vía de integración, cuáles son los límites a los derechos del controlador. Aquí es donde el concepto de buena fe, tomado desde el derecho de los contratos, puede prestar una valiosa ayuda. Recordábamos que el interés social, comprendido como regla de remisión, tiene por función reunir, en un concepto de textura abierta, el conjunto de previsiones que constituyen la voluntad hipotética de los accionistas para un contexto determinado; pues bien, esta función integradora es semejante a la que realiza, en la generalidad de los contratos, la buena fe en su vertiente objetiva[38]. El art. 1546 CC indica que "*los contratos deben ejecutarse de buena fe, y por consiguiente obligan no sólo a lo que en ellos se expresa, sino a todas las cosas que emanan precisamente de la naturaleza de la obligación, o que por la ley o la costumbre pertenecen a ella*". En el contexto de las sociedades anónimas, esta regla podría ser parafraseada en los siguientes términos: "el contrato social debe ejecutarse de buena fe, y por consiguiente obliga a sus accionistas no sólo a desempeñarse en los órganos sociales conforme a los procedimientos previstos en los estatutos y en la ley, sino a todas las cosas que emanan precisamente del interés social", es decir, "a todas las cosas que emanan precisamente de la voluntad hipotética de accionistas razonables para cada situación".

---

[37]   Nicolau, N. L.: "El rol de la buena fe en la moderna concepción del contrato", en M. Córdoba (ed.), *Tratado de la Buena Fe en el Derecho*, t. I, La Ley, Buenos Aires, 2004, p. 324.

[38]   De acuerdo a una distinción usualmente admitida por la doctrina, existe una buena fe objetiva (que el art. 1546 del Código Civil recoge cuando indica que "*los contratos deben ejecutarse de buena fe*") y una buena fe subjetiva, que consiste en una conciencia de haber actuado legítimamente, sin fraude ni ningún otro vicio (cfr. art. 706 CC). Sobre esta distinción (y sus límites), véase Guzmán, A.: "La buena fe en el Código Civil de Chile", *Revista Chilena de Derecho*, vol. 29, 1, 2002, especialmente pp. 20-23.

4. COMPARACIÓN ENTRE BUENA FE E INTERÉS SOCIAL

Si se admite, por las razones argumentadas anteriormente, que debe entenderse el interés social como una regla de remisión a la voluntad hipotética de las partes, y se observa, como se acaba de hacer, que cumple la misma tarea que la buena fe respecto de la generalidad de los contratos, es posible afirmar que el interés social no es otra cosa que la buena fe, en el marco del contrato subyacente a la sociedad anónima. Buena fe e interés social se encuentran así en una relación de género a especie[39].

Es verdad que existen algunas diferencias entre la buena fe contractual y el interés social. En primer lugar, la buena fe tiene una orientación positiva o afirmativa, pues su significado se traduce en la exigencia de "cosas" adicionales a las expresadas en el contrato[40]; en cambio, el interés social tiene una orientación negativa, pues se plantea no tanto como exigencias sino como límites al derecho de voto de los accionistas. En segundo lugar, la buena fe se refiere al modo en que debe cumplirse el contrato, es decir, a cómo debe efectuarse la prestación[41]; en cambio, el interés social –en cuanto se refiere a los accionistas– incide en la facultad de votar, cuyo ejercicio, en rigor, no constituye una prestación impuesta por el contrato (pues, de

---

[39]   La relación entre interés social y buena fe es advertida por los autores citados en n. 16. La idea había sido planteada por Jaeger, *L'interesse sociale*, cit., pp. 192-194, aunque aquí se expondrá en términos diversos. En Chile, Alcalde argumenta que la buena fe, en tanto principio general, aporta escasa luz al concepto de interés social: Alcalde, *La sociedad anónima...*, cit., p. 77. Sin embargo, la aplicación jurisprudencial de la buena fe permite, por la formación de grupos de casos, ofrecer algunas aplicaciones concretas que podrían extrapolarse a la situación de los accionistas en la sociedad anónima; sobre esas aplicaciones en Chile, véase Corral, H.: "La aplicación jurisprudencia de la buena fe objetiva en el ordenamiento civil chileno", *Revista de Derecho Privado* (Universidad del Externado), N° 12-13 (diciembre), 2007, pp. 152-165.

[40]   Al menos de acuerdo al texto del art. 1546 CC, no obstante que la jurisprudencia da a la buena fe objetiva varios usos más allá de la norma: *ibíd.*, pp. 144-145.

[41]   Ilustrador resulta el ejemplo de Guzmán: alguien vende a otro troncos de árboles antes de su tala en calidad de muebles por anticipación, sin más especificaciones. Se fija el día y la hora para la tala y el comprador se presenta en el predio acompañado de una brigada de trabajadores con vehículos aptos y herramientas e instrumentos apropiados. El vendedor exige empero que sea el comprador en persona el que haga las respectivas operaciones con instrumentos manuales y no quiere admitir la entrada de los trabajadores ni de los vehículos e instrumentos pesados. En opinión de Guzmán, en este caso la actitud del vendedor vulneraría lo pactado, por cuanto los contratos "obligan no sólo a lo que en ella se expresa, sino a todas las cosas que emanan precisamente de la naturaleza de la obligación, o que por la ley o la costumbre pertenecen a ella", cosas a las que está obligado en virtud de la buena fe objetiva: Guzmán, "La buena fe...", cit., p. 17.

hecho, los accionistas no están obligados a votar), sino al ejercicio de un derecho que, a su vez, contribuye a la formación de la voluntad social. En tercer lugar, la buena fe contractual impone deberes solo para las partes del contrato, mientras que el interés social orienta no solo la actividad de las partes, que en propiedad son los accionistas, sino también la de los directores (recordemos que la mayor parte de las referencias al interés social que recoge la LSA se inscriben en el marco de sus deberes fiduciarios). Relacionada con esta diferencia, puede agregarse otra: al interés social se supedita cualquier otro interés de los directores en el ejercicio de su cargo; la buena fe, en cambio, solo exige de los contratantes un comportamiento leal y colaborativo, incluso asumiendo algún sacrificio del propio interés, pero solo mientras no sea desproporcionado[42].

Sin embargo, estas diferencias no obstan a que el interés social pueda considerarse como especie dentro del género de la buena fe. Ante todo, es preciso recordar que el contrato de sociedad se dirige al desarrollo de una actividad empresarial en un periodo de tiempo usualmente indefinido, lo que exige una configuración basada no tanto en la ejecución de prestaciones (porque esto exigiría prever un sinnúmero de escenarios posibles, sin información suficiente y con un alto riesgo de error), como en la participación en una organización[43]. En las sociedades de capital, esta organización se mediatiza (al igual que en las sociedades de personas, pero en mayor medida): la empresa común se atribuye a la persona jurídica societaria, y los socios intervienen en la empresa a través de sus órganos, sea directamente en el caso de la junta, sea indirectamente, eligiendo a los miembros del directorio (sobre quienes pesan esos deberes fiduciarios que les exigen posponer cualquier otro interés distinto del interés social). La forma que asume la buena fe en el contexto de este *contrato incompleto* que es la sociedad, no podría tener las mismas características que –digamos– en una compraventa de ejecución instantánea. Tan especiales son sus contornos, que amerita una denominación diferente: la de interés social.

Esta peculiaridad del contrato de sociedad, y especialmente de la sociedad de capital, explica las diferencias entre la buena fe (tal como se presenta en contratos sinalagmáticos) y el interés social (la buena fe de

---

[42]   San Martín, L.: "Sobre la naturaleza jurídica de la 'cooperación' del acreedor al cumplimiento de la obligación", *Revista de Derecho Privado* (Universidad del Externado), Nº 21, 2011, pp. 324-325.

[43]   Sobre la vertiente organizativa del contrato de sociedad, véase por todos Paz-Ares, C.: "La sociedad en general: caracterización del contrato de sociedad", en R. Uría y A. Menéndez (eds.), *Curso de derecho mercantil*, vol. 1, Civitas, Madrid, 1999, p. 445.

los contratos con un fuerte componente de organización). Respecto de la orientación negativa del interés social, obedece a que es más fácil determinar qué conductas no hubieran aceptado los hipotéticos accionistas razonables, que determinar qué conductas hubieran esperado: esta es solo una manifestación de que la sociedad es un contrato especialmente incompleto (más incompleto que un contrato sinalagmático de ejecución instantánea o incluso que uno de tracto sucesivo, pero con prestaciones definidas), lo que exige cierta deferencia (pero no un blindaje) a la decisión de la mayoría. Lo anterior debe considerarse con mayor razón en las sociedades anónimas abiertas cuyas acciones se cotizan en bolsa[44].

Respecto del objeto a que se refiere el interés social, obedece a la naturaleza misma del contrato de sociedad, es decir, a la mediación de las prestaciones a través de una organización. Sin embargo, en último término el interés social busca, al igual que la buena fe, distribuir de forma razonable la carga económica que la ejecución del contrato impone. El aporte nos permite ilustrar la diferencia, pero a la vez la continuidad, que existe entre

---

[44] Esta clase de sociedades se diferencia de las sociedades anónimas cerradas y de las sociedades por acciones, tanto en sus aspectos contractuales como en aspectos relativos al correcto funcionamiento del mercado de valores, que comprometen un interés público. En cuanto a los aspectos contractuales, la voluntad hipotética del accionista razonable de una sociedad abierta cuyas acciones tienen suficiente presencia bursátil, no necesariamente entrega la corrección de los abusos del controlador a los remedios judiciales, pues la liquidez de las acciones permite que aquel accionista tenga siempre la posibilidad de vender sus acciones en el mercado bursátil: la llamada *Wall Street rule* matiza (sin eliminar) la necesidad de construir una responsabilidad del controlador desde la buena fe. En segundo lugar, esta clase de sociedades no solo es regulada por los estatutos y la ley, sino que existe una importante regulación administrativa y un fiscalizador que vela por el mercado y el cumplimiento de la normativa. De esta forma, es menos plausible en estos casos recurrir a disposiciones implícitas como la buena fe o el interés social a efectos de establecer obligaciones del controlador. En este sentido, *mutatis mutandi*, se pueden aplicar los principios del famoso caso MetLife v. RJR Nabisco, en el cual la Corte no permitió incorporar obligaciones implícitas a un contrato de emisión bonos derivadas de la buena fe [*"While the Court stands ready to employ covenant of good faith to ensure that such bargained-for rights are performed and upheld, it will not, however, permit an implied covenant to shoehorn into an indenture additional terms plaintiffs now wish had been included"*]. Véase Brudney V. y Bratton W.: *Case and Materials on Corporate Finance*, 4ª edición, Foundation Press, Westbury, 1993, pp. 207-225. Obviamente, lo anterior no es suficiente como para desconocer la expresa letra de la ley que regula el interés social también en las sociedades anónimas abiertas (fundamental en la jurisprudencia administrativa citada en las páginas anteriores), pero sí es un argumento razonable para ofrecer mayor deferencia a la decisión de la mayoría. En todo caso, esta deferencia nunca podrá hacer desaparecer la norma básica, conforme a la que el controlador no puede ejercer sus derechos abusivamente en contra de la sociedad o de las demás accionistas. En definitiva, el dolo todo lo corrompe y el orden jurídico no podría inhibirse de sancionarlo.

buena fe e interés social. Para determinar cómo debe enterarse el aporte (es decir, considerando el aporte como una obligación entre accionista y persona societaria, casi como si se tratara de una relación bilateral), es suficiente la buena fe tal como es definida por el art. 1546 CC (por ejemplo, el accionista que debe un aporte en especie, deberá hacerlo observando reglas similares al vendedor en una compraventa[45]), no porque la sociedad sea un contrato bilateral, sino *porque enterar el aporte es ejecutar una prestación*. Sin embargo, para determinar cómo debe decidirse la necesidad de aportes adicionales (es decir, la procedencia de un aumento de capital), la buena fe asume la forma del interés social, porque no se refiere ahora a la ejecución de una prestación, sino *a la actuación de la organización* que decide sobre la necesidad de exigirla (para la cual criterios sobre contratos sinalagmáticos con prestaciones definidas resultarían insuficientes)[46]. Pero en ambos casos la operación del juzgador ha de ser la misma: atender a lo que las partes del contrato hubieran acordado, de haber previsto la situación concreta que plantea el pago del aporte o la decisión de requerirlo.

En cuanto a los destinatarios de los deberes impuestos por el interés social, que no solo son los accionistas sino también los directores, esta particularidad deriva del hecho de que la organización mediatiza la relación entre accionistas, de forma que lo que vale para ellos, vale también para las personas que participan de esa organización administrando la persona jurídica societaria. Sin embargo, esas personas carecen de un interés propio merecedor de tutela por la ley e independiente del de los mismos accionistas; su papel en la sociedad es instrumental, y de ahí que el ejercicio de su cargo se encuentre íntegramente supeditado al interés social[47]. En cambio, como ya hemos advertido, los accionistas no deben supeditar el ejercicio del voto a los intereses de la sociedad, sino que únicamente deben ejercerlo leal y correctamente, incluso asumiendo algún sacrificio con el objeto de propender a la satisfacción del interés contractual de los demás accionistas, mientras no se trate de un sacrificio desproporcionado: igual que las obligaciones que deben cumplirse de buena fe. Precisamente en este rasgo se demuestra la filiación del interés social a este concepto.

---

[45] Como en el ejemplo de Guzmán, recogido en nota 41.

[46] En contra, Jaeger considera que el voto queda afecto al principio de buena fe por tratarse precisamente de una prestación, aunque no de una obligación en sentido técnico: Jaeger, *L'interesse sociale*, cit., pp. 193-194. Posiblemente, la diferencia es solo terminológica.

[47] Sin perjuicio de que los directores tengan un interés propio no supeditado a la sociedad, en virtud del peculiar contrato de prestación de servicios que une a cada uno con la sociedad (piénsese, desde luego, en su derecho a remuneración, si así está establecido).

5. CONCLUSIONES

De este estudio de aproximación pueden sugerirse las siguientes conclusiones:

A. Existen dos formas de entender la función que cumple el concepto de interés social: servir como concepto general y abstracto donde subsumir ciertos intereses, y, con ellos, ciertas decisiones que persiguen esos intereses y que idealmente los órganos sociales debieran adoptar; y servir como regla de remisión a la voluntad hipotética de accionistas razonables, estableciendo así un método a través del cual determinar qué decisión es correcta o incorrecta.

B. La LSA se vale del concepto de interés social para excluir algunos asuntos del mecanismo de recontratación en que consiste la junta, sin necesidad de establecer si su sometimiento a ella daría lugar a una decisión buena o mala por su mérito. Por otra parte, el art. 30 exige que el controlador, como accionista, ejerza sus derechos sociales respetando los derechos de los demás accionistas, absteniéndose de utilizar la participación en los órganos sociales en perjuicio de ellos (pero no más que eso). Esto resulta coherente con la comprensión del interés social como remisión a la voluntad hipotética de accionistas razonables.

C. Entre buena fe e interés social existe una relación de género a especie. La función que cumple la buena fe objetiva en relación a la generalidad de los contratos, es justamente la que cumple el interés social respecto de la sociedad anónima: hacer exigible lo que las partes hubieran pactado de haber previsto, al celebrar el contrato, la situación concreta enfrentada al cumplirlo. No obstante existir diferencias derivadas de las especiales características del contrato de sociedad, el interés social –como la buena fe– permite integrar con deberes materiales el marco formal establecido en el contrato.

Este trabajo se ha planteado como una aproximación al problema, de forma que cada una de estas conclusiones ameritan un estudio particular que aquí apenas ha podido esbozarse. Queda planteado el desafío.

BIBLIOGRAFÍA SELECCIONADA

Alcalde, E.: *La sociedad anónima. Autonomía privada, interés social y conflicto de intereses*, Editorial Jurídica de Chile, Santiago, 2007.

Alfaro, J.: *Interés social y derecho de suscripción preferente. Una aproximación económica*, Civitas, Madrid, 1995.

Alfaro, J. y Massaguer, J.: "Artículo 204. Acuerdos impugnables", en *Comentario de la reforma del régimen de las sociedades de capital en materia de gobierno corporativo (Ley 31/2014). Sociedades no cotizadas*, Thomson / Civitas, Madrid, 2015, pp. 155-229.

Ascarelli, T.: "Interesse sociale e interesse comune nel voto", *Rivista Trimestrale di Diritto e Procedura Civile*, vol. 5, 1951, pp. 1145-1167.

Bainbridge, S. M.: *Corporate Law*, 3ª edición, Foundation Press, St. Paul, 2015.

Brudney, V. y Bratton, W.: *Case and Materials on Corporate Finance*, 4ª edición, Foundation Press, Westbury, 1993, pp. 207-225.

Easterbrook, F. H. y Fischel, D. R.: *The Economic Structure of Corporate Law*, Harvard University Press, Cambridge / London, 1991.

Embid, J. M. y Del Val P.: *La responsabilidad social corporativa y el Derecho de sociedades de capital: entre la regulación legislativa y el soft law*, Agencia Estatal Boletín Oficial del Estado, Madrid, 2016.

Guzmán, A.: "La buena fe en el Código Civil de Chile", *Revista Chilena de Derecho*, vol. 29, 1, 2002, especialmente pp. 20-23.

Iráculis, N.: *Conflictos de interés del socio. Cese del administrador nombrado por el accionista competidor*, Marcial Pons, Madrid / Barcelona / Buenos Aires / Sao Paulo, 2013.

Jaeger, P. G.: *L'interesse sociale*, Dott. A. Giuffrè, Milano, 2006.

Lyon, A.: *Personas Jurídicas*, 4ª edición ampliada, Ediciones Universidad Católica de Chile, Santiago, 2003.

McCall, B.: *La corporación como sociedad imperfecta*, trad. C. Gambra, Marcial Pons, Madrid / Barcelona / Buenos Aires / Sao Paulo, 2015.

O'Kelley, C. R. J.: "Filling Gaps in the Close Corporation Contract: A Transaction Cost Analysis", *Northwestern University Law Review*, vol. 87, 1, 1992, pp. 216-253.

Paz-Ares, C.: "La sociedad en general: caracterización del contrato de sociedad", en R. Uría y A. Menéndez (eds.), *Curso de derecho mercantil*, vol. 1, Civitas, Madrid, 1999, p. 445.

Preite, D.: "Abuso di maggioranza e conflitto di interessi del socio nella società per azioni", en G. Colombo y G. Portale (eds.), *Trattato delle società per azioni*, t. 3, vol. II, UTET, Torino, 1993, pp. 3-183.

Puelma, Á.: *Sociedades*, vol. II, 3ª edición, Editorial Jurídica de Chile, Santiago, 2006.

Roimiser, M.: *El interés social en la sociedad anónima*, Depalma, Buenos Aires, 1979.

Solomon, L., Schwartz, D., Bauman, J. y Weiss, E.: *Corporation Law and Policy*, 4ª edición, West Publishing, St. Paul, 1998.

Thompson, R. B.: "Corporate Dissolution and Shareholders' Reasonable Expectations", *Washington University Law Quarterly*, vol. 66, 2, 1988, pp. 193-238.

Normas citadas y abreviaturas

– CC: Código Civil chileno
– LMV: Ley N° 18.045 de Mercado de Valores. Diario Oficial: 22 de octubre de 1981.

- LSA: Ley N° 18.046 sobre Sociedades Anónimas. Diario Oficial: 22 de octubre de 1981.

- RSA: Decreto N° 702 de 6 de julio de 2012, Ministerio de Hacienda, aprueba nuevo reglamento de sociedades anónimas.

NOMBRES DE DOMINIO ".CL" Y BUENA FE: UN CONSORCIO INDISOLUBLE EN EL SISTEMA CHILENO DE SOLUCIÓN DE CONTROVERSIAS

Eduardo Jequier Lehuedé
Doctor en Derecho, Universidad de Valencia
Profesor de Derecho Comercial, Universidad de los Andes, Chile

SUMARIO: 1. INTRODUCCIÓN. 2. LA DISTINTIVIDAD COMO ATRIBUTO SOBRE-VINIENTE DEL NOMBRE DE DOMINIO. 3. CONFLICTOS SOBRE NOMBRES DE DOMINIO Y BUENA FE: LAS ACCIONES DE REVOCACIÓN TEMPRANA Y DE REVO-CACIÓN TARDÍA EN LA REGULACIÓN DE NIC CHILE. 3.1. Revocación temprana de nombres de dominio ".CL": el concepto de "interés preferente". 3.2. Revocación tardía de nombres de dominio ".CL": el concepto de "registro abusivo". 3.2.1. Identi-dad o similitud engañosa. 3.2.2. Que el titular del nombre de dominio cuestionado *"no tenga derechos o intereses legítimos"*. 3.2.3. Que el nombre de dominio *"haya sido inscrito o se utilice"* de mala fe. 4. CONSIDERACIONES FINALES: EL PRINCIPIO *"FIRST COME, FIRST SERVED"* COMO MANIFESTACIÓN DEL PRINCIPIO DE LA BUENA FE EN EL REGISTRO DE NOMBRES DE DOMINIO. BIBLIOGRAFÍA CONSULTADA.

1. INTRODUCCIÓN

Los nombres de dominio son básicamente una forma de identificar y poner en contacto las computadoras en la red, de manera sencilla y expedi-ta, que reemplazan los datagramas o "direcciones IP" de cada una de ellas *(Internet Protocol)* por códigos nemotécnicos o expresiones alfabéticas, alfa-numéricas o numéricas fáciles de recordar. Cada vez que un usuario quiere acceder a una determinada página web, debe identificar la "dirección" de internet a la que tiene que dirigirse su programa de navegación, para acce-der a los contenidos allí alojados. Cada servidor y dispositivos conectados a internet tienen asignado un único número IP, compuesto por cuatro nú-meros de hasta tres dígitos cada uno (del 0 al 255), separados entre sí por un punto (por ejemplo:1.2.333.444) [1].

---

[1]   Sobre el funcionamiento del sistema puede consultarse a Agustinoy, 2008, pp. 17 y ss.

El sistema de nombres de dominio o *DNS,* en su sigla en inglés *(Domain Name System),* fue concebido, por tanto, como una herramienta tecnológica para facilitar el acceso a Internet, sin más aspiración que la de simplificar y dar funcionalidad a la red. Sin embargo, desde su creación, a fines de la década de los noventa del siglo pasado, el sistema ha evolucionado hasta el punto de transformarse en un elemento de uso masivo e indispensable, con notorios y sostenidos incrementos estadísticos de los registros. Así, y según cifras de NIC Chile[2], en el año 1998 se registraron 1.618 dominios .cl; en el 2000, 18.042; en el año 2004, 97.773; el 2008, 202.710; el año 2012, 370.632; el 2016, 495.877; y entre enero y agosto de 2019 se registraron 591.870 dominios[3]. Porcentualmente, la tasa de crecimiento de registros en Chile se muestra en los siguientes gráficos[4]:

Tasa de crecimiento inscripciones de nombres por año

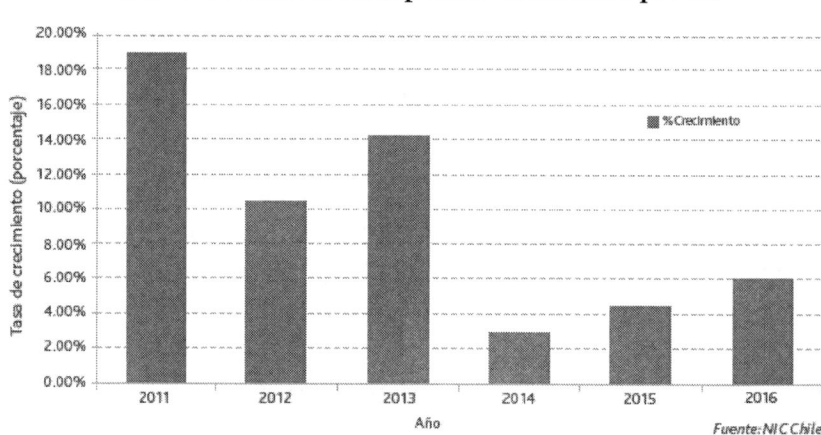

Fuente: NIC Chile

El mismo crecimiento se observa a nivel mundial:

---

2   Entidad dependiente de la Facultad de Ciencias Físicas y Matemáticas de la Universidad de Chile, encargada de la administración en Chile del sistema de nombres de dominio ".cl".

3   Información disponible en: https://www.nic.cl/estadisticas/crecimiento-detalle.html (Fecha de consulta: 14 de octubre de 2019).

4   NIC CHILE (2017), pp. 22, 24.

Inscripciones nombres de dominio CL en el mundo

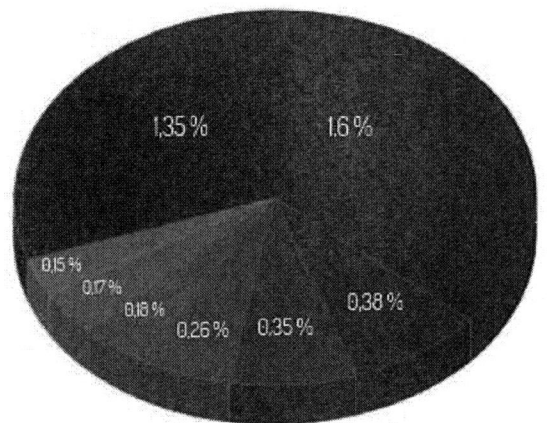

- ● Estados Unidos
- ● España
- ● Alemania
- ● Reino Unido
- ● Argentina
- ● Francia
- ● Países Bajos
- ● Otros

Pero la irrupción del *DNS* trajo consigo, además, la aparición de prácticas y figuras nunca vistas: el ciberpirateo[5], cuya relevancia ha motivado la dictación de concretas normas legales que se ocupan especialmente de la buena o mala fe[6]; el *warehousing* o acaparamiento de dominios, que alude a

---

[5]   Conocido también como ciberocupación, *cyberquatting, brandjacking* o *namejacking,* consiste en el registro o compra de nombres de dominio relacionados con marcas comerciales, con el propósito de revenderlos u obtener el pago de licencias por partes de los titulares de esas marcas. Algunos consideran que los términos "ciberpiratería" y "ciberocupación" son intercambiables, mientras que la OMPI considera que el primer término se refiere a la violación del derecho de autor en el contenido de los sitios Web, en lugar del registro abusivo de nombres de dominio. Por lo mismo, y debido al significado flexible de "ciberocupación" en la terminología popular, la OMPI ha optado por utilizar un término diferente: registro abusivo de un nombre de dominio (OMPI [1999], pp. 54 y 55).

[6]   Es el caso de la *Trademark Cyberpiracy Prevention Act (TCPA)* en Estados Unidos, de 26 de octubre de 1999 (disponible en https://www.govtrack.us/congress/bills/106/s1255/text), que confiere competencia para conocer de dichos conflictos a las cortes de distrito y por ende de la jurisdicción federal, generando así una suerte de duplicidad de estatutos aplicables a un mismo asunto, *TCPA* y *UDRP* (sobre la superposición entre *UDRP* y *TCPA* puede consultarse a Levine [2019]). La ley, como explica Agustinoy, contempla una serie de criterios para evaluar la buena o mala fe del registrante de un nombre de dominio, cuya amplitud coincide incluso con el criterio también amplio que recoge el Reglamento de NIC Chile respecto de los registros abusivos: "la ostentación o no por parte del registrante de derechos sobre la denominación afectada; la correspondencia de la denominación utilizada como nombre de dominio con la denominación social o el apodo del registrante; el uso del dominio desde su registro; la existencia o no de una voluntad de desviar el tráfico hacia la página web correspondiente al nombre de dominio de tal forma que puede perjudicar a la marca afectada; la oferta de transferencia, previo pago de una cantidad, del dominio al titular de la

la práctica de acumular nombres de dominio con miras a su reventa lucrativa, sin que exista interés en usarlos efectivamente[7]; o el *typosquatting*, consistente en el registro de nombres con errores tipográficos u ortográficos deliberados, concebidos para provocar un error en el usuario y dirigirlo a una página web distinta a la deseada[8]; o, en fin, el *Reverse Domain Name Hijacking* consistente en el uso de la Política de Resolución de Controversias de manera abusiva para intentar privar a un titular de nombre de dominio que ha registrado de buena fe[9].

Todas estas prácticas, surgidas a partir de fines del siglo pasado e incrementadas durante el actual, no son sino variantes de un mismo fenómeno inédito para la época, superador del esquema "tradicional" de conflictos conocido hasta ese momento: el registro abusivo de nombres de dominio y sus efectos de cara a los derechos e intereses de terceros titulares de signos distintivos, especialmente marcas comerciales. Visto el problema desde la

---

        marca o a un tercero; o la inclusión de datos falsos o confusos en la ficha de registro del dominio" (Agustinoy [2002], p. 79).

        En Estados Unidos, con todo, el primer instrumento legal que se utilizó antes los tribunales estadounidenses contra dominios abusivos fue la *Federal Trademark Dilution Act*, que regula la figura de la dilución de la marca, propia del derecho anglosajón.

[7]   Como advierte la OMPI, no existe una única definición para estas figuras: "En términos populares "ciberocupación" es el término más frecuentemente utilizado para describir el registro abusivo, deliberado y de mala fe de un nombre de dominio en violación de los derechos de marcas de producto y de servicio. No obstante, precisamente debido a su amplia utilización popular, el término cuenta con distintos significados para distintas personas. Algunas personas, por ejemplo, incluyen el *"warehousing"*, o la práctica de registrar una colección de nombres de dominio correspondientes a marcas con intención de vender los registros a los titulares de las marcas, en la noción de "ciberocupación", mientras que otras personas distinguen entre los dos términos.

[8]   Así por ejemplo: "bancointernacionali.cl", sentencia Rol N°30475/2019; "chilektra.cl", sentencia Rol N°1345/2014; "wwwsantotomas.cl", sentencia Rol N°11601/2016). Dicho de otra forma, se trata de una forma de ciberocupación ilegítima en donde el nombre de dominio, si bien coincide con la marca, incorpora una ligera variación literal de la misma semejante a una errata, con el deliberado propósito de generar confusión y desviar a los usuarios de Internet. Así ocurre, por ejemplo, si en el nombre de dominio de la reconocida compañía "Siemens" (www.siemens.com) se sustituye el punto por un guión tras la mención del acrónimo "www" (www-siemens.com), o si se elimina simplemente dicho punto (wwwsiemens.com), tal como ocurrió en el caso OMPI N° DES2006-003, *"Siemens S.A. y Siemens AG v. Carlos M. Escudero"*, sentencia de 31 de enero de 2007; o si al nombre de dominio "eadreams.es" se le agrega intencionalmente la letra "n" a continuación de la letra "m" (edreamns.es), sin alterar sustancialmente el núcleo del dominio (Caso OMPI N° DES2009-0044, *"Vacaciones Edreams, S.L. v. Null"*).

[9]   También conocido como "Secuestro inverso de nombres de dominio" (OMPI [1999], pp. 54 y 55).

perspectiva esencialmente "aterritorial" y autónoma de Internet, además, los remedios, institutos y mecanismos jurídicos de solución de conflictos, diseñados con base en criterios de territorialidad en sus diversas manifestaciones, sustantivas, procesales y jurisdiccionales, se mostraron insuficientes e ineficientes para abordar una problemática distinta, impregnada de desafíos y variables jurídicas, económicas y tecnológicas que ningún sistema regulatorio había anticipado[10]. Y es que el carácter distintivo que han adquirido en la práctica los nombres de dominio, sumado a la necesidad de las empresas de contar con un nombre de dominio para interactuar en el mundo cibernético, se manifiesta no solo en el uso creciente de esos dominios, sino también en la colisión eventual con otros signos distintivos (marcas, indicaciones geográficas, nombres comerciales, derechos de la personalidad, etc.) y/o con las normas y principios sobre competencia desleal, ética publicitaria e incluso con la regulación sobre protección de los consumidores, dada la potencial confusión que puede provocar el uso de signos distintivos idénticos o similares en un mismo mercado (art. 28 A de la Ley N°19.496).

Surge así, entonces, una nueva regulación ajustada a esta realidad, manifestación icónica de una naciente *lex mercatoria* del ámbito de la propiedad intelectual que ha debido compatibilizar una serie de factores, intereses y materias diferentes que inciden en este fenómeno. Ninguna de las normativas mencionadas resulta aplicable directamente a los nombres de dominio; pero todas se ocupan de resguardar bienes jurídicos que pueden ser afectados eventualmente por el uso de un nombre de dominio, registrado de buena o de mala fe. El desafío consistió, por tanto, en encontrar el justo equilibrio entre la confianza y la seguridad jurídica en el mercado, por un lado, y la iniciativa privada y el libre emprendimiento, por el otro, objetivado este último en un sistema flexible y ágil de registro de nombres de dominio que ofrezca los espacios suficientes para el desarrollo del comercio electrónico y, en general, de las diversas actividades humanas líci-

---

[10]   El fenómeno descrito motivó el surgimiento de un proceso de consultas y recomendaciones para la autorregulación del sistema de solución de conflictos a nivel mundial, liderado inicialmente por la OMPI y complementado luego por diversos cuerpos reglamentarios de aplicación interna en cada país, que han tomado como base las regulaciones de aquella y las de ICANN. Es el caso de Chile y del sistema de solución de conflictos regulado en la actual "Política de Resolución de Controversias" y en la "Reglamentación para el funcionamiento del Registro de Nombres del Dominio .CL", ambos de NIC Chile (disponibles en https://www.nic.cl/controversias/normas_aplicables.html), a cargo además de un sistema de arbitraje online que es pionero en Latinoamérica. Sobre el funcionamiento del sistema de arbitraje de NIC Chile puede consultarse a Arancibia (et al.), 2016, pp. 153-172.

tas que pueden encausarse a través de la red. Lo anterior, además, debía contar con un cauce procesal de fácil acceso, de bajo costo y de rápido despacho, que ofreciera al mismo tiempo las garantías de un justo y debido proceso; y todo susceptible de ser implementado en un contexto globalizado y pluri-jurisdiccional.

En este sentido, a fines del siglo pasado la Organización Mundial de la Propiedad Intelectual (OMPI) inició un proceso de estudio y consultas relativo a los nombres de dominio, lo que concluyó con la elaboración de un documento pionero en esta materia, denominado "La gestión de los nombres y direcciones de internet: Cuestiones de propiedad intelectual"[11], donde se plantean una serie de recomendaciones para la solución de los conflictos sobre nombres de dominio, entre ellas el arbitraje. Estas recomendaciones fueron recogidas luego por la "Corporación de Asignación de Nombres y Números de Internet" (ICANN), la que en agosto de 1999 aprobó la denominada "Política uniforme de solución de controversias en materia de nombres de dominio" (*UDRP* en su sigla en inglés)[12], reglamentada posteriormente por ICANN en el mes de octubre de 1999, con la aprobación del "Reglamento de la Política uniforme de solución de controversias en materia de nombres de dominio"[13]. El modelo recomendado por la OMPI, recogido en la Política y en el Reglamento de ICANN, consiste en un procedimiento administrativo obligatorio para el caso de los registros de nombres de dominio genéricos abusivos (esto es, registros que infringen marcas comerciales previas), a cargo de un panel de expertos designado por un "proveedor" de servicios de resolución de conflictos, aprobado por la ICANN. Se trata, básicamente, de un sistema de arbitraje al que deben someterse el reclamante titular de la marca y el titular reclamado del nombre de dominio. Según la Política de ICANN, apartado 5°, las demás disputas sobre nombres de dominio, que no se funden en el registro abusivo de nombres genéricos o que incidan en nombres territoriales o de países (*ccTLD*), serán resueltas mediante acción ante un tribunal o comité

---

[11]   Contenido en el "Informe Final sobre el Proceso de la OMPI relativo a los Nombres de Dominio de Internet", de 30 de abril de 1999. Disponible en https://www.wipo.int/amc/es/processes/process1/report (Fecha de consulta: 16 de octubre de 2019).

[12]   Aprobada el 26 de agosto de 1999. La última versión fue aprobada por la Junta Directiva de ICANN el 28 de septiembre de 2013 (Disponible en https://www.wipo.int/amc/es/domains/rules/index.html). Una completa relación cronográfica de la *UDRP* y sus antecedentes puede encontrarse en https://www.icann.org/resources/pages/schedule-2012-02-25-en

[13]   El Reglamento fue aprobado el 24 de octubre de 1999, y en él se regula el procedimiento arbitral contemplado en la Política. Disponible en https://www.icann.org/resources/pages/udrp-rules-2015-03-12-es

de arbitraje o por medio de cualquier otro procedimiento disponible. En el caso de los *ccTLD*, por tanto, la aplicación de la *UDRP* es facultativa para los distintos administradores locales, quienes pueden adoptar la Política total o parcialmente, explicitándolo en sus respectivos textos reglamentarios.

Algunos países, como España[14], Venezuela[15] y Argentina[16], han optado por regular el sistema de nombres de dominio a través de normativa estatal de carácter reglamentario, sometiéndolo a la supervigilancia de entes también gubernamentales. En Chile, el *DNS* está a cargo de NIC Chile *(Network*

---

[14]   El *"Plan Nacional de Nombres de Dominio de Internet bajo el Código de país correspondiente a España (".es")"* fue aprobado mediante Orden ITC/1542/2005, de 19 de mayo, por mandato de la Disposición Adicional Sexta de la Ley N°34/2002, de 11 de julio (Ley de servicios de la sociedad de la información). La regulación anteriormente vigente estaba constituida por la Orden CTE/662/2003, de 18 de marzo, por la que se aprueba el Plan Nacional de nombres de dominio de Internet bajo el código de país correspondiente a España ('.es'), que estableció un primer desarrollo de la disposición adicional sexta de la Ley 34/2002, de 11 de julio, de servicios de la sociedad de la información y de comercio electrónico, que regula los principios generales del sistema de asignación de nombres de dominio bajo el ".es". La Orden, a su vez, fue sometida al procedimiento de información en materia de normas y reglamentaciones técnicas y de reglamentos relativos a los servicios de la sociedad de la información, previsto en la Directiva 98/34/ CE del Parlamento Europeo y del Consejo, de 22 de junio, modificada por la Directiva 98/48/CE, de 20 de julio, así como a lo previsto en el Real Decreto 1337/1999, de 31 de julio, por el que se regula la remisión de información en materia de normas y reglamentaciones técnicas y reglamentos relativos a los servicios de la sociedad de la información, que incorpora estas Directivas al ordenamiento jurídico español.

[15]   El 24 de septiembre de 2019 se publicó en la Gaceta Oficial la Providencia Administrativa N°150, de la Comisión Nacional de Telecomunicaciones, que aprueba el *"Plan Nacional de Nombres de Dominio .ve"*, de conformidad con lo establecido en la Ley Orgánica de Telecomunicaciones de Venezuela, tras un largo proceso de discusión y consulta pública sobre la normativa que regirá la asignación de direcciones de Internet. En su art. 27.2, el Plan se remite a la regulación de la OMPI para la solución de los conflictos en caso de uso indebido de los dominios y subdominios, prácticas fraudulentas o suplantación de identidad. Disponible en: http://www.conatel.gob.ve/wp-content/plugins/pdfjs-viewer-shortcode/pdfjs/web/viewer.php?file=/wp-content/uploads/2019/10/GO41723.pdf&download=true&print=true&openfile=false (Fecha de consulta: 5 de noviembre de 2019).

[16]   El DNS en Argentina está regulado en el "Reglamento para la Administración de Dominios de Internet en Argentina", aprobado por Resolución N°43/2019, de 9 de septiembre, de la Secretaría Legal y Técnica de la Presidencia de la Nación. El Reglamento fue aprobado inicialmente por la Resolución N°110/16, de 19 de julio de 2016, de la misma Secretaría, poniendo la operatoria del DNS a cargo de la "Dirección Nacional del Registro de Dominios de Internet" de la Subsecretaría Técnica de la Secretaría recién mencionada. Reglamento disponible en: https://nic.ar/es/nic-argentina/normativa (Fecha de consulta: 5 de noviembre de 2019).

Information Center Chile), gestionado por el Departamento de Ciencias de la Computación de la Universidad de Chile por delegación de IANA, en conformidad con los principios contenidos en el documento denominado *"Request for Comments 1591: Domain Name System Structure and Delegation"*[17]. La delegación fue reconocida formalmente el 24 de junio de 2006, mediante el acuerdo marco suscrito entre NIC Chile e ICANN[18], cuyos estatutos la facultan también para delegar sus funciones como administrador del *DNS*[19].

En el caso de NIC Chile, la *UDRP* no ha sido adoptada íntegramente. A principios de esta década, en efecto, NIC Chile inició un proceso de actualización de la normativa vigente sobre nombres de dominio ".CL", cuya primera versión data del 9 de septiembre de 1997. Fue revisada luego a fines del año 1999 y, como resultado del último proceso de puesta al día, fue replanteada a través de una nueva "Política" y de un nuevo Reglamento, ambos de fecha 1 de diciembre de 2013. De esta manera, NIC Chile pasó a ser pionero en el uso del arbitraje para resolver este tipo de conflictos, que hoy se desenvuelve además en un ambiente 100% online.

La reglamentación del año 1999, a su vez, innovó respecto del esquema contemplado en la *UDRP*, sin adoptarla como tal reglamentación salvo en lo concerniente a la acción de cancelación por registro abusivo de nombres de dominio contemplada en la Política, que suponía necesariamente la existencia de una marca previamente registrada. Sobre esa base, entonces, la reglamentación del año 1999 creó una nueva acción, denominada "acción de revocación", que entre otros factores permitió controvertir un dominio no solo por parte de los titulares de derechos marcarios, sino también por cualquier persona que pudiera invocar otro derecho sobre el nombre asignado[20].

---

[17]   Disponible en: https://www.ietf.org/rfc/rfc1591.txt (Fecha de consulta: 5 de noviembre de 2019).

[18]   Disponible en https://www.nic.cl/acerca/documentos/ICANN-Accountability.pdf

[19]   Señala en este sentido el Artículo Primero, Sección 2ª, N°3, de los estatutos: "Al poner en práctica su misión, las decisiones y las acciones de la ICANN deben estar guiadas por los siguientes valores esenciales: (…) 3. En la medida de lo posible y siempre que corresponda, delegar las funciones de coordinación o reconocer la función política de otras entidades responsables que reflejen los intereses de las partes afectadas.

[20]   Arancibia (y otros), 2016, pp. 156 y 157. En la reglamentación de 1999, apartado 22°, se establecía para la acción de revocación que la inscripción del nombre de dominio debía ser abusiva "o que haya sido realizada de mala fe", contemplando así dos causales distintas de revocación: inscripción abusiva e inscripción de mala fe. La redacción fue confusa y generó dificultades de interpretación: (a) primero, porque la inscripción "abusiva" no figura en la *UDRP* como tal causal, sino como concepto objetivado en una causal única: la mala fe; (b) Luego, porque el Reglamento NIC fue más allá aun, al

La regulación del 2013, por último, optó por un sistema de inscripción inmediata de los nombres de dominio (con lo que desapareció el régimen anterior de "solicitudes en trámite"), ampliando además el ámbito de legitimación activa de la acción de revocación a "Toda persona natural o jurídica" que estime afectados sus derechos por la inscripción de un nombre de dominio (apartado 18° del Reglamento). A su vez, para permitir que una acción de revocación pudiese fundarse en derechos distintos de los marcarios y, por tanto, no solo en la figura de la ciberocupación o registro abusivo de nombres de dominio, aquella "afectación de derechos" de que habla la norma pasó a ser una fórmula amplia de arbitrabilidad material de estos conflictos, sustentada básicamente en el principio de buena fe que fue reconducido a su vez por dos carriles distintos y que no se contemplan tampoco en la *UDRP:* las denominadas "revocaciones tempranas" y las "revocaciones tardías", reservando para estas últimas las normas sobre registro abusivo contempladas en la *UDRP[21]*.

No revisaremos en este trabajo el detalle de las distintas normativas sobre solución de conflictos de nombres de dominio, pues ello, amén de innecesario, excede con mucho el objetivo que nos hemos propuesto. Nos detendremos, en cambio, en un aspecto esencial que resulta común a todas estas modernas regulaciones, recogido en ellas a modo de cláusula uniformadora aplicable a la solución de todas estas disputas: la buena fe, tanto en su vertiente negativa (registro abusivo de "mala fe") como en su versión positiva, plasmada en la fórmula de los intereses legítimos contrapuestos e "interés preferente".

2. LA DISTINTIVIDAD COMO ATRIBUTO SOBREVINIENTE DEL NOMBRE DE DOMINIO

En estricto rigor, el nombre de dominio es un instrumento tecnológico creado para ubicar sitios web en Internet; o como dice la Corte Suprema, *"un nombre único que identifica a un sitio web, siendo su propósito principal tra-*

---

ejemplificar el registro abusivo como aquel que se haya inscrito y se haya usado de mala fe (art. 22, letra "c"), lo que generó una superposición tautológica pues la mala fe pasó a ser una causal en sí misma y, al mismo tiempo, un elemento de la segunda causal ya dicha, de registro abusivo. Todo lo anterior fue superado en la reglamentación del año 2013, hoy vigente, que contempla como causal única de revocación tardía la "inscripción abusiva" (apartado 20°), aplicable no solo por la infracción de derechos marcarios (como ocurre en le *UDRP*), sino de cualquier otro derecho o interés legítimo.

[21]   Arancibia *(et al.)*, 2016, pp. 159 y ss.

ducir las direcciones IP de cada activo en la red a términos memorizables y fáciles de encontrar. En este sentido, cualquier usuario puede saber qué extensión '.cl' se encuentra o no registrada ante NIC Chile, mediante el simple ejercicio de ingresar su dirección en el motor de búsqueda dispuesto por la propia institución, o en cualquiera de los tantos otros mecanismos dispuestos en la web"[22].

Estos signos, sin embargo, tienen además la potencialidad de adquirir una distintividad sobreviniente de variados alcances, pues, como observa Carbajo, pueden emplearse como marca, para distinguir productos y servicios en Internet; como nombre comercial, para identificar la actividad de un empresario; como nombre civil; como título de obra, como es el caso de las bases de datos y *software* en línea; o, en fin, como plataforma de información sobre actividades de la más variada índole[23]. Todavía más, se utilizan generalmente con una función distintiva en el mercado, pero también –y no pocas veces– como instrumento para adquirir visibilidad a través de Internet, sin que exista necesariamente una aspiración distintiva de índole empresarial.

Los nombres de dominio no son, entonces, signos distintivos *per se,* como la marca o el nombre comercial, sino instrumentos potencialmente distintivos o de distintividad sobrevenida, cuando se los asocia a una determinada página web de uso y contenido comercial, industrial, intelectual o simplemente personal. Su eventual función distintiva, por tanto, dependerá de que su uso esté asociado a un sitio web diseñado con fines de identificación; o en palabras de Agustinoy, cuando por su uso con fines de identificación o distinción de produzca una vinculación con otros signos típicamente distintivos de la personalidad, de la empresa o de creaciones intelectuales[24]. Así lo dice también la Audiencia Provincial de Barcelona: *"El nombre de dominio (domaine name de segundo nivel –SLD–) cumple en el tráfico una doble función: ser una dirección que permite localizar los recursos presentes en la Red y otra, asumir una eficacia distintiva (en el espacio virtual) equiparable a la de los demás signos distintivos tradicionales"*[25].

Precisamente a partir de este atributo, de distintividad sobrevenida del nombre de dominio por su uso asociado a un contenido web, la doctrina especializada distingue entre diversas clases o categorías de dominios: a) El "dominio-nombre" o "dominio-denominación", que es aquel cuyo uso en

---

[22] Corte Suprema, sentencia de 25 de octubre de 2019, recurso de queja, Rol N°12.793-2019.
[23] Carbajo, 2008, p. 1410.
[24] Agustinoy, 2008, p. 38.
[25] AP de Barcelona, 6 de junio de 2005, sentencia N°276/2005, Recurso N°51/2003.

Internet permite localizar a una persona natural o jurídica, dando información sobre la misma; b) el "dominio-marca", que permite acceder a un sitio en línea donde se da publicidad y/o se ofertan bienes o servicios; c) el "dominio-nombre comercial", por el cual se da publicidad o se oferta una actividad comercial en particular; y c) el "dominio-título de obra", que permite acceder a un sitio web donde se pone a disposición del público una obra, como un programa de ordenador, una base de datos, un videojuego o incluso la misma página web si es original[26].

3. CONFLICTOS SOBRE NOMBRES DE DOMINIO Y BUENA FE: LAS ACCIONES DE REVOCACIÓN TEMPRANA Y DE REVOCACIÓN TARDÍA EN LA REGULACIÓN DE NIC CHILE

La rápida expansión del sistema de nombres de dominio y su uso generalizado, como signo distintivo empresarial y comercial en sentido amplio, ha traído consigo un aumento también sostenido de los conflictos entre los titulares de dichos dominios y los propietarios de derechos de propiedad intelectual, derivados principalmente –aunque no de manera exclusiva– del registro previo de marcas comerciales idénticas o similares. Se trata, además, de conflictos en los que conviven e interactúan intereses de variada índole, superadores incluso del ámbito puramente individual de las partes directamente involucradas en aquellos. Es, por ejemplo, el caso de los consumidores enfrentados a signos distintivos idénticos o similares, aunque de titulares distintos, que generan por tanto confusión en cuanto a la identidad de esos titulares y/o al origen de los bienes o servicios asociados a aquellos; y correlativamente el de los proveedores y prestadores de servicios, afectados eventualmente por prácticas de competencia desleal derivadas del uso de nombres de dominio, pero también del secuestro inverso al que nos referimos *supra* (nota 9).

En Chile, el aumento de la conflictividad ha sido también particularmente notorio y sostenido en los últimos años, como muestran las estadísticas de NIC Chile[27]. Para enfrentar este fenómeno, la nueva normativa de NIC Chile, del año 2013, innovó sustancialmente respecto de la *UDRP* e incluso en relación con la anterior regulación en Chile, del año 1999, al

---

[26]   Carbajo, 2002, pp. 68 y ss.
[27]   NIC CHILE, 2017. Disponible en: https://www.nic.cl/acerca/memoria30/index.html

incorporar dos cauces procesales distintos de revocación de un nombre de dominio: la acción de "revocación temprana", también conocida como revocación ordinaria, y la de "revocación tardía", modeladas ambas a partir de una aplicación amplia y dinámica del principio de la buena fe.

3.1. Revocación temprana de nombres de dominio ".CL": el concepto de "interés preferente"

Si la solicitud de revocación de un nombre de dominio es presentada dentro del plazo de 30 días contados desde la publicación del registro en la "lista de dominios inscritos", a que se refiere el apartado 11° de dicha Reglamentación, el revocante podrá hacerlo invocando únicamente un *"interés preferente"* en el nombre de dominio previamente registrado (apartado 19° del Reglamento NIC Chile). La reglamentación, sin embargo, no ha querido definir este concepto de "interés preferente", opción que, lejos de ser una ambigüedad, constituye un factor que favorece la labor de juzgamiento de los árbitros. La fórmula dicha, pues, involucra una remisión implícita al principio general de la buena fe, que como tal puede ser aplicado a la muy variada gama de situaciones que se plantean en este ámbito y cuyo entorno común, además, viene modelado por un concepto igualmente amplio e indeterminado, como es la "afectación de derechos".

Por lo anterior, y considerando que la referida reglamentación no contempla una definición del concepto de "interés preferente", su concreto significado y alcance debe buscarse necesariamente en el sentido natural y obvio de las palabras que utiliza el Reglamento, y en el uso general de las mismas palabras (art. 20 del C. Civil). Así, y según el Diccionario de la Real Academia Española, se entiende por "interés" la "inclinación del ánimo hacia un objeto, una persona, una narración, etc."; y por "preferente" aquello "que tiene preferencia o superioridad sobre algo", constituyendo a su vez "preferencia" la "primacía, ventaja o mayoría que alguien o algo tiene sobre otra persona o cosa, ya en el valor, ya en el merecimiento." De esta forma, puede entenderse para estos efectos el concepto de "interés preferente" como aquella primacía, superioridad o ventaja del ánimo que manifiesta la parte revocante respecto del registro y uso del nombre de dominio en disputa, cuestión de hecho que debe ser acreditada en términos tales que permitan desechar, correlativamente, el interés en principio legítimo que ha motivado el registro previo de dicho nombre de dominio por parte del titular.

A partir de este nuevo concepto de "interés preferente", entonces, la reglamentación vigente en Chile innova respecto de la *UDRP*, ampliando la causa de pedir de la acción de revocación "temprana" u ordinaria a toda y cualquier afectación de derechos e intereses legítimos previos, provengan o no de una marca comercial. Esta nueva fórmula no distingue en cuanto a la naturaleza y origen de esos derechos o intereses ni exige acreditar, por tanto, la existencia de un registro abusivo que afecte necesariamente derechos marcarios antelados, pues, por el contrario, en ella incardinan todos aquellos casos en que el registro de un dominio afecta los derechos de terceros ajenos al contrato celebrado entre el titular registrante y el administrador del *DNS* (en este caso NIC Chile), sea que se originen o no en una marca comercial. Se incluyen aquí, por tanto, los casos de secuestro inverso, ya mencionados, la afectación del nombre comercial, de la presentación comercial, la de derechos de propiedad intelectual distintos de la marca comercial, la de los atributos personales, las situaciones de competencia desleal sin que exista necesariamente infracción marcaria y, en fin, todos aquellos casos en que el uso del nombre de dominio genera o puede generar confusión en los consumidores, aun cuando no concurra una conducta de mala fe por parte del titular del dominio[28].

Con todo, y como se acaba de advertir, para que sea procedente la acción de revocación temprana debe existir también un derecho previo que resulte afectado por el registro del nombre de dominio, binomio que le imprime al concepto de "interés preferente" una función esencialmente tutelar de esos otros derechos previamente adquiridos, más allá de la sola intención del titular de éstos en cuanto a usar o no el dominio que se pretende revocar, en caso de prosperar su pretensión en sede arbitral. Este factor, a su vez, contrastado con el carácter único e irrepetible que presenta un nombre de dominio (que, a diferencia de las marcas, no puede coexistir con otro igual), le impone al árbitro un especial deber de atención a la hora de identificar los intereses en conflicto y, desde allí, la condición "preferente" de alguno de ellos, pues a partir de esa determinación jurisdiccional la palabra, nombre, acrónimo, sigla o, en general, la expresión alfanumérica que compone ese nombre de dominio quedará irremisiblemente cautiva y sin posibilidad alguna de uso compartido en la web.

En este contexto, el apartado 14° del Reglamento NIC Chile se ocupa especialmente de fijar las pautas de conducta que debe observar toda persona que pretenda registrar un nombre de dominio, al señalar que *"Será de*

---

[28] Refiriéndose a la anterior reglamentación de NIC Chile, Morales sostiene que los derechos susceptibles de afectación pueden emanar de todos los tipos de nombres o denominaciones, tales como los nombres o razones sociales, nombres de personas jurídicas sin fines de lucro, nombres oficiales de entidades de derecho público y nombres de personas naturales" (Morales, 2010, p. 85).

responsabilidad exclusiva del titular del registro que su inscripción no contraríe las normas sobre ejercicio de la libertad de expresión y de información, los principios de la competencia leal y de la ética mercantil, como asimismo, derechos válidamente adquiridos por terceros (...)". La regla, por tanto, hace una referencia implícita al principio de la buena fe, al que le asigna además una función articuladora de materias e intereses que, si bien pertenecen a distintos ámbitos normativos, regulan derechos y obligaciones que pueden resultar afectados por el uso actual o potencial de un nombre de dominio. De esta forma, el concepto de "interés preferente", que en principio puede parecer ambiguo e impreciso, adquiere un contenido jurídico concreto, derivado de la existencia previa de derechos por parte del revocante, amparados en el ejercicio legítimo de la libertad de expresión y de información[29], los principios de competencia leal y de ética mercantil, y en general en cualquier otro derecho válidamente adquirido.

---

[29]   Véase por ejemplo la sentencia dictada en el proceso arbitral de revocación del nombre de dominio "elmercuriomiente.cl", de fecha 19 de enero de 2005, muy cuestionada en su momento. En el Considerando 6°, el laudo arbitral señala: "Así las cosas, tenemos dos medios de comunicación social, uno llamado con el nombre de dominio "elmercurio" y el otro con el nombre de dominio "elmercuriomiente". Cabe la pregunta, ¿es ético que el nombre de un medio de difusión de información, niegue la veracidad total del contenido de otro medio de difusión de información?, es decir, ¿puede un nombre de dominio que pertenece a una página de difusión de información, aseverar mediante dicho nombre que toda la información de otro medio de comunicación social, no es veraz, *a priori* e íntegramente? Este árbitro tiene que forzosamente concluir que la sola inclusión de ese nombre, es mala fe. No es concebible que una página en Internet le niegue su esencia a la otra, sin afectar gravemente la ética comercial dentro de la red, por lo menos, tendría que demostrar en que su competidora miente."

Puede mencionarse también la sentencia dictada en el conflicto por el nombre de dominio "barrickmiente.cl", de 13 de abril de 2011, que en su Considerando Sexto señala: "Que de su parte la libertad de expresión y derecho a la información, son derechos constitucionalmente reconocidos, y contenidos en instrumentos de derechos humanos, como una de las bases del sistema democrático. El rol de estos derechos es generar las condiciones necesarias para que todas las voces puedan ser expresadas sin censura previa y asimismo que todas las personas puedan recibir la información que requieran para formarse su propia opinión sobre la verdad de las cosas. Sin perjuicio de que estos son derechos fundamentales, derivados de los derechos de terceros. En concreto, en el caso que nos ocupa, la libertad de expresión no faculta al sujeto que la ejerce, para apropiarse de expresiones y/o términos sobre los cuales un tercero tiene derechos de propiedad marcaria (en este caso marcarios), y menos aún a construir una expresión en que asocia la expresión protegida a un adjetivo peyorativo que vaya en perjuicio de los atributos de este tipo de denominadores. Siendo así, habrá de acogerse la demanda del segundo solicitante, por haber acreditado que tiene un mejor derecho al nombre de dominio en disputa." Disponible en: http://www.nic.cl/cgi-bin/get-fallo?f=barrickmiente-14585.pdf (Fecha de consulta: 12 de noviembre de 2019).

En suma, quien pretenda la revocación temprana de un nombre de dominio, deberá invocar la afectación de un concreto derecho subjetivo más no meras expectativas y ni siquiera el interés genérico de observancia de la ley o del respeto del orden público y las buenas costumbres. La fórmula del "interés preferente", por tanto, vista a la luz del deber de diligencia que impone el apartado 14° del Reglamento, deberá construirse en cada caso a partir de un concepto objetivo de buena fe, más allá de la intencionalidad (dolo o culpa) del titular del nombre de dominio cuestionado, tomando como base para ello *"una conducta ética significada por los valores de la honradez, lealtad, justo reparto de la propia responsabilidad y atenimiento a las consecuencias que todo acto consciente y libre puede provocar en el ámbito de la confianza ajena"*[30].

3.2. *Revocación tardía de nombres de dominio ".CL": el concepto de "registro abusivo"*

El segundo canal de revocación de nombres de dominio ".CL" es la denominada "revocación tardía", que bien puede denominarse también como "revocación ordinaria" si se considera que en esto la reglamentación sigue los criterios contenidos en la *UDRP*, sobre revocación de registros de nombres de dominio abusivos, que afecten marcas comerciales previamente registradas por terceros. Se refiere a ella el apartado 20° del Reglamento NIC Chile, que señala:

> *"Si la solicitud de revocación fuere presentada con posterioridad al vencimiento del plazo a que se refiere el tercer párrafo del artículo 11, el revocante deberá probar que se trata de una inscripción abusiva, lo cual ocurrirá cuando concurran las tres condiciones siguientes:*

---

[30]   AP de Valencia, de 14 de mayo de 2002 (JUR 2002/198901). Citada también por Barona (2008), Tomo I, p. 297.
En Chile, La Corte Suprema ha confirmado es mismo criterio de buena fe objetiva como cláusula general en materia de competencia desleal, lo que resulta plenamente aplicable a los conflictos sobre nombres de dominio: *"9. Que, en tal contexto, debe recordarse que, conforme esta Corte ya ha sostenido, el objetivo del texto legal pertinente es la protección, en general, de cualquier persona afectada en sus intereses legítimos por un acto de competencia desleal, y que para su configuración no es menester acreditar la concurrencia de dolo, u otro elemento de naturaleza subjetiva, pues se trata de satisfacer ciertas normas objetivas, que son las que consagra el artículo 3° de la Ley N° 20.169 (sentencia de 25 de noviembre de 2015, en autos N° 23.680-14), ya que para su configuración 'solo es necesario que se comprueben los medios ilegítimos de que se valió el infractor para desviar clientela y que resulten contrarios a la buena fe o a las buenas costumbres mercantiles, para que la acción sea procedente' (así propone el profesor Oscar Contreras B., en 'La Competencia Desleal y el deber de Corrección en la ley Chilena', Ediciones UC, 2012)"* (CS, 3 de julio de 2018, casación en el fondo, *"Howard Solution.Com LLC USA con C.M.P.C. Maderas S.A."*, Rol N°6888-2017).

a)Que el nombre de dominio sea idéntico o engañosamente similar a un nombre por el cual el reclamante es conocido o a una marca u otra expresión respecto de la cual el reclamante alega tener derechos previos; y,

b)Que el asignatario del nombre de dominio no tenga derechos o intereses legítimos con respecto del nombre de dominio; y,

c) Que el nombre de dominio haya sido inscrito o se utilice de mala fe."

Según la norma transcrita, la causal de revocación tardía de nombres de dominio es única: que la inscripción del dominio respectivo haya sido "abusiva", en el entendido que con ella se afecten derechos legítimos provenientes de registros marcarios de propiedad de terceros. A su turno, y a diferencia de lo que ocurre con la acción de revocación temprana, los hechos o circunstancias que configuran la causal son básicamente tres y deben concurrir siempre copulativamente: la identidad o similitud material engañosa; la falta de derechos o intereses legítimos por parte del titular demandado y la mala fe del titular del nombre de dominio. Los revisaremos separadamente.

3.2.1. Identidad o similitud engañosa

En este primer punto, el apartado 20° del Reglamento, letra a), exige que la similitud sea "engañosa", esto es, que objetivamente tenga la potencialidad de generar confusión en un usuario medianamente informado y perspicaz de Internet. Se trata, por tanto, de un concepto esencialmente jurídico, cuyos elementos han sido descritos de la siguiente manera por la Audiencia Provincial de Barcelona:

"Para que el riesgo de confusión pueda hacerse realidad se exige que entre la marca anterior y el signo cuyo registro se ha logrado con posterioridad (acción de nulidad) o que está siendo usado por la demandada (acción de infracción) exista identidad o semejanza, que los productos o servicios que designan sean idénticos o similares y que, por ello o como consecuencia, exista un riesgo de confusión en el público, que incluye el llamado riesgo de asociación (que no es una alternativa al riesgo de confusión, sino que sirve para delimitar su alcance). El riesgo de asociación, que está incluido en el riesgo de confusión a efectos marcarios, determina en el consumidor la creencia, equivocada, de que el producto o servicio, o actividad, procede de empresas que si bien son diferentes, pertenecen a una misma estructura u organización global común, o están vinculadas por algún tipo de concierto jurídico o económico (STCE asunto Canon, entre otras muchas)"[31].

---

[31]   AP de Barcelona, Sección 15ª, de 4 de diciembre de 2013, N° 261/2013.

También el Tribunal de Justicia de las Comunidades Europeas se ha ocupado de este factor, en diversas ocasiones. Así, ha dicho que *"el riesgo de confusión constituye la condición específica de la protección conferida por la marca registrada, en particular contra el uso por terceros de signos no idénticos (...)"*, agregando que *"el Tribunal de Justicia ha definido esta condición como el riesgo de que el público pueda creer que los productos o servicios de que se trata proceden de la misma empresa o, en su caso, de empresas vinculadas económicamente (...)"* (Considerando 28°). También ha puesto de manifiesto dicho Tribunal que la apreciación de ese riesgo *"depende de numerosos factores y, en particular, del conocimiento de la marca en el mercado, de la asociación que puede hacerse de ella con el signo utilizado o solicitado, del grado de similitud entre la marca y el signo y entre los productos o servicios designados"* y que, en todo caso, *"debe apreciarse globalmente, teniendo en cuenta todos los factores pertinentes del caso concreto"* (Considerando 30°)[32].

Para apreciar entones la concurrencia de este elemento de "confundibilidad", resulta indispensable considerar (a) la identidad o similitud entre el nombre de dominio en disputa y los derechos previos que la demandante invoca a su favor; y (b) si de la misma se deriva o no riesgo de confusión en los consumidores. No basta, con todo, que el nombre de dominio y la marca sean similares o parecidos. Más que eso, ambos –marca y dominio– deben ser "confundibles" para el público consumidor, pues solo en ese extremo podrá justificarse la concurrencia de una similitud engañosa, en los términos del apartado 20° letra a) del Reglamento. Se trata, en fin, de evitar que el usuario de Internet, al utilizar el nombre de dominio, pueda creer que está accediendo al sitio web del titular o usuario legítimo de la marca previamente registrada.; o dicho de otra forma, que para un usuario medianamente informado y perspicaz de la Internet, la coexistencia de ambos registros, con titulares distintos, pueda generar confusión en una doble vertiente: (a) en cuanto al concreto origen de los servicios asociados a cada signo, o (b) en cuanto a la eventual relación empresarial que podría existir entre sus respectivos prestadores.

---

[32] Sentencia de 10 de abril de 2008, N°C-102/2007, *"Adidas AG c. Benelux BV"* (Asunto C-102/07). En igual sentido: Sentencia de 11 de noviembre de 1997, *"Sabel c. Puma"*; sentencia de 28 de septiembre de 1998, *"Canon c. MGM"*; sentencia de 22 de junio de 1999, *"Lloyd c. Klijsen"*; sentencia de 12 de noviembre de 2002, *"Arsenal Football Club c. Matthew Reed"*; sentencia de 20 de marzo de 2003, *"LTJ Diffusion S.A. c. Sadas Vertbaudet S.A."*, entre otras.

3.2.2. Que el titular del nombre de dominio cuestionado *"no tenga derechos o intereses legítimos"*

Este segundo requisito copulativo de la inscripción abusiva presenta dos aspectos que pueden generar alguna duda.

a) Un primer problema es de la carga de la prueba que recae en el demandante de revocación, quien, a fin de cuentas, deberá acreditar un hecho negativo: que el titular del nombre de dominio *"no tenga"* derechos o intereses legítimos sobre dicho signo. En este sentido, y considerando que la exigencia de probar lo que "no es" (*probatio diabólica*) constituye una carga imposible de levantar, bastará con que el revocante demuestre ser titular de derechos previamente adquiridos sobre el mismo signo o uno similar, derivados de una marca comercial vigente y válidamente registrada. A partir de ahí, la carga probatoria se trasladará por tanto al demandado, quien deberá demostrar que el nombre de dominio ha sido registrado de buena fe y que los derechos que le confiere no afectan los derechos marcarios previos del actor.

Según lo dicho, entonces, al demandante le corresponde demostrar (a) la existencia de derechos e intereses legítimos derivados de una marca comercial previamente registrada y (b) que tales derechos e intereses se encuentran objetivamente afectados por el registro posterior del nombre de dominio, configurando así, *prima facie,* los presupuestos de su pretensión de revocación tardía; mientras que el titular demandado deberá demostrar la existencia de derechos e intereses legítimos en el registro y, desde allí, su actuar de buena fe, reflejada en una conducta que permita descartar la intención de aprovecharse de la fama y reputación de una marca previamente registrada[33]. Por ello, especial relevancia tendrá en estos casos la

---

[33] Así se dijo en el caso *"Sarah Lonsdale y Stuart Clark t / a RocknCrystals v. Domain Admin / Este dominio está a la venta, HugeDomains.com"*, sentencia de 6 de septiembre de 2019, caso OMPI N° D2019-1584, dominio "rockncrystals.com": "6.c (…) la Demandada afirma que compró el nombre de dominio en disputa 'por el significado genérico de las palabras combinadas y la relación inherente entre rocas y cristales'. En el momento de su registro del nombre de dominio en disputa, la Demandada argumenta con razón que no era y no podía ser consciente de que el Demandante presentaría [posteriormente] una solicitud de marca comercial. (…) 7. (…) El Panel también encuentra que, en su breve conjunto de presentaciones sobre mala fe, el Demandante exageró gravemente el impacto de su incapacidad para poseer el nombre de dominio en disputa. El objetivo del Reclamante al atribuirle al Demandado la intención de 'matar' su negocio evidentemente tenía como objetivo crear la impresión de irregularidades deliberadas, cuando en realidad no había evidencia para apoyar este tipo de caracterización. A la luz de estos factores, el Panel considera que la Demanda fue presentada

fuerza de la marca en el mercado y el conocimiento que de ella tenga el demandado, al momento de registrar el dominio, pues su sola existencia antelada no implica *per se* una afectación de derechos de su titular[34].

Este postulado, conocido como criterio *"prima facie"*, ha sido planteado también por los paneles de expertos de la OMPI, en el marco de aplicación de la *UDRP*. Se ha dicho, por ejemplo, que *"el Demandante primero debe presentar un caso prima facie de que el Demandado carece de derechos e intereses legítimos en el nombre de dominio en disputa bajo la Política 4 (a) (ii), luego la carga se traslada al Demandado para demostrar que tiene derechos o intereses legítimos"*[35]; que *"Bajo la Política 4 (a) (ii), el demandante primero debe distinguir prima facie que la Demandada carece de derechos e intereses legítimos con respecto a un nombre de dominio en cuestión y luego la carga, en efecto, se traslada a la Demandada para presentar pruebas de sus derechos o intereses legítimos"*[36]; y, en fin, que es necesario *"que la Demandante, con los medios de prueba que tiene a su alcance, aporte indicios que demuestren, prima facie, que la demandada carece de derechos o intereses legítimos sobre el nombre de dominio en disputa"*[37].

b) El segundo aspecto a considerar consiste en que el Reglamento, al igual que la *UDRP*, no aclara qué debe entenderse por *"derechos e intereses legítimos"*. Por ello, el contenido y alcance de este concepto deberá buscarse en las normas y principios del derecho común y particularmente en el ejercicio de buena fe de esos derechos, en cuanto conducta exenta de todo fraude y abuso.

---

de mala fe y constituye el Secuestro de Nombre de Dominio Inverso según el párrafo 15 (e) de las Reglas de la UDRP." Disponible en: https://www.wipo.int/amc/en/domains/search/text.jsp?case=D2019-1584 (Fecha de consulta: 20 de noviembre de 2019).

[34] Es lo que se señala en el caso *"FPK Services LLC DBA HealthLabs.com v. Contacto Privacy Inc. Cliente 1241257718 / Michael Gillam"*, sentencia de 10 de octubre de 2019, caso OMPI N° D2019-1483: "No hay nada en el registro que indique que el Demandado tenía conocimiento del Demandante o su supuesta marca en el momento en que se adquirió el Nombre de dominio en 2017. Uno de los factores que los paneles tienen en cuenta es la fuerza o la debilidad de la marca; como señala el panel, las marcas descriptivas no son una prueba inherentemente distintiva de ausencia de significado secundario." Disponible en: http://www.circleid.com/posts/20191101_challenging_domain_names_for_abusive_registration_udrp_and_acpa/ (fecha de consulta: 20 de noviembre de 2019).

[35] *"Metamark (UK) Limited v. Andrew Longton / Metamark Corportation"*, de 30 de octubre de 2019, N° de reclamo: FA1909001864151. Disponible en https://www.adrforum.com/domaindecisions/1864151.htm (Fecha de consulta: 19 de noviembre de 2019).

[36] *"Neal & Massey Holdings Limited v. Gregory Ricks"*, de 12 de abril de 2014, N° de reclamo: FA 154932

[37] *"Constitución y Leyes, S.A. v. Consorcio Latino Exportador, S.L."*, Caso OMPI No. DES2013-0017.

Sin perjuicio de lo anterior, la distinción que hace aquí el Reglamento, entre "derechos" e "intereses", nos parece confusa e irrelevante, pues, a fin de cuentas, el interés comprometido debe provenir siempre de un concreto derecho subjetivo afectado, en cuanto bien jurídico protegido que excluye por tanto las meras expectativas y, como se dijo *supra*, las pretensiones sustentadas en el interés genérico de observancia de la ley y en el respeto del orden público y las buenas costumbres.

3.2.3. Que el nombre de dominio *"haya sido inscrito o se utilice"* de mala fe.

Tres son los aspectos que nos parecen relevantes en este punto y que deben abordarse separadamente, para comprender el preciso sentido y alcance del modelo adoptado por la norma reglamentaria de NIC Chile.

a) Debe advertirse, en primer lugar, que el apartado 20° del Reglamento, siguiendo un criterio asimilable al que se aplica a los conflictos sobre marcas comerciales, utiliza la conjunción "o", de manera que, para estos efectos, incurrirá en la conducta descrita tanto el que registra de mala fe un dominio, aunque luego lo use de buena fe, como aquel que lo use de mala fe, aunque lo haya registrado de buena fe.

Distinta es la solución que da la *UDRP*, pues allí el registro y el uso son elementos copulativos, más no alternativos. El apartado 4.a) de la *UDRP*, en efecto, utiliza a la conjunción "y", lo que eleva el umbral probatorio para el demandante y dificulta, además, la prueba de la causal en aquellos casos en que el nombre de dominio no es usado efectivamente en el mercado. Dice concretamente la norma:

> *"Controversias aplicables. Usted estará obligado a someterse a un procedimiento administrativo obligatorio en caso de que un tercero (un 'demandante') sostenga ante el proveedor competente, en cumplimiento del Reglamento, que,*
>
> *(…) iii) usted posee un nombre de dominio que ha sido registrado y se utiliza de mala fe."*

En consecuencia, para la *UDRP* el uso o el registro de mala fe, vistos de manera independiente el uno del otro, son insuficientes para configurar, cada uno por sí solo, un caso de registro abusivo (modelo conjuntivo). En cambio, y como se acaba de señalar, para la reglamentación NIC Chile vigente bastará con acreditar la mala fe originaria "o" la sobreviniente, cualquiera de ellas, lo que de paso vino a resolver la situación de "blindaje" en que se encontraban aquellos dominios que, como se acaba de señalar, se registraban de mala fe aunque luego no se usaban, factor que descartaba por tanto la concurrencia del elemento copulativo de revocación que exige todavía la *UDRP.* Dicho de otra forma, para la reglamentación de NIC Chile la hipótesis de mala fe admite las dos vertientes descritas, ambas idóneas para configurar el presupuesto subjetivo de la acción revocatoria por registro abusivo: (a) la hipótesis de mala fe originaria del titular del dominio, existente al momento del registro; "o" (b) la mala fe sobrevenida, manifestada en el uso ulterior del nombre de dominio aun cuando éste se haya registrado inicialmente de buena fe.

b) Adicionalmente, la revocación "tardía" o revocación por registro abusivo contemplada en el Reglamento no supone ya, necesariamente, la existencia de un registro marcario previo afectado por un nombre de dominio posterior, como sí lo exige la *UDRP.* Según el apartado 20° del Reglamento NIC Chile, pues, la revocación procederá por la afectación de todo y cualquier "derecho o interés legítimo" del revocante, sea que éstos se originen o no en una marca comercial previamente registrada.

c) Por último, el Reglamento adopta también un enfoque amplio de la mala fe, recogiendo para ello algunos ejemplos en que ésta se configura aunque sin agotar, por tanto, las diversas situaciones que pueden presentarse en la práctica[38] ni descartar que la mala fe pueda provenir incluso del titular de la marca[39]. En este sentido, el apartado 20° del Reglamento fija ciertas directrices encaminadas a configurar precisamente el señalado elemento subjetivo, ofreciendo las siguientes pautas en cuanto antecedentes y circunstancias indiciarias de mala fe: "

> *"a) Que existan circunstancias que indiquen que se ha inscrito el nombre de dominio con el propósito principal de venderlo, arrendarlo u otra forma de transferir la inscripción del nombre de dominio al reclamante o a su competencia, por*

---

[38] "Dada la capacidad humana para las travesuras en todas sus formas, la Política adopta sensatamente un enfoque abierto a la mala fe, enumerando algunos ejemplos sin intentar enumerar exhaustivamente todas sus variedades (*"Worldcom Exchange, Inc v. Wei. com, Inc."*, Caso OMPI N° D2004-0955, sentencia de 5 de enero de 2005. Disponible en https://www.wipo.int/amc/en/domains/decisions/html/2004/d2004-0955.html (Fecha de consulta: 26 de noviembre de 2019).

[39] En *"Metamark (UK) Limited v. Andrew Longton / Metamark Corporation"* se destacó precisamente este factor, al reprochar el registro posterior de una marca como factor justificante de un reclamo contra un dominio anterior: "El nombre de dominio se registró el 3 de abril de 1997 y la marca no se registró hasta el 28 de junio de 2018, 21 años después. En la evidencia, por lo tanto, el demandado mantuvo el nombre de dominio durante 21 años antes de que el demandante hiciera el presente reclamo. Siendo así, ningún panel estaría preparado para perturbar la propiedad de los demandados del nombre de dominio en ausencia de pruebas contundentes de que el demandado haya actuado de mala fe. Esa evidencia no ha sido presentada (Caso OMPI N° FA190900 1864151, sentencia de 30 de septiembre de 2019).

un valor excesivo por sobre los costos directos relativos a su inscripción, siendo el reclamante el propietario de la marca registrada del bien o servicio; o,

b) Que se haya inscrito el nombre de dominio con la intención de impedir al titular de la marca de producto o servicio reflejar la marca en el nombre de dominio correspondiente, siempre que se haya establecido por parte del asignatario del nombre de dominio, esta pauta de conducta; o,

c) Que se haya inscrito el nombre de dominio o se use con el fin preponderante de perturbar o afectar los negocios de la competencia; o,

d) Que usando el nombre de dominio, el asignatario de éste haya intentado atraer con fines de lucro a usuarios de Internet a su sitio web o a cualquier otro lugar en línea, creando confusión con la marca del reclamante".

Cada uno de estos ejemplos ha dado pie a una nutrida jurisprudencia de los paneles OMPI, que por razones de extensión no podemos revisar en esta oportunidad. No obstante, sí nos parece necesario destacar dos situaciones que pueden presentarse en este contexto y que deben ser consideradas a la hora de ponderar la concurrencia –o no– de la mala fe, según los ejemplos recién citados: el caso de la mala fe capaz de provocar una "confusión inicial" y la situación de la caducidad de los derechos marcarios por tolerancia del revocante.

i) Mala fe y confusión inicial.

Como lo ha señalado la doctrina especializada, la mala fe se refiere no solo a la atracción de usuarios de Internet creando un riesgo directo y evidente de confusión, sino también por la vía de generar una confusión inicial o anticipada[40], también denominada "confusión preventa". En el primer caso, más evidente y por lo mismo menos común, la utilización de un nombre de dominio igual o similar a la marca va acompañada de unos contenidos que pueden llevar a creer a los internautas que el titular de dicha marca es el responsable del respectivo sitio en Internet, o que lo patrocina de alguna manera. En la segunda variante, en cambio, de confusión inicial o anticipada, se emplea el nombre de dominio idéntico o similar a una marca para captar a los cibernautas, quienes, al acceder a la correspondiente página web, creyendo que ésta se relaciona con el titular

---

[40] Bajo la *UDRP* se requiere solo un grado de confusión el menor, comparable por tanto con la doctrina desarrollada por las Cortes estadounidenses conocida como *"initial interest confusión"*, descrita por Laketic como un criterio de confundibilidad "que se aplica incluso en los casos cuando hay una tenue confusión temporal, lo que está ampliando los límites del derecho marcario tradicional" (Laketic [2019], p. 38).

de la marca, pueden verificar que el creador y responsable de aquella no es ese titular, sino un tercero distinto[41].

Como señala Chijane[42], en fin, "en la confusión preventa el consumidor inicialmente erra, pero al observar el producto, inmediatamente se dará cuenta de que está ante un artículo diverso al que pretendía adquirir. Pero una vez que accedió al artículo infractor, lo analizará y probablemente lo termine adquiriendo, operando una desviación originaria de su interés, modificándose su opción de compra (…) De este modo, primariamente el consumidor asociará los servicios, e inmediatamente los deslindará, pero existió una confusión primaria que desvió su atención, tan relevante como la que se concreta al contratar la prestación o comprar un producto."

ii) Buena fe sobrevenida y caducidad por tolerancia.

Resulta pertinente destacar, en primer término, que el apartado 20° del Reglamento no permite sostener que la buena fe sobreviniente del titular, que inicialmente registró el dominio de mala fe, pueda ser tutelada frente al derecho o interés legítimo invocado como causa de pedir de la acción de revocación. El punto por resolver, por tanto, consiste en determinar si la tolerancia del propietario de una marca, en cuanto al uso ostensible por un tercero de un nombre de dominio registrado en forma abusiva, puede ser esgrimida por éste como antecedente para justificar un uso de buena fe (sobrevenida) de dicho dominio, sustentada en el consentimiento tácito del dueño de la marca.

Según la doctrina especializada, e incluso para algunas legislaciones (*v. gr.* art. 52 de la Ley de Marcas española, N°17/2001), en el ámbito marcario la caducidad por tolerancia se aplica solo a aquellas situaciones en que el titular del registro posterior se encuentra de buena fe, exigencia que se condensa en la máxima *"turpitudinem suam allegans non auditur"*[43].

Adicionalmente, la señalada tolerancia –y con ella la cohabitación de los signos distintivos en conflicto en el mercado– debe haberse mantenido por un largo tiempo, durante el cual el titular posterior ha podido usar su signo y ha invertido en él, generando así un valor económico adicional, jurídicamente tutelable. Así, y por poner algunos ejemplos, la ley española de marcas fija este tiempo –y por ende el retraso desleal en ejercer los derechos y acciones de tutela de la marca– en un periodo de 5 años (art. 52),

---

[41]   García, 2002: 242.

[42]   Chijane, 2017: 67 y 68.

[43]   Así Gómez Segade, 1999: 6.

mientras que la jurisprudencia norteamericana, refiriéndose a las patentes, lo ha cifrado en 6 años, por analogía con lo dispuesto por la Ley federal de patentes para la limitación de los daños y perjuicios[44].

Pero existe un tercer aspecto por considerar: En estos casos, la cohabitación o coexistencia por tolerancia de signos iguales o similares, derivada de la eventual "inatacabilidad" del nombre de dominio por el titular de la marca, genera en último término un riesgo de confusión y de asociación que trasciende el puro interés de las partes en conflicto y que alcanza, eventualmente, el interés general de los consumidores. Precisamente por esa cohabitación tolerada, los consumidores-usuarios de Internet podrán incurrir en equívocos en cuanto al origen de los servicios y actividades asociadas a cada signo o, en último término, podrán estimar razonablemente que entre ambos titulares existe una vinculación empresarial que en realidad no es tal; y en este entendido, por tanto, la mala fe inicial del titular del nombre de dominio resulta determinante al momento de decidir el conflicto[45].

En suma, el apartado 20°, letra c), del Reglamento NIC Chile, en su encabezado, se refiere indistintamente a los casos en que el nombre de dominio *"ha sido inscrito"* (momento inicial) o *"se utilice"* (momento presente) de mala fe, desarrollando luego, en ese contexto, diversas conductas –no las únicas– que resultan indiciarias de la buena o mala fe. Por tanto, que la norma reglamentaria (apartado 20°, letra c, sub-literal c) exija que el nombre de dominio se esté "usando" para atraer con fines de lucro a los usuarios de Internet, amén de obvio (pues, de lo contrario, difícilmente podría atraerse por esta vía a esos usuarios-cibernautas), no purga la mala fe inicial aunque haya sido tolerada por el titular marcario, si por esa vía se afecta el interés de terceros (consumidores). En estos casos, y como señala la doctrina, "la buena o mala fe (en este caso la conciencia de la confundibilidad) se determina al momento de la solicitud (…). Ello es lógico si tenemos en cuenta el sistema de búsqueda, nacido para simplificar los trámites de registro, a la vez que tutelar la posición jurídica de los titulares de los derechos anteriores afectados, evitándoles mantener un sistema de vi-

---

[44]   Véase entre otras: sentencia del Circuito Federal del año 1988, en el caso *"Jamesbury Corp. vs. Litton Industrial Products"* (5 USPQ 2d., pp. 1779 y ss.); la sentencia del Circuito Federal del año 1990, en el caso *"Adelberg Laboratories, Inc. vs. Miles"* (17 USPQ 2d., pp. 1111 y ss.); y la sentencia del Circuito Federal en pleno del año 1992, recaída en el caso *"A. C. Aukerman Vo. vs. R. L. Chaides Construction Co"* (22 USPQ 2n., pp. 1321 y ss).

[45]   Véase en este sentido la sentencia sobre el nombre de dominio "elaviondelaroja.cl", de 3 de julio de 2018, Rol N°22.160. Con recurso de queja rechazado (Corte de Apelaciones de Santiago, sentencia de 5 de septiembre de 2018, Rol N°8534-2018).

gilancia en relación con las marcas posteriores que puedan entrar en conflicto con la suya. Se trata, en definitiva, de permitir que quienes puedan verse afectados por el signo posterior, tengan el conocimiento oportuno, para poder ejercitar los derechos que le corresponden (…)"[46].

4. CONSIDERACIONES FINALES: EL PRINCIPIO *"FIRST COME, FIRST SERVED"* COMO MANIFESTACIÓN DEL PRINCIPIO DE LA BUENA FE EN EL REGISTRO DE NOMBRES DE DOMINIO.

La regla *"first come, first served"* (primero que entre, primero que se atiende), aplicable a los conflictos sobre nombres de dominio, constituye una manifestación del principio general del derecho *'prior in tempore, potior in iure'* (primero en tiempo, primero en derecho), aplicable a aquellas situaciones de conflicto en que ambas partes demuestran ser titulares de derechos legítimos sobre un nombre de dominio, debiendo preferirse en tal caso a quien primero lo registró.

Se trata, entonces, de una prioridad cronológica o inicial, pues, como aclara la Audiencia Provincial de Zaragoza, *"cuando se concede el dominio no se examina idoneidad ni de anterioridad de otros dominios (sin prejuzgar en absoluto la posible existencia de mejores derechos de terceros sobre la mención utilizada como indicador de segundo nivel en el nombre de dominio, y sin otorgar a su titular más derechos que su mero uso en la red (…)"[47]. Por lo mismo, la pertinencia del principio y su aplicación al caso concreto dependerá también de la buena fe de las partes, pues, si bien no existe –por regla general[48]– un examen

---

[46] Ávila de la Torre, 2008: 951 y 952.

[47] AP de Zaragoza, 24 de septiembre de 2002. Identificación Tirant lo Blanche: TOL418.053.

[48] Algunos administradores de *ccTLD* establecen ciertas limitaciones para el registro de nombres de dominio que se basen en nombres comerciales. Ellos son: Andorra, Arabia Saudita, Armenia, Australia (ciertos dominios de segundo nivel), Austria, Barbados, Colombia, Chipre, Eslovenia, España, Estonia, Finlandia, Francia, Irlanda (ciertos dominios de segundo nivel), Letonia, Noruega, los Países Bajos, el Reino Unido (ciertos dominios de segundo nivel), San Marino, Suecia, Suiza, Tailandia, Turquía (ciertos dominios de segundo nivel), y Vietnam. La gran mayoría, sin embargo, como Chile, no imponen limitaciones para el registro, sin perjuicio del ejercicio ulterior de las acciones de cancelación o revocación. Para mayor detalle véase: OMPI, "Informe Final sobre el Proceso de la OMPI relativo a los nombres de dominio de Internet", Anexo XV (Disponible en:
https://www.wipo.int/amc/es/processes/process2/report/html/annex15.html).

previo de admisibilidad para el registro de un nombre de dominio[49], la buena o mala fe con que haya actuado el titular respectivo constituye un factor determinante de cara a una futura acción de revocación del registro, temprana o tardía. Dicho de otra forma, la prioridad en el registro del dominio le confiere al registrante una suerte de igualdad inicial respecto de los demás titulares de derechos o intereses que pudieren estar en conflicto con aquel, la que podrá ser modificada y desvirtuada posteriormente demostrando su mala fe. Como dice la sentencia recién mencionada, en fin, *"aunque a efectos dialécticos se admitiera una concurrencia casual en el mercado y en la red de las dos empresas y por lo tanto buena fe en ambas partes, es aplicable un principio de relativa igualdad inicial sobre el indicador de segundo nivel idéntico o similar incluido en sus respectivos nombres de dominio, sin que el principio de prioridad cronológica (conocido como first come, first served) pueda resolver satisfactoriamente esta colisión en todos los supuestos."*

BIBLIOGRAFÍA CONSULTADA

Agustinoy Guilayn, Albert (2008). Nombres de Dominio. Barcelona: Bosch.

Agustinoy Guilayn, Albert (2002). Régimen jurídico de los nombres de dominio. Valencia: Tirant lo Blanche.

Arancibia Medina, Luis, Poblete, Patricio, Urzúa Reinoso, José y Valdés Cortés, Margarita (2016). "El arbitraje en línea en la resolución de controversias por nombres de dominio punto cl". Revista Chilena de Derecho y Tecnología, 5 (2): 153-172.

Ávila de la Torre, Alfredo (2008). "Causas de nulidad relativa". En Berkovitz Rodríguez-Cano (director), Comentarios a la Ley de Marcas, Tomo II, 2ª ed. Cizur Menor, Navarra: Aranzadi, 943 - 963.

Barona Vilar, Silvia (2008). Competencia Desleal, 2 tomos. Valencia: Tirant Lo Blanche.

Carbajo Gascón, Fernando (2002). Conflictos entre signos distintivos y nombres de dominio en Internet (2ª ed.). Navarra: Aranzadi.

---

[49]   Así lo señala, por ejemplo, el art. 2 inc. 2° del Reglamento (CE) N° 874/2004 de la Comisión, de 28 de abril de 2004, por el que se establecen normas de política de interés general relativas a la aplicación y a las funciones del dominio de primer nivel ".eu", así como los principios en materia de registro: *"Sin perjuicio de lo dispuesto en el capítulo IV, se asignará un nombre de dominio específico al solicitante cuya petición haya sido recibida en primer lugar por el Registro de manera técnicamente correcta y de conformidad con el presente Reglamento. A efectos del presente Reglamento, este criterio de precedencia será denominado principio de 'al primero que llega es al primero que se atiende'".*

Carbajo Gascón, Fernando (2008). "Proyecto de Ley de nombres de dominio en la red". En Berkovitz Rodríguez-Cano (director), Comentarios a la Ley de Marcas (Navarra -Cizur Menor: Thomson Aranzadi, 1409-1451.

Chijane, Diego (2017). La defensa judicial del derecho de marca. Montevideo: La Ley.

García Vidal, Ángel (2002). Derecho de marcas e Internet. Valencia: Tirant lo Blanch.

Gómez Segade, José A. (1999). "Preclusión de las acciones del titular de la patente por retraso desleal Actas de Derecho Industrial y Derecho de Autor". En Botana Agra, Manuel y Gómez Segade, José A. dir.), Actas de Derecho Industrial y Derecho de Autor, Tomo XX. Madrid: Marcial Pons.

Laketic, Jelena (2019). "Los derechos de la libre expresión en la política uniforme de resolución de controversias de la ICANN", Revista Chilena de Derecho, 46 (1): 29-53.

Levine, Gerald M. (2019). "Nombres de dominio desafiantes para el registro abusivo: UDRP y ACPA". Disponible en:

http://www.circleid.com/posts/20191101_challenging_domain_names_for_abusive_registration_udrp_and_acpa/

Morales Andrade, Marcos (2010). La acción de revocación de nombre de dominio en el derecho chileno. Tesis para optar al grado de Magíster en Derecho privado Santiago, Universidad de Chile. Disponible en: http://repositorio.uchile.cl/handle/2250/112215

Moretti Oyarzún, Rodrigo A. (2007). Marcas comerciales y nombres de dominio. Santiago: Librotecnia.

Ramos Herranz, Isabel (2004). Marcas versus Nombres de Dominio en Internet. Madrid: Iustel.

Valdés, Margarita (2017). En *NIC CHILE. 30 AÑOS 1987-2017*. Disponible en: https://www.nic.cl/acerca/memoria30/index.html

Otras publicaciones

– Nic Chile (2017): *NIC CHILE. 30 AÑOS 1987-2017*. Disponible en: https://www.nic.cl/acerca/memoria30/index.html

– OMPI (1999): *La gestión de los nombres y direcciones de Internet: Cuestiones de propiedad intelectual. Informe Final Sobre el Primer Proceso de la OMPI relativo a los Nombres de Dominio de Internet*, de 30 de abril.

   Disponible en: https://www.wipo.int/amc/es/processes/process1/report

– OMPI (2001): *Informe Final sobre el Proceso de la OMPI relativo a los nombres de dominio de Internet*, Segundo Proceso relativo a los Nombres de Dominio de Internet, Anexo XV. Disponible en:

   https://www.wipo.int/amc/es/processes/process2/report/html/annex15.html

DERECHO CONSTITUCIONAL

LA BUENA FE COMO MECANISMO DE INTERPRETACIÓN DE LA CONVENCIÓN AMERICANA DE DERECHOS HUMANOS

Andrea Rosario Íñiguez Manso
Doctora en Derecho, Universidad de los Andes, Chile
Profesora de Derecho Constitucional, Universidad de los Andes, Chile

SUMARIO: 1. INTRODUCCIÓN. 2. MECANISMOS DE INTERPRETACIÓN DE LOS TRATADOS INTERNACIONALES EN LA CONVENCIÓN DE VIENA SOBRE LOS TRATADOS. 2.1. La buena fe. 2.2. Texto del tratado. 2.3. Objeto y fin del tratado. 2.4. Los medios suplementarios: los trabajos preparatorios. 3. LA BUENA EN FE EN LA INTERPRETACIÓN DE LOS TRATADOS INTERNACIONALES SOBRE DERECHOS HUMANOS. 3.1. El principio *pro homine*. 3.2. Interpretaciones amplias o restrictivas de los tratados. 3.3. Interpretación originalista y evolutiva. 4. EL CONTROL DE CONVENCIONALIDAD, LA BUENA FE Y EL MARGEN DE APRECIACIÓN. 4.1. Historia del control de convencionalidad. 4.2. Los fundamentos del control de convencionalidad. 4.3. El control de convencionalidad y la interpretación evolutiva. 4.4. El control de convencionalidad, la buena fe y el margen de apreciación. 5. CONCLUSIÓN. BIBLIOGRAFÍA.

1. INTRODUCCIÓN

La buena fe es un elemento esencial para el buen funcionamiento del sistema jurídico. Los contratos se deben cumplir de buena fe, tal como lo señala el artículo 1546[1] del Código Civil chileno. Los órganos del Estado deben actuar conforme a la Constitución y las leyes, e intentar no darle interpretaciones torcidas a la Carta Fundamental, de lo contario se puede dar lugar a una nulidad de derecho público por desviación de poder, en conformidad a lo establecido en el artículo 7°[2] de la Carta Fundamental.

---

[1] Art. 1546. Los contratos deben ejecutarse de buena fe, y por consiguiente obligan no sólo a lo que en ellos se expresa, sino a todas las cosas que emanan precisamente de la naturaleza de la obligación, o que por la ley o la costumbre pertenecen a ella.

[2] Artículo 7° Los órganos del Estado actúan válidamente previa investidura regular de sus integrantes, dentro de su competencia y en la forma que prescriba la ley. Ninguna magistratura, ninguna persona ni grupo de personas pueden atribuirse, ni aun a pretexto de circunstancias extraordinarias, otra autoridad o derechos que los que expresamente se les hayan conferido en virtud de la Constitución o las leyes. Todo acto en

La buena fe también es un principio interpretativo en el derecho internacional, en particular, en lo que se refiere al cumplimiento de las obligaciones establecidas en los tratados internacionales. Dicha regla está incluida en la Convención de Viena de Tratados Internacionales del año 1969, la cual contiene reglas de interpretación en sus artículos 31 y 32 de su texto[3]. Ellas, en principio, serían útiles para interpretar tratados regionales de derechos humanos, tales como la Convención Europea de Derechos Humanos, dictada en 1950 y en la Convención Americana de Derechos Humanos de 1969.

Sin embargo, los tratados internacionales sobre derechos humanos presentan algunas particularidades respecto de aquellos que no versan sobre estas materias. Ello, porque hasta 1945, se consideraba que el Estado era el sujeto del tratado, pero con posterioridad, los tratados tienen como objetivo la protección de las personas que habitan en el país contratante, sea nacional o no, y que podrán demandar a su propio Estado por no cumplimiento de las disposiciones del tratado.

La buena fe es un mecanismo de interpretación obligatoria para el intérprete de un texto jurídico. Por lo tanto, cabe preguntarse ¿quiénes son los intérpretes de los tratados internacionales sobre derechos humanos? En primer lugar, estos deben ser interpretados por los operadores internos de los países que los han suscrito y que los han incorporado a sus sistemas

---

contravención a este artículo es nulo y originará las responsabilidades y sanciones que la ley señale.

[3]   Art. 31. Regla general de interpretación. I. Un tratado deberá interpretarse de buena fe conforme al sentido corriente que haya de atribuirse a los términos del tratado en el contexto de estos y teniendo en cuenta su objeto y fin. 2. Para los efectos de la interpretación de un tratado. el contexto comprenderá, además del texto, incluidos su preámbulo y anexos: a) todo acuerdo que se refiera al tratado y haya sido concertado entre todas las partes con motivo de la celebración del tratado: b) todo instrumento formulado por una o más partes con motivo de la celebración del tratado y aceptado por las demás como instrumento referente al tratado; 3. Juntamente con el contexto, habrá de tenerse en cuenta: a) todo acuerdo ulterior entre las partes acerca de la interpretación del tratado o de la aplicación de sus disposiciones: b) toda práctica ulteriormente seguida en la aplicación del tratado por la cual conste el acuerdo de las partes acerca de la interpretación del tratado: c) toda forma pertinente de derecho internacional aplicable en las relaciones entre las partes. 4. Se dará a un término un sentido especial si consta que tal fue la intención de las partes.
Art.32. Medios de interpretación complementarios. Se podrán acudir a medios de interpretación complementarios, en particular a los trabajos preparatorios del tratado y a las circunstancias de su celebración, para confirmar el sentido resultante de la aplicación del artículo 31, o para determinar el sentido cuando la interpretación dada de conformidad con el artículo 31: a) deje ambiguo u oscuro el sentido; o b) conduzca a un resultado manifiestamente absurdo o irrazonable.

jurídicos internos. En este proceso reviste particular importancia el Poder Judicial. Por otra parte, los tratados internacionales son interpretados por tribunales internacionales cuyas competencias y procedimientos están contenidos en el mismo texto del tratado.

Este trabajo tiene como objetivo hacer referencias a la buena fe y la importancia que tiene su correcta aplicación por parte de aquellos que tienen que interpretar estos instrumentos. La obligación de respetar este principio no solo obliga a los Estados que suscriben los tratados y que lo han incorporado a su derecho interno, sino también obliga a los tribunales internacionales que interpretan estos tratados.

Por tratarse de un tema extenso, en este trabajo haremos referencia sólo a la Convención Americana de Derechos Humanos y su organismo de control, la Corte Interamericana de Derechos Humanos. Analizaremos los mecanismos de interpretación de tratados internacionales de derechos humanos y los problemas que se han generado con relación a la interpretación de buena fe de dicho texto.

2. MECANISMOS DE INTERPRETACIÓN DE LOS TRATADOS INTERNACIONALES EN LA CONVENCIÓN DE VIENA SOBRE LOS TRATADOS

2.1. *La buena fe*

El artículo 31 de la Convención de Viena sobre los tratados hace referencia a los principios interpretativos de tratados. En su titular señala que ellos deben ser interpretados de buena fe. Según Novak Talavera se entiende que el cumplimiento de buena fe involucra "que tales acuerdos deben ser cumplidos de manera franca, honesta y leal"[4]. Benfeld y Müller señalan que "entendemos por buena fe un principio general del derecho que en dominio internacional que se traduce en la convicción de estar actuando en todo momento, conforme al derecho y la justicia, de manera leal y oportuno en virtud de lo deseable reciprocidad que ha de existir y fomentarse en las relaciones entre los diversos actores del ámbito supranacional"[5].

---

[4]   Novak Talavera, "Los criterios de interpretación de los tratados internacionales", p.75.
[5]   Benfeld Y Müller, "¿Qué significa es el ámbito del derecho internacional público negociar de buena fe? Precisiones conceptuales y posición de la Corte Internacional de

Moyano Bonilla considera fundamental tener presente que dentro de la buena fe se encuentra subsumida la idea que el tratado debe producir una efectividad que genere utilidad[6] es decir "la interpretación de una disposición de un tratado debe hacerse en tal forma que tenga un efecto, porque es lógico pensar que las partes discutieron su contenido, su redacción y finalmente se pusieron de acuerdo sobre ella, con miras a que tuviera una consecuencia, un efecto"[7].

La interpretación del tratado de buena fe también tiene una aplicación muy concreta, sobre en lo que se refiere a la obligación de cumplimiento de los Estados: pacta sunt servanda (lo pactado obliga). Díez de Velasco sostiene que los tratados internacionales "crean derechos y obligaciones que debido a su origen se conocen como derecho convencional y que constituyen el efecto jurídico del tratado"[8] y de ahí la importancia del principio pacta sunt servanda[9]. Que lo pactado en un tratado internacional obliga significa que el Estado no puede alegar una norma de interna para esquivar su cumplimiento. Este principio ha sido profundizado por el artículo 2° de la Convención Americana de Derechos Humanos, el cual sostiene que "(S)i el ejercicio de los derechos y libertades mencionados en el artículo 1 no estuviere ya garantizado por disposiciones legislativas o de otro carácter, los Estados Partes se comprometen a adoptar, con arreglo a sus procedimientos constitucionales y a las disposiciones de esta Convención, las medidas legislativas o de otro carácter que fueren necesarias para hacer efectivos tales derechos y libertades". Esta norma no solo debe ser respetada de buena fe no solo por los Estados contratantes, sino que también por la Corte Interamericana de Derechos Humanos.

2.2. Texto del tratado

El texto del tratado es el segundo elemento que debe tener en cuenta el intérprete de un tratado internacional. Jiménez de Aréchaga sostiene que "(L)as propuestas sometidas a la Conferencia de Viena por la Comisión de Derecho Internacional se inspiran en el enfoque textual: se acuerda

---

Justicia en esta materia, a propósito del rechazo a la objeción preliminar presentada por Chile ante dicha Corte con ocasión de la demanda boliviana de 2013", p. 74 y 75.

[6] Moyano Bonilla, La interpretación de los tratados internacionales, p.161.

[7] Moyano Bonilla, cit., p.165.

[8] Díez de Velasco, Instituciones del Derecho Internacional Público, p.196.

[9] Ibid

primacía del texto del tratado como base de su interpretación"[10]. En todo caso el intérprete no queda amarrado al texto y puede interpretarlo de manera evolutiva. Sin embargo, este tipo de técnica debe ser utilizada con cautela, y que, tal como señala Villiger, hay ciertas pautas que se debe tener en cuenta y que tienen como objetivo que el intérprete no traicione su sentido[11]. Es decir que actúe de buena fe.

2.3. Objeto y fin del tratado

El objeto y fin del tratado es un mecanismo fundamental para la interpretación del tratado. Pero debe ser utilizado de manera cuidadosa, sobre todo en lo que se refieren en su relación con la buena fe. Remiro Brotóns señala que la" interpretación teolológica (…) convive, dentro de una misma regla general, con los métodos de interpretación tradicionales objetivistas. Lejos, pues, de arriesgar una distorsión o la modificación del acuerdo original de las partes"[12]. Esto no es un tema baladí, toda vez que la interpretación conforme al objeto y fin del tratado se puede transformar en una vía para llevar a cabo modificaciones al tratado internacional. Como señala Shaw, la interpretación conforme al objeto y fin del tratado podría llevar al intérprete a "la creación de leyes por parte del juez"[13]. Ello podría constituir una infracción al principio de buena fe, toda vez que podría constituir una modificación al tratado por vías no establecidas en su texto.

2.4. Los medios suplementarios: los trabajos preparatorios

El artículo 32 establece los medios suplementarios de interpretación. La utilización de los trabajos preparatorios ha generado polémica, ya que se ha considerado que aquellos tendrían un rol secundario, en el sentido que sólo se pueden utilizar cuando aquellos establecidos en el artículo 31.1 no ayudan a la interpretación o puedan llevar al absurdo. Sin embargo, hay autores que señalan que éstos no pueden ser considerados como secundarios. A este respecto Jiménez Aréchaga recuerda que en la Conferencia (de Viena) se enfrentaron dos escuelas, una que buscaba el significado de las disposiciones, según lo determinaron los redactores del tratado y la segunda buscaba una interpretación de las palabras según su uso habitual.

---

[10]   Jiménez de Aréchaga, *El Derecho Internacional Contemporáneo*, p.56.
[11]   Villiger., *Commentary on the 1969 Vienna Convention on the Law of Treaties*, p.428.
[12]   Brotóns Y Otros, *Derecho Internacional,* p.601
[13]   Shaw, *International Law,* p. 656.

Lo anterior tiene directa relación con la importancia de los trabajos preparatorios. Para los primeros, éstos quedan en igual plano que las disposiciones del acuerdo y para los segundos solamente serían un mecanismo secundario de interpretación[14].

Merkouris estima que los trabajos preparatorios no solo tienen por objeto la "confirmación o de determinación"[15] del tratado sino también "correctiva"[16]. Citando al Juez Schewekel, señala que se puede corregir un tratado usando los trabajos preparatorios. La base de esta teoría sería la buena fe[17]. Señala además que la teoría correctiva de una expresión del texto "es meramente una manifestación extrema de la determinación, no una función separada"[18]. Refuerza la anterior que "los trabajos preparatorios no significan nada sin un contexto referencia"[19], pero son muy importantes para al juez[20]. Nuevamente, los trabajos preparatorios ayudarán a la interpretación del texto del tratado, en la medida en que se utilicen de buena fe.

3. LA BUENA EN FE EN LA INTERPRETACIÓN DE LOS TRATADOS INTERNACIONALES SOBRE DERECHOS HUMANOS

Las normas de interpretación establecidas en la Convención de Viena sobre los tratados internacionales son importantes y útiles para poder interpretar los tratados internacionales de derechos humanos. Ello, porque como sostuvo el Tribunal Europeo de Derechos Humanos en el caso *Golder*, sus normas interpretativas eran "en esencia los principios generales aceptados en el derecho internacional"[21]. Sin embargo, a ello se debe agregar formas de interpretación que se derivan de las características de estos tratados. Así, tienen particular importancia el principio pro homine, la interpretación extensiva y restrictiva y la interpretación originaria y evolutiva de los tratados.

---

[14]   Jiménez de Arechága, *El Derecho Internacional Contemporáneo,* pp.55 y 56.
[15]   Markouris, "´Third party´. Consideration and ´corrective interpretation´ in the interpretative use of the travaux préparatoires: - Is it Fahrenheit 451 for preparatory works?", p.83.
[16]   Markouris,Ibid.
[17]   Markouris, cit. p. 84.
[18]   Markouris, cit. p.94.
[19]   Markouris, Ibid.
[20]   Markouris Ibid.
[21]   Tribunal Europeo de Derechos Humanos, sentencia 4451/1970.

3.1. *El principio* pro homine

El principio pro homine ha tenido diferentes miradas. Impone el deber al Estado de darle protección a cualquier persona que está dentro de su sistema jurisdiccional[22]. Otra forma de entender el principio pro homine es que cuando en el derecho internacional se hace referencia a la prevalencia que se le debe dar al "mejor derecho"[23], es decir, es menester "hacer prevalecer la regla más importante favorable al individuo"[24].

La aplicación práctica del principio pro homine puede generar problemas, en particular, cuando se dan problemas de conflictos de derechos y la forma en que se deben solucionar. Ello fue lo que aconteció en los casos *Atala e hijas v. Chile*[25] y *Artavia Murillo y otros v. Costa Rica*. En el primero la Corte IDH se negó a otorgarle la calidad de parte en la litis al padre de las menores que obtuvo ante la Corte Suprema el cuidado personal de sus tres hijas y cuya madre reclamó ante la Corte IDH por discriminación por orientación sexual. En el segundo caso, se trata de un grupo de parejas demandaron ante la Corte IDH a Costa Rica[26] puesto que no se les permitía llevar a cabo procedimientos de fertilización asistida por constituir un peligro para la vida en gestación. Coincidimos con Paúl Díaz cuando señala que, en este último caso "una interpretación ´más favorable´ para quienes quieren hacer uso de embriones o cometer aborto, es claramente la opción ´menos favorable´ para quienes tienen derecho a la vida según la sección relevante del artículo 4.1"[27] (que protege la vida, en general, desde la concepción).

3.2. *Interpretaciones amplias o restrictivas de los tratados*

La interpretación de un tratado será amplia o restrictiva en la medida que el resultado de ella sea más o menos favorable al ejercicio de los dere-

---

[22]   Nogueira Alcalá, "Los desafíos del control de convencionalidad del corpus iuris interamericano para los tribunales nacionales en especial, para los tribunales constitucionales", p.280.

[23]   Sagüés, "Derechos constitucionales y derechos humanos. De la Constitución Nacional a la Constitución ´convencionalizada´", p.15.

[24]   Sagüés, Ibid.

[25]   Corte Interamericana de Derechos Humanos, Caso 12.502.

[26]   Corte Interamericana de Derechos Humanos, Caso 12.361.

[27]   Paúl Díaz, "La Corte Interamericana in vitro: comentarios sobre su proceso de toma de decisiones a propósito del Caso Artavia", p.326.

chos[28]. Este tema deriva en el siguiente problema: ¿Qué sucede cuando el tratado sobre derechos humanos guarda silencio sobre determinados derechos? Núñez Poblete sostiene que en el derecho internacional "el silencio de los tratados refleja muchas veces la falta de consenso sobre lo universal (…) lo no explicitado es, muchas veces, la condición para que un Estado suscriba un instrumento (…) en consecuencia, pretender que el tratado dice algo allí donde guarda silencio es tan grave como subvertir el significado"[29]. Por su parte Ruiz –Chiriboga señala que "el texto de un tratado es la base pero también el límite para la actividad de su intérprete"[30]. Paúl Díaz agrega "que los redactores de la CADH no quisieron proteger todos los derechos, sino sólo aquellos reconocidos en el convenio"[31].

El problema de la interpretación amplia de los tratados es que ha llevado a las cortes internacionales a reconocer derechos que no están explícitamente establecidos en la Convención. Y la Corte Interamericana de Derechos Humanos no ha sido la excepción. Así, en el caso *Comunidad Yakye Axa v. Paraguay*[32], tomando en consideración los artículos 24 declara un derecho, el de la identidad (cons.51) que no se encuentra en el texto del tratado. En el caso *Atala Riffo e Hijas v. Chile*[33] la Corte IADH determinó que la prohibición de discriminación por género u orientación sexual se derivaba del artículo 1.1 cuando establece que no puede haber discriminación "por cualquier otra condición social" (cons. 85). Así, "(U)n derecho que le está reconocido a las personas no puede ser negado o restringido a nadie y bajo ninguna circunstancia con base en su orientación sexual.

---

[28] La Convención Americana de Derechos Humanos señala en su artículo 29 que "Ninguna disposición de la presente Convención puede ser interpretada en el sentido de: a) permitir a alguno de los Estados Partes, grupo o persona, suprimir el goce y ejercicio de los derechos y libertades reconocidos en la Convención o limitarlos en mayor medida que la prevista en ella; b) limitar el goce y ejercicio de cualquier derecho o libertad que pueda estar reconocido de acuerdo con las leyes de cualquiera de los Estados Partes o de acuerdo con otra convención en que sea parte uno de dichos Estados; c) excluir otros derechos y garantías que son inherentes al ser humano o que se derivan de la forma democrática representativa de gobierno, y d) excluir o limitar el efecto que puedan producir la Declaración Americana de Derechos y Deberes del Hombre y otros actos internacionales de la misma naturaleza".

[29] Núñez Poblete, "La función del derecho internacional de los derechos de las personas en la argumentación de la jurisprudencia constitucional. Práctica y principios metodológicos", p.513.

[30] Ruiz-Chiroboga, "The American Convention and the Protocol of San Salvador", p.172.

[31] Paúl Díaz, "La Corte Interamericana in vitro: comentarios sobre su proceso de toma de decisiones a propósito del caso Artavia" p.327.

[32] Corte Interamerciana de Derechos Humanos, Caso 12.313.

[33] Corte Interamericna de Derechos Humanos, Caso 12.502.

Ello violaría el artículo 1.1. de la Convención Americana. El instrumento interamericano proscribe la discriminación, en general, incluyendo en ello categorías como las de la orientación sexual la que no puede servir de sustento para negar o restringir ninguno de los derechos establecidos en la Convención" (cons.93).

3.3. Interpretación originalista y evolutiva

El tema de la interpretación originalista y evolutiva de los tratados internacionales de derechos humanos ha sido ampliamente discutido por la doctrina. La primera puede ser definida como aquella que se apega al texto del tratado, es decir al significado que su contenido tenía al tiempo de su dictación[34]. Cançado Trindade señala que los tratados internacionales sobre derechos humanos tienen características propias y por lo tanto los mecanismos de interpretación de dichos tratados son diferentes a otros de diversa naturaleza. No es que se oponga a que se utilicen las reglas de interpretación de la Convención de Viena de los Tratados, sino que los tratados de derechos humanos, por sus características, deben someterse a mecanismos propios[35]. "Es, en efecto, lo que más fielmente refleja la naturaleza especial de los tratados de derechos humanos, y la que ha propiciado la configuración de la ´autonomía´ de los conceptos consignados en estos últimos"[36]. Los contenidos de los preámbulos de los tratados de derechos humanos nos llevan a "una interpretación teleológica y progresista"[37] de ellos.

La interpretación dinámica de los tratados no solo se derivaría de las características propias de los tratados de derechos humanos, sino que también se podría inferir de la regla de la Convención de Viena que permite interpretar el tratado según su objeto y fin. Muñoz Gajardo recuerda que el objeto y fin de los tratados sobre derechos humanos es la protección de los derechos de las personas[38] y por lo tanto esto "exige interpretar las normas sobre derechos humanos de modo que estas se adapten a las nuevas realidades y puedan ser efectivas en el momento que se les interpreta"[39]. Por su parte, Alston Y Otros opinan que "los tratados de largo plazo deben beneficiarse de cierta flexibilidad y dejar espacio para desarrollar si es que

---

[34]   Lestsas, "Intensionalism and the interpretation of the ECHR", p. 258
[35]   Cançado Trindade, *El Derecho Internacional de los Derechos Humanos en el siglo XXI*, p.26.
[36]   Ibid.
[37]   Ibid.
[38]   Muños Gajardo, "El estándar de convencionalidad y el principio pro homine", p. 170.
[39]   Ibid.

va a sobrevivir a los cambios en las circunstancias y las relaciones entre las partes. Los cambios en las condiciones como un oficial ejecutivo a interpretar un tratado flexible para darle un sentido razonable a la aplicación a las nuevas circunstancias"[40].

De lo señalado anteriormente, podemos inferir que los tratados internacionales de derechos humanos cauterizan de manera implícita o explícita la interpretación dinámica o evolutiva. Sin embargo, sería bueno preguntarse si deben cumplirse ciertos requisitos para poder decir con propiedad que un tratado ha evolucionado. Es decir, si existen parámetros objetivos de para determinar la evolución[41]. Esta cuestión es importante y el intérprete debe ser cuidadoso llevar a cabo una interpretación evolutiva auténtica, y no aquella que la lleve a crear derechos que no están contemplados en la Convención, sea porque no están en ella o porque no hubo consenso entre los redactores y por esa razón no están contenidos en el tratado. La primera sería una interpretación evolutiva llevada a cabo de buena fe, la segunda, no.

La Corte Interamericana ha usado de forma reiterada la interpretación evolutiva como mecanismo para fundamentar sus fallos, sobre todo cuando se reconocen derechos que no aparecen en la Convención, Además ha servido incluso para alterar el contenido expreso del tratado, como aconteció en Artavia Murillo y otros v Costa Rica en cual la Corte IADH determinó que en relación a la interpretación del artículo 4 N°1 de la CADH que "la interpretación evolutiva es de especial relevancia, teniendo en cuenta que la FIV es un procedimiento que no existía al momento en el que los redactores de la Convención adoptaron el contenido del artículo 4.1 de la Convención (supra párr. 179)" (cons. 246). "La Corte ha utilizado los diversos métodos de interpretación, los cuales han llevado a resultados coincidentes en el sentido de que el embrión no puede ser entendido como persona para efectos del artículo 4.1 de la Convención Americana. Asimismo, luego de un análisis de las bases científicas disponibles, la Corte concluyó que la ´concepción´ en el sentido del artículo 4.1 tiene lugar desde el momento en que el embrión se implanta en el útero, razón por la cual antes de este evento no habría lugar a la aplicación del artículo 4 de la Convención.

---

[40] Alston y otros, *International Human Rights in Context Law, Politics and Morals,* p. 111.

[41] Ripol Carrulla señala que la calificación de la CEDH como instrumento "vivo es resultado del papel del jugado por las demandas individuales mediante las cuales se ha formulado al TEDH una casuística que excede de las previsiones iniciales de los redactores de la CEDH". Ver en: Ripol Carulla, *El sistema europeo de protección de los derechos humanos* y *el derecho español,* p.32.

Además, es posible concluir de las palabras ´en general´ que la protección del derecho a la vida con arreglo a dicha disposición no es absoluta, sino es gradual e incremental según su desarrollo, debido a que no constituye un deber absoluto e incondicional, sino que implica entender la procedencia de excepciones a la regla general" (cons.264).

4. EL CONTROL DE CONVENCIONALIDAD, LA BUENA FE Y EL MARGEN DE APRECIACIÓN

4.1. *Historia del control de convencionalidad*

El control de convencionalidad es una doctrina que fue asentada por la Corte Interamericana tras la dictación del fallo Almonacid Arellano vs Chile en 2006 cuando resolvió que "el Poder Judicial debe ejercer una especie de ´control de convencionalidad´ entre las normas jurídicas internas que aplican en los casos concretos y la Convención Americana sobre Derechos Humanos. En esta tarea, el Poder Judicial debe tener en cuenta no solamente el tratado, sino también la interpretación que del mismo ha hecho la Corte Interamericana, intérprete última de la Convención Americana" (cons. 124)[42].

Podría decirse que el control de convencionalidad tiene un comienzo más bien tímido en la Corte IADH, toda vez que se emplea la palabra "especie de control de control de convencionalidad". Pero esto no la llevará a auto contenerse ni en el concepto ni en sus elementos, ya que en su jurisprudencia posterior se irán agregando otros requisitos.

En Trabajadores Cesados por el Congreso v. Perú[43] resolvió que "(C)uando un Estado ha ratificado un tratado internacional como la Convención Americana, sus jueces también están sometidos a ella, lo que les obliga a velar porque el efecto útil de la Convención no se vea mermado o anulado por la aplicación de leyes contrarias a sus disposiciones, objeto y fin. En otras palabras, los órganos del Poder Judicial deben ejercer no sólo un control de constitucionalidad, sino también ´de convencionalidad´ (…) ex officio entre las normas internas y la Convención Americana, evidentemente en el marco de sus respectivas competencias y de las regulaciones procesales correspondientes" (cons. 128).

---

[42]   Corte Interamericana de Derechos Humanos, Caso 12.057.
[43]   Corte Interamericana de Derechos Humanos, Caso 11.830 Y 12.038.

En Cabrera García y Montiel Flores v México[44], la Corte IADH agregó nuevos requisitos y contenidos al control de convencionalidad al determinar que "jueces y órganos vinculados a la administración de justicia en todos los niveles están en la obligación de ejercer ex officio un ´control de convencionalidad´ entre las normas internas y la Convención Americana, evidentemente en el marco de sus respectivas competencias y de las regulaciones procesales correspondientes. En esta tarea, los jueces y órganos vinculados a la administración de justicia deben tener en cuenta no solamente el tratado, sino también la interpretación que del mismo ha hecho la Corte Interamericana, intérprete última de la Convención Americana" (cons. 225).

En Gelman v. Uruguay[45] la Corte vuelve a ampliar los contenidos del control de convencionalidad al sostener que "(C)uando un Estado es Parte de un tratado internacional como la Convención Americana, todos sus órganos, incluidos sus jueces, están sometidos a aquél, lo cual les obliga a velar por que los efectos de las disposiciones de la Convención no se vean mermados por la aplicación de normas contrarias a su objeto y fin, por lo que los jueces y órganos vinculados a la administración de justicia en todos los niveles están en la obligación de ejercer ex officio un ´control de convencionalidad´ entre las normas internas y la Convención Americana, evidentemente en el marco de sus respectivas competencias y de las regulaciones procesales correspondientes y en esta tarea, deben tener en cuenta no solamente el tratado, sino también la interpretación que del mismo ha hecho la Corte Interamericana, intérprete última de la Convención Americana" (cons. 193).

4.2. Los fundamentos del control de convencionalidad

Como se puede apreciar, el control de convencionalidad es una doctrina asentada por la Corte Interamericana de Derechos Humanos pero cuyos elementos han sido establecidos de formar paulatina. Ello ha llevado a muchos a preguntarse si es que el control de convencionalidad es una creación pretoria o si tiene fundamento en la Convención Americana de Derechos Humanos.

Fuentes Torrijo señala: "¿En qué parte de la Convención Americana uno puede encontrar tal obligación[46]? (…) en ninguna parte"[47]. Por su

---

[44]   Corte Interamericana de Derechos Humanos, Caso 12.449.
[45]   Corte Interamericana de Derechos Humanos, Caso 12.607.
[46]   Se refiere al control de convencionalidad.
[47]   Fuentes Torrijo, "International and domestic law: Definately an odd couple", p. 488.

parte Dulitzky refuerza esta opinión agregando que el control de convencionalidad se ha desarrollado "sin perjuicio de la falta de apoyo textual en la Convención"[48]. En contra, Ferrer Mac-Gregor y Pelayo Möller sostienen que a la luz del artículo 2° se puede deducir que el control de convencionalidad se fundamenta en la expresión "modificación legislativa o de otro carácter"[49] la cual "debe entenderse como la obligación de todas las autoridades dentro de sus respectivas competencias de asegurarse la efectividad de los derechos"[50]. De ahí se infiere "el parámetro del control de convencionalidad"[51].

Ibáñez Rivas sostiene que para lograr los objetivos del artículo 2° "una importante herramienta para contribuir a dicho fin es el denominado ´control de convencionalidad´ pues éste puede contribuir a asegurar que [la Convención Americana] genere sus efectos propios (effect utile) en el derecho interno de los Estados Partes"[52]. A su vez Nash Rojas señala que el control de convencionalidad tiene fundamento convencional en los artículos 1.1 y 2 de la Convención. "De dichos artículos se desprende que la protección de los derechos humanos, debe ser guía en la actuación de los Estados y que estos deben tomar todas las medidas para asegurar el respeto, protección y promoción de dichos derechos"[53].

4.3. *El control de convencionalidad y la interpretación evolutiva*

Sin perjuicio de lo señalado precedentemente, nos parece que el origen del control de convencionalidad también se puede analizar desde otro punto de vista: si éste no sería consecuencia de una interpretación evolutiva de la CADH o, por el contrario, se trataría de una creación de la Corte IADH sin fundamento en el texto de la CADH.

Sagües sostiene que esta" doctrina judicial expuesta por la Corte Interamericana, no emerge clara y directamente del Pacto de San José sino más

---

[48]   Dulitsky, "The Inter-American constitucional Court? The invention of the convetionality control by the Inter-American Court of Human Rights", p. 48.

[49]   Ferrer Mac-Gregor y Pelayo Möller "Artículo 2°. "Deber de adoptar disposiciones de derecho interno", p. 98.

[50]   Ibid

[51]   Ibid.

[52]   Ibáñez Rivas, "Control de convencionalidad precisiones para su aplicación desde la jurisprudencia de la Corte Interamericana de Derechos Humanos", p.105.

[53]   Nash Rojas "Comentario al trabajo de Víctor Bazán: ´El control de convencionalidad: incógnitas, desafíos y perspectivas", p.59.

bien, de una jurisprudencia mutativa por adición expuesta por la Corte, en aras, eso sí, de afirmar el vigor del Pacto y de su propia jurisprudencia como tribunal supranacional"[54]. Por su parte, Mora Méndez propone que se trataría de un "desarrollo jurisprudencial"[55] del artículo 2° de la Convención "que dio nacimiento al control de convencionalidad"[56]. En este mismo sentido, Bazán sostiene que la Corte IADH "ha venido desplegando[57] desde el comienzo efectivo de su práctica contenciosa"[58].

Como se colige de estas opiniones, habría una cierta tendencia a reconocer que el control de convencionalidad es fruto de una interpretación evolutiva de la CADH. Sin embargo, otra parte de la doctrina ha señalado que se trataría derechamente de una creación jurídica de la Corte IADH. Así, Aguilar Cavallo señala que el control de convencionalidad ha "sido elaborada por la Corte IADH (...) a partir de la experiencia e influencia comparada"[59]. En similares términos se pronuncia Nash Rojas, el que manifiesta "que desde 2006 ha comenzado a desarrollar la idea de que los jueces en el ámbito interno (....) deben hacer un ejercicio de control, que la Corte ha denominado ´control de convencionalidad´"[60]. Muñoz Gajardo también se refiere en término similares al control de convencionalidad, y expresa que éste "fue establecido por primera vez por la CIDH"[61] en Almonacid Arellano v. Chile. Según Cubides Cárdenas y Vivas Barrera la explicación del surgimiento del control de convencionalidad se encuentra en el hecho que la pretensión de la Corte IADH de "asegurar el cumplimiento de sus sentencias dentro del orden interno de los Estados, originó lo que en la jurisprudencia interamericana se ha denominado control de convencionalidad"[62].

Como bien podemos deducir de los vocablos utilizados por los autores antes mencionados (elaborar, desarrollar y especialmente establecer), podríamos preguntarnos si dichas expresiones no estarían planteando que el control de convencionalidad es más bien una figura jurídica creada por la Corte IADH.

---

[54]   Sagüés, "Derechos constitucionales y derechos humanos. De la constitución nacional a la constitución ´convencionalizada´", p.16.

[55]   Mora Méndez, "Control de convencionalidad: Un replanteamiento de principios y fuentes del derecho", p.226.

[56]   Ibid.

[57]   Se refiere al control de convencionalidad.

[58]   Bazán, "El control de convencionalidad: incógnitas, desafíos y perspectivas", cit., p.24.

[59]   Aguilar Cavallo, "El control de convencionalidad y el rol del juez nacional como juez de derechos humanos", p. 449.

[60]   Nash Rojas, *Control de convencionalidad de la dogmática a la implementación*, p.65.

[61]   Muñoz Gajardo, El estándar de convencionalidad y principio ´pro homine´", p.204.

[62]   Cubides y Vivas, "Diálogo judicial transnacional en la implementación de las sentencias de la Corte Interamericana", p.196.

En tal sentido Contreras Vásquez declara que "el control de convencionalidad tiene un débil fundamento normativo"[63]. Olano García sostiene que "no está incluido en ningún tratado, pero por creación pretoria, rige dentro del sistema Interamericano de Derechos Humanos"[64]. Estrada agrega que el control de convencionalidad ha sido utilizado por la Corte IADH desde el año 2006 pero que no era posible pretender que la Corte desde ese primer fallo "propusiera un concepto definitivo (y en esa medida invariable e inmodificable) de lo que ha de entenderse por control de convencionalidad"[65].

4.4. El control de convencionalidad, la buena fe y el margen de apreciación

Como hemos venido diciendo, la buena fe es un principio interpretativo que no solo es obligatorio para los Estados contratantes de un tratado, sino también es vinculante para los organismos que interpretan los tratados. En este sentido, la buena fe exige a la Corte Interamericana una interpretación del tratado lo más fiel a su texto, y evitar interpretaciones evolutivas que puedan constituir una creación de preceptos no contemplados en el tratado.

Cabe preguntarse si la interpretación que dicho tribunal ha venido haciendo del tratado, sobre todo con la aparición del control de convencionalidad y la forma en que éste ha sido establecido por la Corte se ha llevado a cabo cumpliendo con los requisitos de la buena fe como mecanismo de interpretación de los tratados. Nos parece que, para responder esta pregunta, hay un elemento que podría ayudarnos a dilucidar esta cuestión: el margen de apreciación.

El margen de apreciación es un concepto, que, el igual que el control de convencionalidad, no se encuentra en el texto de la Convención Americana de Derechos Humanos. Esta doctrina se ha manifestado de manera reiterada en la jurisprudencia del Tribunal Europeo de Derechos Humanos[66], que ha sido también denominada como una cierta "auto con-

---

[63]   Contreras Vásquez, "Análisis crítica del control de convencionalidad", p. 463.

[64]   Olano García, "Teoría del control de convencionalidad", p.87.

[65]   Estrada, "Comentario al artículo ´Control de Convencionalidad interamericano: una mera aplicación del derecho internacional; de Karlos A. Castilla Juárez´", p.52.

[66]   Tribunal Europeo de Derechos Humanos, Casos 42750/09 (cons. 105), 34503/97 (cons. 144), 27510/08 (cons.129), 48420/10, 59842/10, 51671/10, 365116/10 (cons.101,106 y 111).

tención"[67] de la Corte, es decir, se entiende que hay ciertas materias que deben ser resueltas por los Estados contratantes del tratado, por motivos, tales como la falta de consenso de los Estados partes en cuanto a cómo se deben resolver ciertas cuestiones[68], sobre todo aquellas referidas al aborto (caso *A,B,C v. Irlanda*)[69] y la libertad de conciencia (caso *Lautsi v. Italia*)[70]. Además, se debe considerar el concepto de la "mejor posición" es decir que el Estado contratante se encuentra en mejores condiciones de apreciar los hechos y cómo se deben solucionar en el caso concreto ,sobre todo cuando se deben limitar derechos fundamentales en pro de la seguridad o de los derechos de terceros, Así resolvió la Corte en el caso *Ireland v. United Kingdom*, en el cual determinó que Reino Unido estaba en mejor posición de juzgar si se cumplían las condiciones internas para decretar los estados de excepción[71].

La Corte Interamericana de Derechos Humanos, al contario de su par europeo, ha sido reacia para aplicar este principio. Ello se debería a diversas razones tales como la debilidad de las democracias de los países contratantes[72] o que la mayoría de los casos que ha resuelto dicho tribunal tiene relación con "caso que involucran arrestos arbitrarios, detenciones, desapariciones forzadas o ejecuciones extrajudiciales"[73]. Estas razones podrían ser calificadas como razones de buena fe de la Corte para no aplicar el margen de apreciación.

Sin embargo, otros autores han señalado que esta magistratura no ha querido aplicar este principio porque "se considera a sí mismo como una corte de equidad, responsable a los principios de derechos humanos"[74]. Cabe recordar que la Corte ha sido considerada como la intérprete "autén-

---

[67]   Carozza, "Uses and Missuses of comparative law in international human rights: Some reflections on the jurisprudence of the European Court of Human Rights", p.1220.

[68]   Jacobs y White, *The European Convention of Human Rights*, p.29, TÜMAY, "The ´margin of appreciation doctrine´developed by the case law of the European Courts of Human Rights", p.231.

[69]   Tribunal Europeo de Derechos Humanos, Caso 22.579.

[70]   Tribunal Europeo de Derechos Humanos, Caso 30.814.

[71]   Tribunal Europeo de Derechos Humanos, Caso 5310/71.

[72]   Fuenzalida Bascuñán, "La jurisprudencia de la Corte Interamericana de Derechos Humanos como fuente de derecho. Una revisión de la doctrina del ´examen de convencionalidad´", p.188.

[73]   Contreras, "National discretion and international deference in the restriction of human rights. A comparison between the jurisprudence of the European and the Interamerican Court of Human Rights", p.56.

[74]   Shaver, "The Inter-American Rights system: and effective instituion for regional rights protection", p.663.

tica y final"[75] de la Convención Americana de Derechos Humanos. A esto se debe agregar que, al contrario de su par europeo, la Corte Interamericana de Derecho Humanos, al dictar sentencia condenatoria, determina una lista, por lo general, bastante extensa, de acciones que deben tomar los Estados, como por ejemplo dictar cursos de capacitación en las materias de la sentencia[76], llevar a cabo actos públicos de reconocimiento de responsabilidad y desagravio[77], construcción de monumentos a las víctimas[78] o realización de documentales relacionados con el caso[79]. Es menester entonces preguntarse si ello constituye una interpretación de la Convención Americana de Derechos Humanos llevada a cabo respetando los fundamentos del principio de buena fe, sobre todo en lo que se refiere a la determinación del sentido y alcance del artículo 2° en la expresión "o de otro carácter necesarias para hacer efectivos tales derechos y libertades".

5. CONCLUSIÓN

La buena fe es un elemento esencial para el buen funcionamiento del sistema jurídico, no solo en el ámbito nacional, sino también externo, en cuanto a la forma en que se desarrollan las relaciones de los Estados que son partes de la comunidad internacional, y también cuando se trata de determinar el sentido y alcance de las disposiciones de los tratados que han sido suscrito los países.

La Convención de Viena sobre los Tratados, de 1969, establece en sus artículos 31 y 32 las reglas de interpretación de los tratados internacionales y a la cabeza de estos mecanismos se encuentra la buena fe. Le siguen, como principios interpretativos, el texto, objeto y fin del tratado y los trabajos preparatorios. Estas reglas son útiles, pero insuficientes, para interpretar los tratados internacionales sobre derechos humanos y, por lo tanto, se deben tener presente otros métodos tales como la interpretación más favorable a la persona (pro homine), interpretación restrictiva o extensiva

---

[75]   Nogueira Alcalá, "Sistema interamericano de protección de derechos humanos, control de convencionalidad y aplicación por parte de las jurisdicciones nacionales", p.417.

[76]   Corte Interamericana de Derechos Humanos, Caso 12.502 (cons. 271), Corte Interamericana de Derechos Humanos, Caso 12.607 (cons. 278).

[77]   Corte Interamericana de Derechos Humanos, Casos 11.560, 11.658 Y 11.667 (cons. 173) Y Corte Interamericana de Derechos Humanos, Caso 12.580 (cons.240).

[78]   Corte Interamericana de Derechos Humanos, Casos 12.496, 12.498 Y 12.497 (cons. 471).

[79]   Corte Intermaricana de Derechos Humanos, Caso 10.738 (cons.579), Corte Interamericna de Derechos Humanos, Caso 12.775 (cons.346).

y aquellas que se llevan a cabo de manera fiel al texto del tratado (originalista) o evolutiva.

En cuanto a la Convención Americana de Derechos Humanos, tratado internacional de derechos humanos en el cual nuestro país es signatario, la interpretación de buena fe de este tratado involucra, por una parte, que los Estados modifiquen su legislación interna para hacerla compatible con el texto de la Convención, tal como lo señala su artículo 2°, y por otra, que la Corte Interamericana de Derechos Humanos debe llevar a cabo sus procesos interpretativos con la mayor fidelidad posible a su texto, porque es en él donde se expresa la voluntad de los Estado contratantes en cuanto a cuáles fueron las disposiciones consensuadas y, en consecuencia, incorporadas en la Convención.

La interpretación del tratado llevada a cabo por la Corte Interamericana de Derechos Humanos, sobre todo en lo que se refiere al criterio evolutivo ha sido utilizado por el tribunal con infracción al principio de buena fe, sobre todo porque bajo el alero de la interpretación evolutiva, no solo se han reconocido derechos que no están en la Convención, sino que además ha derivado en la creación de una figura jurídica que ha denominado control de convencionalidad, que no está establecida en el texto de la Convención ya que sus elementos han sido diseñados de manera paulatina por la jurisprudencia posterior a la dictación del fallo Almonacid.

A lo anterior se debe agregar que la Corte Interamericana de Derechos Humanos se ha negado a seguir el ejemplo de su par europeo, y utilizar el margen de apreciación, cuyos elementos interpretativos más importantes como el consenso, identidad cultural, mejor posición de los Estados de juzgar la situación interna. Ellos podrían contribuir a matizar la forma en que se ha aplicado el control de convencionalidad, lo que permitiría una interpretación del texto de la Convención más conforme al texto del tratado y, en consecuencia, lograr un mayor respeto al los principios de pacta sunt servanda y la buena fe.

BIBLIOGRAFÍA

Aguilar Cavallo, Gonzalo, "El control de convencionalidad y el rol del juez nacional como juez de derechos humanos" en *El diálogo transjudicial de los Tribunales Constitucionales entre sí y con las cortes internacionales de derechos humanos*, NOGUEIRA ALCALÁ, Humberto (coord.), Santiago, Librotecnia, 2012.

Alston, Philip, y otros, *International Human Rights in Context, Law, Politics and Morals*, 3a ed., Oxford, Oxford University Press, 2008.

Bazán, Víctor, "El control de convencionalidad: incógnitas, desafíos y perspectivas", en Bazán, Víctor y Nash, Claudio (edit.), *Justicia constitucional y derechos fundamentales. El control de convencionalidad,* Fundación Konrad Adenauer, Colombia 2012.

Benfeld, Johann Y Müller, Karl, "¿Qué significa es el ámbito del derecho internacional público negociar de buena fe? Precisiones conceptuales y posición de la Corte Internacional de Justicia en esta materia, a propósito del rechazo a la objeción preliminar presentada por Chile ante dicha Corte con ocasión de la demanda boliviana de 2013" en *Ius et Praxis,* Años 24, N°1, 2018.

Brotóns, Remiro Y Otros, *Derecho Internacional,* Valencia, Tirant Lo Blanch, 2007,.

Cançado Trindade, Antônio, *El Derecho Internacional de los Derechos Humanos en el siglo XXI,* 2ª edición, Jurídico, Santiago, 2001.

Carozza, Paolo, "Uses and Missuses of comparative law in international human rights: Some reflections on the jurisprudence of the European Court of Human Rights", en *Notre Dame Law Review,* v.73, University of Notre Dame, Law School, 1998.

Contreras Vásquez, Pablo, "Análisis crítica del control de convencionalidad" en Núñez Poblete, Manuel (edit), *La internalización del derecho público,* Santiago, Thomson Reuters, 2015.

Contreras, Pablo "National discretion and international deference in the restriction of human rights. A comparison between the jurisprudence of the European and the Interamerican Court of Human Rights", *en North Western University Journal Human Rights,* v.11, issue 1, otoño 2012.

Cubides, Jaime y Vivas, Tania "Diálogo judicial transnacional en la implementación de las sentencias de la Corte Interamericana" en *Entramado,* v.8, N°2, 2012.

Díez de Velasco, *Instituciones del Derecho Internacional Público*

Dulitsky, Ariel, "The Inter-American constitucional Court? The invention of the conventionality control by the Inter-American Court of Human Rights", en *América Latina Hoy,* N°20, diciembre 1998.

Estrada, Alexei "Comentario al artículo ´Control de Convencionalidad interamericano: una mera aplicación del derecho internacional; de Karlos A. Castilla Juárez´" en *Revista Derecho del Estado,* N°34, Enero – Julio 2015.

Ferrer Mac-Gregor, Eduardo "Reflexiones sobre control de convencionalidad. A la luz del caso *Cabrero García y Montiel vs. México*" en *Boletín Mexicano Comparado,* año XLVI, núm. 131, UNAM, mayo-agosto 2011.

Ferrer Mac-Gregor, Eduardo y Pelayo Möller, Carlos María "Artículo 2°. "Deber de adoptar disposiciones de derecho interno" en *Convención Americana sobre Derechos Humanos. Comentario,* Steiner, Christian Y Uribe, Patricia (edit.), Konrad Adenauer, Santiago, 2014.

Fuentes Torrijo, Ximena, "International and domestic law: Definitely an odd couple" en Revista Jurídica UPR, v.77, 2008.

Fuenzalida Bascuñán, Sergio "La jurisprudencia de la Corte Interamericana de Derechos Humanos como fuente de derecho. Una revisión de la doctrina del ´examen de convencionalidad´" en *Revista de Derecho (Valdivia)*, v. XXVIII, N° 1, junio 2015.

Ibáñez Rivas, Juana, "Control de convencionalidad precisiones para su aplicación desde la jurisprudencia de la Corte Interamericana de Derechos Humanos" en *Anuario de Derechos Humanos*, Universidad de Chile, 2012.

Jacobs, Francis Y White, Robin, *The European Convention of Human Rights*, 2ª Edición, Oxford, Oxford University Press, 1995.

Jiménez de Aréchaga, Eduardo, *El Derecho Internacional Contemporáneo*, Madrid,Tecnos, 1980.

Lestsas, Georges, "Intensionalism and the interpretation of the ECHR", Olufemi Elías y otros (Editores), *Treaty Interpretation and the Vienna Convention on the Law of Treaties :30 years on*, Vol., I Leiden Martinus Nijhoff, 2010.

Markouris, Kevin, "´Third party´. Consideration and ´corrective interpretation´ in the interpretative use of the travaux préparatoires: - Is it Fahrenheit 451 for preparatory works?", en *University of Pennsylvania Journal International Bus. Law*, v. 16, 1995.

Mora Méndez, Jorge, "Control de convencionalidad: Un replanteamiento de principios y fuentes del derecho" en *Revista Republicana*, N°12, Enero – Junio 2012.

Moyano Bonilla, *La interpretación de los tratados internacionales*, Montevideo, edit. M.B.A,1985.

Muñoz Gajardo, Sergio, "El estándar de convencionalidad y principio ´pro homine´", en NOGUEIRA ALCALÁ, Humberto (coord.), *La protección de los Derechos Humanos y fundamentales de acuerdo a la Constitución y el Derecho Internacional y de los Derechos Humanos*, Librotecnia, Santiago, 2014.

Nash Rojas, Claudio, "Comentario al trabajo de Víctor Bazán: ´El control de convencionalidad: incógnitas, desafíos y perspectivas" en Víctor Bazán y Claudio Nash (edit.), *Justicia constitucional y derechos fundamentales. El control de convencionalidad*, Colombia, Fundación Konrad Adenauer, 2012.

Nash Rojas, Claudio, *Control de convencionalidad de la dogmática a la implementación*, en Nogueira Alcalá, Humberto (coord.), *El diálogo transjudicial de los Tribunales Constitucionales entre sí y con las Cortes Interamericanas de Derechos Humanos*, Santiago, Librotecnia, 2012.

Nogueira Alcalá, Humberto, "Los desafíos del control de convencionalidad del corpus iuris interamericano para los tribunales nacionales en especial, para los tribunales constitucionales" en Nogueira Alcalá, Humberto (coord.), *La protección de los Derechos Humanos y fundamentales de acuerdo a la Constitución y el Derecho Internacional y de los Derechos Humanos*, Santiago, Librotecnia, 2014.

Nogueira Alcalá, Humberto, "Sistema interamericano de protección de derechos humanos, control de convencionalidad y aplicación por parte de las jurisdicciones nacionales", en Nogueira Alcalá, Humberto (coord.), *La protección de los*

Derechos Humanos y fundamentales de acuerdo a la Constitución y el Derecho Internacional y de los Derechos Humanos, Santiago, Librotecnia, 2014.

Novak Talavera, Jen, "Los criterios de interpretación de los tratados internacionales", Th⊠mis, N° 63, 2013.

Núñez Poblete, Manuel, "La función del derecho internacional de los derechos de las personas en la argumentación de la jurisprudencia constitucional. Práctica y principios metodológicos" en *Revista de Derecho de la Pontificia Universidad Católica de Valparaíso,* Valparaíso, primer semestre, 2009.

Olano García, Hernán, "Teoría del control de convencionalidad" en *Estudios Constitucionales,* año 14, N°1, 2016.

Paúl Díaz, Álvaro, "La Corte Interamericana in vitro: comentarios sobre su proceso de toma de decisiones a propósito del caso *Artavia*", en *Revista de Derecho Público Iberoamericano,* año I, N°2, Santiago, 2013.

Ripol Carulla, Santiago, *El sistema europeo de protección de los derechos humanos* y *el derecho español,* Atelier, Barcelona, 2007.

Ruiz-Chiroboga, Oswaldo, "The American Convention and the Protocol of San Salvador" en *Netherlands Quaterly of Human Rights,* v. 31/2, 2013.

Sagües, Néstor, "Derechos constitucionales y derechos humanos. De la constitución nacional a la constitución ´convencionalizada´" en *La protección de los Derechos Humanos y fundamentales de acuerdo a la Constitución y el Derecho Internacional y de los Derechos Humanos,* Librotecnia, Santiago, 2014.

Shaw, Malcom, *International Law,* 6a edición, Cambridge, Cambridge Universtiy Press, 2008.

Shaver, Lea, "The Inter-American Rights system: and effective instituion for regional rights protection" en *Washington University Global Studies Law Review,* v. 9, issue 4, 2010.

Tümay, Murat, "The ´margin of appreciation doctrine´developed by the case law of the European Courts of Human Rights" en *Ankara Law Review,* Vol 5, N°2, invierno 2008.

Villiger, Mark, *Commentary on the 1969 Vienna Convention on the Law of Treaties*, Leiden Martinus Nijhoff, 2009.

Jurisprudencia

– Tribunal Europeo de Derechos Humanos, sentencia 4451/1970 (21 de febrero de 1975).

– Tribunal Europeo de Derechos Humanos, Caso 34503/97 (12 de noviembre de 2008).

– Tribunal Europeo de Derechos Humanos, Caso 30.814/06 (3 de noviembre de 2009).

– Tribunal Europeo de Derechos Humanos, Caso 25579 (16 de diciembre de 2010).

–   Tribunal Europeo de Derechos Humanos, Casos 48420/10, 59842/10, 51671/10, 365116/10 (27 de mayo de 2013).

–   Tribunal Europeo de Derechos Humanos, Casos 42750/09 (21 de octubre de 2013).

–   Tribunal Europeo de Derechos Humanos, Casos 27510/08 (17 de diciembre de 2013)

–   Corte Interamerciana de Derechos Humanos, Caso 12.313 (17 de junio de 2005).

–   Corte Interamericana de Derechos Humanos, Casos 11.560, 11.658 y 11.667 (22 de septiembre de 2006).

–   Corte Interamericana de Derechos Humanos, Caso 12.057 (26 septiembre de 2006).

–   Corte Interamericana de Derechos Humanos, Caso 11.830 y 12.038 (24 de noviembre de 2006).

–   Corte Interamericana de Derechos Humanos, Casos 12.496, 12.498 y 12.497 (16 de noviembre de 2009).

–   Corte Interamericana de Derechos Humanos, Caso 12.580 (30 de agosto de 2010)

–   Corte Interamericana de Derechos Humanos, Caso 12.449 (26 de noviembre de 2010).

–   Corte Interamericna de Derechos Humanos, Caso 12.775 (20 de noviembre de 2011).

–   Corte Interamericana de Derechos Humanos, Caso 12.502 (24 de febrero de 2012).

–   Corte Interamericana de Derechos Humanos, Caso 12.361 (28 de noviembre de 2012).

–   Corte Intermaricana de Derechos Humanos, Caso 10.738 (14 de noviembre de 2014).

–   Corte Interamericana de Derechos Humanos, Caso 12.607 (29 de agosto de 2018).

EL PRINCIPIO DE BUENA FE
EN EL DERECHO CONSTITUCIONAL

José Ignacio MARTÍNEZ ESTAY
Doctor en Derecho, Universidad de Santiago de Compostela
Profesor de Derecho Constitucional, Universidad de los Andes, Chile

SUMARIO: 1. BUENA FE Y CONSTITUCIÓN. 2. BUENA FE Y PODER CONSTITU-YENTE. 3. BUENA FE Y EJERCICIO DE POTESTADES PÚBLICAS. 4. BUENA FE Y DERECHOS FUNDAMENTALES. BIBLIOGRAFÍA.

1. BUENA FE Y CONSTITUCIÓN

Hace algunos años, en un trabajo titulado "Constitución y fuentes del Derecho"[1], pude abordar la relación existente entre la Constitución y los principios jurídicos. Allí se afirmaba que parte importante del Derecho "es 'producido' por el hombre", pero también que una parte de él no es producto de su creación, sino que de su descubrimiento. "Así, si bien las normas, la jurisprudencia, la costumbre y la doctrina suponen creación de Derecho, no ocurre lo mismo con la equidad y con los principios jurídicos"[2]. En tal sentido, estas fuentes son lo que Lon Fuller denomina elementos implícitos o inherentes a la creación jurídica[3]. Por ende son un supuesto del Derecho positivo, y, como ya se dijo, entre ellos se encuentran los principios jurídicos.

El origen de los principios se encuentra en el Derecho romano, y más concretamente en el trabajo de los juristas primero, y de los glosadores más tarde[4]. Como destaca Pereira, son "como un capítulo de sabiduría ju-

---

[1] Martínez Estay, José Ignacio: "Constitución y fuentes del Derecho", en Arancibia Mattar, Jaime y Martínez Estay, José Ignacio: *La primacía de la persona. Estudios en homenaje al profesor Eduardo Soto Kloss*, Santiago, 2009, AbeledoPerrot/Thomson Reuters, pp. 347-366.

[2] *Ibíd.*, p. 347.

[3] Fuller, Lon: *Anatomía del Derecho*, Caracas, Monte Avila Editores, 1969, p. 112.

[4] Pereira Menaut, Antonio Carlos: "Constitución, principios, valores". *Dereito*, Vol. 13 (2004), p. 193.

rídica condensada en una frase, normalmente breve e inequívoca"[5]. En la elaboración de esos principios destaca el rol asignado en Roma a la *fides*, "dado su extraordinario alcance y sus múltiples funciones en el mundo del Derecho. En efecto, su contenido se revela claramente heterogéneo, apareciendo en ámbitos de la realidad romana muy diferentes como fides in deditione, fides in colloquio, fides publica, fides patroni, fides crediticia, bona fides...."[6]. La expresión "fides es entendida, originariamente, entre los romanos como 'fidelidad a la palabra dada'. Su significado más básico, traducido como 'ser de palabra' o 'tener palabra', esto es, 'hacer lo que se dice' o 'cumplir lo que se promete'"[7].

Uno de los principios derivados de la *fides* es el de buena fe, que, en palabras de González Pérez, "aparece como uno de los principios generales que sirven de fundamento al Ordenamiento, informan la labor interpretativa y constituyen decisivo instrumento de integración"[8]. De este principio se derivan límites, "que provienen de la que debe ser la conducta normal, recta y honesta respecto de las personas con las que se está en relación. Es el criterio de reciprocidad el que aparece como nota diferenciadora de la buena fe"[9].

Acerca de su ámbito de aplicación, el propio González Pérez destaca que "la salvaguardia de la buena fe y el mantenimiento de la confianza forman la base del tráfico jurídico y, en particular, de toda la vinculación jurídica individual. Por esto, el principio no puede limitarse a las relaciones obligatorias, sino que es aplicable siempre que exista una especial vinculación jurídica, y en este sentido puede concurrir, por tanto, en el Derecho de las cosas, en el Derecho procesal y el Derecho público". Por eso resulta aplicable en general "a toda conducta con trascendencia jurídica"[10].

---

[5]   Como destaca Pereira, en el ámbito del Derecho alemán surgen una serie de nuevos principios, algunos de los cuales carecen de aquellas cualidades de brevedad y directa aplicación, ya que exigen concreción y determinación, como el principio de descentralización, el de legalidad, el de constitucionalidad o el de estado de Derecho. Pero otros, como el de prohibición de exceso o el de proporcionalidad, sí poseen aquellas características más propias de los clásicos principios romanos. *Ibíd.*, p. 194.

[6]   Salazar Revuelta, María: "Formación en el Derecho romano y en la tradición romanística del principio de la buena fe y su proyección en el Derecho comunitario europeo". *RIDROM: Revista Internacional de Derecho Romano*, N° 14, 2015, p. 114.

[7]   *Ibíd.*, p. 117.

[8]   González Pérez, Jesús: *El principio general de la buena fe en el Derecho Administrativo*, Madrid, Thomson/Civitas, 2004, 4ª ed., p. 29.

[9]   *Ibíd.*, p. 39.

[10]   *Ibíd.*, p. 45.

Como se deduce de todo lo señalado hasta aquí, el principio de buena fe forma parte también del Derecho constitucional, con prescindencia de si está o no reconocido o recogido en una norma concreta. Y es que su positivación "no suponía que con anterioridad no existiera, ni que por tal consagración legislativa hubiera perdido tal carácter. Pues si los principios generales del Derecho, por su propia naturaleza, existen con independencia de su consagración en una norma jurídica positiva, como tales subsistirán cuando en un Ordenamiento jurídico se recogen en un precepto positivo, con objeto de que no quepa duda de su pleno reconocimiento"[11]. Pero esto no alterará la naturaleza del principio positivado, porque "cuando un principio se positiviza, no pierde su carácter principal, no se produce una transformación de esencia normativa que transforma un principio general en parte de la ley; seguirá siendo principio general de Derecho y también norma jurídica de aplicación inmediata, y no sólo en defecto de ley o de costumbre"[12].

Todo esto es de especial relevancia, porque independientemente de si un principio general del Derecho está o no reconocido de manera expresa en una norma positiva, él rige y es susceptible de ser aplicado por el sólo hecho de ser un principio. Eso es lo que ocurre con el principio general de buena fe. Así, aunque una constitución no diga nada acerca de él, regirá y se podrá aplicar con independencia de esa omisión positivo-constitucional[13]. Y es que las constituciones no necesariamente deben pronunciarse sobre los principios generales del Derecho, porque, como indica Pereira, no son manuales de fuentes del Derecho[14].

Por otra parte, y como destaca Naranjo, los principios cumplen un importante rol en materia de interpretación, ya que considerarlos "en la interpretación de la norma permite, de un lado, insertar a ésta en el contexto formado por todas aquéllas que poseen una unidad de sentido por estar

---

[11] *Ibíd.*, p. 29.
[12] *Ibíd.*, p. 103.
[13] No obstante, para Naranjo de la Cruz los principios jurídicos sólo informan el ordenamiento jurídico de la forma que lo disponga el derecho positivo, en particular la ley. Por ejemplo, en el Código Civil español los principios son una "fuente supletoria respecto del resto". Asimismo, entiende que si bien la buena fe es un principio que informa el ordenamiento jurídico positivo español, esto es consecuencia de que se trata de un principio implícito en la Constitución, en concreto, en el valor "justicia" al que alude el art. 1.1. Ver Naranjo de la Cruz, Rafael: *Los límites de los derechos fundamentales en las relaciones entre particulares: la buena fe*, Madrid, Boletín Oficial del Estado/Centro de Estudios Políticos y Constitucionales, 2000, pp. 276, 376-381.
[14] Pereira, p. 190.

informadas por el mismo principio, y de otra, dada la íntima conexión que pueden tener los principios con las convicciones generales, aplicar la norma de acuerdo con la realidad social del momento histórico en que se emplea"[15].

En lo que respecta al principio de buena fe, puede decirse más precisamente que constituye un criterio que ayuda a la resolución de las dudas que surjan en el marco de un conflicto jurídico. En concreto, la buena fe se traduce en la fijación de ciertos "límites que provienen de la que debe ser la conducta normal, recta y honesta respecto de las personas con las que se está en relación"[16].

Sobre la base de aquellos supuestos en este trabajo se sostiene la tesis de que en el ámbito constitucional la buena fe abarca en primer lugar las conductas del poder, incluido el constituyente, así como los demás poderes públicos. Pero también alcanza a las personas, en cuanto titulares de los derechos y libertades que las constituciones reconocen y amparan. Es en tal sentido que puede afirmarse la existencia de una "buena fe constitucional". Su observancia no sólo se relaciona con la idea de límites al poder, propia del Derecho constitucional, sino que además con la confianza y la certeza jurídicas, y en consecuencia, con la previsibilidad de las actuaciones de los órganos públicos y de las personas[17]. En palabras del Tribunal Constitucional español, es indispensable proteger la confianza, "ya que el no hacerlo es atacar la buena fe, que ciertamente se basa en una coherencia de comportamiento en las relaciones humanas y negociales" (sentencias roles 27/1981, 67/1984, 73/1988, y 198/1988).

Nuestro Tribunal Constitucional se ha referido al significado del principio de buena fe. Ha reconocido su carácter de principio general del Derecho, y que su principal desarrollo proviene del Derecho privado, en especial del civil. Pero, a su vez, ha resaltado que no puede ser adecuadamente entendido al margen de las peculiaridades de cada una de las disciplinas jurídicas en que se despliega. Así, ha señalado que la buena fe es "un principio surgido en el seno del Derecho Civil y que ha adquirido un carácter de principio general de derecho" (sentencia rol N° 5006-2018, considerando 12°). Sin embargo, si bien "se despliega en un ámbito sub-

---

[15]   Naranjo de la Cruz, p. 300.
[16]   González, p. 39.
[17]   A este respecto González afirma que "la buena fe incorpora el valor ético de la confianza. Representa una de las vías más fecundas de irrupción del contenido ético-social en el orden jurídico"; González, p. 96.

jetivo y objetivo", "desde el punto de vista interpretativo no tiene autonomía explicativa propia al margen de la disciplina que lo regula. Es distinto configurarlo como principio general que encontrar en el ordenamiento, incluido el constitucional, manifestaciones de la buena fe" (sentencia rol N° 5006-2018, considerando 12°).

Aquello es de enorme relevancia, porque significa que como principio general del Derecho se proyecta también al Derecho constitucional. Pero su significado y eficacia en este ámbito está en directa relación con los elementos, fines y características propias de esta disciplina jurídica, como la limitación del poder, el imperio del Derecho, la separación de poderes y los derechos y libertades. Por eso García y Contreras sostienen con acierto que "en el ámbito del Derecho constitucional, es el principio que protege la honesta conducta en el legítimo ejercicio de los derechos fundamentales y en el respeto y recto ejercicio de las competencias institucionales"[18].

2. BUENA FE Y PODER CONSTITUYENTE

El constitucionalismo trata esencialmente de la limitación del poder. De hecho la Constitución se inventó con ese fin[19]. Pero ¿qué sucede con el poder constituyente? No cabe ninguna duda de que el derivado o de reforma está sometido a la Constitución, a cuyas normas debe sujetarse para enmendarla válidamente. Sin embargo, debe considerarse que el poder constituyente originario tiene una naturaleza especial, porque se trata ni más ni menos que de aquél que crea o genera una nueva Constitución. Por ende, podría pensarse que carece de límites, y que por eso escapa a la idea de sometimiento al Derecho, propia del constitucionalismo. El problema es complejo, porque como ha quedado claro desde el comienzo del debate constitucional iniciado en Chile a contar del 15 de noviembre de 2019, muchos sectores políticos y académicos entienden que el poder constituyente originario es un poder soberano, en el sentido de que carece de límites. Se trataría de un poder no sujeto a reglas, más que las propias que él mismo fijase, con potestad para determinar los contenidos de una Constitución sin ningún tipo de limitación.

---

[18]   García Pino, Gonzalo y Contreras Vásquez, Pablo: *Diccionario constitucional chileno, Cuadernos del Tribunal Constitucional* N° 55, Santiago, Tribunal Constitucional, 2014, p. 119.

[19]   Ver Pereira Menaut, Antonio Carlos: *Lecciones de teoría constitucional y otros escritos*, Santiago de Compostela, Andavira, 2016, pp. 22 y ss.

Pero como se comprenderá, aquello no sería muy acorde con la idea que subyace al constitucionalismo, a saber, que todo poder debe estar sometido al Derecho. Y desde luego eso incluye también al poder constituyente originario, por la sencilla razón de que, aún cuando se trata de un poder creador de una nueva constitución, eso no es sinónimo de creación de todo el Derecho, ni de fuente última de la juridicidad. Y es que si bien en cuanto norma la Constitución está en una posición de supremacía respecto de las restantes normas jurídicas, lo cierto es que el Derecho no es sólo normas, ni la Constitución es la cúspide de él. Desde luego esto implica asumir que una parte de aquél no es "producida" por el hombre, lo que lleva "al reconocimiento de la existencia de un Derecho suprapositivo, lo que obviamente choca con aquellas concepciones del Derecho que ven exclusivamente a éste como creación humana"[20]. Pero "el sentido común indica que ni la equidad ni los principios jurídicos tienen un 'autor'. En otros términos, ni lo justo natural, ni ideas como 'nadie puede ser juez y parte' tienen origen en una actividad creadora humana, sino que más bien son descubrimientos que el hombre ha hecho a lo largo de la historia. Estos descubrimientos son consecuencia de aquél fin propio del Derecho que es la justicia[21]".

De lo anterior se derivan diversas consecuencias, entre las que destaca una en particular: si una norma positiva "contraviniese un principio general, cualquiera fuera el rango, procedimiento y mayoría con que se hubiese aprobado, quedaría tan sólo en una regla con pretensiones de justicia, que no sería Derecho, sino sólo arbitrariedad"[22]. Por ende, si una norma constitucional fuese en contra de un principio general del Derecho, o lo mermase de alguna manera, el precepto carecería de validez jurídica. Esto es acorde con la idea de que la Constitución no es la fuente última del Derecho. Sin duda "es la fuente más importante del Derecho positivo", y en este aspecto es "la cúspide de las normas jurídicas", "pero esto no significa que todo el Derecho esté comprendido en la Constitución. No fue esa la idea de los padres del constitucionalismo, ni es posible codificar en

---

[20]   Martínez, p. 348.

[21]   *Ibíd.*, , p. 349. Vinogradoff recuerda que "el Derecho aspira a la rectitud y a la justicia", y agrega que si se elimina "este atributo, encontraremos muy difícil trazar la línea divisoria entre una norma jurídica y cualquier forma de orden arbitraria relativa a la conducta, por ejemplo, el cobro de dinero mediante chantaje organizado por una asociación criminal"; en Vinogradoff, Paul: *Introducción al Derecho*, Fondo de Cultura Económica, México, 1967, 3ª ed., p. 34.

[22]   González, p. 106.

un solo texto todo el Derecho, lo que además de irreal es innecesario"[23]. Al este respecto debe recordarse que desde el punto de vista de la teoría clásica del Derecho constitucional, la Constitución supone el Imperio del Derecho, y por tanto la supremacía de éste.

En tal sentido, si bien podría entenderse que un poder constituyente originario no esté sujeto a límites formales[24], lo cierto es que desde el punto de vista material sí está limitado por aquella parte del Derecho que no es producto de decisiones de poder. En otros términos, aún cuando en ciertas situaciones puede entenderse que el poder constituyente originario no esté sujeto a las normas jurídicas positivas vigentes, eso no quiere decir que carezca de límites, en concreto, los derivados de la equidad natural, de los principios jurídicos y de los derechos y libertades esenciales de la naturaleza humana. Si se sobrepasasen aquellas limitaciones, se estaría atentando ni más ni menos que en contra de la idea misma de Imperio del Derecho, y por ende, de aquello que es la esencia del constitucionalismo y de la Constitución.

De esta forma, y siguiendo el criterio de González Pérez, una norma constitucional que contraviniese un principio general del Derecho sería ilícita y arbitraria[25]. Las consecuencias de esta afirmación parecen ser mucho más fuertes si aquella contravención afectase al principio de buena fe. Y la razón es sencilla: este principio supone precisamente que el poder constituyente no puede ir en contra de la equidad, los principios jurídicos y los derechos y libertades esenciales. En otras palabras, la buena fe exige que el poder constituyente originario respete y ajuste su actuar a esos elementos del Derecho, y su infracción conlleva no sólo la de la regla de equidad, del principio o del derecho o libertad del que se trate, sino que también del principio general de buena fe.

3. BUENA FE Y EJERCICIO DE POTESTADES PÚBLICAS

Si el poder constituyente originario está sometido a aquellos límites, con mayor razón lo están los poderes instituidos. En efecto, éstos no sólo están afectos a limitaciones materiales (las mismas del poder constituyen-

---

[23] Martínez, p. 353.
[24] Es lo que acontece en el caso del poder constituyente originario revolucionario, propio de procesos de independencia, o de golpes de estado y derrocamiento de gobiernos, por ejemplo.
[25] Ver nota el pie 22.

te), sino que además a barreras formales, y tanto unas como otras se traducen en el estricto apego a la buena fe en el ejercicio de las potestades que corresponden a los órganos públicos. Al respecto, nuestro TC ha hecho suyas palabras del profesor Cea Egaña, plasmadas en su obra *Derecho Constitucional Chileno*, para señalar que existe un deber de "interpretar siempre de buena fe la Constitución, sea que el intérprete esté o no de acuerdo con su contenido, comparta o disienta de lo preceptuado en él, haga o no suyos los valores fundamentales del ordenamiento jurídico articulados en su texto. La buena fe, entonces, quiere decir aquí aceptación transparente de lo mandado por la Carta Fundamental, actitud que lleva a respetarla o acatarla, a cumplir fiel y celosamente sus mandatos, sin caer en resquicios, manipulaciones o tergiversaciones movidas por designios ideológicos, partidistas, sectarios, de oportunidad o conveniencia, etc." (sentencia rol N° 591-2006, considerando 9°[26]).

Desde este punto de vista el principio de juridicidad implica un auténtico estándar de buena fe exigible a los poderes del estado, al señalarles que deben actuar previa investidura regular de sus integrantes, dentro de su competencia, y conforme a los procedimientos contemplados en la ley (artículo 7 inciso 1° de la Constitución). Ese estándar no admite excepciones, ya que, "ninguna magistratura, ninguna persona ni grupo de personas pueden atribuirse, ni aun a pretexto de circunstancias extraordinarias, otra autoridad o derechos que los que expresamente se les hayan conferido en virtud de la Constitución o las leyes" (artículo 7 inciso 2° de la Constitución). Y como se sabe, la infracción de estas exigencias de buena fe derivadas del principio de juridicidad, acarrean la nulidad

---

[26] Más recientemente el TC ha reiterado los mismos conceptos, y para tal efecto ha acudido de nuevo al profesor Cea Egaña al señalar que "bien podríamos adoptar la decisión, entonces, de pronunciar derechamente la inconstitucionalidad o, en el otro extremo, admitirla y reenviarnos el problema, imponiendo a los eventuales afectados la carga de accionar, a la sede de inaplicabilidad para evitar que, desde la doctrina, nos atribuyan la dictación de una sentencia anómala, atípica o, en el lenguaje de la teoría constitucional, manipulativa.
Como expuso un ex Presidente de esta Magistratura, *"[s]er Juez Constitucional significa, en seguida, buscar y hallar, mediante la Constitución y sin salirse de ella, la solución de problemas políticos planteados en términos jurídicos, interpretándola siempre de buena fe; sintiéndose un servidor y guardián leal de ella; indagando cuanto puede desprenderse de sus valores, principios y normas para resolver la controversia; y considerando que la doctrina de sus sentencias se extiende más allá del caso en cuestión, factor que lo obliga a prefigurarse las consecuencias"* (José Luis Cea Egaña: Perfil Axiológico, Independencia y Responsabilidad del Juez Constitucional, Cuadernos del Tribunal Constitucional N° 18, pp. 5-6)". Rol N° 5677-18-CPT/5678-18, considerando 44°.

del acto emanado del órgano infractor. Así, la buena fe "se relaciona con la idea de la defensa de la Constitución y la obligación de garantizar la institucionalidad pública", y "opera como un parámetro deóntico que corrige normativamente la discrecionalidad de los órganos estatales en el ejercicio de sus funciones"[27].

Es importante considerar que este estándar de buena fe se despliega en dos ámbitos. El primero se desarrolla en las relaciones entre los poderes del estado. A este respecto la buena fe se traduce en la no invasión de las competencias de los otros órganos estatales, y por ende en un deber de lealtad que éstos deben observar entre sí. En este primer aspecto la buena fe extiende su eficacia al estricto cumplimiento del principio de separación de poderes. Desde este punto de vista la buena fe implica una recíproca deferencia entre estos órganos.

Entre las principales manifestaciones de aquel deber, se encuentran el respeto al margen de apreciación y la observancia de la necesaria auto restricción que deben observar los tribunales en su labor de control de las actuaciones del legislativo y del ejecutivo[28], y con relación a otros órganos jurisdiccionales[29]. Así, y en lo que toca las relaciones con el poder político, los jueces no pueden ir más allá de sus funciones de control jurisdiccional, lo que en palabras de Loewenstein, implica reconocer que hay un ámbito vedado a los jueces, a saber, la imposibilidad de "valorar una decisión político-social y político-económica de los detentadores del poder –gobierno y parlamento–"[30]. En otros términos, los jueces no pueden transformarse en agentes de cambio social, ni usar sus sentencias para fijar políticas sociales y disponer de los recursos económicos del estado. Lo contrario supone un indeseable activismo judicial, que se aleja del estándar de buena fe que deben observar los tribunales en el marco de un sistema constitucional.

En nuestro país, una demostración de la deferencia que deben observar los órganos jurisdiccionales con relación al poder político, es la que puede comprobarse en las relaciones del Tribunal Constitucional respecto del legislador, y que se aprecia en el criterio de "de 'interpretación confor-

---

[27]   García y Contreras, p. 120.
[28]   Ver Martínez Estay, José Ignacio: "Auto-restricción, deferencia y margen de apreciación. Breve análisis de sus orígenes y de su desarrollo", *Estudios Constitucionales*, año 12, Nº 1, 2014, pp. 365-396.
[29]   Ver Martínez Estay, José Ignacio: "La deferencia del Tribunal Constitucional respecto del juez de la gestión pendiente en la cuestión de inaplicabilidad", *Estudios Constitucionales*, año 13, Nº 1, 2015, pp. 237-270.
[30]   Loewenstein, Karl: *Teoría de la Constitución*, Barcelona, Ariel, 1976, p. 312.

me' (por ejemplo sentencias roles 43, 67, 257, 271, 293, 297, 309 y 334). De acuerdo a éste, entre distintas interpretaciones posibles de una norma, debe preferirse aquella que sea más acorde a la Constitución"[31]. Por su parte, en lo que respecta a la deferencia entre órganos jurisdiccionales, un buen ejemplo es el que se da en el ámbito de la relación del TC con los tribunales ordinarios. En efecto, el alto Tribunal "ha aclarado que no le corresponde sustituir al juez ordinario en la resolución del asunto que da origen a la cuestión de inaplicabilidad y que sólo toca a éste decidir sobre la controversia propia de cada juicio", según ha señalado, entre otras, en "las sentencias Roles Nos. 481, 503, 522, 626, 706, 790, 1001, 1129, 1250, 1266, 1340, 1348, 1361, 1463, 1678, 1683, 1710, 2014, 2025, 2111, 2292 y 2386"[32].

Pero también la buena fe debe ser observada por los órganos jurisdiccionales a la hora de aplicar e interpretar tratados internacionales, consecuencia del principio *pacta sunt servanda*. En tal sentido, el TC ha recordado que "la regla de oro en la interpretación internacional está dada por el artículo 31 N° 1 de la Convención de Viena sobre el Derecho de los Tratados (Decreto Ley N.° 3.633, publicado en el Diario Oficial de fecha 11 de marzo de 1981), la que ordena que: "un tratado deberá interpretarse de buena fe conforme al sentido corriente que haya de atribuirse a los términos del tratado en el contexto de éstos y teniendo en cuenta su objeto y fin". Esta regla, a su vez, da aplicación a la norma contenida en el artículo 27 de la misma Convención, según la cual todo tratado en vigor obliga a las partes y debe ser cumplida por ellas de buena fe" (sentencia rol N° 804-2007, considerando 4°). Como consecuencia de aquello, "el intérprete en general y el juez en particular debe realizar los mayores esfuerzos, dentro del ámbito constitucional, para procurar cumplir de buena fe las disposiciones y los fines del tratado, conciliando sus disposiciones con otras normas del Derecho Interno, prefiriendo aquellas interpretaciones que armonicen los derechos y obligaciones que del tratado internacional se derivan con el orden jurídico chileno" (sentencia rol N° 804-2007, considerando 5°).

En todo caso, el deber de lealtad y respeto recíprocos alcanza también a las relaciones entre los demás poderes del estado. Así, el TC se ha referido por ejemplo a la obligación que tiene el Presidente de la República de utilizar adecuadamente el decreto de promulgación de la ley, ajustándose a la función para la cual existe, sin alterar de ninguna manera el sentido del texto promulgado. El TC llegó a esa conclusión en un requerimiento de inconstitucionalidad de un decreto promulgatorio. Su opinión tomó como

---

[31]   Martínez, "Auto-restricción...", p. 385.
[32]   *Ibíd.*, p. 386

referencia el principio de buena fe, que le sirvió de parámetro para medir la licitud de un decreto de este tipo en el que el Presidente había modificado el nombre de la ley promulgada. El TC dijo que "la atribución discrecional de facultades de que goza el Presidente de la República para la elección de la suma del decreto promulgatorio, consagrada como una práctica que, en cuanto tal, no configura un deber vinculante, ha de ejercerse dentro de los límites que demarcan el interés público –elemento siempre reglado de los actos administrativos– y los principios generales del derecho, entre los cuales los de razonabilidad y proporcionalidad" (sic).

En ese sentido, "al introducirse en el decreto supremo de promulgación de la Ley N° 20.595 la expresión tantas veces aludida –"Crea el Ingreso Ético Familiar…"–, expresamente retirada del nombre con que el ente parlamentario la designó, el Ejecutivo adicionó un elemento, que podría inducir a confusión o desconcierto a los operadores jurídicos y aun a los académicos y estudiosos, toda vez que la Recopilación Oficial de Leyes de la República, que por imperativo del artículo 26 de la Ley Orgánica Constitucional de la Contraloría General de la República (N° 10.336) es llamada a "recopilar y editar en forma oportuna y metódica todas las leyes, reglamentos y decretos de interés general y permanente, con sus índices respectivos", anota y registra habitualmente las leyes que se promulguen por el Ejecutivo, a través del Subdepartamento de Toma de Razón, según lo dispone el artículo 37, letra a), de la misma ley, con la denominación que le otorga este último poder del Estado" (sentencia rol N° 2253-2012, considerando 26°).

A juicio del TC, "la adición al nombre del producto legislativo, efectuada por la vía de la promulgación por el órgano competente, si bien no podría originar una antinomia constitucional, porque la ley ha permanecido inalterable en el tenor que le dio el órgano parlamentario –que es lo único que le incumbe controlar a esta Magistratura Constitucional– se aleja de los términos en que se verificó el debate legislativo y de la explícita definición consensuada en el Senado en orden a excluir del nombre de la ley la expresión añadida en la denominación empleada por el promulgador. Tal comportamiento, lejos de ser caprichoso, revela una intencionalidad enderezada a provocar en los destinatarios de la norma una percepción de su alcance y sentido más allá de la realidad de su verídico y más acotado contenido".

El TC consideró que la denominación dada a la ley por el decreto promulgatorio podría inducir a la confusión, lo que puede "crear en los destinatarios de la norma un sentimiento de incertidumbre que, …, podría generar efectos no deseables en el proceso de identificación de las normas legales, con consecuencias inconvenientes en la perspectiva de la técnica legislativa". Por eso el TC hizo un llamado de atención al Ejecutivo, al que señaló que "la fórmula promulgatoria aplicada en el caso de la especie, que no debería repetirse en lo sucesivo, a fin de resguardar la pureza, transparencia y racionalidad del proceso legislativo en su conjunto, así como los principios de buena fe y deferencia razonada, que deben presidir las relaciones entre los órganos del Estado (sentencia rol N° 2253-12, considerando 27°).

Sin perjuicio de lo anterior, en nuestro sistema constitucional el Presidente de la República no puede usar su potestad reglamentaria para regular aquellas materias que son de dominio del legislador (artículo 63 de la Constitución). También debe respetar el principio de legalidad en materia de derechos y libertades, en virtud del cual sólo la ley puede regular, complementar y, en su caso, limitar el ejercicio de los derechos, cuando la Constitución así lo haya previsto (artículo 19 N° 23 de la Constitución).

Precisamente por eso el Tribunal Constitucional, en un emblemático caso, declaró inconstitucional el decreto supremo del Ministerio de Obras Públicas N° 357 de 1992, que había prohibido la colocación de carteles, avisos de propaganda o cualquiera otra forma de anuncios comerciales en los caminos públicos del país. El TC sostuvo que "si bien es efectivo que el legislador haciendo uso de su facultad de "regular" puede establecer limitaciones y restricciones al derecho a desarrollar cualquier actividad económica, esta facultad no le corresponde al administrador, pues de acuerdo al texto constitucional, por el artículo 60, N° 2, que establece "Sólo son materias de ley: Las que la Constitución exija que sean reguladas por una ley", estas atribuciones están entregadas expresamente al legislador, al disponer el constituyente que el derecho a desarrollar una actividad económica se asegura "respetando las normas legales que la "regulen". En otras palabras, el constituyente entrega al legislador y no al administrador la facultad de disponer cómo deben realizarse las actividades económicas y a qué reglas deben someterse" (sentencia rol N°146-1992, considerando 11°[33]).

Asimismo, y en virtud de los mismos criterios y estándares, el TC ha declarado que "en el evento que el reglamento se apartara de la ley en consonancia con la cual se dicta, se produce la desvinculación de uno y otra, ya que dejan de constituir un todo jurídicamente armónico que da lugar a una realidad jurídica evidente, para transformarse en partes de una rela-

---

[33]   En este mismo sentido, sentencia rol N° 167-1993, considerando 15°.

ción ley-decreto reglamentario que se contrastan y se repudian" (sentencia rol N° 253-1997, considerando 9°[34]). En concreto, "el reglamento contraría la ley no sólo cuando está en pugna con su texto expreso sino, también, cuando su contenido desborde el marco de posibilidades regulatorias que brinda la Constitución; tratándose del derecho de propiedad, por ejemplo, cuando él fuere vulnerado en su esencia" (sentencia rol N° 253-1997, considerando 9°[35]).

Pero el estándar de buena fe derivado del principio de juridicidad, se traduce también en una exigencia respecto de la forma en que se puede ejercer la potestad reglamentaria del Presidente de la República. En efecto, los diversos tipos de normas que él puede dictar no sólo están sujetos a distintos requisitos, sino que sólo algunas de éstas están sometidas a control de legalidad por la Contraloría General de la República, y a un eventual control de constitucionalidad por el Tribunal Constitucional. Como ha destacado el TC, los actos administrativos "se hallan sometidos a controles diversos según su jerarquía. Así, los decretos reglamentarios deben ser siempre revisados mediante el control preventivo denominado toma de razón, practicado por la Contraloría General de la República. En cambio, los simples decretos supremos, las resoluciones y las instrucciones pueden ser eximidos de ese trámite, con las exigencias de resguardo previstas en la ley, esto es, en el artículo 10 de la Ley Orgánica Constitucional de la Contraloría General de la República" (sentencia rol N° 591-2006, considerando 24°). A su vez, conforme al artículo 93 N° 16, el TC sólo puede controlar la constitucionalidad de los decretos supremos.

Ahora bien, conforme al artículo 32 N° 6 de la Constitución, la potestad reglamentaria le permite al Presidente de la República dictar los "reglamentos, decretos e instrucciones que crea convenientes para la ejecución de las leyes". Se trata de distintos tipos de normas, cuyas exigencias formales y objetivos son diferentes. Desde el punto de vista formal, y de acuerdo al artículo 35 de la Constitución, "los reglamentos y decretos del Presidente de la República deberán firmarse por el Ministro respectivo y no serán obedecidos sin este esencial requisito". A su vez, "los decretos e instrucciones podrán expedirse con la sola firma del Ministro respectivo, por orden del Presidente de la República, en conformidad a las normas que al efecto establezca la ley". Desde un punto de vista de fondo, los decretos dictados por el Presidente de la República o decretos supremos, "pueden referirse tanto a materias de general aplicación como a casos particulares",

---

[34]   En este mismo sentido, sentencia rol N° 254-1997, considerando 13°.
[35]   En un sentido similar, sentencia rol N° 254-1997, considerando 14°.

y "si el decreto reviste un carácter general y permanente, con el objeto de favorecer la ejecución de la ley o el ejercicio de alguna de las funciones de Administración o de gobierno, toma el nombre de reglamento" (sentencia del TC rol N° 153-1993, considerando 7°[36]). "A lo anterior podríamos agregar como característica del reglamento que, por su carácter general, no se agota con su cumplimiento como sucede con el simple decreto" (sentencia del TC rol N° 153-1993, considerando 8°[37]).

En virtud de esos razonamientos, el TC ha declarado que está facultado para recalificar la naturaleza de las normas emanadas de la potestad reglamentaria presidencial, y determinar así su posible competencia para controlar la constitucionalidad de esos preceptos. Por eso declaró inconstitucional el Decreto Supremo N° 66 de 1992, del Ministerio de Vivienda, ya que materialmente se trataba de un reglamento, a pesar de lo cual sólo contaba con la firma del ministro respectivo, pero no la del Presidente de la República (sentencia del TC rol N° 153-1993, considerando 17°).

Los mismos argumentos fueron utilizados por el TC para declarar la inconstitucionalidad de la Resolución Exenta N° 584, de 2006, del Ministerio de Salud, decisión que reforzó argumentando que se trataba de una norma de naturaleza reglamentaria, y no una mera resolución, porque incorporaba "prescripciones de conducta, reunidas metódicamente y para otorgarles aplicación general, permanente y vinculante en las materias o asuntos regulados por ellas" (sentencia rol N° 591-2006, considerando 29°). Más aún, este acto normativo reunía "los elementos configurativos de un decreto supremo reglamentario, pero sin cumplir con las exigencias que la Constitución ha previsto para que sea tal. En efecto, ese acto administrativo contiene un conjunto de normas; cuyo alcance es nacional o de aplicación general a todos los destinatarios de ellas; y dotadas de carácter permanente, es decir, que no agotan o pierden vigencia por su aplicación en un caso determinado. Sin embargo, tal Resolución Exenta carece de las demás exigencias que la Constitución contempla para los decretos supremos reglamentarios, porque fue dictada por la Ministra de Salud, en circunstancias que hacerlo se halla prohibido, pues correspondía que fuese suscrita por la Presidenta de la República y, además, debió ser sometida previamente al trámite de toma de razón en la Contraloría General de la República, atendida su naturaleza esencialmente reglamentaria. Habiéndose omitido estos dos requisitos esenciales para la formación válida de un reglamento,

---

[36]   En este mismo sentido ver sentencia rol N° 591-2006, considerando 22°.
[37]   *Ibíd.*

fuerza es concluir que la Resolución Exenta Nº 584 quebranta la Constitución, en su aspecto formal" (sentencia rol Nº 591-2006, considerando 33º).

Asimismo, el estándar de buena fe derivado del principio de juridicidad alcanza a su vez la relación del Congreso Nacional con el Presidente de la República en lo relativo a las iniciativas legislativas, y las peculiaridades de fondo y forma de determinadas materias de ley. Así por ejemplo, la Constitución ha previsto una regulación especial del proyecto de ley de presupuestos. La iniciativa respecto de estos proyectos radica exclusivamente en el Jefe de Estado (artículo 65 de la Constitución), y su tramitación está sujeta a una serie de reglas especiales (artículo 67 de la Constitución). El TC se ha referido a las consecuencias de aquellas características, y de su opinión puede deducirse que el especial tratamiento dado por la Constitución a la ley de presupuestos, conforma un estándar objetivo de buena fe. Así, en el fallo rol Nº 1-1971, y a propósito de unas indicaciones introducidas por parlamentarios a la ley de presupuestos del año 1972, el alto Tribunal sostuvo que era improcedente "utilizar el mecanismo de la Ley de Presupuestos que es una ley especial para aprobar materias o normativas que exorbitan nítidamente de su contenido", tanto en la forma como en el fondo (considerando 22º). Con esta decisión no sólo se reivindicaba la regla constitucional que disponía que las indicaciones que se introdujeran a un proyecto de ley durante su tramitación, debían decir relación con las ideas matrices o fundamentales de éste[38], sino que también las que le dan un especial tratamiento a esta clase de normas, como por ejemplo la iniciativa exclusiva presidencial[39].

Más recientemente, el TC reiteró aquellos conceptos, a propósito del requerimiento por inconstitucionalidad del artículo 24 del Proyecto de Ley de Presupuestos del Sector Público para 2008. Dicha norma había sido introducida mediante una indicación de un grupo de senadores. Mediante ella se establecía una sanción por infracción al deber de probidad que pesa sobre los funcionarios públicos[40]. Sobre este punto el TC indicó que

---

[38] Esta regla, contemplada en el artículo 48 de la Constitución de 1925, fue introducida en la reforma constitucional de 1970.

[39] Conorme al artículo 44 Nº 4 de la Constitución de 1925, el proyecto de ley de presupuestos era de iniciativa legislativa del Presidente de la República.

[40] El precepto impugnado señalaba textualmente: "Artículo 24.- Con la excepción del financiamiento y los reembolsos previstos en la ley Nº 19.884, sobre Transparencia, Límite y Control del Gasto Electoral, considérase que vulnera gravemente el principio de probidad administrativa cualquier uso de los gastos incluidos en el artículo 1º de la presente ley en actividades de proselitismo o promoción de candidatos a cargos de elección popular, lo que será sancionado con la destitución del infractor, de conformi-

en principio "no hay obstáculo para que en la ley anual de presupuestos se incluyan normas sobre materias relativas a su ejecución o a la administración financiera del Estado, pero estas disposiciones han de tener relación directa con las ideas matrices o fundamentales de la misma que no son otras que el cálculo de ingresos y la autorización de gastos" (sentencia rol N° 1005-2007, considerando 12°).

Por otra parte, el Tribunal Constitucional se ha referido también a la duda que puede generar el hecho de que parlamentarios que interponen un requerimiento respecto de un proyecto de ley, hayan concurrido previamente a la aprobación de este proyecto, lo que podría entenderse como contrario a la buena fe. Sin embargo, de la jurisprudencia del TC se concluye que en verdad no hay una infracción a la buena fe constitucional. En efecto, el TC ha entendido que simplemente se está frente a una facultad que no está sujeta a la condición de haber votado de una forma u otra un proyecto de ley (sentencia rol N° 259-1997, considerando 6°[41]). De esta forma, la aprobación parlamentaria no tiene la virtud de convalidar un vicio de inconstitucionalidad que pudiere afectar al proyecto aprobado. Sostener lo contrario significa que un acuerdo de una Cámara Legislativa prevalece sobre la preceptiva constitucional, lo cual resulta definitivamente inadmisible" (sentencia rol N° 259-1997, considerando 6°).

Más aún, el TC ha señalado que se debe "tener presente que la Carta Fundamental confiere distintas facultades a los parlamentarios, ya sea en el ejercicio de sus funciones como miembros de las Cámaras respectivas, como en lo que respecta a la posibilidad de impugnar determinadas normas jurídicas por adolecer de vicios de constitucionalidad. El ejercicio de cada una de esas facultades no implica que precluya la posibilidad de hacer uso de las demás atribuciones que les confiere expresamente la Constitución, en la especie, como lo es la de manifestar su voluntad para someter a conocimiento de esta Magistratura un requerimiento de inconstitucionalidad. Por lo demás, los artículos 70 y 71 de la Constitución, complementados por el artículo 31 de la Ley N° 18.918, obligan a las Cámaras Legislativas a pronunciarse sobre la totalidad del proyecto propuesto por

---

dad al procedimiento y las normas generales que rijan al órgano en que se produjo la infracción. Asimismo, considérase que vulnera gravemente la probidad administrativa, sancionándose con la misma medida, la participación de todo funcionario público de exclusiva confianza del Presidente de la República, en actividades de proselitismo o promoción de candidatos a cargos de elección popular, de conformidad a las normas generales aplicables".

41 En igual sentido sentencia rol N° 1005-2007, considerandos 5° y 6°.

la Comisión Mixta. En consecuencia, tal votación acerca de una totalidad no puede impedir promover una cuestión de constitucionalidad acerca de una de sus partes" (sentencia rol N° 1005-2007, considerando 5°).

Pero como se señaló al comienzo de este apartado 3, el estándar de buena fe que se desprende del principio de juridicidad, se despliega también en un segundo ámbito, que se pasa a revisar a continuación.

4. BUENA FE Y DERECHOS FUNDAMENTALES

El constitucionalismo surgió como una reacción a la idea de soberanía, y por eso la Constitución se concibió como un límite al poder por medio del Derecho, con el fin de garantizar y proteger la dignidad, derechos y libertades inherentes a la naturaleza humana, que es el concepto que se asume en este trabajo[42]. Esto conlleva una serie de consecuencias, que abarcan desde luego el rol que cumple el principio de buena fe con respecto a la persona y sus derechos y libertades.

En sintonía con aquello, el TC ha efectuado un par de importantes precisiones. En primer lugar, ha entendido que en la relación persona estado cobran especial relevancia los principios de bien común y de servicialidad del estado, consagrados en el artículo 1 de la Constitución, los que en su opinión se relacionan de manera directa con el principio de buena fe. Más precisamente, para el TC el principio de servicialidad "es una garantía de buena fe y lealtad estatal que vendría a complementar los elementos puramente formalistas reconocidos en el artículo 7° de la Constitución, de una manera sustancialista, reconociendo la primacía del sentido finalista pro persona" (sentencia rol N° 2693-2014, considerando 18°). Por eso ha entendido que la buena fe y honestidad son una consecuencia "de la aplicación del principio de bien común y servicialidad del Estado" (sentencia rol N° 2693-2014, considerando 24°)[43]. En un sentido similar, aunque quizá con mayor énfasis, el TC sostuvo más tarde que "la consagración del principio de servicialidad del Estado es una garantía de buena fe y lealtad estatal

---

[42]   Existen otros conceptos de Constitución, pero sólo en el que la concibe como límite al poder los derechos ocupan un rol trascendental, como fin último del constitucionalismo. Sobre las diversas acepciones de Constitución puede consultarse Pereira, *Lecciones...*, pp. 19-22.

[43]   En esta misma línea el TC ha declarado que la buena fe y la honestidad se derivan de la aplicación del principio de bien común y servicialidad del Estado (sentencias roles 2881-2015, 2882-2015, 2883-2015, considerando 25°).

que vendría a complementar los elementos puramente formalistas reconocidos en el artículo 7° de la Constitución, de una manera sustancialista, reconociendo la primacía del sentido finalista pro persona" (sentencia rol N° 2921-2015, considerando 8°)".

En segundo lugar, el TC ha indicado que "el sistema institucional vigente en Chile se articula en torno de la dignidad que singulariza a todo sujeto de la especie humana, siendo menester poner de relieve que si la Carta Política asegura a todas las personas los derechos fundamentales, lo hace en el entendido que preexisten a ella; y que, en armonía con lo preceptuado en el artículo 5°, inciso segundo, los órganos públicos y los agentes privados, cada cual en ejercicio de la competencia y facultades que les han conferido, respectivamente, la Constitución y la ley, no sólo están obligados a respetar esos derechos, sino que, además, a protegerlos y promoverlos" (sentencia rol N° 1218-2008, considerando 18°[44]).

Aquello implica entender a los derechos y libertades como la razón de ser del constitucionalismo. Por tal razón, una interpretación del principio de juridicidad coherente con esa idea, conduce a la conclusión de que los derechos conforman una barrera infranqueable a toda competencia de los órganos del estado. Es decir, la actuación de éstos "dentro de su competencia", contiene un estándar de buena fe objetiva, a saber, que ninguna competencia incluye la facultad de vulnerar los derechos y libertades. Esta idea se apoya además en un argumento normativo: el artículo 5 inciso 2° de la Constitución. Como se sabe, de acuerdo a este precepto el ejercicio del poder está limitado por los derechos esenciales que emanan de la naturaleza humana, reconocidos en la Constitución, así como en tratados internacionales ratificados por Chile, que estén vigentes. Sin embargo, respecto de esto último el TC ha hecho una interesante precisión, en el sentido de que el respeto que el estado le debe a los derechos consagrados en esos instrumentos internacionales, encuentra su base precisamente en el principio de buena fe, proyectado al ámbito del derecho internacional público (sentencias roles 2387-2012 y 2388-2012, considerando 12°).

---

[44] En idéntico sentido, sentencia rol N° 1287-2008, considerando 18°. Más recientemente el TC ha reiterado que el artículo 5 de la Constitución "restringe el ejercicio del poder en lo relativo a los denominados derechos innatos o derechos humanos, cualesquiera que ellos sean e impone a los órganos del Estado el compromiso de respetarlos y promoverlos, específicamente, a aquellos contemplados en la Carta Fundamental y en los Tratados Internacionales ratificados por nuestro país" (sentencia rol N° 3630-2017, considerando 32°).

Para el TC aquella obligación "o deber les correspondería a los órganos del Estado de Chile aunque esa norma específica no existiera, en virtud del principio internacional *pacta sunt servanda* –que se deriva del artículo 26 de la Convención de Viena sobre el Derecho de los Tratados–, que obliga a todos los órganos del Estado parte a cumplir, de buena fe, las obligaciones adquiridas en virtud del tratado, sin admitir excusas fundadas en la aplicación del derecho interno (artículo 27 de la Convención de Viena)"[45]. De esta forma, el artículo 5 inciso 2° de la Constitución viene más bien a "reforzar, mediante un enunciado específico, esa obligación en materia de derechos humanos, pero no tiene la virtud de elevar –ni podría hacerlo, ya que no fueron aprobados en ejercicio del Poder Constituyente– tales tratados a rango constitucional" (sentencias roles 2387-2012 y 2388-2012, considerando 12°).

Otra consecuencia muy relevante del vínculo entre principio de juridicidad y derechos, es la proyección del principio de buena fe como estándar de enjuiciamiento de la actuación de los órganos del estado, a través de otro principio general del derecho, derivado de aquél, el de los actos propios. En este sentido el TC, ha sostenido que éste fue creado "por los romanistas y transmitida luego a nuestros días por los glosadores medievales, se resume en la máxima 'nemo potest contra factum venire' o también 'venire contra factum propium non valet', esto es, nadie puede ir contra sus propios actos. El tratadista español Luis Diez-Picazo la ha definido en términos tales que *'una pretensión es inadmisible y no puede prosperar cuando se ejercita en contradicción con el sentido que, objetivamente y de buena fe, ha de atribuirse a una conducta jurídicamente relevante y eficaz, observada por un sujeto dentro de una situación jurídica'.* Por su parte, la Corte Suprema ha sentenciado que *'el efecto que produce la teoría del acto propio es fundamentalmente que una persona no puede sostener posteriormente por motivos de propia conveniencia una posición distinta a la que tuvo durante el otorgamiento y ejecución del acto por haberle cambiado las circunstancias, y que en definitiva si así lo hace, primarán las consecuencias jurídicas de la primera conducta y se rechazará la pretensión que*

---

45   Como ha indicado el propio TC en otra sentencia más reciente, el Estado tiene el "deber de buena fe" de "respetar y observar los tratados y principios que lo obligan los convenios internacionales. No debe olvidarse nunca que a partir de la Convención de Viena sobre los Derechos de los Tratados, que reconoce el principio 'pacta sunt servanta' reafirma que 'Todo tratado en vigor obliga a las partes y debe ser cumplido por ellas de buena fe'. Disposición que debe ser concordada con el artículo 27 del mismo convenio internacional, que dispone: 'una parte no podrá invocar las disposiciones de su derecho interno como justificación del incumplimiento de un tratado' (sentencias roles 4189-17, considerando 6°, y 6776-19, considerando 39°).

se invoca y que implica el cambio de conducta que no se acepta' (Rol 3097-2003, Gaceta Jurídica 191, 2004, p. 119). Se trata de un principio fundamental aplicado esencialmente en el ámbito privado, sin perjuicio de que también puede tener injerencia en un procedimiento contencioso administrativo. Sin embargo, no debe desatenderse la circunstancia de que en un Estado de Derecho tanto gobernantes como gobernados se encuentran sujetos al ordenamiento jurídico vigente y, por consiguiente, deben respetar, aplicar y sujetarse a lo dispuesto por las normas legales que rigen en el territorio de la República y, particularmente, aquellas contenidas en la Carta Fundamental" (sentencia rol N° 1295-2008, considerando 23°).

A su vez, el principio de buena fe ha servido de fundamento al TC para reconocer el valor y vigencia de la seguridad jurídica en las relaciones entre las personas y el estado, y lo ha hecho a propósito del efecto derogatorio de la sentencia de inconstitucionalidad, consecuencia de lo previsto en el artículo 93 N° 7 de la Constitución. En concreto, ha indicado que "declarada la inconstitucionalidad de un precepto legal, éste se *"entenderá derogado desde la publicación en el Diario Oficial de la sentencia que acoja el reclamo, la que no producirá efecto retroactivo"*. No cabe duda que la legitimación de los efectos anteriores a la exclusión del precepto del sistema normativo, se funda en el propósito del Constituyente de custodiar la seguridad jurídica y brindar protección a la apariencia generada al amparo de dicho precepto. Quienes, obrando de buena fe, han configurado una situación intersubjetiva que supone la concurrencia de derechos y obligaciones, en la convicción de que obraban al amparo de la ley, quedan a salvo de reproche jurídico, mas no en virtud de la norma posteriormente invalidada, sino del escenario jurídico en que se desenvolvía esta relación. No obstante lo anterior, la Constitución nada dice respecto del efecto ultractivo a que se alude en el considerando anterior" (sentencia rol N° 1552-2009, considerando 7°).

Ahora bien, el concepto de Constitución que sirve de fundamento a este trabajo parte también del supuesto de que los derechos y libertades no son ilimitados "pues tal cosa no sería natural ni posible, ni fue esa la intención de los iniciadores del constitucionalismo, ni sería compatible con el sentido común"[46]. Por ende "cada uno de los derechos y libertades tienen un contenido propio y por ende límites, que permiten identificarlos de los demás o de otras instituciones o realidades jurídicas"[47]. Sin embargo, esto

---

[46]   Pereira, *Lecciones...*, p. 438.
[47]   Martínez Estay, José Ignacio y Zúñiga Urbina, Francisco: "El principio de razonabilidad en la jurisprudencia del Tribunal Constitucional", *Estudios Constitucionales* Año 9, N° 1 (2011), p. 205.

no significa que en la práctica no surjan dudas respecto del sentido y alcance de cada uno de ellos, lo que hace necesario su delimitación, lo "que entre otras cosas conlleva la necesidad de una regulación y reglamentación normativa por parte del legislador"[48].

Pero aquello está sujeto al estándar de buena fe objetiva señalado al comienzo de este apartado, derivado del principio de juridicidad y de la concepción de los derechos como límite a la soberanía (artículos 7 y 5 inciso 2º de la Constitución). Esto se traduce en dos exigencias, derivadas del artículo 7 con relación al artículo 19 Nº 26 de la Constitución. La primera, de carácter formal, dice relación con la competencia, y consiste en que sólo el legislador puede regular, complementar o, en su caso, limitar el ejercicio de los derechos y libertades, cuando así lo ha previsto la Constitución. La segunda, de tipo material, se relaciona con un límite a esa competencia: el contenido esencial de los derechos y libertades[49].

Corresponde a los jueces, en particular al Tribunal Constitucional, verificar que esos aspectos han sido cumplidos, lo que le exigirá comprobar que la medida adoptada por el legislador[50] "sea efectivamente la vía idónea para conseguir el fin, y, de otra, que las regulaciones, complementaciones o, en su caso, limitaciones al ejercicio de los derechos, sean razonables. Ello implicará a veces verificar que exista una proporcionalidad entre la medida normativa y el fin perseguido a través de ésta"[51]. Y es que, como destaca González Pérez, "podría entenderse que una actuación desproporcionada es contraria a las exigencias de la buena fe, en cuanto el sujeto adopta una conducta que no es la conducta normal y recta que podría esperarse de una persona asimismo normal. No es normal exigir algo más de lo que es necesario exigir para cumplir el fin perseguido. No actúa de buena fe el que grava a otro innecesariamente, el que impone limitaciones superiores a las necesarias para cumplir la finalidad pretendida o exige prestaciones

---

[48] *Ibíd.*

[49] Ver Martínez y Zúñiga, p. 205.

[50] Corresponde el poder ejecutivo la ejecución de las medidas legislativas de regulación, complementación y, en su caso, limitación del ejercicio de derechos. El control de la actuación de dicho poder corresponde a los tribunales ordinarios, a través de las diversas vías jurisdiccionales que contempla nuestra Constitución. Esto dependerá del derecho o libertad afectado, y del cumplimiento de los requisitos procedimentales exigidos: procedimiento ordinario de nulidad de derecho público (artículos 7 y 19 de la Constitución con relación a los artículos 253 y ss. del Código de Procedimiento Civil); acción de reclamación por pérdida o desconocimiento de la nacuionalidad, artículo 12; acciones vinculadas a la expropiación, artículo 19 Nº 24 de la Constitución; recursos de protección y de amparo, artículos 20 y 21 de la Constitución.

[51] Martínez y Zúñiga, p. 206.

desmesuradas. El principio de proporcionalidad vendrá a coincidir en ciertos aspectos con el principio de buena fe"[52]. En otras palabras, el estándar de buena fe objetiva en materia de derechos y libertades, exige que toda regulación, complementación o limitación legislativa de los derechos sea razonable[53] y proporcionada[54].

Pero así como a partir del principio de juridicidad puede extraerse un estándar de buena fe objetiva en materia de derechos y libertades, exigible a los órganos del estado en el ejercicio de sus competencias, lo cierto es que el ejercicio de aquéllos también está sujeto a la observancia de la buena fe. Al respecto, y como destacan, García y Contreras, el principio de buena fe aparece implícito en la Constitución a propósito de los derechos y libertades y su tutela. "Así, por ejemplo, la acción de protección es una garantía que protege los derechos que la Constitución individualiza, cuando su *ejercicio legítimo* se vea privado, perturbado o amenazado por una acción u omisión ilegal o arbitraria (…). El ejercicio legítimo supone una conducta de buena fe"[55].

Es decir, la buena fe también se proyecta respecto de nosotros, los titulares de aquellas facultades. En tal sentido, al ejercer los derechos debemos ajustarnos a las exigencias propias de aquel principio[56], el que se infringe cuando se traduce "en actos que no son los que cabría esperar cumplidamente de un hombre normal y corriente, en la correcta relación jurídica en que se producen"[57]. De esta forma, la buena fe operaría como límite al ejercicio de los derechos, en cuanto exige actuar conforme a los parámetros que conforman el contenido de cada uno de éstos, o sea, ejerciendo sólo las facultades en que consiste cada uno de ellos. Desde este punto de

---

[52] González Pérez, pp. 92-93.

[53] Sobre el sentido y alcance del principio de razonabilidad, y la jurisprudencia del Tribunal Constitucional chileno sobre la materia ver Martínez y Zúñiga, *op. cit.*

[54] Sobre el principio de proporcionalidad y la jurisprudencia del Tribunal Constitucional chileno sobre la materia ver Arnold, Rainer Martínez, Jose Ignacio y Zúñiga Urbina, Francisco: "El principio de proporcionalidad en la jurisprudencia del Tribunal Constitucional". *Estudios Constitucionales*, Año 10, No. 1 (2012), pp. 65-116; Covarrubias Cuevas, Ignacio: "La desproporción del test de proporcionalidad: aspectos problemáticos en su formulación y aplicación". *Revista Chilena de Derecho*, vol. 39 N° 2 (2012), y Covarrubias Cuevas, Ignacio: "¿Emplea el Tribunal Constitucional el test de proporcionalidad?". *Estudios Constitucionales*, vol. XII, N° 1 (2014), pp. 447-480.

[55] García y Contreras, p. 120.

[56] González Pérez señala que "cuando se prohíbe el ejercicio del derecho contra las exigencias de la buena fe, también se está haciendo referencia a unos límites impuestos por los criterios morales y sociales dominantes". González, p. 39.

[57] *Ibíd.*, p. 40.

vista, el ejercicio de un derecho jamás puede suponer la conculcación o anulación del derecho de otro, no sólo porque todos los derechos tienen límites, sino que también porque ninguno incluye la facultad de pasar por sobre los de los demás.

Pero además, hay derechos cuyo ejercicio puede estar condicionado muy especialmente por la buena fe, dependiendo del ámbito y circunstancias en que se ejercen. Así sucede por ejemplo con la libertad de trabajo y la libertad de empresa (artículo 19 N° 16 y N° 21 de la Constitución), cuando se manifiestan en determinados oficios, como el de síndico. Por eso el TC ha entendido que el resguardo de la buena fe resulta de especial importancia en el desarrollo de la actividad de síndico, al punto que la infracción de ésta hace posible que conduzca a la inhabilidad para el ejercicio de esta función. En opinión del TC "el resguardo de la buena fe pública se traduce en que quien se encuentra en una nómina para administrar bienes ajenos, reúne las condiciones de honestidad y honorabilidad para ello", y como consecuencia de esto, en aras del apego a la probidad, "no puede ser síndico nuevamente quien ha sido removido de dicha función por haber incurrido en causales que el legislador considera vinculadas al hecho de que se ha privilegiado el interés particular por sobre el de los acreedores y del fallido". Desde este punto de vista el peso de la buena fe es tan relevante en aquella función, que llevó al TC a entender que es acorde a la Constitución la prohibición de que no puedan volver a ejercerla quienes han incurrido en conductas graves (sentencia rol N° 1413-2010, considerando 23°).

Por otra parte, el TC ha señalado que la buena fe y el orden público económico que fluyen del artículo 19 N° 21 de la Constitución, justifican la especial fiscalización que ejerce la Superintendencia de Valores y Seguros respecto de "emisores o intermediarios de valores de oferta pública, bolsas de valores mobiliarios, asociaciones de agentes de valores, fondos mutuos, compañías de seguros, etc., sociedades anónimas, a quienes se exige por de pronto un capital mínimo de seriedad, y que intermedian acciones y transan valores de terceros" (sentencia rol N° 546-2006, considerando 12°).

El TC ha acudido también a la buena fe como justificación de la especial regulación de otras actividades económicas. Al respecto ha afirmado que "en áreas sensibles de la economía, que operan con dineros del público, como los bancos, las administradoras de fondos de pensiones, y en otras como las bolsas de comercio o empresas de distribución de electricidad y combustibles, la ley ha establecido regulaciones especiales, que tienen como finalidad velar por el perfeccionamiento del funcionamiento de un mercado financiero basado en la confianza, la buena fe y la certeza de las relaciones jurídicas, finalidades que se ven en diversos preceptos de la Ley General de Bancos, y en específico sobre el cobro de mutuos hipotecarios, en el precepto cuya constitucionalidad se impugna" (sentencia rol N° 811-2007, considerando 10°).

Asimismo, el TC ha usado la buena fe como estándar para determinar los límites de la libertad para realizar actividades económicas en el ámbito de la salud, por las especiales peculiaridades de esta actividad, derivadas de su vinculación con el derecho constitucional a la protección de la salud (artículo 19 N° 9 de la Constitución). Al respecto el TC ha señalado que las Instituciones de Salud Previsional no pueden "negarse caprichosamente y sin razón a los tratamientos que pretende uno de sus afiliados. Además de la obligación de cubrir todo lo pactado y lo que se establezca en el arancel FONASA, la Isapre debe –de un modo que resulte adecuado a su naturaleza de ente que ofrece al público proveer un bien tan esencial como el de cubrir costos adicionales de salud, contra un precio que en parte proviene de una cotización obligatoria– considerar, tal como establece el precepto impugnado, la homologación de un tratamiento que, como aparentemente reúne el de la especie, se funde en nuevas tecnologías y aparezca recomendado por un especialista. Refuerza lo anterior la regla del artículo 1546 del Código Civil, en cuanto dispone que los contratos deben ejecutarse de buena fe y, por consiguiente, obligan no sólo a lo que en ellos se expresa, sino a todas las cosas que por ley pertenecen a la obligación. Si la negativa de la Isapre fue o no justificada en este caso, no corresponde juzgarlo a este Tribunal, pues como ya se razonó en los considerandos 5° y 6°, a éste sólo le compete juzgar si la norma legal impugnada, que permite la negativa de la Isapre, vulnera la Carta Fundamental." (sentencia rol N° 1266-2008, considerando 14°).

También con relación al derecho a realizar cualquier actividad económica, el TC ha precisado su alcance en el ámbito del desarrollo de proyectos inmobiliarios, usando nuevamente como parámetro la buena fe. El TC ha afirmado que "tratándose de la ejecución de un proyecto que establece un centro comercial, indudablemente que, el derecho a desarrollar su actividad económica por parte de la requirente exige un amplio respeto y amparo, porque impedírsele esa actividad significaría desconocer y afectar el contenido del derecho mismo, de manera que a toda legislación le está vedado aquello, particularmente a la disposición legal objetada, más aún si la DOM de La Serena ha otorgado las autorizaciones pertinentes respecto a la edificación de la obra a que se refiere la acción de inaplicabilidad, entidad ésta, que al proceder del modo como lo hizo, sabía o debía saber hasta dónde se extendían sus limitaciones o restricciones legales y reglamentarias, circunstancias que, para cualquier tercero de buena fe, no podrá dudar de la certeza jurídica que amparaban las autorizaciones o permisos que otorgaba" (sentencia rol N° 5172-2018, considerando 18°).

Con relación al derecho de propiedad, el TC ha estimado que la buena fe es un estándar que justifica limitar la facultad de disponer, según sostuvo en el control de constitucionalidad del artículo 6 del proyecto de ley que fijaba "Normas respecto de situaciones derivadas del proceso de Reforma Agraria". El precepto prohibía enajenar de manera separada los derechos de aprovechamiento de aguas y del predio respectivo, mientras se mantuviera pendiente el pago de la deuda fiscal que afectaba a esos inmuebles, a menos que los interesados caucionasen el cumplimiento de sus obligaciones del modo que determinaría el reglamento. El TC señaló que la norma no era inconstitucional, porque no privaba de la facultad de disponer del derecho de aprovechamiento de aguas, sino que contemplaba resguardos destinados a caucionar una deuda a favor del estado. En su opinión, aquello no era más que "una regulación del derecho de prenda general del acreedor con el objeto de cautelar, razonablemente, el crédito del Fisco dentro, por lo demás, del principio de la buena fe con que se entienden celebrados los actos y contratos, ya que es indudable que la enajenación de los derechos de agua independientemente de las tierras a cuyo cultivo están destinados disminuye sustancialmente el valor de estas últimas y, en consecuencia, la garantía del crédito fiscal" (sentencia rol N° 47-1986, considerando 4°).

El TC ha acudido también a la buena fe como estándar de protección del principio de igualdad ante la ley. Así ocurrió por ejemplo en una cuestión de constitucionalidad en que debió pronunciarse sobre los eventuales efectos inconstitucionales derivados de la aplicación del artículo 1891 del Código Civil. Como se sabe, de acuerdo a este precepto no hay "lugar a la acción rescisoria por lesión enorme en las ventas de bienes muebles, ni en las que se hubieren hecho por el ministerio de la justicia". Una de las razones que llevó al TC a desechar la acción de inaplicabilidad fue el principio de buena fe. Al respecto el TC recordó que la venta forzada es una garantía vinculada en último término a este principio (sentencia rol N° 1204-2008, considerando 5°). Por eso, "el establecimiento de la venta forzada en un procedimiento ejecutivo distinto del ordinario y a un precio eventualmente más bajo es una opción del legislador para dar eficacia al sistema de crédito, respaldándolo con el valor del inmueble, más aún si la contraparte es un banco que intermedia dineros de terceros, toda vez que el acceso al crédito, la estabilidad del mercado financiero, la transparencia del mismo y la buena fe necesaria para su normal funcionamiento" (sentencia rol N° 1204-2008, considerando 13°).

Un criterio similar ha aplicado el TC al pronunciarse sobre la constitu-cionalidad del artículo 104 de la Ley General de Bancos[58], cuya aplicación había sido impugnada por los posibles efectos contrarios a la Constitución, en concreto, a la igualdad ante la ley, el debido procedimiento, y como consecuencia de aquello, del derecho de propiedad (artículo 19 nume-rales 2, 3 y 24 de la Constitución). En este caso el TC usó nuevamente el principio de buena fe como estándar para enjuiciar los posibles efectos inconstitucionales denunciados, y sostuvo que "el establecimiento de un procedimiento ejecutivo distinto del ordinario es una opción del legislador para dar eficacia al sistema de crédito fundado en letras hipotecarias, res-paldadas en el valor del inmueble y por los dineros de terceros intermedia-dos por los bancos, toda vez que el acceso al crédito, la estabilidad del mer-cado financiero, la transparencia del mismo y la buena fe necesaria para su normal funcionamiento requieren de un mecanismo eficaz que no entrabe los medios de restablecimiento del cumplimiento de las obligaciones de las partes en caso de no pago de la deuda" (sentencia rol N° 1217-2008, considerando 5°). Por eso, "en áreas sensibles de la economía, que operan con dineros del público, como los bancos, las administradoras de fondos de pensiones y en otras como las bolsas de comercio o empresas de distri-bución de electricidad y combustibles, la ley ha establecido regulaciones especiales, que tienen como finalidad velar por el perfeccionamiento del funcionamiento de un mercado financiero basado en la confianza, la bue-na fe y la certeza de las relaciones jurídicas, finalidades que, conforme se

---

[58] "Artículo 104.- Entregado el inmueble en prenda pretoria, el banco percibirá las rentas entradas o productos del inmueble cualquiera que fuere el poder en que se encuentre y cubiertas las contribuciones, gastos de administración y gravámenes preferentes a su crédito, las aplicará al pago de las cuotas adeudadas, llevando cuenta para entregar al deudor el saldo, si lo hubiere. En cualquier tiempo en que el deudor efectúe el pago de las cantidades debidas al banco, le será entregado el inmueble.

Ordenado el remate, se anunciará por medio de avisos publicados cuatro veces en días distintos y debiendo mediar veinte días a lo menos, entre el primer aviso y la fecha de la subasta, en un periódico del departamento en que se siguiere el juicio y, si allí no lo hubiere, en uno de la capital de la provincia. Las publicaciones podrán hacerse tanto en días hábiles, como inhábiles.

Llegado el día del remate, se procederá a adjudicar el inmueble a favor del mejor postor. El banco se pagará de su crédito sobre el precio del remate.

El mínimo y las demás condiciones del remate serán fijados por el juez sin ulterior re-curso, a propuesta del banco; pero el mínimo del primer remate no podrá ser inferior al monto del capital adeudado, dividendos insolutos, intereses penales, costas judicia-les y primas de seguro que recarguen la deuda. Los gastos del juicio serán tasados por el juez.

Cuando haya de procederse a nuevo remate, el número de avisos y el plazo que deba mediar entre la primera publicación y la fecha de la subasta, se reducirán a la mitad".

señalara en la sentencia Rol N° 811 de esta Magistratura, se ven en diversos preceptos de la Ley General de Bancos, y en específico sobre el cobro de mutuos hipotecarios, en el precepto cuya constitucionalidad se impugna" (sentencia rol N° 1217-2008, considerando 7°).

Igualmente respecto del derecho al debido proceso, el TC ha entendido que no es contraria a la Constitución la condena en costas que contempla el Auto Acordado de la Corte Suprema sobre tramitación y fallo del recurso de protección. Y el argumento del TC tiene como base de nuevo al principio de buena fe, que opera como estándar para determinar el contenido y alcance del derecho a la acción. Más en concreto, el TC ha sostenido que "la Corte Suprema no ha excedido su competencia al incluir el apartado 11 cuestionado en el Auto Acordado de que se trata, pues, actuando dentro de su facultad de propender al mejor servicio judicial, y por expreso mandato del artículo 20 de la Carta Fundamental, ha incluido en ese cuerpo normativo la facultad de condenar en costas al litigante que ejerce su acción de manera abusiva, infundada, temeraria o contrariando los principios de buena fe y probidad. Por lo antes razonado, este Tribunal rechazará las alegaciones de la requirente que sostienen que la facultad conferida a las Cortes de Apelaciones y a la Corte Suprema por el apartado 11 del Auto Acordado sobre Tramitación y Fallo del Recurso de Protección vulnera el artículo 7° de la Carta Fundamental, y así se declarará" (sentencia rol N° 1.557-2009, considerando 21°). Y precisando aún más su opinión, agregó que "en lo que se refiere a la existencia de un proceso previo legalmente tramitado, puede sostenerse que la condena en costas representa la aplicación del principio general de derecho del vencimiento en juicio, que tiende a precaver la utilización de los procedimientos en forma dilatoria o contraria a la buena fe. Así, la condena en costas forma parte de las declaraciones que se contienen en la sentencia y que ponen término al procedimiento imponiendo dichas cargas a quien el tribunal estima que ha litigado en forma negligente o desleal o que carece de motivo plausible para hacerlo" (sentencia rol N° 1.557-09, considerando 26°).

Por otro lado, el TC ha utilizado el principio de buena fe como un criterio de validación de restricciones a la libertad de contratación de los partidos políticos. Lo hizo al pronunciarse acerca de la constitucionalidad del proyecto de ley mediante el cual se introdujeron reformas a la Ley N° 19.884 Orgánica Constitucional sobre transparencia, límite y control del gasto electoral. La modificación introducía nuevos incisos segundo y tercero al artículo 14 de la referida Ley, incorporando la prohibición de contratación de los partidos políticos con empresas que hayan "sido condenadas por prácticas antisindicales o infracción de los derechos fundamentales del trabajador dentro de los dos años anteriores a la elección". Asimismo, extiendía esta prohibición a las "empresas sancionadas "por infracción del Decreto Ley N° 211, que fija normas para la defensa de la libre competencia (…)".

A juicio del TC dicha regulación era acorde a la Constitución, entre otras razones, porque "la justificación constitucional se centra, no sólo en la protección constitucional de los derechos de los trabajadores y la garantía institucional del sindicato, sino que el propósito por el cual se ha ido incorporando en la legislación tiene que ver con la contratación pública. Se trata de cautelar reglas de justicia, buena fe y lealtad en el comportamiento de las empresas con el Estado. Estas restricciones temporales constituyen un aliciente significativo para el cumplimiento de la Constitución y la ley (sentencia rol N° 2981-2016, considerando 80°). A mayor abundamiento, el TC entendió que la mencionada prohibición se justifica además en el hecho de que los partidos políticos "aspiran a dirigir la misma Administración del Estado que se rige por reglas de respeto de los derechos fundamentales, buena fe en el trato laboral y de lealtad con principios coherentes con estos valores jurídicos (sentencia rol N° 2981-2016, considerando 81°).

No obstante, el TC ha hecho una importante precisión respecto de cómo la buena fe también opera a favor del Estado en sus relaciones con los particulares. Al respecto el TC ha afirmado que "no resulta razonable configurar una abstracción tan amplia como el principio constitucional de buena fe e imponer puros deberes estatales sin ningún deber para los ciudadanos". El TC entendió que estos deberes de los ciudadanos se dan especialmente en el ámbito tributario, en donde las personas, "particularmente las jurídicas, lo asumen como contribuyentes en el marco de una carga pública real (artículo 19, numeral 20°, de la Constitución)" (sentencia rol N° 5006-2018, considerando 14°).

En otras palabras, las cargas públicas, en especial las impositivas, deben ser asumidas de buena fe, lo que el TC entiende que se manifiesta particularmente cuando el contribuyente declara sus impuestos, porque "la norma parte de la base de la actuación con ese carácter de todo contribuyente puesto que se presume que tal declaración ha sido hecha de buena fe" (sentencia rol N° 5006-2018, considerando 18°). Así, "la dimensión de buena fe está presente en el tratamiento del contribuyente al momento de la autoliquidación del impuesto". Por eso no es incompatible con la Constitución el régimen de carga de la prueba contemplado en el artículo 21 del Código Tributario (sentencia rol N° 5006-2018, considerando 23°), ya que dicha norma "no establece una regla de juicio que condene o imponga una carga de prueba como si las personas fueren acusadas. El efecto de una autoliquidación impositiva cuestionada no afecta en nada la posibilidad de estimar el impuesto definitivo" (sentencia rol N° 5006-2018, considerando 27°).

BIBLIOGRAFÍA

Arnold, Rainer Martínez, Jose Ignacio y Zúñiga Urbina, Francisco: "El principio de proporcionalidad en la jurisprudencia del Tribunal Constitucional". *Estudios Constitucionales*, Año 10, No. 1 (2012), pp. 65 a 116.

Covarrubias Cuevas, Ignacio: "La desproporción del test de proporcionalidad: aspectos problemáticos en su formulación y aplicación". *Revista Chilena de Derecho*, vol. 39 N° 2 (2012), pp. 447 a 480.

Cea Egaña, José Luis, *Perfil Axiológico, Independencia y Responsabilidad del Juez Constitucional*, Cuadernos del Tribunal Constitucional N° 18.

Covarrubias Cuevas, Ignacio: "¿Emplea el Tribunal Constitucional el test de proporcionalidad?". *Estudios Constitucionales*, vol. XII, N° 1, 2014, pp. 163 a 238.

Fuller, Lon: *Anatomía del Derecho*, Caracas, Monte Avila Editores, 1969.

García Pino, Gonzalo y Contreras Vásquez, Pablo: *Diccionario constitucional chileno*, *Cuadernos del Tribunal Constitucional* N° 55, Santiago, Tribunal Constitucional, 2014.

González Pérez, Jesús: *El principio general de la buena fe en el Derecho Administrativo*, Madrid, Thomson/Civitas, 2004, 4ª ed.

Loewenstein, Karl: *Teoría de la Constitución*, Barcelona, Ariel, 1976.

Martínez Estay, José Ignacio y Zúñiga Urbina, Francisco: "El principio de razonabilidad en la jurisprudencia del Tribunal Constitucional". *Estudios Constitucionales* Año 9, N° 1 (2011), pp. 1999 a 226.

Martínez Estay, José Ignacio: "Auto-restricción, deferencia y margen de apreciación. Breve análisis de sus orígenes y de su desarrollo", *Estudios Constitucionales*, año 12, N° 1, 2014, pp. 365 a 396.

Martínez Estay, José Ignacio: "Constitución y fuentes del Derecho", en Arancibia Mattar, Jaime y Martínez Estay, José Ignacio: *La primacía de la persona. Estudios en homenaje al profesor Eduardo Soto Kloss*, Santiago, 2009, AbeledoPerrot/Thomson Reuters, pp. 347 a 366.

Martínez Estay, José Ignacio: "La deferencia del Tribunal Constitucional respecto del juez de la gestión pendiente en la cuestión de inaplicabilidad", *Estudios Constitucionales*, año 13, N° 1, 2015, pp. 389 a 430.

Naranjo de la Cruz, Rafael: *Los límites de los derechos fundamentales en las relaciones entre particulares: la buena fe*, Madrid, Boletín Oficial del Estado/Centro de Estudios Políticos y Constitucionales, 2000.

Pereira Menaut, Antonio Carlos: "Constitución, principios, valores". *Dereito*, Vol. 13 (2004), pp. 189 a 216.

Pereira Menaut, Antonio Carlos: *Lecciones de teoría constitucional y otros escritos*, Santiago de Compostela, Andavira, 2016.

Salazar Revuelta, María: "Formación en el Derecho romano y en la tradición romanística del principio de la buena fe y su proyección en el Derecho comunitario europeo". *RIDROM: Revista Internacional de Derecho Romano*, N° 14, 2015, pp. 111 a 187.

Vinogradoff, Paul: *Introducción al Derecho*, Fondo de Cultura Económica, México, 1967, 3ª ed.

Jurisprudencia

- Sentencia del Tribunal Constitucional Rol N° 5677-2018.
- Sentencia del Tribunal Constitucional Rol N° 167-1993.
- Sentencia del Tribunal Constitucional Rol N° 254-1997.
- Sentencia del Tribunal Constitucional Rol N° 254-1997.
- Sentencia del Tribunal Constitucional Rol N° 591-2006.
- Sentencia del Tribunal Constitucional Rol N° 1005-2007.
- Sentencia del Tribunal Constitucional Rol N° 2881-2015
- Sentencia del Tribunal Constitucional Rol N° 2882-2015
- Sentencia del Tribunal Constitucional Rol N° 2883-2015.
- Sentencia del Tribunal Constitucional Rol N° 1287-2008.
- Sentencia del Tribunal Constitucional Rol N° 3630-2017.
- Sentencia del Tribunal Constitucional Rol N° 4189-2017.
- Sentencia del Tribunal Constitucional Rol N° 6776-2019.

DERECHO ECONÓMICO

LOS PROGRAMAS DE CUMPLIMIENTO EN LIBRE COMPETENCIA: LA BUENA FE COMO ELEMENTO NECESARIO PARA SU EFICACIA

Santiago RIED UNDURRAGA
Profesor de Derecho Económico
Universidad de los Andes, Chile

1. INTRODUCCIÓN

El derecho de la libre competencia en Chile ha experimentado un desarrollo exponencial desde la reforma a su institucionalidad de la ley 19.911 de 2003, que entre otras materias creó el Tribunal de Defensa de la Libre Competencia ("TDLC"), y en especial como consecuencia de los casos de infracciones de mayor repercusión de los últimos diez años.[1] Esta área del derecho ha generado un particular interés tanto para la academia como para la ciudadanía en general, por la creciente conciencia respecto a su

---

[1] Como los casos de la colusión de las cadenas farmacéuticas (Sentencia TLDC N° 119/2012), de la colusión de los productores de pollo (Sentencia TDLC N° 139/2014) y de la colusión de los productores de papel tissue (Sentencia TLDC N° 160/2017), todos los cuales han sido objeto de gran debate y análisis.

importancia y sobre las consecuencias negativas que las infracciones a esta normativa genera en los mercados y los consumidores.

A la par, se han sucedido importantes cambios legales que han tenido por objeto el fuerte endurecimiento de las sanciones,[2] incluyendo la incorporación de la colusión como un delito penal con sanción de presidio,[3] el establecimiento de nuevos ilícitos[4] y el aumento de las facultades fiscalizadoras del órgano persecutor, la Fiscalía Nacional Económica ("FNE").

En este último sentido, en años recientes se le han otorgado a la FNE, para casos de colusión, las facultades para entrar, allanar y descerrajar recintos públicos y privados, registro e incautación de objetos y documentos, e interceptación de llamadas telefónicas y demás comunicaciones, entre otras.[5] Asimismo, se introdujo también el mecanismo de la delación compensada, destinado también a la detección de los ilícitos de colusión. [6]

---

[2]   Particularmente, en la última modificación al Decreto Ley N° 211 de 1973, que contiene la ley de libre competencia ("DL 211"), realizada por la ley 20.945 del año 2016, se aumentaron las sanciones por infracciones a la ley de manera sustancial. En particular las multas aplicables dejaron de tener un tope máximo de 30.000 Unidades Tributarias Anuales como ocurría con anterioridad, y pasaron a ser de hasta un 30% de las ventas del infractor en la línea de productos o servicios asociada a la infracción durante todo el periodo que duró esta, o el doble del beneficio económico obtenido por la infracción, o, si no es posible determinar las ventas ni el beneficio económico, hasta 60.000 Unidades Tributarias Anuales (artículo 26 c) del DL 211). Además, se estableció, en el caso del ilícito de colusión, la posibilidad de imponer la prohibición de contratar con el Estado hasta por cinco años (artículo 26 d del DL 211). Estas sanciones se suman a las que ya existían previamente, como la de modificar o poner términos a actos, contratos, convenios, sistemas o acuerdos, y a la de ordenar la modificación o disolución sociedades y demás personas jurídicas (artículo 26 letras a) y b) del DL 211).

[3]   Consagrado en el artículo 62 del DL 211, también incorporado en ley 20.945 del año 2016. Se establece la pena de presidio para las personas naturales que cometan dicho delito, con una pena de presidio menor en su grado máximo a presidio mayor en su grado mínimo, además de la inhabilitación absoluta temporal, en su grado máximo, para ejercer el cargo de director o gerente de una sociedad anónima abierta o sujeta a normas especiales, o de empresas del Estado o en las que éste tenga participación, o de una asociación gremial o profesional.

[4]   Así, en la reforma de la ley 20.945 de 2016, se establecieron ilícitos asociados al incumplimiento de las obligaciones relacionadas con el control obligatorio de operaciones de concentración (artículo 3 bis del DL 211), y se estableció también una sanción para la hipótesis de *interlocking*, esto es, de participación simultánea de una persona en cargos ejecutivos relevantes o de director en dos o más empresas competidoras entre sí (artículo 3 d) del DL 211).

[5]   Artículo 39 n) del DL 211. Dichas facultades fueron agregadas con la reforma de la ley 20.361 de 2009.

[6]   Artículo 39 bis del DL 211, incorporado con la reforma de la ley 20.361 de 2009.

Así, tanto el endurecimiento de las sanciones, como la mayor probabilidad de que un incumplimiento sea detectado, constituyen un relevante elemento disuasivo para que las empresas y demás agentes de mercado eviten incurrir en estas infracciones.

A la par, las autoridades de libre competencia han realizado importantes esfuerzos para incentivar la prevención y detección temprana de ilícitos anticompetitivos dentro de las mismas empresas. En ese marco, se ha incentivado la adopción, por parte de los agentes del mercado, de programas o modelos de cumplimiento o *compliance* legal en estas materias.

Los programas de cumplimiento consisten en un sistema o serie orgánica de acciones, normativa y protocolos internos en una empresa o institución, que tienen por objeto reducir o eliminar los posibles riesgos anticompetitivos, al crear una real conciencia de cumplimiento y establecer vías de disuasión, detección y sanción a las infracciones. Esto se logra a través de distintas medidas coherentes entre sí, como pueden ser la dictación y divulgación de reglas o manuales de cumplimiento, capacitaciones efectivas a su administración y personal, establecimiento de canales de denuncia y sanciones internas, monitoreo, auditorías, etc.

Para lograr ese objetivo, entendemos como un requisito indispensable para quienes diseñan e implementan dicho modelo el que lo adopten de buena fe, esto es, con el recto propósito de que el mismo efectivamente sirva para desterrar los incumplimientos de la ley dentro de la empresa. Entendemos por buena fe, para estos efectos, no el convencimiento interno por parte de quien adopta el programa de la "bondad" de cumplir con la normativa de libre competencia, sino de la intención concreta y real de cumplirla a cabalidad, independientemente de su motivación.

A continuación, expondremos las razones que nos llevan a concluir lo anterior. Comenzaremos haciendo una referencia al origen de los programas de cumplimiento en la legislación penal y su paso al plano del derecho de la competencia, a través de las orientaciones de la FNE y la jurisprudencia del TDLC y de la Corte Suprema. Luego, nos detendremos en la reciente posición jurisprudencial que considera a estos programas como un elemento atenuante de responsabilidad, y analizaremos por qué la buena fe en su diseño e implementación es clave para obtener ese beneficio. Por último, haremos una breve referencia a modo de comparación con el tratamiento de los modelos de cumplimiento en otras áreas del derecho que lo han reconocido, y los elementos que debiese contener un programa, para finalmente dar nuestras conclusiones.

2. LOS MODELOS DE CUMPLIMIENTO LEGAL: SU SALTO DESDE EL DERECHO PENAL AL DERECHO DE LA LIBRE COMPETENCIA.

Los modelos de cumplimiento para prevenir conductas ilícitas no son nuevos en nuestro ordenamiento jurídico. Por el contrario, éstos han tenido un particular desarrollo en el ámbito penal, particularmente desde la promulgación de la ley 20.393 que establece la responsabilidad penal de las personas jurídicas, del año 2009 (la "Ley 20.393"), que los reconoce expresamente.

Dicho cuerpo legal regula la responsabilidad en materia penal de las personas jurídicas, para los delitos indicados en su artículo 1°, incluyendo lavado de activos, financiamiento del terrorismo, soborno, corrupción entre particulares, administración desleal, entre otros.[7] Esta responsabilidad constituía una novedad y excepción en materia penal en el derecho chileno, en que por regla general sólo puede hacerse efectiva la responsabilidad penal de las personas naturales, no así de las persona jurídicas.[8]

La Ley 20.393 señala que se atribuye responsabilidad penal a las personas jurídicas "siempre que la comisión del delito fuere consecuencia del incumplimiento, por parte de ésta de los deberes de dirección y supervisión"[9] y que se consideran cumplidos dichos deberes "cuando, con anterioridad a la comisión del delito, la persona jurídica hubiera adoptado e implementado modelos de organización, administración y supervisión para prevenir delitos como el cometido (…)".[10]

Lo anterior significa que, en el ámbito penal, el que una persona jurídica haya implementado un modelo de prevención de delitos que cumpla

---

[7]   Señala el artículo 1°, inciso 1°, de la ley 20.393: "*Contenido de la ley. La presente ley regula la responsabilidad penal de las personas jurídicas respecto de los delitos previstos en los artículos 136, 139, 139 bis y 139 ter de la Ley General de Pesca y Acuicultura, en el artículo 27 de la ley N° 19.913, en el artículo 8° de la ley N°18.314 y en los artículos artículos 240, 250, 251 bis, 287 bis, 287 ter, 456 bis A y 470, numerales 1° y 11, del Código Penal; el procedimiento para la investigación y establecimiento de dicha responsabilidad penal, la determinación de las sanciones procedentes y la ejecución de éstas.*"

[8]   Tal como lo señala el artículo 58, inciso 2° del Código Procesal Penal, que indica: "*La responsabilidad penal sólo puede hacerse efectiva en las personas naturales. Por las personas jurídicas responden los que hubieren intervenido en el acto punible, sin perjuicio de la responsabilidad civil que las afectare.*" Para una referencia a la discusión sobre la posibilidad de aplicar la responsabilidad penal a las personas jurídicas, ver, por ejemplo, MIR PUIG, Santiago, *Derecho Penal. Parte General*, Ed. Reppetor, 9ª edición, Barcelona, 2011, páginas 189-211 y CURY, Enrique, *Derecho Penal. Parte General*, Ediciones Universidad Católica de Chile, 8ª edición, Santiago, 2005, p. 89-92.

[9]   Ley 20.393, artículo 3° inciso 1°.

[10]   Ibíd., inciso 3°

con los requisitos establecidos en la ley constituye una verdadera causal de exención de responsabilidad para ella, sin perjuicio de la responsabilidad que pueda corresponderle a sus ejecutivos o directivos que cometan el delito base, en el caso de que ello ocurra.[11] La ley señala de manera muy detallada una serie de requisitos que debe contener dicho modelo para este efecto.[12]

Así, desde la entrada en vigencia de la citada Ley 20.393 en el año 2009, las empresas han comenzado a dar cada vez mayor importancia a la adopción de modelos de prevención de delitos dentro de sus estructuras internas.

En base a esa experiencia acumulada en el ámbito penal, en los últimos años las autoridades de libre competencia han comenzado a recomendar y a exigir la adopción de programas de cumplimiento de la ley y normativa antimonopolio al interior de las empresas, como una forma de prevenir la comisión de infracciones, y de detectarlos tempranamente. A continuación, haremos referencia a esta tendencia, que ha tenido lugar aun cuando los programas de cumplimiento en libre competencia no tienen reconocimiento legal, a diferencia de lo referido precedentemente en materia penal.

3. LA GUÍA DE LA FISCALÍA NACIONAL ECONÓMICA SOBRE PROGRAMAS DE CUMPLIMIENTO, Y SU CONSIDERACIÓN PARA REBAJAR LA MULTA Y DEMÁS SANCIONES.

En junio de 2012, la FNE dictó un documento de promoción sobre esta materia titulado Programas de Cumplimiento de la Normativa de Libre

---

[11]   Se ha dicho a este respecto, lo siguiente: *"No es posible, por tanto, afirmar la responsabilidad penal de las corporaciones que cuenten con un modelo de cumplimiento eficaz, aunque se haya cometido un delito en el marco de su operación. O se demuestra que el modelo es en realidad inadecuado e ineficaz o no cabe más al juez que declarar atípica la conducción corporativa."* PIÑA ROCHEFORT, Juan Ignacio, *Modelos de Prevención de Delitos en la Empresa*, Thomson Reuters, Santiago de Chile, 1ª edición, 2012, página 10.

[12]   El artículo 4 de la Ley 20.393 contiene una serie de elementos que debe contener un modelo de prevención de delitos. Entre ellos se indican de manera detallada, entre otros, los siguientes: (i) la designación de un encargado de prevención, con una duración determinada, autonomía, medios y facultades adecuadas; (ii) el establecimiento de un sistema de prevención con identificación de las actividades y procesos de riesgo, el establecimiento de protocolos, reglas y procedimientos para prevenir la comisión de delitos, la identificación de los procedimientos de administración y auditoría de recursos financieros para evitar su uso para la comisión de delitos, la existencia de sanciones internas y canales de denuncia; y (iii) la supervisión interna, y la certificación del modelo por empresas externas.

Competencia (la "<u>Guía de la FNE</u>"),[13] que tiene por propósito "incentivar a los diversos agentes económicos a desarrollar mecanismos internos que busquen prevenir la comisión de infracciones a la normativa de libre competencia".[14] En la Guía de la FNE se establecen los requisitos que según su entender son necesarios para que un programa sea efectivo.

A falta de reconocimiento legal, la Guía de la FNE constituye un importante aliciente a la adopción de los a los programas de cumplimiento en libre competencia, al provenir precisamente del órgano público encargado de perseguir este tipo de ilícitos, quien además explicita sus beneficios, y los parámetros y elementos básicos que deben contener.

La FNE define un programa de cumplimiento como "aquellas políticas, procedimientos, directrices y mecanismos adoptados por un agente económico para dar cumplimiento a la normativa vigente en materia de libre competencia.".[15]

El objetivo de dichos programas, según la Guía de la FNE, es ser "un mecanismo eficiente y efectivo de prevención, de detección y de control de daños, ya que brindan pautas internas acerca de las correctas formas de reacción, permitiendo así la no ocurrencia o la reducción de los efectos negativos del actuar anticompetitivo tanto para la empresa como para la sociedad.".[16]

Entre los beneficios que menciona la Guía de la FNE de contar con un programa de cumplimiento, indica como el principal la prevención de comisión de infracciones a través de su detección temprana, así como el control de daños ante la comisión de un ilícito.[17]

En este sentido, la FNE explicita que la detección temprana de una colusión puede permitir acceder a tiempo a los beneficios de la delación compensada en casos de colusión. Esto, por cuanto el tiempo que media entre que se detecta una conducta constitutiva de colusión y la denuncia de la misma a la FNE, puede ser determinante para poder acceder, o no, a los beneficios de la delación compensada.

---

[13]   Correspondiente a su "Material de Promoción N° 3", disponible en su sitio web: https://www.fne.gob.cl/wp-content/uploads/2012/06/Programas-de-Cumplimiento.pdf

[14]   Fiscalía Nacional Económica, *Programas de Cumplimiento de la Normativa de Libre Competencia*, Material de Promoción N° 3, Junio 2012, página 2.

[15]   Ibíd.. Página 6.

[16]   Ibíd.. Página 4.

[17]   Ibíd.. Páginas 16-20.

Según lo establece la ley, dichos beneficios (atenuación y exención de la multa administrativa, y de la responsabilidad penal de las personas naturales que cometieron el ilícito) sólo están disponibles para los dos miembros del cartel que primero se delaten, y el beneficio mayor (exención de la multa y de la responsabilidad penal) se contemplan exclusivamente para quien se delate en primer lugar.[18] Así, para una empresa el tener implementado un programa que detecte su participación en una colusión antes que los demás conspiradores, puede generarle esa importante ventaja.

Otro beneficio que menciona la FNE es una posible rebaja de la multa para aquella empresa que cuente con un programa de ciertas características.[19] La decisión sobre la multa a aplicar no recae en la FNE, sino en el TDLC, que es quien establece su monto y los elementos que considera relevantes para dicha determinación,[20] pero igualmente es importante la multa solicitada por la FNE en su requerimiento, ya que fija el marco de la discusión en el litigio. Como veremos más adelante, el TDLC ha compartido esta posición de la FNE, y ha ido incluso más allá, señalando que la implementación de un programa de cumplimiento suficiente y adecuado puede llevar a que una empresa sea eximida completamente de la multa aplicable, posición que no ha sido compartida por la Corte Suprema.

La Guía de la FNE contiene asimismo referencia a los elementos que son necesarios y convenientes de considerar en un programa de cumplimiento, a los que nos referiremos más adelante.

La importancia de la Guía de la FNE ha sido destacada por el TDLC y la Corte Suprema, que han impuesto la obligación de implementar programas de cumplimiento a empresas sancionadas por colusión en sus sentencias, las cuales deben observar lo establecido en la Guía de la FNE, según indicaremos a continuación.

---

[18]　Artículo 39 bis incisos 3° y 4° del DL 211 respecto a la multa administrativa, y 63 del DL 211 respecto a la responsabilidad penal.

[19]　Sobre esto, la Guía de la FNE indica lo siguiente: "*Un posible beneficio asociado a la implementación de un Programa de Cumplimiento es la consideración del mismo en caso que presente un requerimiento ante el TDLC, tanto en lo relativo a la determinación de la multa, como de cualquier otra sanción a solicitar, de conformidad a lo establecido en el artículo 26 del DL 211.*" (p. 18)

[20]　Debiendo aplicar el marco legal señalado en el artículo 26, inciso 2°, letra c), del DL 211.

4. LOS PROGRAMAS DE CUMPLIMIENTO EN LA JURISPRUDENCIA EN LIBRE COMPETENCIA. EL RECONOCIMIENTO COMO ATENUANTE DE RESPONSABILIDAD ADMINISTRATIVA.

El TDLC y la Corte Suprema también han venido reconociendo la importancia de los programas de cumplimiento en su jurisprudencia.

En particular, en las sentencias del TDLC en materia de colusión de los últimos años, dicho tribunal ha ordenado a las empresas sancionadas, como parte de las sanciones y medidas contenidas en la sentencia respectiva, a adoptar de manera obligatoria programas de cumplimiento en libre competencia. Así lo ha hecho en los últimos años con la Asociación Gremial de Ginecólogos Obstetras de la Provincia de Ñuble en el caso de colusión contra sus asociados,[21] y con todas las requeridas sancionadas en los casos de colusión en las industrias del asfalto,[22] de los productores de papel *tissue*,[23] de los laboratorios en el mercado de medicamentos inyectables genéricos[24] y en el mercado de suero fisiológico,[25] de los supermercados por la venta de carne de pollo,[26] y de las navieras por el transporte de automóviles.[27]

En todas dichas sentencias, el TDLC ha señalado expresamente que los programas de cumplimiento a implementar deben satisfacer los requisitos indicados en la Guía de la FNE. Sin embargo, en varias de las mismas ha establecido algunos requisitos adicionales, según veremos más adelante.

Todas las sentencias del TDLC aludidas fueron objeto de recursos de reclamación para ante la Corte Suprema. En algunos de esos casos, a la fecha de este artículo dichos recursos se encontraban aún pendientes de decisión. Sin embargo, en los casos en que la Corte Suprema ha resuelto los mismos, no ha modificado lo resuelto por el TDLC a este respecto,[28]

---

[21]   Tribunal de Defensa de la Libre Competencia. Sentencia N° 145/2015, resuelvo 3°.
[22]   Tribunal de Defensa de la Libre Competencia. Sentencia N° 148/2015, resuelvo 7°.
[23]   Tribunal de Defensa de la Libre Competencia. Sentencia N° 160/2017, resuelvo 5°.
[24]   Tribunal de Defensa de la Libre Competencia. Sentencia N° 165/2018, resuelvo 6°.
[25]   Tribunal de Defensa de la Libre Competencia. Sentencia N° 172/2020, resuelvo 5°.
[26]   Tribunal de Defensa de la Libre Competencia. Sentencia N° 167/2019, resuelvo 7°.
[27]   Tribunal de Defensa de la Libre Competencia. Sentencia N° 171/2019, resuelvo 7°.
[28]   En ese sentido, ver las sentencias de la Corte Suprema respecto los casos de colusión indicados: sentencia de fecha 7 de enero de 2016 en causa rol N° 5.609-2015 (caso colusión de ginecólogos obstetras de Ñuble), la de fecha 12 de octubre de 2016 en causa rol N° 5.128-2016 (caso colusión asfaltos), la de fecha 6 de enero de 2020 en causa rol N° 1.531-2018 (caso papel *tissue*), la de fecha 27 de enero de 2020 en causa rol N° 278-

e incluso ha puesto en relieve expresamente los requisitos establecidos en la Guía de la FNE como "mínimos y esenciales" para la consecución de la finalidad preventiva de los mismos.[29]

Sin perjuicio de lo anterior, el reconocimiento más importante que ha efectuado el TDLC en cuanto a la importancia de los programas de libre competencia, se refiere a su reciente posición en cuanto a que la adopción e implementación de ellos pueden atenuar o incluso eximir de la responsabilidad a la empresa infractora. Nos referiremos a esto a continuación.

La sentencia N° 167/2019 del TDLC, de fecha 28 de febrero de 2019, referido al caso de colusión de la FNE en contra de las cadenas de supermercados Cencosud S.A., Walmart Chile S.A. y SMU S.A. por la venta de carne de pollo (la "Sentencia TDLC 167/2019"), establece una serie de consideraciones muy relevantes en cuanto a los programas de cumplimiento en libre competencia.[30] Como veremos a continuación, la Corte Suprema comparte sólo una parte de dichas consideraciones del TDLC.

La importancia de los programas de cumplimiento se resaltan de manera expresa en la Sentencia TDLC 167/2019, al señalar el TDLC que "esta magistratura ha fomentado y promueve constantemente los programas de cumplimiento y ética como la vía esencial para asegurar el apego a la normativa y detectar el mal comportamiento al interior de los agentes económicos".[31]

En cuanto a la posibilidad de que un programa de cumplimiento pueda ser considerado como un eximente o atenuante de responsabilidad, la Sentencia TDLC 167/2019 lo reconoce de forma expresa, al indicar que "el diseño y aplicación de programas de cumplimiento y ética, con las características que se indicarán, puede ser prueba manifiesta de aquel cuidado que permite al agente económico eximirse de responsabilidad por conductas anticompetitivas de sus trabajadores". [32]

2019 (caso medicamentos inyectables) y la de fecha 8 de abril de 2020, en causa rol 9.361-2019 (caso supermercados).

[29] Sentencia de la Corte Suprema de fecha 27 de enero de 2020 en causa rol N° 278-2019 (caso laboratorios por medicamentos inyectables), considerando 26°.

[30] El debate, respecto a este punto, surgió por las defensas de las requeridas, y en particular de la cadena Walmart Chile S.A., en cuanto a haber implementado un programa de cumplimiento en libre competencia completo y suficiente, por lo que correspondería la rebaja de la multa o la exención de responsabilidad en su caso (Sentencia TDLC 167/2019, considerandos 171° y 172°).

[31] Sentencia TDLC 167/2019, considerando 174°.

[32] Sentencia TDLC 167/2019, considerando 178°. En el mismo sentido su considerando 176° indica que "*si bien la legislación no contempla expresamente eximentes de responsabilidad (incluyendo una causal por cumplimiento), tampoco se opone a ello. El ámbito de los presupues-*

Discurre sobre el punto el TDLC, a nuestro juicio correctamente, indicando que la responsabilidad en materia del contencioso en libre competencia no es estricta u objetiva, sino por culpa o negligencia. Por lo anterior, indica que "el incumplimiento normativo sólo da origen a responsabilidad administrativa en esta sede cuando es culpable, esto es, el sujeto infringe la norma habiendo podido respetarla. En otras palabras, la responsabilidad por inobservancia de la ley en el caso concreto le es imputable y exigible porque gozaba de la posibilidad de cumplirla o no cumplirla. A contrario sensu, no incurre en responsabilidad el sujeto que incumple la norma producto de un acto u omisión que le era imposible evitar o resistir". [33]

Habiendo reconocido dicha posibilidad, el TDLC en el caso en comento determinó que una de las requeridas –Walmart Chile S.A.– contaba con un programa de cumplimiento razonable para los fines preventivos y correctivos que estos buscan. Sin embargo, determinó que el mismo no era suficiente para eximir de la multa, por cuanto la implementación y diseño del programa fue incipiente a la época en que ocurrieron los hechos. Sin perjuicio de esto, en razón de lo anterior decidió aplicarle una rebaja significativa a la multa, estableciendo por primera vez una atenuación de la responsabilidad por este motivo en nuestra jurisprudencia. [34]

Respecto al estándar y a los elementos que debiesen estar presentes en un programa de cumplimiento indicados por el TDLC, nos referiremos más adelante. En términos generales, el tribunal hace hincapié el que el programa sea "serio, creíble y efectivo". [35]

Así, con dicha decisión, el TDLC reconoció por primera vez de forma explícita que contar con un programa de cumplimiento puede permitirle a una empresa obtener una reducción en la multa aplicable (como señala la Guía de la FNE), e incluso ser eximida completamente de la misma. Sin

---

tos de la responsabilidad está, en nuestro derecho, entregado enteramente al desarrollo jurisprudencial. En este sentido, es posible sostener que el máximo reconocimiento a una firma que ha implementado un programa de cumplimiento y ética que cumple con el estándar señalado en los considerandos siguientes, bien puede ser su exención de responsabilidad".
Asimismo, el considerando 178° de dicha sentencia indica: "En efecto, un programa cuya elaboración y ejecución reúne ciertos atributos mínimos permite calificar la ocurrencia de conductas ilícitas como hechos imposibles de haber podido prevenir o evitar con la debida diligencia y, por consiguiente, constitutivos de una causal eximente de responsabilidad;"

[33] Sentencia TDLC 167/2019, considerando 177°.
[34] Sentencia TDLC 167/2019, considerando 191, 192° y 232°.
[35] Sentencia TDLC 167/2019, considerando 182°.

embargo, la Corte Suprema vino a poner coto a esta posición, al conocer de los recursos de reclamación presentados en esa misma causa.[36]

En la sentencia de la Corte Suprema referida, la misma reitera la importancia de los programas de cumplimiento, al indicar que "corresponde destacar y promover" su creación al interior de las empresas. Sin embargo, considera que dicha circunstancia no puede esgrimirse para eximir de responsabilidad a la empresa infractora, por cuanto las eximentes de responsabilidad están expresamente establecidas en la ley, lo cual no ocurre en su caso.[37]

En cuanto a ser considerada como atenuante, la Corte Suprema no rechaza expresamente dicha posibilidad, pero estableció que en dicho caso la misma no se justifica, por cuanto el programa de Walmart Chile S.A. (a quien el TDLC había aplicado una rebaja de la multa en razón de su programa de cumplimiento) no había sido efectivo, en consideración a la conducta reprochada y el tiempo por el que se extendió.[38]

Desde ya, nos parece que la decisión de la Corte Suprema sobre este punto es incorrecta. A pesar de que efectivamente los programas de cumplimiento no están establecidos expresamente en la ley como una circunstancia eximente de responsabilidad, no es menos cierto que la responsabilidad en el derecho de la libre competencia, como parte del derecho administrativo sancionador requiere siempre del elemento subjetivo, esto es, del dolo o la culpa. La responsabilidad objetiva no se aplica a su respecto. En ese sentido, si un requerido demuestra que ha hecho *todo lo posible* para evitar la infracción a través de la adopción oportuna de un programa de cumplimiento suficiente y efectivo, puede estimarse que no ha habido dolo o culpa de su parte, por lo que no sería responsable de infracción alguna. Para esto no es necesario una consagración legal específica, sino solo recurrir a las normas generales civiles y administrativas.

Dicho lo anterior, corresponde hacer algunas puntualizaciones respecto a esta nueva posición jurisprudencial. En primer lugar, cabe señalar que la atenuación de responsabilidad aludida (o incluso su exención, según

---

[36]   Sentencia de la Corte Suprema de fecha 8 de abril de 2020, en causa rol 9361-2019, en que resolvió los recursos de reclamación interpuestos en contra de la Sentencia TDLC 167/2019, por parte de Cencosud S.A., SMU S.A., Walmart Chile S.A., la Fiscalía Nacional Económica, la Corporación Nacional de Consumidores y Usuarios de Chile y la Organización de Consumidores y Usuarios de Chile.

[37]   Sentencia de la Corte Suprema de fecha 8 de abril de 2020, en causa rol 9361-2019, considerando 51°.

[38]   Ibíd.

la posición del TDLC) beneficia sólo a la empresa, esto es, a la persona jurídica que implementó dicho programa, y no así a los ejecutivos que personalmente cometieron los ilícitos anticompetitivos.

Lo anterior emana de la situación diametralmente diferente entre la empresa diligente y el trabajador infractor. La atenuación o exención de la responsabilidad para la empresa emana de su despliegue de las medidas adecuadas para evitar la infracción, de manera tal que la infracción, de producirse, haya sido imposible de prevenir para ella. El infractor no cuenta con esa defensa; al contrario, su infracción es particularmente culpable al haberse realizado en vulneración de la regulación interna clara y conocida por él.

Así, la empresa podrá argumentar que cuenta con un programa de cumplimiento suficiente y efectivo, lo cual deberá demostrar en el proceso. De ser efectivo, dicha empresa podría ver atenuada o eximida de su responsabilidad por la comisión de dicho ilícito, pero no así los ejecutivos que cometieron las infracciones anticompetitivas.[39] La sanción administrativa se establece para reprimir el actuar ilícito de un agente del mercado y en dicho caso la empresa, lejos de haberlo cometido, ha desplegado sus esfuerzos precisamente para evitarlo.

La obligación de la empresa, para alcanzar la reducción o la exención de dicha responsabilidad, es entonces una de medios (contar con un programa suficiente y adecuado), no de resultados (que no ocurra ningún ilícito). En esa misma línea, el TDLC ha indicado que "no incurre en responsabilidad el sujeto que incumple la norma producto de un acto u omisión que le era imposible evitar o resistir. En este sentido, la responsabilidad no es estricta u objetiva, entendida esta como aquella que se produce con independencia de la culpa del sujeto, sino por culpa o negligencia"[40]

En esa línea, el que la Corte Suprema considere que un programa de cumplimiento deba ser "eficaz" al momento de analizar la posible atenuación de la responsabilidad de un requerido, no puede entenderse en el sentido que el mismo impida que se produzca cualquier infracción por cualquier ejecutivo o trabajador, ya que eso es imposible de evitar en to-

---

[39]   Salvo en el caso excepcional de que la empresa y dichos ejecutivos se acojan conjuntamente al beneficio de la delación compensada en un caso de colusión como primer delator, según lo indicado en el art 39 bis del DL 211. Pero en dicho caso la exención de responsabilidad provendrá de dicha disposición legal, no del hecho de contar con un programa de cumplimiento.

[40]   Sentencia TDLC 167/2019, considerando 177°.

dos los casos, y en la práctica dicha posición eleva la responsabilidad de la empresa a una objetiva. Al contrario, creemos que el requisito de eficacia del programa debe entenderse como que el mismo sirve para su propósito preventivo (de educar y detectar) y correctivo (de sancionar) en la generalidad o gran mayoría de los casos, al desplegar todos los esfuerzos en evitar las infracciones. Esta es la única forma de entender el concepto de eficacia de una manera acorde con la obligación de medios (y no de resultados) de la empresa.

Como señalaremos a continuación, los programas de cumplimiento deben ser implementados y ejecutados de buena fe para que los mismos sean efectivos y cumplan su propósito, y no pueden ser sólo una mera "fachada" de una falsa intención de cumplir. Dicha buena fe debe estar radicada, precisamente, en quienes están encargados del diseño, implementación y ejecución de dicho programa dentro de la empresa.

Para contextualizar las posiciones del TDLC y de la Corte Suprema referidas, haremos una breve referencia a la situación del derecho comparado. En síntesis, mientras la regulación de Unión Europea no contempla ningún beneficio en relación a las sanciones aplicables a las empresas por contar con programas de cumplimiento,[41] en el caso de la regulación de Estados Unidos de América se contempla sólo una posible reducción de la multa y otros beneficios procesales, pero no así una exención de responsabilidad.[42]

---

[41] La regulación de la Comisión Europea no contempla beneficios en ese sentido. Sólo recalca los beneficios generales de contar con un programa de cumplimiento consistentes en evitar los altos costos acarreados por la infracción, y las ventajas de detectar una infracción a tiempo como la posibilidad de acogerse al programa de clemencia. Ver en este sentido, por ejemplo, el documento *"La importancia de cumplir"* de la Comisión Europea del año 2012.

[42] United States Sentencing Commission, *2018 Guidelines Manual*, Noviembre de 2018. Esta guía destinada a orientar a la dictación de sentencias indica que se debieran reducir las sanciones (el "puntaje de culpabilidad") a una empresa en el caso de cumplir con un programa cumplimiento. Sobre el particular, indica: *"If the offense occurred even though the organization had in place at the time of the offense an effective compliance and ethics program, as provided in §8B2.1 (Effective Compliance and Ethics Program), sub-tract 3 points."* (Sección §8C2.5(f)(1)).
La División Antimonopolios (Antitrust Division) del Departamento de Justicia de los Estados Unidos de América, en su documento emitido recientemente sobre Programas de Cumplimiento en Investigaciones Criminales en Libre Competencia recoge esa directriz, e indica otros beneficios procesales en el procedimiento criminal a la empresa que cuenta con un programa de cumplimiento efectivo. U.S. Department of Justice. Antitrust Division, *Evaluation of Corporate Compliance Programs in Criminal Antitrust Investigations*, julio de 2019, página 14.

Para ilustrar la mirada divergente de la Unión Europea sobre el punto, la misma considera que en el caso de haber ocurrido una infracción en una empresa que cuenta con un programa de cumplimiento, dicho programa necesariamente carece de efectividad y ha fallado, por lo que no corresponde aplicar ninguna reducción en la multa.[43]

Respecto de la jurisprudencia norteamericana, según lo indicado, la exención de la responsabilidad de la empresa que cuenta con un programa de libre competencia tampoco ha sido acogida en casos de libre competencia. Así, se ha señalado que "(l)a regla general seguida por los tribunales federales de los Estados Unidos en casos de libre competencia civiles y penales es la imposición de responsabilidad a una empresa por las conductas anticompetitivas de sus agentes, empleados o ejecutivos, cuando éstas sean realizadas dentro del ámbito de sus labores o autoridad aparente. Los tribunales han aplicado esta regla de manera amplia, declarando responsables civil y penalmente a empresas por la conducta anticompetitiva de sus empleados, incluso cuando sus actos infrinjan la política expresa de la compañía." [44]

5. LA BUENA FE EN EL DISEÑO E IMPLEMENTACIÓN DEL PROGRAMA EN LIBRE COMPETENCIA: REQUISITO NECESARIO, PERO NO SUFICIENTE.

La buena fe ha sido reconocida ampliamente por la doctrina y la jurisprudencia como un principio general del derecho, rector del actuar de las personas en las diversas áreas de la vida en comunidad. Se ha dicho, en este sentido, que la buena fe en el derecho constituye "*un patrón de conducta que éste exige a todos los miembros de la comunidad jurídica, en cuanto todos ellos, en todas sus actuaciones —ya ejercitando un derecho, ya cumpliendo una obligación—*

---

[43]   En este sentido, es clarificadora la posición de Joaquín Almunia, entonces Vicepresidente de la Comisión Europea responsable de la Política de Competencia, expuesta en la Conferencia de Competencia de Bruselas el 25 de octubre de 2010, que señaló lo siguiente:
"*To those who ask us to lower our fines where companies have a compliance programme, I say this: if we are discussing a fine, then you have been involved in a cartel; why should I reward a compliance programme that has failed?*"

[44]   JACOBS, Michael E., *Evaluación de los programas de compliance en el derecho de la competencia norteamericano*, contenido en *Reflexiones sobre el Derecho de la Libre Competencia: Informes en Derecho Solicitados por la Fiscalía Nacional Económica (2010-2017)*, Ediciones de la Fiscalía Nacional Económica, Santiago de Chile, 2017, página 228.

deben comportarse según los dictados que impone la buena fe, esto es, con corrección, lealtad, honradez y rectitud."[45]

Un programa de cumplimiento, para poder ser eficaz y eventualmente ser considerado para atenuar la responsabilidad administrativa de la empresa, necesariamente debe ser diseñado y ejecutado de buena fe. Esto se refiere a que quienes toman la decisión de desarrollarlo y llevarlo a cabo, que normalmente son los dueños, controladores, directores o alta gerencia de una empresa, lo hagan con la genuina disposición –correcta, leal, honrada y recta– de que el programa de libre competencia cumpla su propósito, esto es, el evitar, detectar y sancionar las infracciones anticompetitivas que se cometan en la empresa.

Lo anterior responde a una razón muy clara: este requisito –que el programa sea elaborado y adoptado con la disposición de buena fe a cumplir la ley–, es indispensable para que el mismo tenga un nivel de eficacia suficiente para dicho objetivo de disuasión, prevención y detección.[46]

Por buena fe, a este respecto, no nos referimos a que quienes decidan implementar un programa de cumplimiento lo hagan por buenas intenciones, o con el convencimiento de los beneficios para la sociedad y la economía que acarrea una competencia sana y vigorosa en los mercados. En lo que acá interesa, la buena fe corresponde a la verdadera intención de cumplir la norma y de evitar las infracciones anticompetitivas, independientemente de las razones que estén detrás de esa intención.

Un modelo de cumplimiento en libre competencia debe ser elaborado especialmente para una empresa determinada, esto es, tomando en consideración su situación particular, tamaño, el mercado en el que se desempeña, su estructura y orgánica interna y de su grupo empresarial, entre otros elementos que ayuden a determinar cuáles son los riesgos y la gravedad de los mismos.[47] En ese sentido, sólo un programa que ha sido diseñado con

---

[45]   BOETSCH GILLET, Cristián, *La Buena Fe Contractual*, Ediciones UC, primera edición, 2015, página 41.

[46]   Así, se ha señalado en ese sentido que: *"Lo que se espera de los programas de compliance es que sean la mejor expresión de la voluntad real de la organización y que cumplan cabalmente con la regulación. No pueden ser un mero "manual" o "guía vacía", sino que deben propender a evitar las conductas proscritas por el sistema normativo por todos los medios razonables.".* MONTT, Santiago, *Programas de Compliance y responsabilidad en el Derecho de la Competencia Chileno*, Revista de Derecho Administrativo, N°10 (2011): Tomo 1, Perú, página 278.

[47]   Sobre este punto, la Guía de la FNE señala lo siguiente (pág. 6): *"Todo Programa debe siempre ser hecho a la medida de cada empresa, en atención a diversos factores y, especialmente, a: El tamaño del agente económico*

el verdadero propósito de evitar diligentemente dichas infracciones, según la situación particular de una empresa en un mercado determinado, podrá contener las medidas adecuadas y suficientes para reducir al máximo o eliminar dichos riesgos. [48]

Según lo dicho, es determinante a este efecto el que los programas de cumplimiento en libre competencia se elaboren como un *"traje a la medida"* para la empresa de la que se trate. Ellos deben abordar de manera específica, suficiente, creativa, y verificable, la manera para reducir al máximo los riesgos y evitar, detectar y reprimir las posibles infracciones. Así, las medidas o mecanismos que puedan servir para una empresa, pueden ser excesivos, insuficientes, o inaplicables para otra. Esto, sin perjuicio de ciertas medidas que pueden ser aplicable para la generalidad de las empresas, según se indica a continuación.

En relación a lo anterior, un aspecto esencial en la elaboración de todo programa de cumplimiento es la etapa inicial de levantamiento de riesgos, en el cual se intentan detectar cuáles son las áreas, cargos o procesos que están más expuestos a cometer infracciones. Para dicho efecto, se hace un análisis completo de la empresa, que suele contener entrevistas con diversos ejecutivos y la revisión de distinta documentación para comprender su funcionamiento.

Es indispensable que la buena fe esté presente en todas las etapas de elaboración del programa. En la etapa de levantamiento de riesgos es clave, ya que la empresa debe estar disponible para que se conozca a fondo su situación y sus riesgos, para así poder definir las acciones que corresponda adoptar. Misma cosa al momento de planificar las acciones, medidas y protocolos, ya que deben escogerse aquellos más efectivos para evitar y detectar los riesgos, lo cual sólo se logrará si existe una verdadera intención de cumplir.

Características y peculiaridades de éste
Mercado en el que participa
Grado de influencia que ejerce dentro del mercado en que participa (Poder de mercado).
Al identificar los factores señalados, el agente económico podrá reconocer cuáles son sus propias debilidades y fortalezas, para así crear e implementar un Programa acorde a sus propias características y necesidades."

[48]   En este mismo sentido, la Sentencia TDLC 167/2019 señala *"Que, sin embargo, la implementación de un programa "real" de cumplimiento y ética va más allá del mero cumplimiento de un listado de requisitos. De hecho, los propios elementos que debieran conformarlo varían dependiendo, entre otros factores, del tamaño de la firma (lo que implica, por cierto, que en el caso de Walmart la exigencia es elevada)."* (Considerando 182°).

Un programa de cumplimiento debe generar un cambio relevante en la cultura corporativa de la empresa, hacia uno de cumplimiento de la ley. Eso sólo puede lograrse si quienes están encargados de impulsar el mismo (necesariamente la alta dirección de la empresa) tienen la recta intención de lograrlo. Eso es lo que hace verdaderamente la diferencia entre un modelo eficaz y uno ineficaz. [49]

Un programa de cumplimiento que no cumple con este requisito básico, con toda seguridad sufrirá de defectos que lo harán carecer de efectividad. Un esfuerzo *"a medias"* en este sentido, probablemente derivará en un diagnóstico incompleto o errado de los riesgos que enfrenta la empresa, y/o en un diseño general deficiente del programa, o bien en reglas, procedimientos y mecanismos insuficientes o equivocados para esa empresa en ese mercado.

En el extremo, pueden existir casos en que el programa sea adoptado en conocimiento de que dentro de la empresa existen o pueden existir situaciones posiblemente anticompetitivas, sin ningún ánimo que dichos ilícitos sean detectados o cesen.

Así, a modo de ejemplo, si un director o gerente a cargo de implementar un programa de cumplimiento conoce que existen ciertas conductas abusivas o ilícitas, puede elaborar un programa muy completo y destacado, que abarque todo tipo de material, manuales, capacitaciones, entrenamientos, y mecanismos de control y sanción para la generalidad de los trabajadores, pero a la vez puede dejar dolosamente de abordar esas conductas ilícitas, de manera que se sigan llevando adelante sin reproche.

En casos como el expuesto, lejos de considerarse dicho programa de cumplimiento como un factor para atenuar o eximir la responsabilidad

---

[49] En el sentido anterior, cabe resaltar el voto de minoría de los ministros Menchaca y Domper en la Sentencia N°148/2015 del TDLC, que discreparon de la mayoría del tribunal en cuanto a imponer a los sancionados por colusión en dicho caso la obligación de desarrollar un programa de cumplimiento en libre competencia. Dichos ministros, entre otros motivos para rechazar dicha medida, expresaron sus dudas sobre la eficacia de un programa de cumplimiento impuesto obligatoriamente por el tribunal. Así lo señalaron:
"2. Que, por otra parte, si bien comparten la importancia y utilidad de los programas de cumplimiento, a juicio de estos ministros su eficacia depende normalmente que éstos se desarrollen voluntariamente. En efecto, el objeto de esa clase de programas es precisamente evitar que se cometan infracciones a la libre competencia por las empresas que los implementan, las que al hacerlo deben querer evitar que, contra su voluntad, ejecutivos o empleados de las mismas cometan tales infracciones. Ese objetivo es más fácil de lograr si dicho programa se implementa voluntariamente y no si se impuso como obligación, sin que exista la voluntad de ejecutarlo y –eventualmente– de cumplirlo;"

administrativa de la empresa, es posible que pueda ser considerada incluso como una circunstancia agravante, lo cual podría traducirse en una mayor multa o sanciones más severas para la empresa.

En ese sentido, el omitir alevosamente los verdaderos focos de riesgo en un programa, constituye una conducta que podría ser todavía más reprochable que no contar con programa alguno, porque su propósito es dar una apariencia de cumplimiento engañosa frente a las autoridades. Además, se entiende que en dicho caso existe una conciencia y conocimiento claro de esta normativa, lo que agrava su incumplimiento.

Esto podría derivar en la aplicación de una sanción más alta por la mayor gravedad de la conducta, según lo indicado en el artículo 26 inciso segundo, letra c) del DL 211. En ese sentido, la falta de buena fe en la adopción de un programa de cumplimiento podría llegar a agravar la falta.

La Guía de la FNE, en línea con lo antedicho, resalta la importancia de la buena fe en esta materia. Al respecto, señala lo siguiente: *"Un Programa de Cumplimiento serio y completo conlleva diversos efectos en el agente económico que lo implementa de buena fe"*,[50] y que *"(e)l compromiso a cumplir es un requisito básico y esencial de todo Programa de Cumplimiento. La sola existencia de un Programa, incluso aquél en apariencia completo, no cumple finalidad alguna cuando el agente económico no adquiere el compromiso real y efectivo de cumplir con la normativa vigente."*[51]

Por otra parte, no se requiere que todos y cada uno de los ejecutivos y trabajadores de la empresa cumplan de buena fe dicho programa, para que el mismo sea considerado eficaz y pueda llegar a atenuar (o incluso eximir) la responsabilidad de la empresa. Tal como lo señalamos precedentemente, un programa puede eximir de responsabilidad a la empresa aún en el caso de que algún ejecutivo transgreda sus normas. Por lo demás, la atenuación o exención de responsabilidad se discute precisamente para el caso en que exista un incumplimiento.

Sólo corresponde hacer dos aclaraciones sobre este punto que, aunque podrían parecer obvias, resulta conveniente explicitarlas.

Primero, cabe precisar que la buena fe, a pesar de ser un elemento necesario según lo indicado, no es un requisito que requiera ser acreditado ante las autoridades o tribunales a este respecto. La buena fe es necesaria en cuanto la misma se traducirá en un programa de cumplimiento en libre

---

[50]   Guía de la FNE, página 16 (el subrayado es agregado).
[51]   Ibíd.. Página 7.

competencia eficaz y adecuado, pero no se requiere que la misma sea acreditada en el proceso, como si fuese un requisito adicional o distinto, para efectos de ser considerado como un atenuante o eximente de responsabilidad. Nuestros tribunales no lo han exigido.[52]

Segundo, corresponde despejar que, a pesar de que consideramos que la buena fe es indispensable, en ningún caso dicho elemento es suficiente. Si esa buena fe no se concreta en un verdadero programa completo y eficaz, evidentemente esa intención no servirá de nada. En línea con lo señalado precedentemente, a la autoridad no le interesa el ánimo con la que se desarrolló e implemento el programa, sino que el mismo sirva a su propósito, por lo que las buenas intenciones son claramente insuficientes si no se llevan a la realidad de forma adecuada.

6. LA MAYOR IMPORTANCIA DE LA BUENA FE EN LOS PROGRAMAS DE CUMPLIMIENTO EN LIBRE COMPETENCIA, RESPECTO A OTRAS ÁREAS DEL DERECHO.

Como señalamos precedentemente, en libre competencia no hay un listado de medidas estándar u obligatorias que deba contener un programa de cumplimiento. Por el contrario, eso dependerá de las circunstancias particulares de la empresa, de su grupo, del mercado, etc. Es por esto que la buena fe en la planificación de ese programa y esas medidas, y en su implementación, pasa a ser un elemento central.

Lo anterior se verificará en el caso determinado, cuando exista algún procedimiento contencioso en contra de dicha empresa por alguna infracción a la ley de libre competencia, instancia en la cual la empresa podrá demostrar que cuenta con un modelo de prevención adecuado.

Esto es distinto en otras áreas del derecho punitivo en que se contemplan este tipo de programas de cumplimiento.

Ya nos hemos referido a algunos aspectos de los modelos de prevención de delitos para evitar la responsabilidad penal de las personas jurídicas, establecida en la Ley 20.393. Según señalamos, dicha ley contempla una serie de elementos que necesariamente deben contener los programas de pre-

---

[52] En este sentido, la sentencia de la Corte Suprema de fecha 8 de abril de 2020, en causa rol 9361-2019 (caso colusión de los supermercados), pone el énfasis en la eficacia del programa para determinar una posible atenuación de la responsabilidad. Ver considerando 51°.

vención de delitos, como la designación de un encargado de prevención, la definición de medios y facultades del mismo, el establecimiento de un sistema con protocolos, reglas, procedimientos, sanciones administrativas, supervisión, etc.[53]

Además de esos elementos, la Ley 20.393 contempla un sistema de certificación de la adopción e implementación del modelo, realizados por empresas de auditoría externa y sociedades clasificadoras de riesgo, entre otras entidades.[54]

Es así como, en materia penal, los elementos del programa están establecidos en la ley, y la certificación permite acreditar que dichos elementos se han cumplido. Más allá de si el modelo se ha implementado de buena fe o no, lo relevante es que la empresa haya cumplido con los elementos legales para poder acceder a la exención de responsabilidad penal contemplada en la ley.

En el caso de la legislación de protección de los derechos de los consumidores ocurre algo similar. La ley 19.496 que establece normas sobre protección de los derechos de los consumidores (la "Ley 19.496") fue recientemente reformada por la ley 21.081,[55] que entre varias modificaciones incluyó como una circunstancia atenuante de la responsabilidad administrativa la colaboración sustancial prestada por el infractor con el Servicio Nacional del Consumidor ("Sernac") durante el procedimiento sancionatorio o en el procedimiento judicial.

La Ley 19.496, modificada en la forma señalada, entiende que dicha colaboración existe *"si el proveedor contare con un plan de cumplimiento específico en las materias a que se refiere la infracción respectiva, que haya sido previamente aprobado por el Servicio y se acredite su efectiva implementación y seguimiento".*[56]

En el caso de la regulación de protección de los derechos de los consumidores, entonces, se ha reconocido también la relevancia de los programas de cumplimiento (o "plan"), configurándose como una atenuante de responsabilidad para el infractor.

Cabe hacer mención que, al igual que en materia penal, se establece una certificación o aprobación formal de dicho programa, pero que en

---

[53]   Ley 20.393, artículo 4.
[54]   Ley 20.393, artículo 4, número 4) b).
[55]   Publicada en el Diario Oficial con fecha 13 de septiembre de 2018, y cuya entrada en vigencia ocurrió con fecha 14 de marzo de 2019.
[56]   Ley 19.496, artículo 24, inciso cuarto, letra c).

este caso lo realiza el Sernac. Entendemos, de la lectura de la norma nueva, que dicha aprobación se limita al diseño o elaboración del plan, ya que "*su efectiva implementación y seguimiento*" requieren igualmente ser acreditados en el proceso, para que el mismo pueda ser considerado como atenuante.

Así, los modelos o planes de cumplimiento tanto en materia penal como en protección al consumidor están contemplados en la ley, la cual además establece instancias de certificación o aprobación de los mismos. En materia penal, además, se establecen en la ley los elementos que debe contener dicho modelo.

Lo anterior difiere con los programas en libre competencia, cuyos elementos dependerán de la situación particular de la empresa y el mercado sin que los mismos se establezcan en la ley, y cuyo diseño, adopción o implementación no están sujetos a aprobación previa alguna, que acredite su eficacia o suficiencia. Al contrario, la empresa deberá demostrar todas esas circunstancias en el juicio para obtener una atenuación o exención de su responsabilidad, por lo cual el diseño, implementación y ejecución de buena fe de dicho programa en el tiempo serán determinantes para conseguir dicho objetivo.

7. ELEMENTOS QUE DEBE CONTENER UN PROGRAMA DE CUMPLIMIENTO EN LIBRE COMPETENCIA

Según hemos señalado precedentemente, y en línea con lo establecido por la Guía de la FNE y por nuestra jurisprudencia, no existe una serie de elementos estándar que deben contemplar un programa de cumplimiento, sino que los mismos dependerán de la situación de cada empresa.

En el sentido anterior, un programa de cumplimiento no puede consistir sólo en una serie de medidas aisladas (como por ejemplo, contar con un manual de conducta y dar algunas charlas ocasionales a los trabajadores) sin una debida coherencia, orgánica, justificación, periodicidad, monitoreo, etc. [57]

---

[57]   La Sentencia TLDC 167/2019 indica sobre este punto lo siguiente: "*Que en ambos casos la prueba rendida no permite acreditar la existencia de un real programa de cumplimiento y ética por parte de Cencosud y SMU; menos aún uno que cumpla con los estándares de seriedad, credibilidad y eficacia exigidos para ser base, al menos, de una reducción de la multa. Como hemos visto (considerando 182 y siguientes), la mera implementación de un "código o manual de conducta o buenas prácticas" interno (o cualquier otra denominación que pretenda dársele), las capacitaciones mediante "charlas" (no siempre obligatorias) dirigidas a un grupo o grupos*

Según señalamos, un paso clave para determinar qué elementos debe contener el programa, es la identificación de los riesgos dentro de la empresa. Esto consiste en analizar cuáles son las áreas, cargos o procesos que están más expuestos a cometer infracciones.[58]

Hay áreas o cargos de las empresas que típicamente pueden generan mayor riesgo de infracciones anticompetitivas (como las que definen los precios al consumidor o la participación en licitaciones), y hay instancias que requieren mayor cuidado (como la participación en una asociación gremial o cámara en que están presentes competidores). Todos esos elementos requieren ser identificados para ser abordados propiamente. También corresponde analizar el mercado, para detectar si hay factores de mayor riesgo para la empresa determinada (como la existencia de posición de dominio, concentración de mercado, etc.) que requieran un tratamiento particular.

Una vez identificados los riesgos, y la frecuencia y gravedad de los mismos, corresponde elaborar las medidas que sirvan para reducir los mismos, de una manera coherente y sistémica.

La Guía de la FNE señala ciertos elementos que pueden contener los programas de cumplimiento. Los menciona en un orden de menor a mayor efectividad e intromisión. Dichos elementos, en el orden indicado por la Guía, son los siguientes: [59]

1. **Manual**: Este elemento, el más básico de todos, según la FNE debiese estar contenido en todo programa.[60] El mismo debe contener, según la Guía de la FNE una explicación de la normativa de libre competencia, los riesgos identificados, el listado de acciones prohibidas, mención a las vías de comunicación interna y denuncia, entre otras materias. El manual debe darse a conocer y estar a disposición de todo el personal.

---

de ejecutivos o el contar con una consultoría permanente son acciones que, aun consideradas en conjunto, están lejos de poder ser consideradas como un programa de cumplimiento y ética; (considerando 229°)

[58] Sobre el punto la Guía de la FNE señala que "*recomienda realizar un estudio detallado de los riesgos a que se expone el agente económico, contratando a profesionales expertos en al área de libre competencia y regulación, los cuales gozan de mayores herramientas para identificarlos y proponer medidas a tomar.*" (página 8).

[59] Guía de la FNE, páginas 12 a 15.

[60] Señala la Guía de la FNE: "*Un Programa de Cumplimiento debiese al menos contar con un manual escrito que contenga de manera clara y comprensible los principales aspectos del programa*". (página 12)

2. **Entrenamientos**: Este elemento también debiese "*encontrarse presente en todo Programa de Cumplimiento*".[61] Se refiere a capacitaciones periódicas al personal de la empresa, realizados "*por un profesional externo del agente económico, que tenga expertía en temas de libre competencia*" o por cursos en línea o seminarios, para explicarles sobre las materias de libre competencia y su cumplimiento.

3. **Monitoreo y Auditoría**: Se refiere a evaluaciones de la efectividad y desempeño del programa implementado, y de las prácticas, procedimientos y actuar de la empresa, para determinar si el programa se está cumpliendo y si el mismo es efectivo y adecuado.

4. **Incentivos y Medidas Disciplinarias**: Se refiere a sanciones internas por incumplir la normativa y reglamentación interna, y posibles incentivos a los trabajadores para identificar eventuales infracciones.

Según lo indicado, sólo los dos primeros elementos deben estar presentes en todo programa de cumplimiento, según la FNE. Los demás son asimismo recomendables de adoptar en la generalidad de los programas de cumplimiento.

La jurisprudencia del TDLC, según indicamos precedentemente, ha reconocido la importancia de dichos elementos y en general de las directrices contenidas en la Guía de la FNE. Así lo ha hecho en aquellos casos en que ha ordenado a empresas sancionadas en casos de colusión a adoptar de manera obligatoria programas de cumplimiento en libre competencia.[62] Por lo tanto, los elementos indicados son los que comúnmente deben estar presentes en los programas de cumplimiento en libre competencia.

Sin embargo, el TLDC, en los casos de colusión más recientes, ha establecido algunos elementos adicionales a los indicados en la Guía de la FNE, sin perjuicio de que hace aplicable igualmente los elementos men-

---

61   Guía de la FNE, página 14.

62   Casos de colusión contra la Asociación Gremial de Ginecólogos Obstetras de la Provincia de Ñuble (Sentencia N° 145/2015), contra empresas de la industria del asfalto (Sentencia N° 148/2015), de los productores de papel *tissue* (Sentencia N° 160/2017), de los laboratorios en el mercado de medicamentos inyectables genéricos (Sentencia N° 165/2018), de los supermercados por la venta de carne de pollo (Sentencia N° 167/2019), de las navieras por el transporte de automóviles (Sentencia N° 171/2019) y en el de los laboratorios en el mercado del suero fisiológico (Sentencia N° 172/2020). Las dos primeras fueron confirmadas, a este respecto, por la Corte Suprema, en sentencias de fecha 7 de enero de 2016 en causa rol N° 5.609-2015 (caso colusión de ginecólogos obstetras de Ñuble), y de de fecha 12 de octubre de 2016 en causa rol N° 5.128-2016 (caso colusión asfaltos).

cionados y en general la Guía de la FNE, como base para la elaboración de dichos programas.

Dichos elementos, que se mencionan a continuación, son bastante exigentes. Entendemos que eso responde a que dichos programas fueron impuestos por el TDLC a empresas sancionadas por casos de colusión. Por lo tanto, los elementos no necesariamente son necesarios que sean replicados en todo programa de cumplimiento para cualquier empresa. Sí es recomendable considerarlos en general en la elaboración de programas, particularmente en el caso de empresas de tamaño relevante y/o que tienen una presencia importante en mercados concentrados, o bien que tienen particular exposición a riesgos en estas materias.

Estos elementos adicionales a los de la Guía de la FNE difieren en las sentencias del TDLC indicadas, pero se pueden sintetizar en los que siguen: [63]

1. **Nombramiento de un Oficial de Cumplimiento:** Ejecutivo a cargo del cumplimiento de la normativa de libre competencia dentro de la empresa, a tiempo completo. Debe reportar directamente a su directorio.

2. **Constitución de un Comité de Cumplimiento:** Consiste en un comité a nivel de directorio, consagrado en los estatutos de la sociedad, integrado por un director independiente. Es responsable de proponer el nombre del Oficial de Cumplimiento al directorio y velar por el cumplimiento de sus deberes.

3. **Capacitaciones:** El TDLC establece en los casos mencionados un régimen de entrenamientos más regular y exigente que lo que señala la Guía de la FNE. Así, se establece que las capacitaciones deben realizarse (i) a todos los directores, gerentes, subgerentes y ejecutivos o empleados con alta responsabilidad ejecutiva, de ad-

---

[63]   Según se indica en la parte resolutiva de las sentencias respectivas en los casos de colusión de los productores de papel tissue (Sentencia N° 160/2017), de los laboratorios en el mercado de medicamentos inyectables genéricos (Sentencia N° 165/2018), de los supermercados por la venta de carne de pollo (Sentencia N° 167/2019), de las navieras por el transporte de automóviles (Sentencia N° 171/2019) y en el de los laboratorios en el mercado del suero fisiológico (Sentencia N° 172/2020). Dichas sentencias contienen elementos en los programas de cumplimiento específicos a los casos de colusión en los que fueron ordenados, como por ejemplo, la obligación de las empresas sancionadas a entregar copia de la sentencia del TDLC respectiva a sus ejecutivo, y a obtener declaraciones juradas de ellas de que la han leído y comprendido, así como reportes periódicos a la FNE.

ministración y de toma de decisiones comerciales; (ii) anualmente; (iii) por un abogado o economista externo y experto en libre competencia.

4. **Auditorías:** Igual que en el caso anterior, el TDLC va más allá de lo planteado por la Guía de la FNE. Establece que las auditorías deben realizarse, por parte de las empresas sancionadas, (i) con una frecuencia de dos auditorías en cinco años; (ii) comprendiendo las casillas de correo corporativos y registros de llamados de las los directores, gerentes, subgerentes y ejecutivos o empleados con alta responsabilidad ejecutiva, de administración y de toma de decisiones comerciales; (iii) comprendiendo también los incentivos contenidos en contratos de trabajo, participación en procesos de licitación o cotización, participación en asociaciones gremiales, y la política interna de libre competencia.

5. **Línea de Denuncia:** Dicha línea debe ser anónima y permitir a cualquier empleado contactar directamente al Oficial de Cumplimiento con respecto a posibles infracciones.

Según señalamos, los elementos establecidos por el TDLC para las empresas sancionadas por colusión resultan, algunos de ellos, particularmente exigentes (en especial, por ejemplo, las auditorías en la forma señalada), mientras que otros de ellos pueden ser razonables de ser adoptados por la generalidad de las empresas en sus programas de cumplimiento (como nombrar un encargado con acceso directo a la alta dirección de la empresa, o el establecimiento de una línea de denuncia anónima). La conveniencia de adoptar unos u otros dependerá del caso a caso.

Los elementos señalados no son los únicos, y pueden incluirse otros. Por ejemplo, se pueden establecer normas simples de conducta de fácil recordación dentro de la empresa ("los principios de cumplimiento", "lo permitido y lo prohibido"), y difundirlas repetidamente en los canales internos. Se pueden establecer también protocolos para las tomas de decisiones que tengan riesgos anticompetitivos, como por ejemplo el involucramiento directo de ejecutivos de alto rango en licitaciones recurrentes o en mercados riesgosos. En fin, el criterio y la creatividad son relevantes para diseñar e implementar un programa de cumplimiento que sea realmente efectivo, adecuado y completo.

Es importante que dichos elementos se planifiquen como un conjunto orgánico y cohesionado para reducir suficientemente todos los riesgos, y que el programa sea sometido a constante revisión y actualización a futuro, para confirmar su efectividad y vigencia en el tiempo.

Lo anterior es particularmente relevante en el derecho de la libre competencia. No sólo la legislación y regulación cambian en el tiempo, sino que la jurisprudencia en libre competencia es muy relevante para determinar la licitud o ilicitud de las distintas conductas en los diferentes mercados, a lo largo del tiempo. Por esto, la actualización periódica del programa es esencial.

8. CONCLUSIONES.

Los programas de cumplimiento en materia de libre competencia han pasado a tener una importancia clave en los últimos años a la luz de, por una parte, el fuerte endurecimiento de las sanciones en materia de infracciones anticompetitivas, y por la otra, al reconocimiento que las autoridades de libre competencia le han dado a los mismos, como un mecanismo efectivo para evitar las infracciones en estas materias y detectar, reprimir y denunciar las mismas oportunamente.

En este sentido, el TDLC ha adoptado en su jurisprudencia una posición clara en cuanto a considerar a los programas de libre competencia como una circunstancia atenuante o incluso eximente de la responsabilidad de la empresa, siempre que el mismo pueda ser considerado como serio, creíble y efectivo. La Corte Suprema ha limitado dicha tendencia, estableciendo que dicha circunstancia no puede llevar a la exención de la responsabilidad, por no estar contemplada en la ley. Consideramos dicha decisión como incorrecta, ya que no se condice con la responsabilidad subjetiva que rige en el derecho administrativo sancionador, en virtud de la cual cualquier infractor puede eximirse de su responsabilidad si se acredita que ha actuado sin dolo ni culpa.

La buena fe en la elaboración e implementación del programa, entendida ésta como la convicción de quien lo realiza para realmente evitar, detectar y sancionar la comisión de ilícitos anticompetitivos, tiene un rol fundamental para estos efectos. Un programa que no ha sido diseñado con esa convicción, con casi seguridad no será eficaz y por lo tanto difícilmente servirá para su propósito preventivo y correctivo, ni mucho menos para obtener una atenuación de la responsabilidad frente a un eventual procedimiento contencioso.

Los elementos que debe contener un programa para el propósito señalado dependerán de las circunstancias en particular de la empresa y el mercado en el que opera, por cuanto el mismo necesariamente debe elaborarse tomando en consideración las mismas. La FNE y el TDLC han desarrollado un conjunto de medidas que los modelos de prevención de infracciones anticompetitivas pueden contemplar, siendo algunos de ellos de aplicación más general que otros.

Lo relevante, entonces, para que un programa de cumplimiento en libre competencia sea considerado como adecuado, no está dado por cumplir con un número de elementos determinados. Al contrario, lo importante es que el programa sea diseñado de manera de incluir los elementos que de buena fe sirvan de manera correcta y suficiente para abordar los riesgos detectados en la empresa, y que el mismo sean implementado, monitoreado y actualizado a futuro con la convicción de cumplir con la normativa aplicable.

BIBLIOGRAFÍA

Barros B. Enrique, *Tratado de Responsabilidad Extracontractual*, Editorial Jurídica de Chile, primera edición, 2006.

Boetsch, Cristián, *La Buena Fe Contractual*, Ediciones UC, Santiago de Chile, primera edición, 2015.

Comisión Europea, *La importancia de cumplir*, Luxemburgo, 2012.

Cury, Enrique, *Derecho Penal. Parte General*, Ediciones Universidad Católica de Chile, 8ª edición, Santiago de Chile, 2005.

Fiscalía Nacional Económica, *Programas de Cumplimiento de la Normativa de Libre Competencia*, Material de Promoción N° 3, Junio 2012.

Hernandez B., Héctor, Informe en Derecho en causa rol C-304-2016, *Requerimiento de la Fiscalía Nacional Económica en contra de Cencosud S.A. y otras*, ante el Tribunal de Defensa de la Libre Competencia, fojas 1429 a 1458.

Jacobs, Michael E., *Evaluación de los programas de compliance en el derecho de la competencia norteamericano*, contenido en *Reflexiones sobre el Derecho de la Libre Competencia: Informes en Derecho Solicitados por la Fiscalía Nacional Económica (2010-2017)*, Ediciones de la Fiscalía Nacional Económica, Santiago de Chile, 2017.

Montt, Santiago, *Programas de Compliance y responsabilidad en el Derecho de la Competencia Chileno*, Revista de Derecho Administrativo, N°10 (2011): Tomo 1, Perú.

Motta, Massimo, *Competition Policy. Theory and Practice*, Cambridge University Press, 12a Edición, 2009.

Murphy, Joseph y Kolasky, William, *The Role of Anti-Cartel Compliance Programs in Preventing Cartel Behavior*, en *Antitrust*, vol. 26, N° 2, 2012.

Mir Puig, Santiago, *Derecho Penal. Parte General*, Editorial Reppetor, Barcelona, 9ª edición, 2011.

Piña R., Juan Ignacio, *Modelos de Prevención de Delitos en la Empresa*, Thomson Reuters, Santiago de Chile, 1ª edición, 2012.

U.S. Department of Justice. Antitrust Division, *Evaluation of Corporate Compliance Programs in Criminal Antitrust Investigations*, julio de 2019.

United States Sentencing Commission, *2018 Guidelines Manual*, Noviembre 2018.

Whish, Richard y Bailey, David, *Competition Law*, Oxford University Press, 8a Edición, 2015

Jurisprudencia

– Tribunal de Defensa de la Libre Competencia. Sentencia N° 145/2015.

– Tribunal de Defensa de la Libre Competencia. Sentencia N° 148/2015.

– Tribunal de Defensa de la Libre Competencia. Sentencia N° 160/2017.

– Tribunal de Defensa de la Libre Competencia. Sentencia N° 167/2019.

– Tribunal de Defensa de la Libre Competencia. Sentencia N° 171/2019.

– Tribunal de Defensa de la Libre Competencia. Sentencia N° 172/2020.

– Corte Suprema, sentencia de fecha 29 de octubre de 2015 en causa rol 27.181-2014.

– Corte Suprema, sentencia de fecha 7 de enero de 2016 en causa rol N° 5.609-2015.

– Corte Suprema, sentencia de fecha 12 de octubre de 2016 en causa rol N° 5.128-2016.

– Corte Suprema, sentencia de fecha 6 de enero de 2020 en causa rol N° 1.531-2018.

– Corte Suprema, sentencia de fecha 27 de enero de 2020 en causa rol N° 278-2019.

– Corte Suprema, sentencia de fecha 8 de abril de 2020 en causa rol N° 9.361-2019.

DERECHO INTERNACIONAL PÚBLICO

LA BUENA FE EN LA INTERPRETACIÓN DE LOS TRATADOS INTERNACIONALES

Silvia BERTAZZO

Doctora en Derecho, Universidad de Trento
Profesora de Derecho Internacional Público, Universidad de los Andes, Chile

1. INTRODUCCIÓN

En el presente trabajo nos proponemos valorar el rol de la buena fe en la interpretación de los tratados internacionales. Este principio general se encuentra expresamente reconocido en la regla general de interpretación contenida en el artículo 31 de la Convención de Viena sobre el derecho de los tratados de 1969. Sin embargo, la doctrina no concuerda, como veremos más adelante, sobre su efectividad y real aporte a la hermenéutica. Por eso, en este artículo intentaremos rescatar su relevancia a través del análisis de algunos asuntos resueltos por la Corte Internacional de Justicia recientemente, en los cuales –a nuestro parecer– el principio de buena fe confirma la decisión del tribunal o, al revés, habría podido llevar a una conclusión distinta. En particular, sostenemos que la aplicación de la buena fe podría llegar a descartar soluciones interpretativas arbitrarias y exorbitantes.

2. LA REGLA GENERAL DEL ARTÍCULO 31 CV

El punto de partida de cualquier análisis en materia son los artículos 31, 32 y 33 de la Convención de Viena sobre el derecho de los tratados. La primera disposición, al consagrar la regla general en la interpretación de esta fuente del derecho internacional, establece que *"Un tratado deberá interpretarse de buena fe conforme al sentido corriente que haya de atribuirse a los términos del tratado en el contexto de estos y teniendo en cuenta su objeto y fin*". La negociación de este texto no fue exenta de discusiones: existieron profundas discrepancias entre los que estimaban conveniente codificar los cánones de interpretación y los que, al revés, se opusieron firmemente a la formalización de los mismos y cuestionaban su obligatoriedad jurídica[1].

No obstante lo anterior, este artículo fue adoptado con amplio consenso. Jiménez de Aréchaga al respecto señalaba que "*Las normas jurídicas relativas a la interpretación de los Tratados constituyen una de las sanciones de la Convención de Viena que fueron adoptadas por la conferencia sin voto disidente alguno y, por consiguiente, pueden ser considerados como declaratorios del Derecho en vigor. Los cuatro artículos dedicados a la interpretación de los tratados están basados en la jurisprudencia establecida por la Corte Internacional de Justicia y destilan la esencia de ciertos principios fundamentales que pueden considerarse como reglas de Derecho Internacional sobre el tema y no meramente directivas generales, aplicables a todos los tratados, cualquiera sea su naturaleza o contenido*"[2].

Actualmente, las reglas contenidas en el artículo 31 cuentan con el reconocimiento de la comunidad internacional y, a pesar de algunas posturas más críticas[3], se considera que recogen el derecho internacional general y, por lo tanto, han encontrado su aplicación hasta respecto de tratados celebrados con anterioridad a la entrada en vigor de la convención[4], aunque esta última conclusión puede resultar controvertible en algunos casos[5].

En síntesis, el artículo 31 pone en evidencia tres métodos de interpretación:

– el método textual: los términos utilizados en un tratado deben ser interpretados conforme a su uso ordinario y corriente;

– el método sistemático: las normas convencionales y los términos empleados en ellas no pueden ser interpretados de forma aislada, sino más bien en conexión con su contexto, que comprende tanto su entorno más cercano e inmediato (la frase en que está contenido un

---

[1] International Law Commission, Draft Articles on the Law of Treaties with commentaries (1966), en Yearbook of the International Law Commission, 1966, Vol. II, p. 218.

[2] Jiménez de Aréchaga (1980), p. 55.

[3] Stone (1955).

[4] ICJ, Territorial Dispute (Libyan Arab Jamahiriya v. Chad), Judgment of 3 February 1994, párrafos 21-22; ICJ, Maritime Delimitation and Territorial Questions between Qatar and Bahrain (Qatar v. Bahrain). Jurisdiction and Admissibility. Judgment of 15 February 1995, párrafo 33; ICJ, Kasikili/Sedudu Island (Botswana v. Namibia). Judgment of 13 December 1999, párrafo 21.

[5] Ver Opinión Separada del Magistrado Oda en ICJ, Kasikili/Sedudu Island (Botswana v. Namibia).

determinado término, las demás disposiciones del tratado, su preámbulo y anexos), como otros acuerdos celebrados entre las mismas partes en concomitancia con la conclusión del tratado principal o también con posterioridad, y también declaraciones interpretativas, reservas de carácter unilateral efectuadas por un Estado y que las demás Partes aceptan como instrumentos relacionados con el tratado. Más adelante, vamos a dar algunas indicaciones adicionales sobre qué se entiende por "contexto" bajo la Convención de Viena;

- el método teleológico: en síntesis, las disposiciones del tratado deben ser interpretadas teniendo en cuenta también las finalidades del acuerdo, los objetivos que los Estados partes decidieron perseguir a través del mismo[6].

Este artículo consagra un pluralismo de métodos y reglas de interpretación de los tratados; la propia Comisión de Derecho Internacional de la Organización de las Naciones Unidas señala que la referencia a una "regla" en singular y no en plural permite enfatizar que el proceso de interpretación es unitario y que los criterios indicados en el artículo forman una regla única, y son estrechamente interconectados[7]. Siguiendo en la misma línea, debiéramos concluir que todos los métodos recogidos en dicho artículo deben ser considerados equivalentes y tener igual valor, al no existir una jerarquía entre ellos. En realidad, la práctica jurisprudencial es bastante heterogénea y la doctrina señala que los distintos tribunales tienden a mostrar una preferencia hacia el uno o el otro criterio de interpretación[8].

3. LA BUENA FE EN LA INTERPRETACIÓN DE LOS TRATADOS

Como vimos, el principio de buena fe es explícitamente mencionado en el artículo 31 CV. Sobre este punto la Comisión de Derecho Internacional[9] precisa que *"the interpretation of treaties in good faith and according to law is essential if the pacta sunt servanda rule is to have any real meaning"*. De manera parecida, O'Connor, en su trabajo sobre la buena fe en el derecho

---

[6] Tenemos claro que las intenciones de las Partes y los objetivos que estas perseguían al momento de la celebración del tratado pueden no coincidir con el fin del tratado mismo, y que lo anterior podría dar lugar a formas diversas de entender la interpretación teleológica, pero no vamos a abarcar estos temas que escapan del foco del trabajo.

[7] Draft Articles on the Law of Treaties with commentaries (1966), p. 220.

[8] En este sentido, ver Novak Talavera (2013), p. 75.

[9] Draft Articles on the Law of Treaties with commentaries (1966), p. 219.

internacional, señalaba que la buena fe constituye "*a fundamental principle from which the rule pacta sunt servanda, and all other legal rules distinctively and directly related to honesty, fairness, and reasonableness are derived*"[10].

Este vínculo estrecho entre la buena fe y el otro principio generalísimo de derecho internacional, el *pacta sunt servanda*, no es de extrañar. El concepto de buena fe, en el derecho internacional, lleva implícitamente la idea de que las relaciones jurídicas entre los Estados (y en general, entre los sujetos de la comunidad internacional) descansan o cuanto menos debieran descansar en un sentimiento de confianza recíproca: es decir, los Estados esperan y confían que las actuaciones de todos los involucrados serán rectas, conformes a derecho, respetuosas de la palabra dada, no abusivas o arbitrarias.

Lo anterior puede sonar un poco idealizado en el contexto político actual, dominado –según lo que aparece en la prensa internacional– por las relaciones de fuerza y conductas arbitrarias (incluso en posible violación al derecho internacional)[11]. Sin embargo, nuestro argumento encuentra su confirmación no solo en el derecho de los tratados, dada la relevancia de la buena fe tanto en la etapa de interpretación como en la aplicación de los mismos[12], sino también, de forma más general, en todo el sistema de las fuentes del derecho internacional.

Recordamos a propósito el rol de la buena fe en materia de actos unilaterales independientes. Como se comenta en el Informe del Relator Especial nombrado por la CDI, la buena fe responde "a la obligación moral de respetar la palabra dada, o bien a la exigencia social de asegurar la estabilidad de las relaciones internacionales; y ello mediante cualquiera de estos dos argumentos: la sinceridad del declarante o la expectativa generada en los terceros respecto al cumplimiento de dicho acto unilateral"[13]. Asimismo, la Corte Internacional de Justicia en sus fallos de 1974 en los asuntos de los Ensayos Nucleares señala que "*One of the basic principles governing the creation and performance of legal obligations, whatever their source, is the principle of good*

---

[10]   O´Connor (1990), p. 124.

[11]   Nos referimos por ejemplo al asesinato del general iraní Qasem Soleimani y el debate jurídico que ha originado este hecho. Ver por ejemplo Milanovic (2020), O'Connell (2020).

[12]   Artículo 26, Convención de Viena sobre el derecho de los tratados. En la jurisprudencia ICJ, *Military and Paramilitary Activities in and against Nicaragua (Nicaragua v. United States of America). Jurisdiction and Admissibility*. Judgment of 26 November 1984, párrafo 60. Ver también, en la doctrina, Linderfalk (2018), pp. 11 ss.

[13]   Noveno informe sobre los actos unilaterales de los Estados, del Sr. Víctor Rodríguez Cedeño, Relator Especial. A/CN.4/569 y Add. Disponible en https://legal.un.org/ilc/documentation/spanish/a_cn4_569.pdf [fecha de consulta: 10 de enero de 2020], p. 165.

faith. Trust and confidence are inherent in international co-operation, in particular in an age when this co-operation in many fields is becoming increasingly essential[14]. Los argumentos de la Corte en este asunto quedaron después plasmados en los Principios Rectores aplicables a las declaraciones unilaterales de los Estados capaces de crear obligaciones jurídicas, en los cuales se vincula el fundamento de la obligatoriedad de dichas actuaciones con la buena fe[15].

En fin, este precepto ha sido consagrado como un principio general aplicable a todas las relaciones jurídicas entre los sujetos de la comunidad internacional, en particular de los Estados, como emerge, *inter alia*, en el artículo 2, párrafo 2 de la Carta de las Naciones Unidas, y en la Resolución 2625 (XXV) de la Asamblea General de la ONU[16].

Ahora bien, el rol del principio de buena fe en la interpretación de los tratados es cuestionado por parte de la doctrina. Algunos autores afirman que el mismo, en la práctica, no tiene relevancia alguna y su invocación permite a los operadores jurídicos "disfrazar" y respaldar conclusiones interpretativas que, en realidad, se apoyan en un método respecto de otro (o en las convicciones personales que se han formado los intérpretes)[17]. En los próximos párrafos vamos a tratar de refutar esta tesis y de respaldar el valor de la buena fe como un principio estructural en la interpretación de los tratados.

4. LA BUENA FE Y EL TEXTO COMO BASE PARA LA INTEPRETACIÓN

De acuerdo a la regla general, el punto de partida de cada labor interpretativa es el análisis del texto[18], es decir de los términos ocupados en el tratado, en su sentido corriente.

---

[14]   ICJ, Nuclear Tests (New Zealand v. France). Judgment of 20 December 1974, párrafo 49.

[15]   Ver Principio 1°, Comisión de Derecho Internacional: Informe de la Comisión a la Asamblea General sobre la labor realizada en su 58.° período de sesiones. Capítulo IX. Actos Unilaterales, en Anuario de la Comisión de Derecho Internacional, 2006, Volumen II, Segunda parte. Disponible en https://legal.un.org/ilc/reports/2006/spanish/chp9.pdf.

[16]   Resolución de la Asamblea General 2625 (XXV), 24 de octubre de 1970. Declaración sobre los principios de Derecho Internacional referente a las relaciones de amistad y a la cooperación entre los Estados de conformidad con la Carta de las Naciones Unidas.

[17]   Entre otros, ver Fernández de Casadevante Romaní (1996), pp. 44 ss.; Gardiner (2017), p. 168. Se opone a una visión "nihilista" Linderfalk (2015). Ver también Kolb (2000), párrafos 214 ss.

[18]   Hay una escuela de interpretación muy fuerte que afirma la primacía del texto; ver International Law Commission: "Third Report of the Special Rapporteur on the Law of Treaties to the ILC (1964)", en *Yearbook of the International Law Commission*, 1964,

Varios autores consideran que el método textual-objetivo no solo constituye el primer paso de la interpretación, sino también es el que debe prevalecer. En esta línea, Jiménez de Aréchaga comenta que "las propuestas sometidas a la Conferencia de Viena por la Comisión de Derecho Internacional se inspiran en el enfoque textual: se acuerda primacía del texto del tratado como base de su interpretación"[19]. En palabras de Max Huber, *"le texte signé est, sauf de rares exceptions, la seule et la plus récente expression de la volonté commune des partie"*[20]. Esta idea fue retomada en los Comentarios de la Comisión de Derecho Internacional de las Naciones Unidas, en los cuales se señala que el texto es la manifestación auténtica de la intención de las partes y, por lo tanto, es más seguro y menos arbitrario fijarse en lo que está escrito: resultaría cuanto menos controvertible la decisión de comenzar la operación de interpretar una norma convencional con una indagación *ab initio* de las supuestas intenciones de las Partes más allá del texto[21]. Esto –consideramos– no implica reconocer en el artículo 31 una escala jerárquica o una predominancia del método objetivo-textual sobre los demás, sino simplemente que la labor interpretativa debiera iniciar con el análisis de los términos y si éste arrojara resultados claros no sería necesario buscar más. Como afirma Villiger, "el orden que debe seguirse en la aplicación de las reglas de interpretación está determinado por la lógica, que ordena ir de lo intrínseco (texto) a lo extrínseco, de lo inmediato a lo remoto"[22]. Lo anterior no excluye que para confirmar nuestro resultado podamos recurrir a las demás reglas de interpretación.

Ahora, quien queda insatisfechos con el método textual, considera que en el proceso interpretativo el mismo tiene un efecto casi nulo, porque, si el texto es claro, no es necesario interpretar. Sin embargo, creemos que también en estos casos, en que el texto es límpido y cristalino, hay una operación interpretativa: la única diferencia es que efectuarla resulta muchos

---

Vol. II. Disponible en https://legal.un.org/ilc/documentation/english/a_cn4_167.pdf [fecha de consulta: 10 de enero de 2020], pp. 52 ss. y en particular p. 56: "*the starting point and purpose of interpretation is to elucidate the meaning of the text, not to investigate ab initio the intentions of the parties*". En la jurisprudencia ver ICJ, Territorial Dispute (Libyan Arab Jamahiriya v. Chad), Judgment of 3 February 1994, párrafo 41, en el cual se señala que "*Interpretation must be based above all on the text of the treaty*".

[19] Jiménez de Aréchaga (1980), p. 56.
[20] Institut de Droit international: "Annuaire", Tome 44 II, (1952), p. 199. Disponible en http://www.idi-iil.org/app/uploads/2017/05/4025-44A-OCR.pdf [fecha de consulta: 10 de enero de 2020].
[21] Draft Articles on the Law of Treaties with commentaries (1966), p. 223.
[22] Villiger (2009), p. 436.

más fácil, casi natural[23]. En este sentido, si aplicamos el principio de buena fe, nuestra conclusión tiene su lógica: si un texto de por si es claro, escarbar en sus entrañas a la búsqueda de un significado distinto de que lo que salta de inmediato a la atención del lector, resultaría de mala fe.

Sobre lo mismo, la Corte Internacional de Justicia en su Opinión Consultiva sobre el Asunto de la Competencia de la Asamblea General para la Admisión de un Estado en las Naciones Unidas también confirma que *"the first duty of a tribunal which is called upon to interpret and apply the provisions of a treaty, is to endeavour to give effect to them in their natural and ordinary meaning in the context in which they occur. If the relevant words in their natural and ordinary meaning make sense in their context, that is an end of the matter"* [24].

Por otra parte, si en general hay que interpretar las palabras según su uso común y corriente, sí hay que darle un significado distinto cuando corresponda. En particular modo, si las disposiciones del tratado utilizan términos técnicos o jurídicos, se hace necesario indagar por su significado especial. Por ejemplo, si el texto emplea términos tales como propiedad, nacionalidad, sociedad por acciones o, en los tratados que fijan fronteras, *thalweg*, línea media, etcétera, se debiera investigar el sentido preciso de estas palabras, considerando el tipo de tratado de que se trate.

Por eso, creemos que hay que diferenciar cuando un término goza de un sentido especial dependiendo del "rubro" de los casos en que las Partes en el tratado asignan a una palabra un significado distinto del ordinario y común. En el primer supuesto, la operación de interpretación debe mantenerse fiel al sentido corriente, aunque especial, de la palabra (por su uso en el lenguaje jurídico, económico, científico, etc.); se trataría, por lo tanto, siempre de una aplicación del método objetivo. Diversamente, en la segunda situación nos alejamos de una mera interpretación textual y tenemos que considerar otros elementos, en particular la intención de las Partes, como señala también el párrafo 4 del artículo 31 CV. Esta distinción tiene, además, una consecuencia relevante, pues solo en el segundo caso, si surge una controversia entre las Partes sobre el significado del término, debiera trasladarse la carga de la prueba al Estado que invoca el carácter "especial" de la palabra en cuestión. Sobre este punto, la Corte Permanente de Justicia Internacional en el Asunto del Estatuto Jurídico de Groenlandia Oriental, ya había advertido que *"If it is alleged by one of the Parties that*

---

[23]   Fitzmaurice (1971), p. 363.

[24]   ICJ, Competence of the General Assembly for the Admission of a State to the United Nations, Advisory Opinion of 3 March 1950, p. 8.

some unusual or exceptional meaning is to be attributed to it, it lies on that Party to establish its contention[25].

En conclusión, el principio de buena fe exige que prestemos atención en primera instancia a los términos según su uso ordinario, en el sentido que acabamos de aclarar, y solo en un segundo momento ampliemos nuestra indagación. Lo anterior no quiere ocultar eventuales dificultades que pueden surgir de una simple lectura de la norma convencional. Para solucionar estos casos, sin embargo, es necesario entender primero la razón del problema, porque ésta puede ser determinante para buscar la salida al dilema interpretativo.

5. CUANDO EL TEXTO ES AMBIGUO

En primer lugar, queremos explorar cómo opera la buena fe en la interpretación de un texto ambiguo. Según el Diccionario de la Real Academia Española, el atributo "ambiguo" es "Dicho especialmente del lenguaje: Que puede entenderse de varios modos o admitir distintas interpretaciones y dar, por consiguiente, motivo a dudas, incertidumbre o confusión"[26]. Entonces, podemos hablar de ambigüedad de una norma convencional, de una frase o de una palabra empleada en un tratado cuando la misma en abstracto puede generar distintas lecturas o soluciones interpretativas. Es decir, aquí no tenemos un problema de aplicación, el significado de la palabra (o de la expresión) no sufrió cambios a lo largo del tiempo, y tampoco hay una disociación entre el texto y la realidad de los hechos: simplemente estamos frente a un término o conjunto de términos que conceptualmente pueden tener significados distintos.

5.1. La controversia entre Qatar y Bahréin

Un ejemplo del dilema interpretativo que acabamos de mencionar se presentó en la disputa sobre la delimitación marítima y las cuestiones territoriales entre los Estados de Qatar y Bahréin, que fue sometida a la Corte Internacional de Justicia. El fallo que más nos interesa es el relativo no al mérito, sino más bien a las cuestiones relacionadas con la competencia del

---

[25] ICPJ, Legal Status of Eastern Greenland (Denmark v. Norway). Judgment of 5 September 1933, p. 49. En el mismo sentido también ICJ, Western Sahara. Advisory Opinion of 16 October 1975, párrafo 116.

[26] Ver https://dle.rae.es/ambiguo?m=form.

tribunal y a la admisibilidad de la demanda[27]. En esta decisión se aborda la interpretación de los tratados internacionales entre Qatar, Bahréin y Arabia Saudita (en calidad de mediador) que tenían como objetivo resolver la controversia por los medios pacíficos. Más en detalles, las normas convencionales pertinentes están incorporadas en cartas idénticas enviadas a cada parte por el rey de Arabia Saudita y el llamado "Acta de Doha" ("*Doha Minutes*") de diciembre de 1990. El intercambio de notas de 1987 puso en marcha las negociaciones necesarias para poder celebrar el compromiso que permitiría someter la disputa a la Corte, negociaciones que, sin embargo, se estancaron a finales de 1988. El Acta de Doha, a su vez, consiste en la minuta de una reunión que se realizó en Doha y a la cual asistieron las partes. El documento, firmado por los Estados, en su párrafo 2 recita lo siguiente:

> "*The good offices of the Custodian of the Two Holy Mosques, King Fahd Ben Abdul Aziz, shall continue between the two countries until the month of Shawwal 141 1 A.H., corresponding to May 1991. Once that period has elapsed, the two parties may submit the matter to the International Court of Justice in accordance with the Bahraini formula, which has been accepted by Qatar, and with the procedures consequent on it. The good offices of the Kingdom of Saudi Arabia will continue during the period when the matter is under arbitration*".

El punto crucial de la controversia concierne la interpretación de la expresión "*the two parties*" ("*al-tarafan*"). Al respecto, se plantean las siguientes inquietudes: ¿la Corte es competente para pronunciarse sobre la disputa si solo una de las Partes somete el asunto a su revisión? ¿O es necesario que ambas partes acepten dirigirse a la Corte? En este punto, las interpretaciones dadas por los Estados litigantes divergen. Qatar entiende que la respuesta a la primera pregunta es positiva y, por lo tanto, la Corte tendría jurisdicción sobre el asunto también en caso de una sumisión unilateral por medio de una solicitud presentada por una cualquiera de las partes. De hecho, presenta unilateralmente la solicitud a los efectos de que se incoe el juicio contra Bahréin. Sin embargo, Bahréin objeta la competencia de la Corte en virtud de la solicitud unilateral. La mayoría de los jueces llega a la conclusion que "*in its most ordinary meaning, that expression does not require a seisin by both Parties acting in concert, but, on the contrary, allows a unilateral seisin*"[28]. La Corte funda su razonamiento principalmente en el verbo "*may*"; en particular, señala que el empleo en la frase cuestionada del verbo poder

---

[27] ICJ, Maritime Delimitation and Territorial Questions between Qatar and Bahrain (Qatar v. Bahrain). Jurisdiction and Admissibility. Judgment of 15 February 1995.

[28] *Ibidem*, párrafo 35.

es sugerente, en su sentido más directo, de la opción o del derecho de las partes de dirigirse unilateralmente a la Corte. Esta interpretación resultaría confirmada, según la mayoría, también por la frase "*Once that period has elapsed*", que implicaría inevitablemente la facultad de cualquiera de las partes para someter el asunto a la Corte una vez vencido el plazo establecido, sin la necesidad de contar con el consentimiento de la contraparte.

La decisión de la mayoría, que cuenta con bien cinco opiniones disidentes, ha sido criticada por la doctrina. Como ha sido evidenciado[29], la interpretación de la Corte sobre este punto resulta excesivamente rebuscada y solo aparentemente apegada al texto. En particular, al tratar de aclarar el significado de la expresión controvertida "*al-tarafan*" vimos que los jueces se limitan a considerar el contexto más inmediato y cercano, y en particular lo establecido en la misma disposición, y prestan especial énfasis al empleo del verbo "poder". Ahora, sin entrar en detalles, lo que llama la atención en esta decisión es el "esfuerzo" de la Corte para garantizar que el tratado produzca sus efectos, que en este caso implica reconocer la competencia del tribunal internacional para dirimir la controversia, lo que podría resultar bien lejos de las expectativas legítimas que las partes podían tener al respecto. A pesar de invocar el método textual[30], el fallo de la mayoría en realidad se aleja de una mera búsqueda del significado de los términos empleados y termina acogiendo una lectura teleológica por sobre del texto mismo. A mayor abundamiento, en este camino interpretativo la decisión adopta como brújula un fin casi metafísico que las partes estarían persiguiendo, es decir la solución de la controversia a toda costa, mientras en la realidad esa finalidad no es el fin y el objeto del tratado como entendido por los dos Estados litigantes.

Ahora bien, no es nuestra intención criticar en general la doctrina del efecto útil (*principle of effectiveness*), a la cual la decisión de la mayoría parece implícitamente apelarse. Recordamos, a propósito, que dicha doctrina también está relacionada con la buena fe[31], como lo señala la Comisión de Derecho Internacional en sus comentarios: "*in so far as the maxim ut res magis valeat quam pereat reflects a true general rule of interpretation, it is embodied in article 27, paragraph 1* [ahora artículo 31, párrafo 1], *which requires that a treaty shall be interpreted in good faith in accordance with the ordinary meaning*

---

[29]   McRae (2002), p. 242.
[30]   ICJ, Maritime Delimitation and Territorial Questions between Qatar and Bahrain (Qatar v. Bahrain). Jurisdiction and Admissibility. Judgment of 15 February 1995, párrafos 33 y 35.
[31]   Ver Kolb (2000), párrafo 257.

to be given to its terms in the context of the treaty and in the light of its object and purpose[32]. De acuerdo con esta doctrina, al analizar las normas convencionales, cuando son posibles múltiples interpretaciones de las mismas, se debiera escoger la que permite al tratado producir sus efectos, y descartar las que impiden la ejecución u operatividad del tratado[33]. Como precisa la Corte Internacional de Justicia en el Asunto del Estrecho de Corfú "*It would indeed be incompatible with the generally accepted rules of interpretation to admit that a provision of this sort occurring in a Special Agreement should be devoid of purport or effect*"[34]. La idea, a la base de la doctrina del efecto útil, es que el tratado no puede ser reducido a una mera enunciación de principios que carecen de obligatoriedad jurídica: las partes lo celebran con la intención de generar derechos y/o obligaciones. En esta línea, por ejemplo, Moyano Bonilla considera fundamental tener presente que dentro de la buena fe se encuentra subsumida la idea de que el tratado debe resultar efectivo y generar alguna utilidad[35]. Agrega el Autor que "la interpretación de una disposición de un tratado debe hacerse en tal forma que tenga un efecto, porque es lógico pensar que las partes discutieron su contenido, su redacción y finalmente se pusieron de acuerdo sobre ella, con miras a que tuviera una consecuencia, un efecto"[36].

Sin embargo, concordamos con quien sostiene que dicha regla debiera aplicarse con una cierta dosis de prudencia, pues al no hacerlo se corre el riesgo de llegar a contradecir la real voluntad de las partes que subyace a la celebración de un tratado. Como afirmaba Lauterpacht, "*(p)arties to treaties often wish their obligation to go so far and no farther. They – or some of them – desire the treaty to be only partly effective. They use language which, in their view, adequately expresses their determination not to concede to the treaty a full measure of realization of all its inherent and potential purposes*"[37]. A pesar de ser un partidario de la doctrina del efecto útil y encontrar que esta es preferible a un criterio restrictivo de interpretación y a las demás reglas de interpretación, el mismo Autor advierte que la superioridad o primacía de la doctrina del efecto útil debiera ser invocada con parsimonia por los tribunales internacionales, para evitar que estos últimos se conviertan en "legisladores". También Moyano Bonilla advierte que "la interpretación según este principio debe

---

[32] Draft Articles on the Law of Treaties with commentaries (1966), p. 219.
[33] Novak Talavera (2013), p. 82.
[34] ICJ, Corfu Channel (United Kingdom of Great Britain and Northern Ireland v. Albania). Judgment of 9 April 1949, párrafo 24.
[35] Moyano Bonilla (1985), p.161.
[36] Moyano Bonilla (1985), p.165.
[37] Lauterpacht (1949), p. 284.

tener un límite el cual se ubica, preferentemente, en el sentido natural de las palabras de la disposición que va a ser interpretada"[38].

En este sentido, creemos que el principio de buena fe podría permitir morigerar ciertas soluciones interpretativas dictadas por un empleo exorbitante de la doctrina del efecto útil y rescatar la relevancia de otras reglas o elementos de interpretación. En el caso concreto, frente a la ambigüedad de la frase "*al-tarafan*" las preguntas que nos podríamos plantear son las siguientes: ¿el presunto silencio del tratado sobre este punto es relevante? ¿Por qué las partes no redactaron este párrafo tan delicado de una forma más clara, que zanjara *ab initio* posibles dudas interpretativas? Se trataba, al fin y al cabo, de un acuerdo en materia de solución pacífica de las controversias, respecto del cual podemos suponer que toda la atención de las partes involucradas se enfocaba justamente en la redacción de las disposiciones sobre qué medios eran aceptados por los Estados litigantes para dirimir la disputa (o ciertos aspectos de la misma) y cuáles eran las modalidades de activación y operación de los mismos. El acuerdo, además, era de carácter esencialmente bilateral (a pesar de la "intervención" de Arabia Saudita); por lo tanto, las partes gozaban de un margen de maniobra y de una posibilidad de moldear el contenido de las normas convencionales bastante más amplios que en las negociaciones de un tratado multilateral.

La buena fe exige en este caso que la falta de una disposición expresa acerca de la facultad de dirigirse unilateralmente a la Corte opere como una alarma para el intérprete y sea valorada cuanto menos como un indicio de reticencia por parte de los Estados (o de uno de los dos). El silencio o la ambigüedad del texto, entonces, también pueden asumir un rol en el proceso interpretativo y sería contrario a la buena fe una interpretación que los ignorara completamente.

En el caso concreto, los jueces, una vez advertida la ambivalencia de la frase empleada en el tratado, tenían la posibilidad de indagar a través de otros criterios interpretativos la voluntad de las partes y, en particular modo, verificar si esa sospechada reticencia podría resultar confirmada en otros elementos del acuerdo. Y, efectivamente, al analizar las circunstancias de celebración del tratado[39] y, en particular modo los trabajos preparatorios[40], que, sin embargo, no fueron considerados por la mayoría, se podría

---

[38]   Moyano Bonilla (1985), p.165.
[39]   Ver McRae (2002), p. 243.
[40]   Uno de los primeros borradores contenía la frase "*either of the two parties*", que fue modificada en los siguientes escritos y en el texto final del acuerdo, previo expreso requerimiento de Bahréin. Concordamos con el análisis del Vicpresidente Schwebel, que en

concluir que no existía un acuerdo sobre la facultad unilateral de someter la disputa a la Corte, o al menos que Bahréin se oponía a dicha opción y Qatar estaba al tanto de eso. Como señalado por un Autor, "*the requirement for interpretation in good faith should surely mean that Qatar could not rely on its "interpretation*""[41].

En la misma línea, destacamos la argumentación del Vicepresidente de la Corte, el juez Schwebel, que en su opinion disidente concluye lo siguiente: "*It does not comport with a good faith interpretation of the treaty's terms "in the light of its object and purpose" because the object and purpose of both Parties to the treaty was not to authorize unilateral recourse to the Court. It does not implement the Convention's provision for recourse to the preparatory work, because, far from confirming the meaning arrived at by the Court's interpretation, the preparatory work vitiates it*".

Existen, además, razones de orden sistemático que justifican una indagación más rigurosa, que la llevada a cabo por la mayoría de los jueces en este caso, sobre la real intención de las partes: es principio general de derecho internacional que ningún Estado puede ser obligado a someterse a un arbitraje o arreglo judicial sin su consentimiento[42]. Por este motivo, los

---

su Opinión disidente (p. 34) comenta que la debilidad principal del razonamiento de la Corte se encuentra en el hecho que pretende interpretar las Actas de Doha "*as the expression of their common intention*", cuando según este Magistrado "*it is demonstrable - and has been demonstrated - that their common intention could not have been to authorize unilateral application to the Court*". El mismo concluye que "*the Court's construction of the Doha Minutes is at odds with the rules of interpretation prescribed by the Vienna Convention. It does not comport with a good faith interpretation of the treaty's terms "in the light of its object and purpose" because the object and purpose of both Parties to the treaty was not to authorize unilateral recourse to the Court*".

41 McRae (2002), p. 245.

42 PCIJ, Status of Eastern Carelia. Advisory Opinion of 23 July 1923, párrafo 33: "*It is well established in international law that no State can, without its consent, be compelled to submit its disputes with other States either to mediation or to arbitration, or to any other kind of pacific settlement. Such consent can be given once and for all in the form of an obligation freely undertaken, but it can, on the contrary, also be given in a special case apart from any existing obligation*". Ver también sobre el mismo punto la Opinión del Magistrado Kodoma, pp. 68-69, que destaca la relavancia del consentimiento en el caso: "*From a jurisdictional point of view, therefore, and for this stage of the dispute, the crucially important issue was that of consent... Both legal principles and the fundamental jurisprudence of the Court have always founded jurisdiction upon the clear and unambiguous consent of the parties to a dispute. While the Court has tended to refine this principle to allow for the intention of the parties to be determined in particular circumstances, it has remained constant that clear and indubitable consent remains the basis for the assumption of jurisdiction. Not only must such consent be clear and unambiguous, it only acquires its validity if and when the procedure or the conditions under which it was granted have been met*".

tribunales internacionales debieran ser prudentes al momento de resolver eventuales dudas en materia de jurisdicción, sobre todo en los casos, como el objeto del presente trabajo, en que solo uno de los Estados involucrados sometió a arreglo judicial la controversia.

Para concluir, cuando el texto resulta ambivalente y ambiguo, el principio de buena fe nos obliga a dar relevancia a múltiples criterios y elementos interpretativos, como pueden ser los medios suplementarios de interpretación y el contexto (cercano y extendido).

En relación con los primeros, recordamos brevemente que el artículo 32 CV admite expresamente la posibilidad de recurrir a los trabajos preparatorios del tratado[43] y a las circunstancias de su celebración "*para confirmar el sentido resultante de la aplicación del artículo 31, o para determinar el sentido cuando la interpretación dada de conformidad con el artículo 31: a) deje ambiguo u oscuro el sentido; o b) conduzca a un resultado manifiestamente absurdo o irrazonable*". En el caso concreto se estaba verificando exactamente la situación descrita en la letra a).

Por otra parte, en virtud de la naturaleza de los acuerdos internacionales objeto de la controversia, también debía tenerse en cuenta "toda forma pertinente de derecho internacional aplicable en las relaciones entre las partes" (artículo 31, párrafo 3, letra c), especialmente los principios generales que regulan la solución de las controversias jurídicas entre Estados.

6. LA BUENA FE Y LOS CONCEPTOS NO DEFINIDOS EN EL TRATADO

Un problema distinto al expuesto en el párrafo anterior se presenta cuando el texto aparentemente no resulta obscuro o ambiguo de por sí, pero surgen dudas interpretativas al sobreponerlo a la realidad los hechos, porque la palabra o la frase empleada en las normas convencionales podrían aplicarse a elementos físicos distintos. Lo anterior se verifica a menudo con los acuerdos que fijan fronteras. Con una cierta frecuencia, dichos

---

[43] Respecto de los trabajos preparatorios, recordamos que los mismos son mencionados en el artículo 32 de la Convención de Viena y que, por lo tanto, constituyen medios de interpretación complementarios. Sin embargo, hay posiciones distintas al respecto, como quedó evidente en las negociaciones de la Convención. Sobre el punto, ver Jiménez de Aréchaga (1980), pp. 55-56 y Draft Articles on the Law of Treaties with commentaries (1966), pp. 218 ss.

tratados internacionales ocupan expresiones o términos generales, cuyos criterios de aplicación en la práctica pueden estar establecidos en el texto, en sus anexos (ej. mapas) o en acuerdos "complementarios" (contemporáneos o posteriores). Sin embargo, el proceso interpretativo puede entorpecerse cuando no contamos con definiciones u otras orientaciones para aterrizar dichos términos generales a la realidad. En estos casos el desafío consiste en entender cuál era el fin perseguido por las Partes (aunque en la práctica es posible que no tuvieran un objetivo común)[44] y a qué estas apuntaban al utilizar dichas expresiones, lo que puede resultar aun más complejo cuando trascurre un largo lapso de tiempo entre la celebración del tratado y el momento en que surge la controversia sobre su interpretación.

Un ejemplo del problema aludido se da en el asunto de la isla Kasikili/Sedudu Island (Botswana v. Namibia), que fue objeto de un litigio ante la Corte Internacional de Justicia[45]. La disputa se centra en el dominio sobre la isla en cuestión, conocida en Namibia como "Kasikili" y en Botsuana como "Sedudu"; la isla, que tiene aproximadamente 3,5 km2 de superficie, se encuentra en el río Chobe, que constituye, a lo largo de una parte de la frontera, la línea de división natural entre los dos Estados. Más en detalles, el texto del Tratado de 1890, que, con respecto a la región en cuestión, indica la línea divisoria entre las esferas de influencia de Reino Unido y Alemania habla del "canal principal" del río. La controversia surge porque justo alrededor de la isla, que está además sujeta a inundaciones frecuentes, el río Chobe se divide, hacia el norte y el sur. Por eso, Namibia y Botsuana se dirigen a la Corte Internacional para que este órgano pudiera determinar "*on the basis of the Anglo-German Treaty of 1 July 1890 and the rules and principles of international law, the boundary between Namibia and Botswana around Kasikili/Sedudu Island and the legal status of the island*"[46].

En opinión del Tribunal, el punto crucial de la disputa entre las Partes consiste en identificar el canal principal al cual se refiere el Tratado de 1890, pues según Botsuana se trata del canal que se extiende al norte de la isla Kasikili/Sedudu y Namibia el canal que se extiende al sur de la misma. Dado que el Tratado no define la noción de "canal principal", el propio

---

[44]   Recordamos que Lauterpacht sostenía al respecto que "*The principle of good faith and consideration of the general purpose of the treaty may legitimately provide a substitute for any lack of common intention. The principle of good faith impels the assumption of a common purpose*", Lauterpacht (1978), pp. 437-8. *Contra* Stone (1955), pp. 171 ss.

[45]   ICJ, Kasikili/Sedudu Island (Botswana v. Namibia). Judgment of 13 December 1999.

[46]   *Ibidem*, párrafo 13.

Tribunal procede a determinar cuál es el canal principal del río Chobe alrededor de la isla.

En primer lugar, en el fallo se destaca que la versión en inglés se refiere al "centro" del canal principal, mientras la versión alemana usa el término *"thalweg"* (vaguada) de ese canal (*Thalweg des Hauptlaufes*)[47]. Sin embargo, al parecer no existen diferencias entre las Partes en relación con el significado de esos términos. Por lo tanto, la Corte decide ocupar las dos expresiones (*"Thalweg des Hauptlaufes"* y *"centre of the main channel"*) como equivalentes[48] y enfocarse en la ubicación del canal principal.

En este sentido, el Tribunal señala que al introducir el término "canal principal" en el proyecto de tratado (y posteriormente en el tratado mismo) se debe suponer que las partes contratantes pretendieron que un significado preciso debía ser dado a ese término[49].

Lo anterior parece dictado –aunque la Corte no se exprese en este sentido– por una razón de buena fe: las partes al momento de la celebración del tratado tenían un cierto cuadro de la realidad, porque sí consideraron la posible presencia de distintas ramas del río (aunque no aclararon los criterios para identificar el canal principal), y a ese cuadro subyacía una expectativa, que sí quedó plasmada en el texto, es decir trazar la frontera recorriendo el canal principal. Por lo tanto, resultaría contrario a la buena fe no considerar en la labor interpretativa esta expectativa, que se generó y se confirmó con el texto del tratado.

Ahora bien, para identificar el canal principal, la Corte tiene en cuenta, entre otras cosas, la profundidad y el ancho del canal, el flujo (es decir, el volumen de agua transportada), la configuración del perfil del lecho y la navegabilidad del canal. Respecto de este último criterio, en el fallo se señala que *"It is moreover clear from the travaux preparatoires of the Treaty… that there was an expectation of navigation on the Chobe by both contracting parties, and a common intention to exploit this possibility"*[50]. Después de considerar los antecedentes presentados por las Partes, así como las encuestas realizadas en el terreno en diferentes períodos, el Tribunal concluye que "el canal norte del río Chobe alrededor de la isla Kasikili / Sedudu debe considerarse como su canal principal".

---

47   *Ibidem*, párrafo 21.
48   *Ibidem*, párrafo 25.
49   *Ibidem*, párrafo 27.
50   *Ibidem*, párrafo 89.

Nos parece relevante destacar que la Corte declara determinar el significado ordinario de las palabras "canal principal" por referencia a los criterios más comúnmente utilizados en el derecho y la práctica internacionales[51]. En realidad, el ejercicio realizado por el Tribunal se aleja de una interpretación meramente textual. En este sentido, nos parece más transparente el razonamiento de la jueza Higgins, que en su Declaración trata de identificar la finalidad perseguida por los dos Estados al momento de la celebración del tratado: en sus palabras "*to give flesh to the intention of the parties, expressed in generalized terms in 1890*"[52]. Y, en esta línea, dos motivaciones emergen: por un lado, la necesidad prioritaria de fijar el límite de las dos zonas de influencia de forma estable y duradera, y, por el otro, aunque sea de carácter accesorio, la expectativa de navegación (y el consiguiente acceso al río Zambesi), como también señala la decisión de la mayoría. Ahora bien, poco importa si esta última finalidad nunca pudo cumplirse cabalmente, porque a lo largo del tiempo se evidenciaron las dificultades de navegación en el río. Por eso, los antecedentes actuales que apuntan a la navegabilidad (o a la falta de) no debieran ser sobreevaluados: como afirma la Magistrada Higgins, se debe hacer hincapié en lo principal, y aún realista, deseo de las partes de elegir el canal que demarca más claramente los límites de las esferas de interés de las Partes[53].

Más allá de la identificación del canal principal en una o la otra rama del río Chobe, es relevante destacar la relevancia de las expectativas y de los fines perseguidos por las partes en la interpretación del tratado; implícitamente, se está dando aplicación al principio de la buena fe, que en este caso sí se vincula con la ya mencionada doctrina del efecto útil o de la efectividad[54], que, a su vez, se relaciona con el método teleológico.

Ahora bien, ¿se podrían considerar otros criterios de interpretación? Si nos damos cuenta, este caso es diferente del que vimos en el párrafo anterior. Las frases utilizadas ("*Thalweg des Hauptlaufes*" y "*centre of the main channel*") no son ambiguas, pero carecen de elementos más precisos para trasladarlas a la realidad: las Partes, al momento de redactar el tratado,

---

[51] *Ibídem*, párrafo 28.

[52] Declaration of Judge Higgins, párrafo 4.

[53] La Magistrada llega a la misma conclusión de la mayoría al indicar como principal el canal norte, pero funda su decisión en el criterio de la anchura.

[54] Aunque el principio de efectividad finalmente no se incluyó explícitamente en el artículo 31 de la Convención de Viena sobre el Derecho de los Tratados, a menudo se considera un principio subyacente en esa norma, en este sentido ver *inter alia* Dörr (2012) y Gardiner (2017), p. 179, que lo vincula con la buena fe y la interpretación según el fin y el objeto del tratado.

omitieron definir los criterios para identificar el canal principal. Por eso, la dificultad en la interpretación se convierte en un problema de "concretización" del tratado. En estos supuestos, a falta de orientaciones en el texto del tratado, sería conveniente ampliar el horizonte y considerar con atención también los fines del tratado y las conductas posteriores de las partes involucradas, en particular modo "todo acuerdo ulterior entre las partes acerca de la interpretación del tratado o de la aplicación de sus disposiciones" (artículo 31, párrafo 3, letra a) y "toda práctica ulteriormente seguida en la aplicación del tratado por la cual conste el acuerdo de las partes acerca de la interpretación del tratado" (artículo 31, párrafo 3, letra b).

Ahora bien, dada la antigüedad del acuerdo, puede ser discutible el empleo de estos criterios de interpretación en el caso concreto, pues, como se señala en una de las opiniones separadas[55], estamos realizando varios saltos lógicos: en primer lugar, suponemos que las normas de la Convención de Viena, entradas en vigor internacionalmente en 1980, tienen también naturaleza consuetudinaria (lo que, como vimos, es generalmente aceptado) pero, además, y este es el aspecto más debatible, estamos asumiendo implícitamente que el derecho internacional general aplicable a finales del siglo XIX es el mismo conjunto de regla que se aplica en la actualidad o, de todas maneras, que se aplicaba décadas después de la celebración del tratado objeto de la disputa[56]. Sin embargo, creemos que dichas actuaciones podrían servir cuanto menos como un indicio del modo en que las partes entendían el concepto cuestionado, siempre que se cumplan con los requisitos enunciados en la Convención de Viena. En el primer caso (letra a), que se refiere a acuerdos concluidos con posterioridad a la celebración el tratado principal, se trata claramente de una forma de interpretación autentica por parte de los Estados; respecto del asunto especifico, sin embargo, las partes no invocaron convenciones ulteriores. En relación con la práctica posterior (letra b), en los Comentarios se hace hincapié que la misma "*constitutes objective evidence of the understanding of the parties as to the meaning of the treaty*"[57]. El punto crucial para identificar una práctica subsecuente válida como medio de interpretación del tratado radica, por lo tanto, en la existencia de un acuerdo, entendiendo bajo este concepto un conjunto de actuaciones que demuestre una aceptación común de las partes. Sobre el particular, es significativo el siguiente extracto de los Comentarios, en el cual se precisa que el acuerdo ("*understanding*") de los estados

---

55   Separate Opinion of Judge Oda, párrafo 4.
56   Sobre este aspecto, ver también Fox (2010), pp. 64 ss.
57   Draft Articles on the Law of Treaties with commentaries (1966), p. 221.

"*necessarily means "the parties as a whole". It omitted the word "all"* [término que sí estaba incorporado en los borradores iniciales] *merely to avoid any possible misconception that every party must individually have engaged in the practice where it suffices that it should have accepted the practice*"[58]. En el caso concreto, la Corte consideró que las actuaciones posteriores no eran suficientes para constituir una práctica subsiguiente en los términos del artículo 31, párrafo 3, letra b)[59]. Si bien existían varios informes y estudios, estos quedaron como documentos internos o no fueron aceptados como acuerdos entre las partes. No desconocemos que la decisión de la mayoría suscita varios interrogantes sobre la valoración de las actuaciones posteriores, que en parte fueron evidenciadas en las opiniones disidentes[60], pero –en consideración al enfoque del presente trabajo– no vamos a ahondar en estos aspectos.

7. LA BUENA FE Y LOS CONCEPTOS NO GENÉRICOS

Ahora, cabe diferenciar el tema analizado en el párrafo anterior de las dudas interpretativas que pueden surgir cuando un tratado utiliza conceptos genéricos, cuyo significado puede sufrir modificaciones a lo largo del tiempo. Lauterpacht advertía este problema, al afirmar que "*a word is not a crystal, transparent and unchangeable, it is a skin of a living thought and may vary in colour and content according to the circumstances and the time it is used*"[61].

---

[58] Draft Articles on the Law of Treaties with commentaries (1966), p. 222.

[59] ICJ, Kasikili/Sedudu Island (Botswana v. Namibia). Judgment of 13 December 1999, párrafos 47-80.

[60] En particular, nos referimos a las opiniones disidentes del Magistrado Parra Aranguren y del Vicepresidente Weeamantry. Los jueces mencionados destacan especialmente un punto (sobre el cual divergen): ¿las conductas pasivas (omisión o silencio) pueden integrar actuaciones útiles para la formación de una práctica subsiguiente o es necesario que se realicen comportamientos más concluyentes? En segundo lugar, se plantea la duda del momento en que se produce la práctica relevante para la labor interpretativa: ¿solo la práctica temporalmente cercana a la celebración del tratado o también la realizada con posterioridad? En la doctrina el tema de la práctica subsiguiente ha sido abordado en distintos trabajos, entre otros señalamos Fox (2010), Arato (2010), Bernhardt (1967), y también más recientemente por la Comisión de Derecho Internacional (todos los documentos se pueden consultar en https://legal. un.org/ilc/guide/1_11.shtml); en particular señalamos el último informe del Relator Especial, George Nolte: International Law Commission: "Fifth report on subsequent agreements and subsequent practice in relation to the interpretation of treaties by Georg Nolte, Special Rapporteur". A/CN.4/715. Disponible en https://legal.un.org/ docs/?symbol=A/CN.4/715 [fecha de consulta: 10 de enero de 2020].

[61] Lauterpacht (1949), p. 53.

Estos términos son los que más se prestan a una interpretación evolutiva[62], que encuentra su fundamento jurídico en el método teleológico consagrado en el artículo 31 CV. Para efectos de este trabajo, entendemos como interpretación evolutiva la según la cual un término ocupado en el tratado puede sufrir a lo largo del tiempo unos cambios en su significado o en su aplicación; vamos a precisar más adelante esta diferenciación.

Un caso recientemente resuelto por la Corte internacional de Justicia muestra la aplicación de este canon de interpretación. Se trata de la disputa entre Costa Rica y Nicaragua[63] sobre los derechos perpetuos de libre navegación establecidos por un Tratado bilateral de límites de 1858. Este acuerdo, que estableció el trazado de la frontera entre Costa Rica y Nicaragua desde el Océano Pacífico al Mar Caribe, a partir de un cierto punto fijó la frontera a lo largo de la ribera derecha del río San Juan. Consagró asimismo el dominio y sumo imperio de la jurisdicción nicaragüense sobre las aguas del río, pero al mismo tiempo confirmó los derechos de navegación de Costa Rica "con objetos de comercio" en el curso inferior del río. El aspecto relevante de la controversia se refiere justamente a la definición de las actividades abarcadas por el derecho en cuestión y de aquellas que, al quedar fuera del alcance de dicho derecho, están sujetas al poder soberano de Nicaragua para autorizar y regular como estime conveniente cualquier actividad que tenga lugar en su territorio, del cual forma parte el río. Al respecto, Nicaragua presentó una definición estrecha de la frase "con objetos de comercio": según este Estado la versión española de esta expresión, que es la única auténtica, debe traducirse en francés como "*avec des marchandises de commerce*" y en inglés como "*with articles of trade*"; en otras palabras, los "objetos" en cuestión aquí son cosas en el sentido concreto y material del término. En consecuencia, la libertad de navegación garantizada a Costa Rica por el artículo VI sólo tendría relación con el transporte de bienes destinados a la venta en un intercambio de naturaleza comercial. Para Costa Rica, por el contrario, la expresión significa en francés "à des fins de commerce" y en inglés "*for the purposes of commerce*"; el término "objetos" del texto original se referiría, por lo tanto, a objetos en el sentido abstracto de fines y propósitos. Por ello, la libertad de navegación que a Costa Rica le concedería el Tratado debiera entenderé en el sentido más amplio

---

[62]   ICJ, Dispute regarding Navigational and Related Rights (Costa Rica v. Nicaragua). Judgment of 13 July 2009, párrafo 63. Sobre este concepto en general ver Bjorge (2014), pp. 59 ss.

[63]   ICJ, Dispute regarding Navigational and Related Rights (Costa Rica v. Nicaragua). Judgment of 13 July 2009, párrafo 58.

posible y abarcar toda forma de actividad comercial, incluso el transporte de personas. La Corte adopta una postura intermedia, al interpretar que la frase cuestionada se refiere tanto al comercio de mercancías como a actividades de prestación de servicios. Más en detalles, según el fallo, el derecho de libre navegación de Costa Rica se aplica al transporte de personas y de bienes, ya que el transporte de personas puede tener hoy en día un carácter comercial, por ejemplo, si el transportista lleva a cabo la actividad con fines lucrativos. Por otra parte, se excluye del alcance del derecho la navegación el paso de embarcaciones utilizadas en el desempeño de actividades gubernamentales o públicas no perseguidas con fines de lucro.

Varios son los argumentos que se esgrimen para justificar esta conclusión.

En primer lugar, un argumento textual-sistemático: la frase "con objetos de comercio" puede, en efecto, tener dos significados: "con bienes" o "con propósitos" de comercio. Sin embargo, al analizarla en el contexto del tratado y en particular modo de la disposición que la contiene, solo la segunda interpretación permite dar un significado coherente a toda la oración. Asimismo, existen otros indicios que apuntan a la misma conclusión, en particular: el empleo de la misma frase en otros artículos del tratado; el texto de un tratado que fue firmado por las partes, pero no entró en vigor por falta de ratificación, en el cual al repetir algunas de las disposiciones anteriores, incluyó la expresión "artículos de comercio", lo que demostraría que las Partes, cuando querían referirse a la propiedad física que puede ser objeto de transacciones comerciales, utilizaban un término distinto de "objetos de comercio"; y, en fin, la traducción al inglés del Tratado de 1858 (presentada al Presidente Cleveland para que la utilizase en un procedimiento de arbitraje) que en ambas versiones presentadas por las Partes utilizaba la misma frase para expresar el original "con objetos de comercio": "*for the purposes of commerce*".

Por otra parte, es interesante la argumentación entorno al concepto de comercio. En primer lugar, se sostiene que este término, tal como está incorporado en el tratado, en 2009 tiene un significado y un uso distinto del que tenía en 1858. ¿Se debiera por lo tanto acotar el derecho de navegación solo a las actividades que constituían comercio en el año de la celebración del acuerdo? Al respecto, la decisión señala que "*there are situations in which the parties' intent upon conclusion of the treaty was, or may be presumed to have been, to give the terms used — or some of them — a meaning or content capable of evolving, not one fixed once and for all, so as to make allowance for, among other things, developments in international law*"[64]. Este sería también

---

[64]   *Ibídem*, 64.

el caso objeto de la disputa. Primero, la palabra "comercio" es un término genérico, que se refiere a una categoría de actividades. En segundo lugar, el Tratado de 1858 tiene una vigencia ilimitada, pues desde el principio se pretendía crear un legal régimen caracterizado por su perpetuidad[65]. En virtud de estas consideraciones, la Corte concluye que para efectos de aplicar el tratado hoy debe aplicarse el significado actual, no el original (y más restringido)[66]: solo así se podría respetar la voluntad de las partes.

Sin embargo, ¿podemos considerar que el empleo de un término genérico constituye siempre una liberatoria para adoptar una interpretación cambiante en el tiempo? En este sentido, nos parece acertada la aclaración del juez Skotnikov, el cual –a pesar de concordar con la conclusión de la mayoría– en su Declaración observa que *"Neither the generic nature of the term "commerce" nor the unlimited duration of the Treaty and the perpetuity of the legal régime established by it... excludes the possibility that the Parties' intention was to grant Costa Rica navigational rights determined by the content of the notion "commerce" as it existed when the Treaty was concluded"*.

Esta advertencia nos llama la atención sobre un aspecto relevante relacionado con la interpretación de los términos genéricos, que también destaca Milanovic[67]: los mismos pueden sufrir cambios en su significado semántico o en su aplicación. El ejemplo que ofrece en su trabajo el Autor recién mencionado, respecto de la palabra "cruel", es particularmente explicativo. Los cambios en el significado semántico de un término genérico no debieran dar luz verde a una interpretación evolutiva de manera automática. Como señala Milanovic, *"If in 1858 the term truly semantically denoted only trade in goods, as Nicaragua contended, then I honestly don't see why a subsequent change in the meaning of the Word... should change its interpretation"*[68]. Aceptar que los cambios semánticos puedan afectar la interpretación de tratado sería contrario a la buena fe (y a la certeza jurídica) pues no se estarían respetando las expectativas que las partes se formaron al momento de celebrar el tratado mismo. Por otra parte, una aplicación diferente de un término (por ejemplo, más amplia o más restrictiva) sí sería conforme al principio de buena fe sobre todo si confirmada por la práctica subsecuente seguida o aceptada por los Estados involucrados. En este sentido, en el asunto Costa Rica contra Nicaragua acierta el Magistrado Skotnikov, el cual

---

[65] *Ibídem*, 67.
[66] *Ibídem*, 70.
[67] Milanovic (2009).
[68] *Ibídem*.

se refiere justamente a las actuaciones posteriores de las partes para llegar a la misma conclusión de la mayoría[69].

En definitiva, en el asunto concreto concordamos con la conclusión general de la Corte. En este caso, en efecto, la interpretación evolutiva del término comercio encuentra su justificación en el principio de la buena fe, pues se respetan las legítimas expectativas de las Partes al momento en que se celebraron el tratado[70], que fueron confirmadas por la práctica ulterior de los mismo Estados.

8. CONCLUSIÓN

El principio de buena fe, como se sostuvo al principio de este artículo, resulta determinante para garantizar las expectativas de los Estados al momento de la celebración del tratado y se vincula íntimamente con el *pacta sunt servanda*: lo que se protege es la voluntad de las partes, que encuentra su manifestación no solo en el texto del tratado, sino también en el objeto y fin que los Estados quisieron perseguir a través de ese acuerdo. Por este motivo, la buena fe no privilegia un método interpretativo sobre los demás; al revés, permite y, en algunos casos, como señalamos, exige, que se combinen los distintos criterios. Al realizar esta operación, el resultado al cual llegaremos a través de unos de los métodos indicados en el artículo 31 debiera ser confirmado por el empleo de otro método. No se trataría, por lo tanto, exclusivamente de una progresión interpretativa[71], una secuencia predefinida (texto, fin, etc.): el texto constituye el punto de partida, pero, en caso de ambigüedades, falta de definiciones o carácter genéricos de los términos empleados, etc. se hace imprescindible incorporar otros cánones interpretativos. Sin embargo, como señala un Autor, "*it is clear that the possible styles of interpretation to which Article 31 gives rise are all directly linked to one essential rule: the rule of interpretation in good faith*"[72].

De lo anterior deriva que, si la aplicación de técnicas interpretativas distintas arroja resultados contradictorios, en virtud de la buena fe se debiera seleccionar las interpretaciones que respetan las expectativas legítimas de las partes[73]. También vimos que el empleo de uno u otro método

---

[69]   Separate opinion of Judge Skotnikov, en particular párrafos 8-10.
[70]   En este sentido ver también Bjorge (2014), p. 64.
[71]   Para utilizar el término en Bjorge (2014), p. 68.
[72]   Bjorge (2014), p. 64.
[73]   Kolb (2000), párrafo 246.

hermenéutico puede ser dictado del tipo de cuestión interpretativa que se plantea y, por lo tanto, en primer lugar, se debiera entender qué problema se está verificando; en efecto, las dificultades en la interpretación pueden deberse a distintos factores, algunos de los cuales fueron analizados en el presente trabajo[74].

Para concluir, el principio de buena fe en la interpretación de los tratados opera sobre todo como un límite a la sobreintepretación[75]. Como afirmaba un noto experto en semiótica, no es cierto que cualquier cosa esté bien[76]: los textos (categoría a los cuales pertenecen también los tratados internacionales) podrían dar vida a múltiples interpretaciones, pero solo algunas permanecen dentro de las "fronteras" del texto[77] o, mejor dicho, de la que ha sido denominada la *"communicative intention of the treaty parties"*[78]. Más allá de esto, ya no podríamos hablar de una interpretación correcta de las normas convencionales, sino de un uso forzado del texto o de una sobreinterpretación, derivada de una lectura subjetiva, vinculada a ciertas proyecciones o expectativas del lector.

BIBLIOGRAFÍA CITADA

Arato, J.: "Subsequent Practice and Evolutive Interpretation: Techniques of Treaty Interpretation over Time and Their Diverse Consequences", en *The Law and Practice of International Courts and Tribunals*, Brill Publishers, Leiden, 2010, pp. 443–494.

Bernhardt, R.: "Interpretation and Implied (Tacit) Modification of Treaties Comments on Arts. 27, 28, 29 and 38 of the ILC's 1966 Draft Articles on the Law of Treaties", en *ZaöRV*, Vol. 27, 1967, pp. 491-500. Disponible en https://www.zaoerv.de/27_1967/27_1967_3_c_491_506.pdf [fecha de consulta: 10 de enero de 2020].

Bjorge, E.: "The Evolutionary Interpretation of Treaties". Oxford University Press, Oxford, 2014.

Comisión de Derecho Internacional: "Informe de la Comisión a la Asamblea General sobre la labor realizada en su 58.° período de sesiones. Capítulo IX. Actos Unilaterales", en *Anuario de la Comisión de Derecho Internacional*, 2006, Volumen

---

[74] Sin embargo, no tenemos la pretensión de haber abarcado todos los posibles problemas interpretativos de manera exhaustiva.

[75] Ocupamos el término utilizado por Eco (1995).

[76] Eco (1995), p. 172.

[77] Eco (1995).

[78] Linderfalk (2018), p. 7.

II, Segunda parte. Disponible en https://legal.un.org/ilc/reports/2006/spanish/chp9.pdf [fecha de consulta: 10 de enero de 2020].

Comisión de Derecho Internacional: "Noveno informe sobre los actos unilaterales de los Estados, del Sr. Víctor Rodríguez Cedeño, Relator Especial". 2006. A/CN.4/569 y Add. Disponible en https://legal.un.org/ilc/documentation/spanish/a_cn4_569.pdf [fecha de consulta: 10 de enero de 2020].

Dörr, O.: "Article 31: General Rule of Interpretation", en Dörr, O. y Schmalenbach, K.: "*Vienna Convention on the Law of Treaties: A Commentary*", Springer, Heidelberg, 2012, pp. 521-570.

Fernández de Casadevante Romaní, C.: "La interpretación de las Normas Internacionales", Aranzadi, Pamplona, 1996.

Fitzmaurice, G.: "Vae Victis or Woe to the Negotiators! Your Treaty or Our "Interpretation" of it?" en *American Journal of International Law,* 1971, Vol. 65.2, pp. 358-373.

Fox, H.: "Article 31(3). (A) And (B) Of The Vienna Convention And The Kasikili/Sedudu Island Case", en Fitzmaurice, M.; Elias, O. A.; Merkouris, P.: "*Treaty Interpretation and the Vienna Convention on the Law of Treaties: 30 Years on*", Brill Publishers, Leiden, 2010, pp. 59–74.

Gardiner, R.: "Treaty Interpretation". Oxford University Press, Oxford, 2017.

Institut de Droit international: "Annuaire", Tome 44 II, (1952). Disponible en http://www.idi-iil.org/app/uploads/2017/05/4025-44A-OCR.pdf [fecha de consulta: 10 de enero de 2020]

International Law Commission: "Fifth report on subsequent agreements and subsequent practice in relation to the interpretation of treaties by Georg Nolte, Special Rapporteur". 2018. A/CN.4/715. Disponible en https://legal.un.org/docs/?symbol=A/CN.4/715 [fecha de consulta: 10 de enero de 2020]

International Law Commission: "Draft Articles on the Law of Treaties with commentaries (1966)", en *Yearbook of the International Law Commission,* 1966, Vol. II. Disponible en https://legal.un.org/ilc/texts/instruments/english/commentaries/1_1_1966.pdf [fecha de consulta: 10 de enero de 2020]

International Law Commission: "Third Report of the Special Rapporteur on the Law of Treaties to the ILC". 1964, en *Yearbook of the International Law Commission,* 1964, Vol. II. Disponible en https://legal.un.org/ilc/documentation/english/a_cn4_167.pdf [fecha de consulta: 10 de enero de 2020]

Jiménez de Aréchaga, E.: "El Derecho Internacional Contemporáneo". Madrid: Tecnos. 1980

Kolb, R.: "La bonne foi en droit international public. Contribution à l'étude des principes généraux de droit". Presses Universitaires de France, Paris. 2000. Disponible en https://books.openedition.org/iheid/2253?lang=it [fecha de consulta: 10 de enero de 2020]

Lauterpacht, H.: *International Law. Collected Papers IV.* Cambridge University Press, Cambridge, 1978.

Lauterpacht, H.: "Restrictive interpretation and the principle of effectiveness in the interpretation of treaties", en *British Year Book of International Law*, Vol. 26, Oxford University Press, Oxford, 1949, pp. 49-85.

Linderfalk, U.: "What Are the Functions of the General Principles? Good Faith and International Legal Pragmatics", en *ZaöRV*, Vol. 78, 2018, pp. 1-31. Disponible en https://www.zaoerv.de/78_2018/78_2018_1_a_1_31.pdf [fecha de consulta: 10 de enero de 2020]

Linderfalk, U.: "Is Treaty Interpretation an Art or a Science? International Law and Rational Decision Making", en *European Journal of International Law*, Vol. 26.1, Oxford University Press, Oxford, 2015, pp. 169–189.

McLachlan, C.: "The Principle of Systemic Integration and Article 31(3)(c) of the Vienna Convention", en *International and Comparative Law Quarterly*, Cambridge University Press, Cambridge, 2005, pp. 279-320.

Milanovic, M.: "Iran Unlawfully Retaliates Against the United States, Violating Iraqi Sovereignty in the Process". 8 January 2020. Disponible en https://www.ejiltalk.org/iran-unlawfully-retaliates-against-the-united-states-violating-iraqi-sovereignty-in-the-process/ [fecha de consulta: 10 de enero de 2020].

Milanovic, M.: "The ICJ and Evolutionary Treaty Interpretation". 14 July 2009. Disponible en https://www.ejiltalk.org/the-icj-and-evolutionary-treaty-interpretation/ [fecha de consulta: 25 de enero de 2020].

O'Connell, M. E.: "The Killing of Soleimani and International Law". Disponible en https://www.ejiltalk.org/the-killing-of-soleimani-and-international-law/ [fecha de consulta: 10 de enero de 2020].

Moyano Bonilla, C., *La interpretación de los tratados internacionales*, Editorial M.B.A., Montevideo, 1985

McRae, P.: "The Search for Meaning: Continuing Problems with the Interpretation of Treaties", en *Victoria University Wellington Law Review*, Victoria University Press, Wellington (NZ), 2002, pp. 209-260.

Novak Talavera, F.: "Los criterios para la interpretación de los tratados", en *THĒMIS Revista de Derecho*, Pontificia Universidad Católica del Perú, Lima, 2013, pp. 71-88

O'Connor, J.F.: "Good Faith in English Law", Dartmouth Publishing Company Limited, Aldershot, 1990

Stone, J.: "Fictional elements in treaty interpretation. A Study in the International Judicial Process", en *Sydney Law Review*, Lawbook Co. and The University of Sydney Law School, Sydney, 1955, pp. 344-368.

Villiger, M.: *Commentary on the 1969 Vienna Convention on the Law of Treaties*. Brill Publishers, Leiden, 2009

Legislación citada y materiales afines

– Convención de Viena sobre el derecho de los tratados, firmada en Viena (Austria) el 23 de mayo de 1969.

- Carta de las Naciones Unidas, firmada en san Francisco (USA) el 26 de junio de 1945.
- Resolución de la Asamblea General 2625 (XXV), 24 de octubre de 1970. Declaración sobre los principios de Derecho Internacional referente a las relaciones de amistad y a la cooperación entre los Estados de conformidad con la Carta de las Naciones Unidas.

Jurisprudencia citada

- ICJ, Dispute regarding Navigational and Related Rights (Costa Rica v. Nicaragua). Judgment of 13 July 2009.
- ICJ, Kasikili/Sedudu Island (Botswana v. Namibia). Judgment of 13 December 1999.
- ICJ, Maritime Delimitation and Territorial Questions between Qatar and Bahrain (Qatar v. Bahrain). Jurisdiction and Admissibility. Judgment of 15 February 1995.
- ICJ, Territorial Dispute (Libyan Arab Jamahiriya v. Chad). Judgment of 3 February 1994.
- ICJ, Military and Paramilitary Activities in and against Nicaragua (Nicaragua v. United States of America). Jurisdiction and Admissibility. Judgment of 26 November 1984.
- ICJ, Nuclear Tests (New Zealand v. France). Judgment of 20 December 1974.
- ICJ, Western Sahara. Advisory Opinion of 16 October 1975.
- ICJ, Competence of the General Assembly for the Admission of a State to the United Nations. Advisory Opinion of 3 March 1950.
- ICJ, Corfu Channel (United Kingdom of Great Britain and Northern Ireland v. Albania). Judgment of 9 April 1949.
- PCIJ, Legal Status of Eastern Greenland (Denmark v. Norway). Judgment of 5 September 1933.
- PCIJ, Status of Eastern Carelia. Advisory Opinion of 23 July 1923.

DERECHO LABORAL

ALGUNAS APLICACIONES DEL PRINCIPIO DE BUENA FE RESPECTO DE LA REGULACIÓN LABORAL RELATIVA AL COVID-19

Alfredo SIERRA HERRERO
Doctor en Derecho, Universidad de Santiago de Compostela
Profesor de Derecho Laboral, Universidad de los Andes, Chile

Roberto CERÓN REYES
Profesor de Historia del Derecho e Historia de las Instituciones de Chile
Universidad de los Andes, Chile

SUMARIO: 1. INTRODUCCIÓN. 2. SUSPENSIÓN DEL CONTRATO DE TRABAJO Y EL TRABAJO EN EL PROPIO DOMICILIO. 2.1. Antecedentes. 2.2. Trabajo en el domicilio, excluido de la suspensión legal. 3. LA SUSPENSIÓN Y EL DEBER DE SECRETO. 4. SOBRE LOS ALCANCES DEL *IUS VARIANDI* ESPECIAL. 5. SOBRE EL DERECHO A DESCONEXIÓN LABORAL. BIBLIOGRAFÍA.

1. INTRODUCCIÓN

Como es evidente la pandemia producida por el denominado "coronavirus" (COVID-19) ha ocasionado trastornos de diversa especie en toda la población. Las distintas organizaciones internacionales y los gobiernos de turno del mundo entero se han volcado a tomar una serie de decisiones tendientes a impedir una propagación indiscriminada y letal del virus y, así, mitigar sus mortales efectos.

En este contexto, las consecuencias laborales y económicas del COVID-19 pueden sintetizarse en: riesgo para la salud de los trabajadores desempleo y recesión. La brusca disminución de la actividad económica ha significado la pérdida de muchas fuentes de trabajo, elevándose las tasas de desempleo a cifras históricas[1],

---

[1] En Chile, el desempleo a nivel nacional alcanzó un récord histórico de 8,2% para el trimestre enero-marzo 2020. Es el mayor en 10 años. Se espera que la tasa se empine

Frente a este escenario, en lo que se refiere al ámbito laboral, en nuestro país se dictaron dos leyes: la primera, la ley 21.220, que incorpora un nuevo capítulo al Código del Trabajo, relativo al "trabajo a distancia y teletrabajo"[2]; la segunda, Ley N° 21.227, que "faculta el acceso a prestaciones del seguro de desempleo de la ley n° 19.728, en circunstancias excepcionales", y que es conocida en el foro como la "ley de protección al empleo" (en adelante "LPE").

En relación a la LPE puede decirse que parte importante de su objetivo es que, frente a la crisis que puedan estar viviendo a las empresas, se puedan conservar puestos de trabajo, mediante su reconducción a la figura de la suspensión de contrato de trabajo, y evitar así el despido de los trabajadores. El autor español Mercader Uguina sostiene que el fundamento de la suspensión se encuentra relacionado con el principio de estabilidad en el empleo, ya que a través de este mecanismo se busca "impedir que determinadas situaciones que imposibilitan coyunturalmente prestar trabajo ocasionen la ruptura definitiva del contrato"[3].

En efecto, uno de los aspectos más novedosos que introduce la ley 21.227 es la regulación de la suspensión temporal de la relación laboral acompañada de la posibilidad del trabajador de acceder a las prestaciones del seguro de desempleo.

Esta nueva reglamentación ha generado muchas dudas en cuanto a su interpretación, y a este respecto nos parece relevante la aplicación del principio de la buena fe con miras a la correcta observancia de dichas normas, y procurar así la debida protección del trabajador frente a los legítimos intereses empresariales. En este orden, la buena fe se presenta "como un útil instrumento jurídico para imponer obligaciones de conductas complementarias al empleador, así como para individualizar su alcance concreto"[4]. Por su parte, respecto del trabajador le impone "la obligación de abstenerse de todo acto que pueda perjudicar al empleador y de cumplir aquellos que tiendan a la protección de los intereses de éste"[5].

---

sobre los dos dígitos. Véase https://www.cnnchile.com/economia/desempleo-chile-82-enero-marzo-2020_20200430/ [consultado el 30 de mayo de 2020].

[2]   Véase artículos 152 quáter G y ss CdT.

[3]   Mercader Uguina, Jesús R.: *Lecciones de Derecho del Trabajo*, Tirant lo Blanch, Valencia, 2018, p. 554.

[4]   Cruz Villalón, Jesús: *Compendio de Derecho del Trabajo*, Tecnos, Madrid, 2019

[5]   Plá Rodríguez, Américo: *Los Principio del Derecho del Trabajo*, Fundación de Cultura Uruguaya, Montevideo, 2015, p. 340.

En el presente trabajo no pretendemos analizar todos los aspectos de las LPE, sino sólo ciertas cuestiones que nos parece necesario enfocar a la luz del principio de la buena fe, con miras a su correcta aplicación. En particular, trataremos los siguientes temas: la suspensión del contrato frente a aquellos de trabajadores contratados para prestar servicios desde su hogar; el deber de secreto empresarial durante la suspensión del contrato; el *ius variandi* especial que puede operar durante la vigencia de LPE; por ultimo haremos referencia al derecho de desconexión contenido en la Ley 21.220 antes mencionada.

2. SUSPENSIÓN DEL CONTRATO DE TRABAJO Y EL TRABAJO EN EL PROPIO DOMICILIO

2.1. Antecedentes

La Ley N° 21.227 contempla dos tipos de suspensiones del contrato de trabajo, una, que podríamos denominar "legal", y, otra, "convencional". La primera, opera de "pleno derecho o por el sólo ministerio de la ley" (cfr. inc. 1° art. 3° art. LPE) como consecuencia de un acto o declaración del Subsecretario de Hacienda (cfr. inc. 2° art. 1° LPE) que "establezca medidas sanitarias o de seguridad interior para el control de la enfermedad denominada COVID-19, que impliquen la paralización de actividades en todo o parte del territorio del país y que impida o prohíba totalmente la prestación de los servicios contratados" (inc. 1° art. 1°)[6]. Como contrapartida de esta suspensión, se permite a los trabajadores afiliados al seguro de desempleo de la ley N° 19.728, que puedan acceder a las prestaciones de este régimen (inc. 1° art. 1° LPE), según se detalla en el art. 2° de la LPE.

Como se advierte, si una empresa está comprendida dentro de este acto de autoridad, y no está exceptuada, necesariamente tiene que paralizar sus actividades y como consecuencia de ello, se suspenden las relaciones laborales que mantiene con sus trabajadores.

Con todo, dicha suspensión no afecta a las que podríamos denominar empresas esenciales, que se encuentran exceptuadas de la paralización de actividades por las funciones de utilidad pública que cumplen para la población[7].

---

[6]   Resoluciones Exenta N°s 88 y 33 del Ministerio de Hacienda.
[7]   Véase inc. final art. 3° LPE. Asimismo véase los art. 2 de las Resoluciones Exenta N°s 88 y 33 del Ministerio de Hacienda.

Igualmente, esta suspensión no se aplicará respecto de aquel trabajador que, al momento de dictarse el acto o la declaración de la autoridad, hubiere suscrito con su empleador un pacto que permita asegurar la continuidad de la prestación de los servicios durante la vigencia de este evento (…), y que implique continuar recibiendo todo o parte de su remuneración mensual (inc. 3° art. 1°). Esta excepción está pensada, principalmente, para aquellos trabajadores que puedan continuar prestando sus servicios, vía remota, desde sus domicilios, en buena medida, a través del teletrabajo[8].

Como apuntábamos, también se contempla la suspensión convencional del contrato de trabajo. Se dispone así que se podrá estipular un "pacto de suspensión temporal del contrato de trabajo" en caso de "los empleadores cuya actividad se vea afectada total o parcialmente" (cfr. inc. 1° art. 5° Ley N° 21.227). Este pacto se puede suscribir con cada trabajador personalmente, o previa consulta a la organización sindical a la que se encuentren afiliados (cfr. inc. 1° art. 5° Ley N° 21.227).

Es necesario destacar que no es posible suscribir este pacto, si la empresa se encuentra comprendida dentro de un acto de autoridad que importa una suspensión legal (cfr. inc. 1° art. 1° Ley N° 21.227). Luego, si se suscribe el pacto suspensivo, y con posterioridad la empresa es afectada por un acto autoridad, la suspensión legal se superpondrá a la convencional (cfr. inc. 3° art. 5° Ley N° 21.227).

La ley no desarrolla mayormente qué se entiende por estar afectado total o parcialmente. Ahora bien, parece obvio que la afectación de la actividad se tiene que producir por los efectos del Covid 19, ya que el motivo de esta regulación consiste en enfrentar laboralmente esta contigencia; por lo demás, el título I de la misma, donde se reglamenta la suspensión convencional, se denomina "Efectos laborales de la enfermedad Covid-19".

Sobre este punto, se incorporó un nuevo inc. 3 al art. 5 LPE, que contiene una presunción de afectación parcial "cuando en el mes anterior a la suscripción del pacto sus ingresos por ventas o servicios netos del Impuesto al Valor Agregado hayan experimentado una caída igual o superior a un 20% respecto del mismo mes del año anterior"[9]. Como se advierte, lamentablemente la presunción sólo se pensó para el caso de una afectación económica, y no se contempló el supuesto de una contingencia relativa a la salud de los trabajadores. A pesar de ello, pensamos que la empresa también puede verse afectada por problemas sanitarios, como consecuencia de

---

[8]　Véase Dictamen N° 1762/008 de 3 de junio de 2020.
[9]　Inciso incorporado por el artículo 1° N° 5 letra a) de la ley N° 21.232.

un brote de la infección en sus dependencias, que amerite una suspensión convencional para evitar el contagio del resto de los trabajadores.

2.2. *Trabajo en el domicilio, excluido de la suspensión legal*

La suspensión legal no opera en los siguientes casos:

a) Trabajadores que trabajen en sus domicilios: todos aquellos trabajadores que han sido contratados precisamente para prestar sus servicios en sus domicilios, por ejemplo vía teletrabajo, quedarían excluido de esta clase de suspensión. Lo anterior, debido a que no se estaría, en estricto rigor, en el supuesto de la ley para que se produzca la suspensión legal. Recordemos que para ello se requieren dos requisitos copulativos del acto de autoridad (Resolución del Min. de Hacienda): a) que implique la paralización en todo o parte del territorio del país y; b) que impida o prohíba totalmente la prestación de los servicios contratados" (inc. 1° art. 1° LPE). Ciertamente, una persona que presta servicios desde su hogar vía teletrabajo, no cumple con el requisito descrito en la letra b), toda vez que la paralización dictada para un territorio no impide, en este caso, que pueda continuar realizando sus servicios.

b) Trabajadores con pacto de continuidad: esta suspensión no se aplicará respecto de aquel trabajador que, al momento de dictarse el acto o la declaración de la autoridad, hubiere suscrito con su empleador un pacto que permita asegurar la continuidad de la prestación de los servicios durante la vigencia de este evento (…), y que implique continuar recibiendo todo o parte de su remuneración mensual (inc. 3° art. 1° LPE). Esta excepción está pensada, principalmente, para aquellos trabajadores que puedan continuar prestando sus servicios, vía remota, desde sus domicilios, en buena medida, a través del teletrabajo[10].

Cabe subrayar que el empleador no puede recurrir en estos casos a la suspensión legal. Si lo hace podría estar incurriendo en un ilícito con connotaciones penales (cfr. art. 14 Ley 21.227). En este sentido, se advierte que la propia configuración de penal da cuenta de una infracción de deslealtad contraria a la buena fe, pues la misma iría en perjuicio de los trabajadores[11].

---

[10]   Dictamen N° 1762/008 de 3 de junio de 2020.
[11]   Diéguez Cuervo, Gonzalo, *Lecciones de Derecho del Trabajo*, Madrid, Marcial Pons, 1995, p. 269.

En cuanto a si en estos casos se podría pactar la suspensión convencional es necesario efectuar las consideraciones siguientes. En primer lugar, respecto de los trabajadores con pacto de continuidad, no podrían suscribir la suspensión si se encuentra vigente el pacto indicado. De esta forma, sólo sería posible celebrar la suspensión, si el pacto en cuestión se deja sin efecto de común acuerdo, o bien, si éste pierde su vigencia, ya que estaba sujeto a un plazo que ha finalizado. En segundo lugar, tratándose de los trabajadores contratados a domicilio, nos parece que si se podría pactar la suspensión convencional. Ahora bien, en ambos casos se requiere cumplir, evidentemente, la condición habilitante consistente en que la empresa, producto de la pandemia, se ha visto afectada total o parcialmente para llevar a cabo sus actividades, según explicábamos con anterioridad. Si esta condición no se cumple la empresa estaría inhabilitada para proponer la estipulación de este pacto, aun cuando ambas partes se encuentren de acuerdo.

Es importante subrayar que el mecanismo de las suspensión analizadas, dado su carácter excepcional, debe operar sólo en los supuestos para los que ha sido contemplado, toda vez que durante ese período el trabajador se encuentra en una situación desmejorada, principalmente, por dos motivos: a) las prestaciones por desempleo son inferiores (y de forma decreciente) a las remuneraciones estipuladas, y además los ahorros para la cesantía se van agotando; b) la inactividad laboral no permite que se lleve a cabo la ocupación contratada. En tal sentido, los autores argentinos Grisolia y Hierrezuelo afirman que la aplicación de la buena fe a un caso concreto, implica "la exclusión de todo acto que lleve la intención perjudicar al otro contratante o implique de algún modo el ejercicio antifuncional de los derechos y potestades conferidos a las partes"[12].

Justamente, entre manifestaciones concretas del deber del empleador se menciona el deber de dar la ocupación efectiva contratada al trabajador[13]. Esta obligación del empleador consiste en "brindar trabajo efectivo y adecuado a la categoría o función que cumple el trabajador"[14]. Es necesario subrayar, que tras el derecho del trabajador a ejecutar la "ocupación" para la cual fue contratado, se encuentra no sólo una cuestión de índole económico, sino que la idea de que el trabajo trasciende el aspecto únicamente económico. Consideraciones como las expuestas se utilizan cuando

---

[12] Grisolía, Julio Armando, y Hierrezuelo, Ricardo Diego: *Derechos y Deberes en el Contrato de Trabajo*, AbeledoPerrot, Buenos Aires, 2010, p. 13.
[13] Grisolía, y Hierrezuelo, *op. cit.*, p. 20.
[14] Grisolía, y Hierrezuelo, *op. cit.*, p. 263.

el empleador no permite que el trabajador desarrolle su tarea asignada en su contrato –aun cuando se siga pagando su remuneración–, se afirma así que "el contrato de trabajo tiene, además del económico, un profundo contenido moral con manifestaciones jurídicas, y entre estas obligaciones ético-jurídicas, de responsabilidad del empleador, cabe destacar, entre otros, el deber de ocupación efectiva y adecuada y, en general, el de protección al dependiente y respetar su honra y dignidad personal"[15].

Se sostiene que, como consecuencia del deber de ocupación, el empleador tiene que adoptar todas las diligencias necesarias para posibilitar que el trabajador ejecute su trabajo. En tal sentido, se indica que deberá ir adecuando las posibilidades de la empresa a las circunstancias que "afecten su marcha e impidan la normal ejecución de su labor por parte de los trabajadores"[16].

3. LA SUSPENSIÓN Y EL DEBER DE SECRETO

Como se sabe, nuestro Código del Trabajo no contiene un apartado referido a la suspensión del contrato de trabajo, a diferencia de otros ordenamientos (*infra*). Más bien, esta figura es posible advertirla en diferentes materias de dicho cuerpo normativo, como, por ejemplo, la huelga, el servicio militar, etc. Nuestra doctrina nacional la entiende como "la cesación justificada y temporal de la obligación de trabajar o de pagar la remuneración, en su caso, o de ambas a la vez, impuestas, subsistiendo el vínculo contractual"[17].

La ley se refiere a los efectos de la suspensión (legal o convencional) que implicarán "(…) el cese temporal, por el período de tiempo que el acto o declaración de autoridad determine, de la obligación de prestar servicios por parte del trabajador y de la obligación de pagar la remuneración y demás asignaciones que no constituyan remuneración, señaladas en el inciso segundo del artículo 41 del Código del Trabajo, por parte del empleador"[18].

---

[15] Corte Suprema 30 noviembre de 2005, Rol 4125-2004. Normalmente se trata se casos donde el trabajador demanda su despido indirecto, pues el empleador no le permite trabajar en lo que fue contratado con miras a forzar su renuncia.

[16] Grisolía, y Hierrezuelo, *op. cit.*, p. 268.

[17] Rojas Miño, Irene: *Derecho del Trabajo. Derecho Individual del Trabajo*, Thomson Reuters, Santiago, 2015, p. 374.

[18] Dictamen N° 1762/008 de 3 de junio de 2020.

Como se advierte, la suspensión implica la inexigibilidad de las obligaciones recíprocas básicas durante el tiempo que ésta tenga duración. Es decir, la prestación de servicios y el pago de remuneraciones. ¿Pero qué sucede con otra clase obligaciones que pueden ser parte de un contrato de trabajo, en particular el deber de reserva o confidencialidad?

En relación a esta inquietud, consideramos que la obligación de secreto o de confidencialidad se mantiene vigente durante el período de la suspensión del contrato de trabajo, de acuerdo a las consideraciones que explicaremos a continuación.

Como se sabe, no existe en nuestro Código del Trabajo una norma específica que establezca este deber para el trabajador. En otros ordenamientos, como el argentino, se contempla expresamente ese deber del trabajador en la legislación laboral. Así la Ley N° 20.744, de Contrato de Trabajo, en su artículo 85, titulado "Deber de Fidelidad", dispone: "El trabajador debe observar todos aquellos deberes de fidelidad que deriven de la índole de las tareas que tenga asignadas, guardando reserva o secreto de las informaciones a que tenga acceso y que exijan tal comportamiento de su parte"[19].

Por su parte, en España sucede algo similar a nuestra situación, no existe una norma en el ET que contenga en particular el deber de secreto. No obstante, como lo señalan Sala Franco y Todolí, "doctrina y jurisprudencia coinciden unánimemente en reconducirlo al deber genérico deber de buena fe contractual del trabajador" que se encontraría presente en diversas disposiciones del ET[20]. De esta suerte, se han calificados como contrarios a ese deber "la obtención de información reservada a través de consultas al ordenador, revelar secretos conocidos por razón el cargo o, en fin, comunicar información reservada de la empresa"[21].

Nuestra doctrina nacional también mantiene ese criterio. En efecto. Thayer y Novoa estiman que, en virtud del principio de buena fe, el trabajador tiene un deber de fidelidad que lo obliga a no difundir "secretos industriales", que no sería una obligación que integran la "naturaleza" del negocio jurídico, sino, más bien, parte de los deberes esenciales y principales del contrato de trabajo[22]. En esa línea, Irureta sostiene que en virtud

---

[19]   Véase Grisolía, y Hierrezuelo, *op. cit.*, pp. 497 y ss.

[20]   Sala Franco, Tomás, y Todolí Signes, Adrián: *El deber de los trabajadores de no violar los secretos de la empresa y los acuerdos de confidencialidad*, Tirant lo Blanch, Valencia, 2016, p. 37.

[21]   Mercader, *op. cit.*, pp. 599 y 600.

[22]   Thayer Arteaga, William, y Novoa Fuenzalida, Patricio: *Manual de Derecho del Trabajo*, t. III, Editorial Jurídica de Chile, Santiago, 2007, p. 424.

la buena fe el trabajador debe cumplir con deberes de cooperación para con la empresa, entre los que se encuentra el deber de secreto, que obliga a guardar la debida confidencialidad y discreción sobre determinados asuntos o informaciones de las cuales tome conocimiento el trabajador en razón de su cargo[23].

La jurisprudencia de la Corte Suprema ha manifestado un criterio similar, al señalar que "las relaciones laborales han de desenvolverse en un clima de confianza, el que se genera en la medida que las partes cumplan con sus obligaciones en la forma estipulada, fundamentalmente, de buena fe, principio del cual se encuentra imbuida toda nuestra legislación", agregando que las partes de una relación laboral tienen deberes "que si bien no han sido explicitados en el texto del contrato pertinente o consensuados expresamente, emanan de la naturaleza de la relación laboral, por ejemplo, que ninguna de las partes actuará en perjuicio o detrimento de la otra"[24]. Situados estos criterios específicamente en materia de confidencialidad, la Corte de Santiago señaló que el "deber de lealtad que tienen los trabajadores con su empleador" implica, entre otras, "la obligación de guardar el secreto de información de importancia que pertenezca al empleador"[25].

Sin perjuicio de lo anterior, si se pretende que un trabajador guarde secreto de cierta información de la empresa, resulta aconsejable la suscripción de una cláusula de confidencialidad. En efecto, esta clase de pactos constituyen la mecánica jurídica por excelencia para preservar el carácter secreto de una información. En nuestra opinión, en gran medida, la importancia de la cláusula de confidencialidad reside en que permite especificar con claridad cuáles son las materias que la empresa considera confidenciales[26]. A este respecto, conviene señalar que los nuevos ordenamientos comparados que regulan esta materia destacan este punto. Así, por ejemplo, en España, la ley 1/2019 sobre "secretos empresariales, dispone que una "información o conocimiento" para que se considere secreto empresarial, entre otros aspectos, requiere "haber sido objeto de medidas razonables por parte de su titular para mantenerlo en secreto" (cfr. art. 1.1.c Ley 1/2019).

---

23 Irureta Uriarte, Pedro: "Vigencia del principio de la buena fe en el Derecho del Trabajo chileno", *Ius et Praxis* 17 (2011) 2, p. 163.

24 Corte Suprema 11 de noviembre de 2009, Rol N° 6611-2009. En el mismo sentido, Corte Suprema 18 de octubre de 2012, Rol N° 821-2012.

25 Corte de Apelaciones de Santiago 13 de enero de 1996, Rol N° 3366-1994.

26 Sierra Herrero, Alfredo: "Las cláusulas de confidencialidad en el contrato de trabajo", *Revista de Derecho de la Pontificia Universidad Católica de Valparaíso*, 2do semestre, 2013, pp. 155 y ss.

Una vez terminado el contrato dicho riesgo empresarial se mantiene, pues el ex-trabajador puede haber estado en contacto con información o antecedentes confidenciales que puede difundir después de terminada la relación laboral. Es más, puede existir mayor riesgo de divulgación cuando el contrato de trabajo ha finalizado, ya que el nivel de compromiso de un trabajador con su ex-empleador se ha enervado considerablemente, sobre todo en supuestos de despidos[27]. De esta suerte, Alonso Olea y Casas Baamonde afirman que los secretos relativos a la explotación y negocios deben perdurar tras la extinción del contrato de trabajo[28]. En esa línea, Sala Franco y Todolí explican que el secreto empresarial pertenece a "la propiedad inmaterial de la empresa", de manera que aun cuando el trabajador tuviera acceso al mismo, no tiene derecho llevárselo consigo, ya que no es su titular[29].

Sobre esta base, si el deber secreto se mantiene con posterioridad al término del contrato, con mayor razón éste sigue siendo exigible si el contrato continúa, aun cuando se encuentre suspendido. A este respecto, la doctrina comparada considera que, durante el período de suspensión, dada la permanencia del vínculo contractual, empresario y trabajador siguen sometidos a las exigencias de buena fe, entre las cuales se encuentra, como se ha señalado, el deber de secreto o reserva. Se concluye así que la vigencia de estos deberes y obligaciones puede justificar la imposición de sanciones disciplinarias e incluso el despido del trabajador durante los períodos de suspensión de su contrato de trabajo[30].

4. SOBRE LOS ALCANCES DEL *IUS VARIANDI* ESPECIAL

Previamente recordemos que el *ius variandi* consiste en aquella "manifestación del poder de dirección del empleador, consistente en la potestad de este último de variar, dentro de ciertos límites, las modalidades de prestación de las tareas del trabajador"[31].

---

[27]   Sierra Herrero, *op. cit.*, p. 166.

[28]   Alonso Olea, Manuel y Casas Baamonde, María Emilia: *Derecho del Trabajo*, Madrid, Civitas, 2006, p. 370.

[29]   Sala Franco y Todolí, ob. cit. p. 96.

[30]   Mercader Uguina, Jesús R.: *Lecciones de Derecho del Trabajo*, Tirant lo Blanch, Valencia, 2018, p. 555.

[31]   Moreira Rocca, Danilo. "*Ius variandi* (con especial énfasis en las tendencias jurisprudenciales)", *Derecho del Trabajo*. t. I, Fundación de Cultura Universitaria, Montevideo, 2015, p. 353.

El art. 20 LPE contempla lo que podríamos denominar un *ius variandi* especial y transitorio, de acuerdo a los siguientes términos:

> "Los empleadores cuyas empresas o establecimientos que, durante la vigencia de las normas del título I de la presente ley, deban continuar funcionando, conforme a la resolución a que se refiere el inciso segundo del artículo 1, para garantizar la prestación de servicios de utilidad pública, la atención de necesidades básicas de la población, incluidas las relacionadas con la vida, la salud, el abastecimiento de bienes esenciales, la alimentación o la seguridad de las personas, y para garantizar la prevención de daños ambientales y sanitarios, podrán alterar la naturaleza de las funciones que deberán desempeñar sus trabajadores durante dicho periodo, resguardando siempre los derechos fundamentales de éstos.
>
> Una vez finalizado el plazo establecido en el inciso anterior se reestablecerán, de pleno derecho, las condiciones contractuales originalmente convenidas teniéndose por no escrita cualquier disposición en contrario".

Como se observa, las empresas que están facultadas para aplicar dicha norma son aquellas que "deban continuar funcionando, conforme a la resolución a que se refiere el inciso segundo del artículo 1". Es decir, la facultad conferida por esta ley recae exclusivamente en los empleadores cuyas empresas o establecimientos, al tenor de las Resoluciones Exenta N°s 88 y 133 del Ministerio de Hacienda, deban continuar desarrollando sus actividades por la importancia que la para la utilidad pública representan[32].

Se trata, en primer lugar, de una hipótesis que se aparta parcialmente de aquella prescrita en el art. 12 del CdT que, como se sabe, contempla la figura del *ius variandi* en términos generales[33]. Las diferencias entre el *ius variandi* del art. 20 LPE y el art. 12 CdT son las siguientes: a) el primero sólo se refiere a un cambio de funciones, en cambio el segundo establece que, además de las tareas, es posible modificar también el lugar de trabajo o la jornada; b) respecto del cambio de funciones, el primero contiene como única limitación que no afecte los derechos fundamentales del tra-

---

[32]　En el apartado segundo de ambas resoluciones, se indican las actividades que deben operar. Se encuentran agrupadas por rubros: i) salud, ii) emergencias, iii) servicios de utilidad pública, iv) alimentos y comercio esencial, v) transportes, vi) seguridad, vii) prensa, viii) educación y ix) otros.

[33]　El CdT informa de otros casos de *ius variandi* especial. Así, el art. 89 referido a los trabajadores agrícolas; los artículos 117 y 118 sobre el contrato de embarco; y el art. 152 ter D en el caso de los tripulantes de vuelo y cabina; véase Melis Valencia, Christian y Sáez Carlier, Felipe. *El contrato individual de trabajo en los dictámenes de la Dirección del Trabajo*. Segunda Edición. Santiago: LegalPublishing, 2009, p. 86.

bajador, en cambio el segundo fija cierto límites consistentes en que tiene que tratarse de labores "similares", y que no puede implicar un "menoscabo" para el trabajador.

En cuanto a la duración de esta modificación contractual, se dispone que en ningún caso podrá durar más allá de la vigencia de la ley, reestableciéndose de pleno derecho las iniciales funciones de trabajo acordadas, al punto que se tendrá "por no escrita cualquier disposición en contrario" (cfr. inc. 2° art. 20 LPE).

La buena fe cumple un rol relevante a la hora de interpretar y aplicar este precepto. En tanto principio general del derecho, en la órbita del derecho del trabajo, ésta se configura "(…) como un verdadero telón de fondo que permite completar el acuerdo de las partes y circunscribir el ejercicio de los derechos subjetivos"[34]. Se trata así de un principio que recubre los derechos, obligaciones, deberes y facultades que discurren en el marco de la contratación laboral. En consecuencia, esta modificación unilateral del contrato debe ejercerse en consonancia con este principio.

En primer lugar, a propósito del ejercicio mismo de la facultad. Como se ha dicho, el *ius variandi* es expresivo, para algunos, del poder dirección del empleador. Poder empresarial que debe enmarcarse en el contrato de trabajo y ejercerse correctamente. En este sentido, esta modificación unilateral del contrato debe ser, ante todo, razonable, lo que sugiere un ejercicio conforme con la ley, no abusivo o contrario a la buena fe[35].

En este contexto, a la hora de determinar las nuevas labores que asumirá el trabajador, la buena fe podría operar en su vertiente interpretativa de normas jurídicas[36]. A diferencia de la regulación general del artículo 12 del CdT, que autoriza al empleador a alterar las funciones del trabajador a "condición de que se trate de labores similares", el precepto que ahora comentamos, no señala nada a este respecto.

Así las cosas, el empleador podría solicitar al trabajador nuevas funciones completamente distintas a las que desempeña. Con todo, pensamos que estas nuevas tareas tienen que ser "adecuadas", tanto en relación a la capacidad física del trabajador, como asimismo a su cualificación profe-

---

[34]   Irureta, *op. cit*, p. 156.
[35]   Irureta Uriarte, *op. cit.*, p. 165; García Viña, Jordi. "La vigencia del principio de la buena fe en las relaciones laborales", en: *Revista Chilena de Derecho del Trabajo y de la Seguridad Social*, vol. 4, N° 7, 2013, pp. 69-71,p. 122.
[36]   Irureta, *op. cit.*, pp. 143-154. García Viña, *op. cit.*, pp. 63-68.

sional que se vincula con el nivel salarial[37]. De esta forma, tal exigencia de adecuación limita razonablemente el ejercicio de este *ius variandi* a labores de los trabajadores que, aún cuando sean diferentes con las contratadas, puedan ser asumidas por éstos, sin que pueda resultar afectada su integridad física y psíquica, como a su vez, que sí se trate de servicios que van a poder cumplir correctamente.

Por último, cabe apuntar que el art. 20 LPE no prohíbe, en forma expresa, que el cambio de funciones importe un "menoscabo", como sí sucede con el art. 12 CdT. Sin embargo, pensábamos que, por la aplicación del principio de la buena fe, igualmente, no resultaría posible que el ejercicio de la esta facultad pueda perjudicar al trabajador, ya sea que se trate de un menoscabo económico, físico o moral al trabajador[38]. En efecto, una de las manifestaciones de este principio implica excluir "todo acto que lleve la intención de perjudicar al otro contratante"[39]. Por consiguiente, la buena fe operaría como límite a un eventual *ius variandi in peius* o abusivo[40]. Aquí el acento estriba en el daño causado, materializado en la idea de menoscabo. Este último sería todo hecho o circunstancia que afecte negativamente al trabajador, "tales como mayores gastos, una mayor relación de subordinación o dependencia, condiciones ambientales adversas, disminución de ingresos"[41]. El empleador, al evitar cualquier daño en el uso de esta facultad, no se expondría a un eventual y legítimo derecho de resistencia del trabajador[42], sobre todo si la decisión atenta contra la salud y vida de este último.

5. SOBRE EL DERECHO A DESCONEXIÓN LABORAL

Uno de los aspectos novedosos de la ley 21.220 sobre el trabajo a distancia o teletrabajo, se refiere al reconocimiento expreso del derecho a desconexión laboral (cfr. inc. final art. 152 quáter J CdT).

Cabe apuntar que se trata de un derecho estrechamente ligado con la regulación legal del tiempo de trabajo y el respeto a los descansos legalmente establecidos. En efecto, la regulación de la jornada de trabajo y los

---

[37] Grisolía, y Hierrezuelo, *op. cit.*, p. 265.

[38] Melis Valencia, y Sáez Carlier , *op. cit.*, pp. 88-89.

[39] Grisolía, y Hierrezuelo, *op. cit.*, p. 13.

[40] Cruz Villalón, *op. cit.* (n. 4), p. 324.

[41] Dirección del Trabajo Ord. N° 4428/173, de 22 de octubre de 2003. En sede judicial, Corte de Apelaciones de San Miguel 8 de abril de 2016, Rol N° 49-2016.

[42] Moreira Rocca, *op. cit.*, p. 358.

descansos deberían ser suficiente para evitar este problema, ya que fuera del horario de trabajo, los trabajadores no tienen la obligación de atender los requerimientos vía telefónicas o por e-mail efectuados por la empresa, compañeros, o clientes.

Sin embargo, en la actual era digital el criterio expuesto resulta de difícil aplicación para los trabajadores. Y es que nos encontramos ante un fenómeno de hiperconexión que no sólo está presente en el ámbito laboral, sino que permea en todos los quehaceres de las personas en general, en especial a partir de la proliferación de los teléfonos inteligentes o *smartphones*. En este contexto, se advierte que las nuevas tecnologías están provocando que se desdibuje, y en ocasiones casi desaparezca, la línea divisoria entre la vida personal y laboral del trabajador[43]. Evidentemente, ello importa un detrimento de los derechos de los trabajadores, que verán poblarse su tiempo de descanso de compromisos laborales y obligaciones derivadas del contrato de trabajo[44]. Todo lo cual termina repercutiendo en la salud física y mental de quienes se encuentra en esta situación.

Por estos motivos, se plantea la necesidad de regular el derecho a la desconexión laboral frente la realidad existente de una prolongación (también en lo virtual) de la jornada de trabajo.

En este escenario, es que la ley citada se hace cargo de este fenómeno en los siguientes términos:

> "Tratándose de trabajadores a distancia que distribuyan libremente su horario o de teletrabajadores excluidos de la limitación de jornada de trabajo, el empleador deberá respetar su derecho a desconexión, garantizando el tiempo en el cual ellos no estarán obligados a responder sus comunicaciones, órdenes u otros requerimientos. El tiempo de desconexión deberá ser de, al menos, doce horas continuas en un periodo de veinticuatro horas. Igualmente, en ningún caso el empleador podrá establecer comunicaciones ni formular órdenes u otros requerimientos en días de descanso, permisos o feriado anual de los trabajadores". (cfr. inc. final art. 152 quáter J CdT).

---

[43]   Aguilera, Raquel y Cristóbal, Rosario: "Nuevas tecnologías y tiempo de trabajo: el derecho a la desconexión tecnológica", *El futuro del trabajo que queremos. Conferencia Nacional Tripartita, 28 de marzo de 2017, Iniciativa del Centenario de la OIT (1919-2019)*, 2017, vol. 2, p. 333.

[44]   Martínez Yáñez, Nora *El régimen jurídico de la disponibilidad horaria*, Pamplona, Thomson Reuters, Cizur Menor (Navarra), 2011, p. 29.

Como se observa, este derecho se contempla sólo para los teletrabajadores y trabajadores a distancia que están excluidos de la limitación de jornada.

No concordamos con esta forma de reconocer este derecho, nos parece que lo acertado hubiera sido contemplarlo para toda clase de trabajadores, sean o no teletrabajadores –o trabajadores a distancia–, sea o no que sea trabajadores excluidos para la limitación de la jornada de trabajo.

Los problemas de la hisperconexión y sus implicancias en la falta de limitación real de la jornada de trabajo, afectan a también a los trabajadores que prestan sus servicios en las dependencias de la empresa. Pues estos trabajadores en ningún caso se encuentran ajenos a la utilización de herramientas digitales en sus tareas, las que precisamente conllevan que se produzca la misma problemática que implicó reconocer el derecho a desconexión legalmente. Es decir, estos trabajadores siguen recibiendo mensajería o comunicación electrónica fuera de su horario de trabajo, en períodos de descansos entre jornadas diarias, semanales y feriado anual.

Con todo, aun cuando se haya reconocido este derecho sólo para los teletrabajadores en las circunstancias antes indicadas, esto no importa que el resto de los trabajadores si puedan verse afectados por comunicaciones (o requerimientos) provenientes de al empresa, durante sus períodos de descansos.

En tal sentido, consideramos que teniendo en cuenta el principio de buena fe, no sería posible entender que los trabajadores, a los que la norma citada no alude, no gocen igualmente del derecho a la desconexión. Recordemos, que el reconocimiento legal del derecho a desconexión viene a ser, más bien, un reforzamiento del derecho a descanso, que, como hemos apuntado, se está viendo trastocado por el uso de la tecnología digital en los diferentes empleos. Justamente, una de las manifestación de este principio, desde la perspectiva del empleador, consiste en la protección de la salud física y psíquica de sus trabajadores[45]. Por esto, sería contrario a este deber, sin lugar a dudas, el no respetar que el ejercicio integro de los descansos laborales, ya que conspiraría la integridad del trabajador. Este orden, Irureta afirma que este deber es de mayor entidad que el común exigible en los contratos bilaterales, ya que el empleador no sólo tiene que tomar todas las medidas necesarias para proteger la

---

[45]   Irureta, *op. cit.* pp. 170 y ss

vida y la salud de sus trabajadores, sino que también debe hacerlo de manera eficaz (cfr. art. 184 CdT)[46].

En cuanto a cómo se concreta el derecho, se dispone que "el empleador deberá respetar su derecho a desconexión, garantizando el tiempo en el cual ellos no estarán obligados a responder sus comunicaciones, órdenes u otros requerimientos" (cfr. art. 152 quáter J CdT). Como se aprecia, la desconexión se traduce en el derecho de "no responder" del trabajador. Ahora bien, nos preguntamos, ¿es posible afirmar que existe una desconexión del trabajo, si se siguen recibiendo mensajes más allá de la jornada laboral, no obstante que el trabajador tenga el derecho a no responder? A lo menos una desconexión desde el punto de gramatical no se consigue. Cabe indicar que la palabra "desconectar", en la acepción que nos interesa, importa "interrumpir la conexión entre dos o más cosas"[47], o "dejar de tener relación, comunicación, enlace, etc."[48]. Es evidente que, si al trabajador se le envían mensajes fuera de su horario de trabajo –aunque no los conteste– no es posible decir que se interrumpió la conexión –la relación, la comunicación, o enlace– entre trabajador y trabajo. Toda vez que se produce igualmente una alteración del descanso del trabajador, según explicábamos.

En virtud de lo expuesto, para que sea realmente efectivo este derecho de desconexión se requeriría, no sólo que no exista la obligación de no responder, sino asimismo la de no enviar comunicaciones fuera de la jornada de los trabajadores. En efecto, si hablamos de una intervención de la empresa en esta cuestión: primero, es obvio que no puede obligar a sus trabajadores a responder comunicaciones del entorno del trabajo; segundo, habría que procurar que tales comunicaciones no lleguen a destino durante los tiempos de descanso.

Esto último tendría que lograrse mediante la aplicación de los procedimientos y dispositivos en tal dirección. En cuanto a los procedimientos, básicamente deberían apuntar a reglamentar el uso de las comunicaciones digitales con el objeto que éstas no se envíen fuera de los horarios de trabajo, salvo en casos excepcionales, como pueden ser ciertos cargos (según lo contempla el proyecto), o supuestos de caso fortuito o fuerza mayor. En cuanto a los dispositivos, en buena medida, deberían referirse a mecanismos informáticos que permitan impedir que mensajes enviados fuera de la jornada puedan llegar a su receptor.

---

[46]   Irureta, *op. cit*, p. 170.

[47]   Real Academia Española, *Diccionario de la Lengua Española*, 23ª edición, 2014, voz "desconectar", segunda acepción. Disponible en: http://dle.rae.es/?id=GilsITP

[48]   Ibid., voz "desconectar", quinta acepción.

BIBLIOGRAFÍA

Aguilera, Raquel y Cristóbal, Rosario: "Nuevas tecnologías y tiempo de trabajo: el derecho a la desconexión tecnológica", *El futuro del trabajo que queremos. Conferencia Nacional Tripartita, 28 de marzo de 2017, Iniciativa del Centenario de la OIT (1919-2019)*, 2017, vol. 2.

Alonso Olea, Manuel y Casas Baamonde, María Emilia: *Derecho del Trabajo*, Madrid, Civitas, 2006.

Cruz Villalón, Jesús: *Compendio de Derecho del Trabajo*, Tecnos, Madrid, 2019.

Diéguez Cuervo, Gonzalo, *Lecciones de Derecho del Trabajo*, Madrid, Marcial Pons, 1995.

García Viña, Jordi. "La vigencia del principio de la buena fe en las relaciones laborales", en: *Revista Chilena de Derecho del Trabajo y de la Seguridad Social*, vol. 4, N° 7, 2013.

Grisolía, Julio Armando, y Hierrezuelo, Ricardo Diego: *Derechos y Deberes en el Contrato de Trabajo*, AbeledoPerrot, Buenos Aires, 2010.

Irureta Uriarte, Pedro: "Vigencia del principio de la buena fe en el Derecho del Trabajo chileno", *Ius et Praxis* 17 (2011) 2.

Martínez Yáñez, Nora *El régimen jurídico de la disponibilidad horaria*, Pamplona, Thomson Reuters, Cizur Menor (Navarra), 2011.

Melis Valencia, Christian y Sáez Carlier, Felipe. *El contrato individual de trabajo en los dictámenes de la Dirección del Trabajo*. Segunda Edición. Santiago: LegalPublishing, 2009,

Mercader Uguina, Jesús R.: *Lecciones de Derecho del Trabajo*, Tirant lo Blanch, Valencia, 2018.

Moreira Rocca, Danilo. "*Ius variandi* (con especial énfasis en las tendencias jurisprudenciales)", *Derecho del Trabajo*. t. I, Fundación de Cultura Universitaria, Montevideo, 2015.

Rojas Miño, Irene: *Derecho del Trabajo. Derecho Individual del Trabajo*, Thomson Reuters, Santiago, 2015.

Plá Rodríguez, Américo: *Los Principio del Derecho del Trabajo*, Fundación de Cultura Uruguaya, Montevideo, 2015.

Sala Franco, Tomás, y Todolí Signes, Adrían: *El deber de los trabajadores de no violar los secretos de la empresa y los acuerdos de confidencialidad*, Tirant lo Blanch, Valencia, 2016.

Sierra Herrero, Alfredo: "Las cláusulas de confidencialidad en el contrato de trabajo", *Revista de Derecho de la Pontificia Universidad Católica de Valparaíso*, 2do semestre, 2013.

Thayer Arteaga, William, y Novoa Fuenzalida, Patricio: *Manual de Derecho del Trabajo*, t. III, Editorial Jurídica de Chile, Santiago, 2007.

DERECHO NATURAL

LEY-DEL-CONTRATO, JUSTICIA CORRECTIVA Y BUENA FE EN LA TRADICIÓN ARISTOTÉLICA ESCOLÁSTICA

Sebastián Contreras A.[1]

Doctor en Filosofía Universidad de los Andes, Chile
Doctor en Filosofía, P. Universidad Católica de Chile
Profesor de Filosofía del Derecho, Universidad de los Andes, Chile

SUMARIO: 1. INTRODUCCIÓN. 2. LA LEY-DEL-CONTRATO EN LA ESCOLÁSTICA Y EN LA FILOSOFÍA DE ARISTÓTELES. 3. JUSTICIA CONMUTATIVA Y RECIPROCIDAD EN LA TRADICIÓN ARISTOTÉLICA. 4. TEOLOGÍA ESCOLÁSTICA Y PRINCIPIO GENERAL DE LA BUENA FE. 5. CONCLUSIÓN. BIBLIOGRAFÍA.

1. INTRODUCCIÓN

Silete theologi in munere alieno[2]. Las famosas palabras de Alberico Gentili (1552-1608) suelen interpretarse como una condena de aquello que los historiadores del siglo XIX llaman 'jurisprudencia de confesión' ('Beichtjurisprudenz')[3] –algo así como una pseudoteoría y catequesis sobre el mandato de no dañar. Por lo general, los estudiosos de Gentili describen el *silete theologi* como una muestra del espíritu de reforma, de revolución, incluso, que se vive en la época; como un ideal científico para la nueva política, que distingue, de una parte, entre 'pecado' e 'injusticia', y, de otra parte, entre 'vicio político' y 'vicio moral'; como un axioma o principio primero del moderno 'derecho de la razón', una especie de precepto de la sindéresis del deductivismo *more geometrico*. No pretendo contradecir a Schmitt, ni argumentar en contra de Volpi o de Welzel[4], pero, a decir verdad, no siempre que los juristas del período se

---

[1]   El autor agradece el patrocinio de FONDECYT-Chile, proyecto 1180510, así como el apoyo de la Dirección de Investigación de la Universidad de los Andes.
      Agradezco también a los profesores Caridad Velarde y Joaquín García-Huidobro por sus observaciones y comentarios.
[2]   Alberico Gentili, *De iure belli*, Hæredes Guilielmi Antonii, Hanoviæ, 1612, lib. 1, cap. 12.
[3]   *Vid.* Seckel, E., *Beiträge zur Geschichte beider Rechte im Mittelalter: Zur Geschichte der populären Literatur des Römisch-canonischen Recht*, Laupp, Tübingen, 1898, p. 139.
[4]   *Vid.* Schmitt, C., *The* Nomos *of the Earth*, Telos, New York, 2006, p. 121; Volpi, F., *Il nichilismo*, Laterza, Roma, 1999, pp. 88-89; Welzel, H., *Introducción a la filosofía del derecho.*

distancian de la teología lo hacen alegando su falta de rigor. Arias Pinhel (*ca.* 1512-1563), un importante jurista salmantino del siglo XVI, pide a los teólogos que den un paso al costado no por su torpeza o incompetencia sino por su dureza, dice, muchas veces contraria a la caridad[5].

La crítica histórica sostiene que la censura de Gentili se dirige, de forma especial, a Francisco de Vitoria (*ca.* 1483-1546), pero que también alcanza a los otros teólogos de Salamanca. Cualquiera sea el caso, Gentili está más cerca de la teología escolástica de lo que se ve a simple vista. Sus escritos, por decirlo de un modo, reproducen a la letra varios de los principios de la teoría salmantina de la guerra. Ahora, no se trata de restar mérito científico a Gentili. La importancia que este autor y que Hugo Grotius (1583-1645) tienen en la historia del pensamiento no debiera ponerse en discusión –por más que el entusiasmo que ha provocado la segunda escolástica en la historiografía reciente haya convertido a Grotius en poco más que un repetidor de tesis ajenas[6]. Solo se trata de aclarar de una vez que la antigua contraposición entre teología escolástica y derecho moderno es hoy en día insostenible.

Desde los trabajos de Kohler la escolástica, y, en particular, la escolástica tardía, ha empezado a ocupar un lugar privilegiado en los desarrollos de la filosofía del derecho. Donde Villey ve un simple *bric-à-brac*[7], Kohler encuentra una síntesis doctrinal de valor incalculable[8]. En términos similares, Bellomo sostiene que la teoría jurídica de la escolástica es "totalmente nueva y original"[9]. En esta misma línea, Gordley no ha perdido ocasiones para subrayar el papel protagónico de la escolástica tardía en la historia del derecho de obligaciones. Por ejemplo, según el profesor de Tulane Law

---

    Derecho natural y justicia material, B de F, Montevideo/Buenos Aires, 2011, p. 334.

[5]   Arias Pinhel, *Commentarii ad rub. et l. II, C. de rescindenda venditione*, Antuerpiæ, 1618. *Vid.* Decock, W., "La morale à l'aide du droit commun. Les théologiens et les contrats (16e-17e siècles)", *Revue historique de droit français et étranger*, 91 (2013) 2, pp. 263-281; id., *Theologians and Contract Law. The Moral Transformation of the* ius commune *(ca. 1500-1650)*, Martinus Nijhoff, Leiden, 2012, pp. 582-589.

[6]   Gordley, J., *Foundations of Private Law*, OUP, Oxford, 2006, p. 9.

[7]   Villey, M., *Le droit et les droits de l'homme*, PUF, Paris, 2016, p. 126.

[8]   Kohler, J., "Die spanischen Naturrechtslehrer des 16. und 17. Jahrhunderts", *Archiv für Rechts- und Wirtschaftsphilosophie*, 10 (1917) 3, pp. 235-263.

[9]   Bellomo, M., *La Europa del derecho común*, Il Cigno Galileo Galilei, Roma, 1999, p. 242. Se dice, de este modo, que la escolástica representa uno de los principales canales de desarrollo de la gran tradición del *ius civile*. *Vid.* Decock, W., "Trust Beyond Faith: Re-Thinking Contracts with Heretics and Excommunicates in Times of Religious War", *Rivista Internazionale di Diritto Comune*, 27 (2016), pp. 301-328; id., "La confianza más allá de la fe: Francisco Suárez sobre la obligatoriedad jurídica de los contratos con excomulgados", *Anales de la Academia Matritense del Notariado*, 52 (2017), pp. 115-149.

School, los escolásticos de los siglos XVI y XVII dan al derecho justinianeo la orgánica que nunca tuvo[10]. Gordley parece tener razón. Con anterioridad a los planteamientos de Vitoria y de Domingo de Soto (1495-1560), el derecho de buena parte de Europa carecía de una estructura más o menos definida.

Del amplio abanico de materias abordadas por los tardoescolásticos, este trabajo se concentra en la idea del contrato como *ley particular,* i.e. como ley-para-las-partes, tal como lo entiende el art. 1134 del *Code Civil.* Se intenta mostrar que la categoría no es nueva y que, como mínimo, debe buscarse en la obra de Aristóteles y de sus comentadores medievales. Lo mismo vale para las categorías de buena fe y justicia correctiva. Por otro lado, se debe tener en cuenta que el sello aristotélico que la escolástica imprime en la doctrina del contrato no deja espacio para los esquemas de teoría pura. Cuando se trata de los problemas reales, como el precio del pan, la mendicidad, el enriquecimiento sin causa, etc., la metafísica más abstracta no sirve de mucho. Así lo entiende Vitoria, que critica el tono metafisizante de Tommaso de Vio (1468/9-1534?) ("Cajetanus dicit ad hoc multa verba inintelligibilia")[11], y así también lo entienden sus discípulos Soto y Melchor Cano (*ca.* 1507-1560), dos de los más eminentes teólogos del siglo XVI, que hacen un firme llamado a dejar atrás la dialéctica verbosista, aquel 'arte de la palabrería' y 'metafísica vana' "… con cuyas impurezas <esta escuela> se ha contaminado"[12].

Sin perder de vista el carácter práctico de la propuesta de Vitoria, Soto, Cano y de los otros teólogos-juristas escolásticos[13], que, según Herzog, es

---

[10]   Gordley, *Foundations of Private Law,* cit., p. 9; id., *The Philosophical Origins of Modern Contract Doctrine,* Clarendon, Oxford, 1991, pp. 3-ss.

[11]   Francisco de Vitoria, *In secundam secundæ divi Thomæ,* Biblioteca de Teólogos Españoles, Salamanca, 1933-1952, quæ. 60, art. 3.

[12]   Domingo de Soto, *De natura et gratia,* Andreas a Portonariis, Salmanticæ, 1550, lib. 1, præfatio; Melchor Cano, *De locis theologicis,* BAC, Madrid, 2006, lib. 9, cap. 1; lib. 9, cap. 7. "<Muchos> teólogos disertaron con larguísimos discursos en lugares inoportunos de… materias que ni los jóvenes pueden asimilar ni los mayores soportar. ¿Quién puede soportar aquellas disputas sobre los universales, sobre la analogía de los nombres, del 'primo cognito', del principio de individuación –así lo llaman–, sobre la distinción entre la cantidad y la 'res quanta', de lo máximo y lo mínimo, de lo infinito, de 'intensione et remissione', de 'proportionibus et gradibus', y de otras mil cosas por el estilo?" (ibid., lib. 9, cap. 7).

[13]   Cuando menos desde los trabajos de Venancio Carro, la expresión 'teólogos-juristas' es de uso frecuente en la literatura sobre la teoría jurídica de los escolásticos. *Vid. La teología y los teólogos-juristas españoles ante la Conquista de América,* Imprenta de Juan Bravo, Salamanca, 1951, pp. 10-ss. Ahora bien, en lo que dice relación con el aporte

la causa del éxito del programa salmantino[14], este trabajo se ha organizado de la siguiente manera. En primer lugar, se analiza el origen escolástico y aristotélico de la noción ley-del-contrato. A continuación se aborda el problema de la igualdad contractual, para concluir con el examen de la buena fe como exigencia de justicia correctiva y equidad.

2. LA LEY-DEL-CONTRATO EN LA ESCOLÁSTICA Y EN LA FILOSOFÍA DE ARISTÓTELES

La definición del contrato como *lex privata* –"… quam promittens sibi imponit et qua se ligat"[15]–, es una de las muchas categorías escolásticas que la dogmática moderna convierte en presupuesto del derecho de obligaciones. Entre otros, y casi con los mismos términos del *Code Civil*[16], el canonista español Tomás Sánchez de Ávila (*ca.* 1550-1610) expone que "toda obligación que no se origina en una ley… <se origina> en la voluntad privada… por eso, donde no está presente la voluntad de obligarse a sí mismo no surge obligación <de ninguna clase>"[17]. Esta sola afirmación basta, creo, para probar el grado de cercanía que existe entre la teoría escolástica de la justicia y la doctrina sobre la libertad de contratar defendida por el Código de 1804. Sin embargo, se puede dar un paso más y decir que, como añade Sánchez de Ávila, el contrato "… surge de una ley privada que el sujeto se impone a sí mismo"[18].

En esta línea, Pedro de Oñate (1568-1646), jesuita, autor de uno de los más famosos escritos sobre contratos de la escolástica, postula que "… <si> el principio de la equidad tiene cabida en leyes y constituciones… es razonable que <también> tenga cabida en las promesas, puesto que toda promesa es <como cierta> ley que los privados se imponen a sí"[19]. La equi-

---

de la teología escolástica a la filosofía del derecho, este autor expone que, "Sin vacilar, podemos concluir… <que> la doctrina de los grandes teólogos-juristas españoles no ha sido superada todavía. Hoy como ayer deben ser nuestros maestros" (ibid., p. xiv).

[14] Herzog, T., *A Short History of European Law*, Harvard UP, Cambridge MA/London, 2018, p. 160.

[15] Juan de Lugo, *De iustitia et iure*, Petrus Prost, Lugduni, 1642, t. 2, disp. 23, sect. 1.

[16] "Les conventions légalement formées tiennent lieu de loi à ceux qui les ont faites. Elles ne peuvent être révoquées que de leur consentement mutuel, ou pour les causes que la loi autorise…" (art. 1134).

[17] Tomás Sánchez de Ávila, *De sancto matrimonii sacramento*, Antuerpiæ, 1620, t. 1, lib. 1, disp. 9, num. 5.

[18] Tomás Sánchez de Ávila, *De sancto matrimonii sacramento*, cit., t. 1, lib. 1, disp. 9, num. 5.

[19] Pedro de Oñate, *De contractibus in genere*, Romæ, 1646, tract. 1, disp. 2, sect. 5.

dad ordena el respeto de la autonomía personal. De este modo, subraya Oñate, "en cualquier momento que <los hombres> pretendan ponerse de acuerdo sobre sus asuntos… quede ratificado en ambos fueros aquello en lo cual convienen, de manera que <eso> se cumpla santa e inviolablemente"[20]. Oñate, con todo, no está afirmando nada nuevo. Quien sabe que Soto ha escrito que "… no hay nada tan conveniente a la justicia natural como ratificar la voluntad del que desea traspasar a otro el dominio de sus bienes"[21], sabe que las ideas de este jesuita no simbolizan un giro hacia el individualismo liberal. Alrededor de un siglo más tarde, Pedro Bernardo Murillo (1696-1753), misionero en Filipinas y profesor de la Universidad de Manila, sostiene que "los contratos, respecto de las cosas extrínsecas, toman su ley del acuerdo de las partes"[22]. Se habla de 'cosas extrínsecas', porque la propia naturaleza de los actos conmutativos opera como límite de la libertad personal. Lo que es permuta, por decirlo de un modo, nunca es compraventa, independiente del consenso[23]. Así, la ley-del-contrato, al igual que la ley positiva, no puede ir en contra de la naturaleza de las cosas[24]. Por otro lado, la buena fe y la no-contradicción exigen que las partes cumplan debidamente las leyes que se dan. El que incumple se pone al nivel del incontinente, esto es, del que actúa contra su elección –y, como es claro, la incontinencia es un mal. Por esta causa, Murillo enseña que la fe contractual obliga bajo culpa grave[25].

Soto, Oñate, Murillo, etc., aunque teólogos profesionales, no hacen aquí teología. La concepción religiosa y trascendente del bien a que estos adhieren no tiene que ver con el derecho de los contratos. Según expone Decock, en estos autores los problemas de conciencia se vuelven problemas de 'ética civil'[26]. Por este motivo, quizá, se los trata como precursores del llamado derecho natural secular, porque, como explican, *aunque Dios no existiera*, la

---

[20]   Pedro de Oñate, *De contractibus in genere*, cit., tract. 1, disp. 2, sect. 5.

[21]   Domingo de Soto, *De iustitia et iure*, IEP, Madrid, 1967-1968, lib. 4, quæ. 5, art. 1.

[22]   Pedro Bernardo Murillo, *Cursus juris canonici*, Emmanuelis Fernandez, Matriti, 1743, lib. 1, tit. 35, num. 368.

[23]   Pedro Bernardo Murillo, *Cursus juris canonici*, cit., lib. 3, tit. 19, num. 181.

[24]   *Vid.* Pedro Bernardo Murillo, *Cursus juris canonici*, cit., Notitia juris, num. 7.

[25]   Pedro Bernardo Murillo, *Cursus juris canonici*, cit., lib. 3, tit. 17, num. 157.

[26]   *Vid.* Decock, *Theologians and Contract Law*, cit., pp. 630-632; id., "La morale à l'aide du droit commun", cit., pp. 263-281. Como nota el autor, Soto escribe que el deber de cumplimiento de la palabra dada "no pertenece simplemente a la virtud de la verdad, sino que se reduce a la justicia conmutativa". Sin embargo, cuando expone los diversos sentidos del término fidelidad, Soto, por lo menos conforme al texto de *De natura et gratia*, se aleja del sentido jurídico de la fidelidad/buena fe, poniendo de relieve que el primer analogado de esta virtud no se refiere a la confianza sino a la *fides* sobrenatural.

justicia, la buena fe, el orden de la razón práctica, etc., mandarían lo que mandan. Si estoy en lo correcto, los argumentos 'de derecho natural', al menos en las tradiciones grecoclásica y ulpianea, son 'de derecho natural estricto'. La sola vinculación de las normas naturales con la idea de lo divino no hace que el 'derecho de la razón' se vuelva teología, pues, independiente de si Dios existe, "... existe ciertamente algo –que todos adivinan– comúnmente considerado como justo o injusto por naturaleza, aunque no exista comunidad ni haya acuerdo entre los hombres, tal como, por ejemplo, lo muestra la Antígona de Sófocles, cuando dice que es de justicia, aunque esté prohibido, enterrar a Polinices, porque ello es justo por naturaleza"[27]. La cita se toma de *Rhetorica*, un escrito que está más cerca de la teoría general del derecho que la *Ethica*, pero que ha sido escasamente comentado por los escolásticos. Pese a esto, la descripción tardoescolástica (y jurídico-civil) del contrato como ley-para-las-partes parece provenir de allí, en particular, del pasaje de A 15 que define el contrato como "... ley privada y particular"[28], y en que se afirma que "... quien le niega el crédito a un contrato o lo anula, anula las leyes"[29]. Por lo demás, dice Aristóteles, "la mayor parte de las transacciones, y todas las voluntarias, se hacen mediante contratos, de modo que, si se les invalida, se anula el trato mutuo entre los hombres"[30].

El esquema de ética civil que subyace al programa de los escolásticos tardíos coincide casi plenamente con el aristotélico –casi plenamente, porque ni la esclavitud natural ni el sentido aristotélico de la compasión se ajustan del todo a la teoría escolástica. Ahora bien, de acuerdo con el Estagirita, es injusto, tanto el que contradice la ley (ὁ παράνομος), cuanto el que toma para sí más de lo debido en materia de bienes y menos en materia de males (ὁ πλεονέκτης καὶ ἄνισος)[31]. Al margen de la diferencia entre justicia total y particular, la noción de ley-del-contrato parece recoger elementos de estas dos virtudes, porque, en los términos de *Ethica Nicomachea*, el "... hombre que dice la verdad en sus contratos" (Δ 7), por un lado, "... se conforma a la ley" (E 1), es un "... hombre de bien" (E 2), y, por otro, "... es equitativo" (E 1), "... no codicia nada" (E 2), pues "... practica deliberadamente lo

---

[27]   *Vid.* Aristóteles, *De arte rhetorica*, Gredos, Madrid, 2014, A 13, 1373b5-10.

[28]   *Vid.* Aristóteles, *De arte rhetorica*, cit., A 15, 1376b5-10.

[29]   Aristóteles, *De arte rhetorica*, cit., A 15, 1376b10-15.

[30]   En el mismo pasaje se indica que "... lo justo no se puede pervertir ni por engaño ni por coacción (pues es por naturaleza)", πεφυκὸς γάρ ἐστιν, según el original. En este sentido, lo que es justo más allá de los acuerdos consiste en "... la costumbre no escrita, de todos o de la mayoría, que distingue lo que es noble de lo que no lo es" (*Ad Alexandrum*, 1431b35-40).

[31]   Aristóteles, *Ethica Nicomachea*, CEPC, Madrid, 2014, E 1, 1129a25-31.

justo y… distribuye entre él mismo y otro… proporcionalmente lo mismo" (E 5). En efecto, "la justicia, la fortaleza y las demás virtudes las practicamos los unos respecto de los otros… observando con cuidado lo que a cada uno conviene" (K 8); incluso más, procurando que la compensación recíproca "… se haga de tal manera que parezca adecuada a ambas partes" (I 2)[32].

Poco antes de caracterizar el contrato como ley-para-los-contratantes[33], la *Rhetorica* identifica el hábito de la justicia con la prohibición de retener lo ajeno, así como con el mandato de actuar conforme a la ley[34]. Luego, por ley-del-contrato, i.e. por el libre compromiso que ha adoptado cada quien, se pide a las partes respeto de la igualdad, 'lo justo para algunos', es decir, se les exige el respeto del otro y el cumplimiento de la palabra dada[35]. El acuerdo que se mueva dentro de estos márgenes será 'útil', porque asegurará el pago de la deuda ("<y> lo justo es corresponder con el… pago")[36]. Posiblemente, las ideas de Aristóteles han servido de fundamento para la doctrina de los juristas clásicos acerca de la libertad de testar (D. 35, 1, 19), el respeto de la palabra empeñada (D. 13, 5, 1), el bien de la fidelidad (D. 2, 14, 27), etc. También es posible que Cicerón (106-43 aC) se apoye en Aristóteles cuando dice que "… hemos nacido para ser honestos", y que "hay que desterrar de los contratos toda mentira"[37]. En *Ad Alexandrum*, obra que por siglos se consideró aristotélica, y que bien pudo ser tenida como aristotélica por los jurisconsultos romanos, se enseña exactamente lo mismo bajo la lógica del principio de 'los pactos y los contratos deben resultar del acuerdo común'[38].

---

[32] Los justos, por ende, "… establecen sus contratos como hombres buenos y de confianza" (*Ethica Eudemia*, 1243a10-15).

[33] "… pactum enim lex est propria et secundum partem" y "pactum enim lex est propria et particularis", según las traducciones latinas de Bk. 1376b.

[34] "… la justicia es la virtud por la que cada uno tiene lo suyo y conforme a la ley; mientras que, en la injusticia, se posee lo ajeno y no conforme a la ley" (A 9).

[35] "Puesto que el injusto es desigual y lo injusto es desigual, es evidente que existe también un término medio de lo desigual, y este es lo igual, porque en toda acción en la que se da lo más y lo menos se da también lo igual. Por tanto, si lo injusto es desigual, lo justo es igual, cosa que, sin necesidad de razonamiento, todos admiten. Y puesto que lo igual es un término medio, lo justo será también un término medio. Lo igual requiere, por lo menos, dos cosas. Necesariamente, por tanto, lo justo será un término medio e igual, relativamente a algo y a algunos. En cuanto término medio, lo será de unos extremos (es decir, de lo más y lo menos); en cuanto igual requerirá dos términos; y en cuanto justo, lo será para algunos".

[36] Aristóteles, *De arte rhetorica*, cit., A 9, 1366b1-1367a25.

[37] Cicerón, *De officiis*, Alianza, Madrid, 2001, lib. 3, cap. 8, num. 35; lib. 3, cap. 15, num. 61.

[38] *Vid.* Pseudo-Aristóteles, *Rhetorica ad Alexandrum*, Eusal, Salamanca, 1989, II 23, 1424b25-35.

La justicia es cierta igualdad para los iguales[39]. Aristóteles supone que, siendo iguales, "lo bueno y lo justo es que \<los contratantes\> tengan partes iguales y semejantes" –"... que los iguales no las tengan iguales ni los semejantes semejantes es contrario a la naturaleza, y nada antinatural es bueno"[40]. Sobre esta base, los *Problemata* advierten que, con el trato desigual, "... se da tanto el perjuicio como el abuso de la confianza"[41]. En la propuesta de los *Problemata*, quien incumple el contrato no responde al otro en la forma debida, ya que actúa como quien roba al que le ha dado una cosa como a un amigo[42]. Con el objeto de preservar la igualdad, o acaso para defender una especie de principio de imparcialidad, Aristóteles plantea que los actos de justicia deben estar guiados por la razón y no solo por el interés, sea legítimo o no. "Por eso no permitimos que nos mande un ser humano, sino la razón"[43], dice, puesto que "... la pasión pervierte a los gobernantes y \<hasta\> a los mejores hombres"[44]. Supuesto lo anterior, "es sumamente importante que las leyes... determinen, hasta donde sea posible, por sí mismas todo, y que dejen cuanto menos mejor al arbitrio de los que juzgan"[45].

Como se ha dicho, la *Rhetorica* no ha tenido la suerte de otros escritos aristotélicos. En comparación con la *Ethica*, los comentarios escolásticos a esta obra son inexistentes. En ese marco, pareciera que sabemos más de la recepción árabe de *De rhetorica* que, por ejemplo, de las lecciones escolásticas de Ægidio Colona (*ca.* 1243-1316). Este alumno de santo Tomás (1224/5-1274), conocido en toda Europa a causa de su *De regimine principum*, expone que la única solución al problema de la pleonexía (πλεονεξία), deseo desproporcionado de riqueza, consiste en dar a los contratos la forma y seguridad de la ley[46]. La ley, 'razón sin apetito', 'principio

---

[39]   Aristóteles, *Politica*, CEC, Madrid, 1989, Γ 9, 1280a10-15. "... parece que la justicia consiste en igualdad, y así es, pero no para todos, sino para los iguales; y la desigualdad parece ser justa, y lo es en efecto, pero no para todos, sino para los desiguales".

[40]   *Vid.* Aristóteles, *Politica*, cit., Δ/H 3, 1325b5-10.

[41]   *Vid.* Pseudo-Aristóteles, *Problemata*, Harvard UP, London/Cambridge, 1957, ΚΘ 2, 950a30-35.

[42]   Pseudo-Aristóteles, *Problemata*, cit., ΚΘ 2, 950a30-950b4.

[43]   Aristóteles, *Ethica Nicomachea*, cit., E 6, 1134a35-1134b1.

[44]   *Vid.* Aristóteles, *Politica*, cit., Γ 16, 1287a25-35.

[45]   Aristóteles, *De arte rhetorica*, cit., A 1, 1354a30-1354b5.

[46]   Ægidio Colona, *Quæstiones super libros Rhetoricorum*, Venetia, 1515, fols. 46-48. También: Ægidio Colona & Juan García de Castrojeriz, *Glosa castellana al* De regimine principum *de Ægidio Romano*, CECP, Madrid, 2005, lib. 3, pars 1, cap. 18. Así, "La principal intención del rey o del que hace la ley debe estar en refrenar las codicias de los hombres y no en igualar las posesiones".

de la virtud', es la clase de justicia "… <sin la cual> no pueden durar mucho los reinos"[47]. De otra parte, en *Quæstiones super Rhetoricorum* Ægidio señala que el que es desigual en sus convenios "destruye las leyes"[48]. Por el contrario, el hombre equitativo, esto es, el que cumple la palabra dada, es noble, tiene 'nobleza de buenas costumbres'[49].

La *Glosa castellana* al *De regimine principum* relaciona el paradigma de la buena fe con la cortesía, virtud que, se dice, es muy próxima a la justicia legal. Según esto, "así como la justicia… ordena cumplir la ley toda, así también la cortesía ordena hacer toda nobleza de costumbres <en las relaciones con los demás>"[50]. El concepto de 'nobleza de costumbres' supone el mínimo de honestidad que requiere la vida común (quien actúa movido por esta nobleza no hace lo heroico, sino lo que debe). Por 'nobleza de buenas costumbres', aquel que pacta con otro lo hace sin engaño, así como con el recto deseo de obligarse en los términos prometidos. De igual manera, por 'nobleza de buenas costumbres' las partes deciden ajustar sus obligaciones recíprocas a la regla de la conmutatividad, si bien saben que esta regla no se refiere a la perfecta/absoluta identidad de las prestaciones. En fin, el que contrata con 'nobleza de costumbres' actúa de forma imparcial. Solo para este caso, o sea, solo para el caso en que las partes contratan de modo libre, con arreglo a la igualdad, sin engaños y bajo el mandato de la buena fe, vale el principio de 'quien dice contractual dice justo'.

Grotius, un pensador que se ubica en una tradición diferente de la escolástica, pero que, sin duda, sigue la línea de los teólogos-juristas de los siglos XVI y XVII, enseña que las promesas se deben cumplir a todo evento, aun si benefician a los enemigos[51]. La teoría medieval sobre el voto que está en las bases de la idea de Grotius, permite a Francisco Suárez (1548-1617) –el principal de los escolásticos que sirven de apoyo al holandés– concluir que, aunque cada quien es libre de comprometerse a algo o de no comprometerse en absoluto, una vez que se ha prometido dar o hacer una

---

[47] Ægidio Colona & Juan García de Castrojeriz, *Glosa castellana al* De regimine principum *de Ægidio Romano*, cit., lib. 1, pars 2, cap. 11. De esta forma, "… las menos cosas que se pudieren <se> deben encomendar al albedrío de los jueces" (ibid., lib. 3, pars 2, cap. 20).

[48] Ægidio Colona, *Quæstiones super libros Rhetoricorum*, cit., fol. 46.

[49] Ægidio Colona, *De regimine principum*, Bernardinum Vercellensem & Andree Toresani de Asula, Venetiis, 1502, fol. 62.

[50] Ægidio Colona & Juan García de Castrojeriz, *Glosa castellana al* De regimine principum *de Ægidio Romano*, cit., lib. 2, pars 3, cap. 18.

[51] Hugo de Groot, *De iure belli ac pacis*, Liberty Fund, Indianapolis, 2005, lib. 3, cap. 1, sect. 18.

cosa no está en la libertad de cada uno cumplir o no la obligación[52]. *Pacta sunt servanda,* señala el jesuita, a la vez que remarca que "es absurdo negar que estos preceptos sean sencillamente de derecho natural... el precepto de restituir lo ajeno o de devolver el depósito o de guardar fidelidad, de decir la verdad y otros semejantes"[53].

3. JUSTICIA CONMUTATIVA Y RECIPROCIDAD EN LA TRADICIÓN ARISTOTÉLICA

Ægidio Colona, a quien ya me he referido a propósito de la historia de recepción de *Rhetorica* A 15, argumenta expresamente a favor de la síntesis entre escolástica y filosofía aristotélica en sus lecciones *De bona fortuna*[54] – hasta se opone a Giovanni de Albano (*ca.* 1217-1274) y a los que, escribe, "no entendieron a Aristóteles... <ni> lo que se afirma en *De bona fortuna*" y que "quisieron atribuirle <el error> de que Dios no conoce nada distinto de sí"[55]. *De bona fortuna,* en todo caso, no es un tratado aristotélico, o al menos no es un tratado. Solo es una recopilación de algunos pasajes de *Magna moralia* y *Ethica Eudemia,* pero que, para los efectos de este ensayo, tiene la utilidad de poner sobre la mesa, como mínimo, dos principios clave de la tradición del derecho común: primero, que los hombres no se llaman justos a causa de la suerte (la justicia, al igual que el valor, resulta de lo que está en nuestro poder); y, segundo, que el justo da a cada uno lo que debe y en la forma que debe[56].

La afirmación según la cual la justicia supone la voluntad es una especie de resumen de la teoría aristotélica escolástica sobre los contratos. Los dos principios que alberga esta afirmación, i.e. que los actos de justicia dependen del querer y que este querer, cuando es honesto, se materializa en el acto de dar lo debido, son algo así como principios comunes de la ley natural y han sido tratados de forma más o menos extensa por Aristóteles.

---

[52] Francisco Suárez, *De voto,* Ludovicus Vivès, Paris, Opera omnia vol. XIV, 1859, lib. 4, cap. 4.

[53] Francisco Suárez, *De legibus ac Deo legislatore,* IEP, Madrid, 1967-1968, lib. 2, cap. 17, num. 6.

[54] Ægidio Colona, *Expositio in librum de bona fortuna,* ms. vat. lat. 846, Biblioteca Apostolica Vaticana, fols. 1r-11v.

[55] Ægidio Colona, *Tractatus de erroribus philosophorum,* Marquette UP, Milwaukee, 1944, cap. 2, 'De Aristotelis erroribus'.

[56] Pseudo-Aristóteles, *Liber de bona fortuna,* ms. lat. 14717, Bibliothèque Nationale de France, fol. 148.

En concreto, estas reglas de la equidad se toman de *Magna moralia*, una obra pseudoaristotélica de gran importancia para Francisco Suárez, Johannes Case (?-1600), Silvestro Mauro (1619-1687), etc., pero que, como la *Rhetorica*, la filosofía del derecho ha pasado por alto sin explicación. Puede que los *Magna moralia* no contengan la doctrina auténtica de Aristóteles. No obstante, esta obra cierra el círculo de la explicación aristotélica sobre la igualdad prestacional, por ejemplo, al afirmar que "la justicia y lo justo estriban en la igualdad de las obligaciones contractuales"[57].

Con terminología escolástica, la justicia conmutativa –principio de orden para los contratos[58], *ordo partis ad partem*, según el discutido esquema de Cayetano[59]– exige la igualdad de las cosas conmutadas[60], la igualdad de cosa-a-cosa, estricta igualdad, agrega Vitoria, "porque lo que se ha establecido para la utilidad común no puede beneficiar a unos más que a otros" (y los contratos se han establecido para el beneficio común de las partes)[61].

El carácter estricto de esta igualdad podría hacernos pensar que el concepto de reciprocidad a que se refiere el derecho de contratos exige la equivalencia matemática de las prestaciones. Esa parece ser la lectura que hace Tomás de Aquino de la teoría ética de Aristóteles, cuando, a propósito de la doctrina del término medio, explica la igualdad conmutativa bajo

---

[57]   "… ἡ δικαιοσύνη καὶ τὸ δίκαιον ἐν ἰσότητι συμβολαίων". Pseudo-Aristóteles, *Magna moralia*, Gredos, Madrid, 2011, A 33, 1193b20-30.

[58]   *Vid.* Tommaso de Vio, *Commentaria in secundam secundæ*, Leonina, Roma, 1897, quæ. 61, art. 1; Francisco Suárez, *Commentarii in Ethica Aristotelis*, ms. lat. 6775, Bibliothèque Nationale de France, fols. 84r-87v, 100v-105r; id., *De iustitia Dei*, Ludovicus Vivès, Paris, Opera omnia vol. XI, 1858, sect. 2, num. 53; Francisco García, *Tratado utilísimo y muy general de todos los contratos (1583)*, Eunsa, Pamplona, 2003, lib. 1, cap. 23; Tomás de Mercado, *Summa de tratos y contratos (1571)*, Nacional, Madrid, 1975, lib. 1, cap. 3, num. 65. La justicia correctiva no se agota en el contrato/consenso. Los modos de trato involuntarios (ἀδικήματα/συναλλάγματα ἀκούσια) también son materia de esta virtud. Sin embargo, para los escolásticos tardíos los contratos son como la 'realización' de aquella. Duve, Th., "Kanonisches Recht und die Ausbildung allgemeiner Vertragslehren in der Spanischen Spätscholastik", en *Der Einfluss der Kanonistik auf die europäische Rechtskultur: Zivil- und Zivilprozessrecht*, Böhlau, Köln, 2009, p. 402.

[59]   Finnis es el principal crítico de la sistemática cayetanista de la justicia. *Vid.* Finnis, J., *Natural Law and Natural Rights*, OUP, Oxford, 2011, pp. 184-188. De acuerdo con Finnis, "… Cayetano introduce una novedosa interpretación del esquema aristotélico tomista… análisis cuya… atracción permanente pasa por su <singular> apariencia de simetría" (ibid., p. 185). La dureza con que Finnis critica el tomismo del *Gaetano*, lo lleva, incluso, a describir las ideas de este escolástico como "… sin ningún apoyo en santo Tomás" (*Aquinas*, p. 218).

[60]   Francisco García, *Tratado utilísimo y muy general de todos los contratos (1583)*, cit., lib. 1, cap. 23; lib. 2, cap. 10.

[61]   Francisco de Vitoria, *In secundam secundæ divi Thomæ*, cit., quæ. 77, art. 1.

la lógica de los números y señala que esta consiste en la "equidistancia del punto medio respecto de los extremos"[62]. Santo Tomás añade que la medida de los contratos "es según la igualdad de la cantidad"[63]. En este sentido, habrá que igualar cosa-a-cosa[64], procurando que "… la pasión… sea equivalente a la acción"[65], pues, como escribe el Aquinate, "en la justicia conmutativa el medio no se toma de acuerdo con la proporcionalidad geométrica… sino conforme a la proporción aritmética, que consiste en la igualdad por la cantidad"[66].

Ubicándose al interior de la llamada escuela de los tomistas, a lo menos de propósito, esto es, tomando como punto de referencia la interpretación que hace Tomás de Aquino de las ideas de Aristóteles, los escolásticos tardíos proponen una concepción más tópica que matemática de la justicia correctiva y de la igualdad de prestaciones –movidos, ciertamente, por su interés en los problemas de la vida común y su rechazo del 'escolasticismo'. Aun cuando siguen hablando de justicia aritmética, conformidad de cosa-a-cosa, estricta justicia, etc., se apartan de la lógica de la equidiferencia y abren paso a la opinión del hombre prudente, a la discrecionalidad, al orden de la proporción. De ese modo, los teólogos escolásticos se concentran ya no en el problema del sentido aritmético de lo justo contractual, sino en la pregunta por la racionalidad de la conmutación. En la propuesta de los escolásticos tardíos, si bien se denomina aritmético, el punto medio de esta virtud, así como el punto medio de las otras virtudes, se cualifica como bueno o malo según la razón recta. No hay aquí identidad algebraica o taliónica[67]. Siendo un equilibrio prudencial, un 'determinado equilibrio'[68], el término medio de la justicia conmutativa "… se mueve dentro de determinados márgenes"[69].

Ante todo, la justicia correctiva se expresa en el mandato de 'no se puede pedir más de lo que se da'[70]. No se trata de dar lo mismo por lo mismo,

---

[62] Tomás de Aquino, *Sententia libri Ethicorum*, corpusthomisticum.org, lib. 2, lect. 6, num. 7.

[63] Tomás de Aquino, *Sententia libri Ethicorum*, cit., lib. 5, lect. 6, num. 4.

[64] Tomás de Aquino, *Summa theologiæ*, corpusthomisticum.org, II-II, quæ. 61, art. 2.

[65] "… ut scilicet passio recompensata sit æqualis actioni" (*Sth* II-II, quæ. 61, art. 4).

[66] Tomás de Aquino, *Sententia libri Ethicorum*, cit., lib. 5, lect. 8, num. 8.

[67] Lo justo correctivo no es, pues, un cociente matemático ni un término indivisible, como escribe Duns Scoto contra "… cierto doctor" (*Quæstiones in quartum sententiarum*, Ludovicus Vivès, Paris, Opera omnia vol. XVIII, 1894, dist. 15, quæ. 2).

[68] *Vid.* Juan de Hevia Bolaño, *Curia philippica*, Real Compañía de Impresores y Libreros, Madrid, 1776, lib. 1, cap. 12, §§ 25-30.

[69] Luis de Molina, *De iustitia et iure*, Serrano de Vargas, Conchæ, 1597, 'De contractibus', tract. 2, disp. 410.

[70] Francisco de Vitoria, *In secundam secundæ divi Thomæ*, cit., quæ. 78, art. 1.

sino de relacionarse con los otros en pie de igualdad[71]. Al respecto, Luis de Molina (1535-1600), jesuita, uno de los más grandes teólogos de la segunda escolástica, piensa que todas las normas del derecho de contratos son casos o instancias de la regla de oro. Con palabras de Molina, "no gravar a uno más que a otro <en los contratos>… es lo que manda el derecho natural en aquello de que 'no hagas a los demás lo que no quieres que te hagan'" –"sería gravar a uno más que al otro si el contrato… no respetara la igualdad entre cosa y precio o entre las cosas que se cambian"[72]. A propósito, Aristóteles advierte que las transacciones se rigen por un caso especial de la regla del justo medio (en el fondo, de la regla de oro), a saber, por el principio de 'no pasar sobre la balanza'[73]. El ideal de la báscula perfectamente equilibrada es, con seguridad, la representación más común de la justicia. Ahora bien, con independencia de su valor retórico, la *trutina iusta* es solo un ideal. Las fuentes revelan que ni el Estagirita ni los escolásticos han entendido de ese modo la virtud de hacer cada uno lo propio. Por otra parte, según Aristóteles, "es pitagórico el principio que dice que las cosas de los amigos son comunes… <y lo es también> aquel que ordena no pasar por encima de la balanza, es decir, no despreciar la justicia… <y el que> manda respetar las leyes de la ciudad"[74]. El origen pitagórico de la idea de justicia-báscula no tiene nada de objetable. Lo que Aristóteles y sus comentadores discuten es la comprensión pitagórica de la justicia como reciprocidad (τὸ ἀντιπεπονθός), como el simple 'mal por mal' en sentido matemático[75].

En el esquema de Pitágoras (*ca.* 570-500/490 aC), la justicia se describe como simetría: solo es justo/bueno lo que está 'determinado recíprocamente', esto es, lo que sigue la medida de la igualdad de la cantidad. De otra parte, los pitagóricos "… pensaron que lo primero en que se diese el término enunciado era la sustancia de la cosa, como si alguien creyera que es lo mismo 'el duplo' que 'la díada', porque donde primero se da el duplo es en un conjunto de dos"[76]. Con todo, los conceptos de 'duplo' y de 'díada'

[71] *Vid.* Domingo de Soto, *De iustitia et iure*, cit., lib. 3, quæ. 5, art. 1; Juan de Lugo, *De iustitia et iure*, cit., t. 1, disp. 1, sect. 1. También Grotius postula que la justicia correctiva está encargada de preservar la igualdad de las partes (*De jure prædæ commentarius*, cap. 2).

[72] Luis de Molina, *De iustitia et iure*, cit., 'De contractibus', tract. 2, disp. 350.

[73] Aristóteles, *De pythagoricis*, "Librorum deperditorum fragmenta", Gruyter, Berolini, 1987, fragm. 159, 'Porphyrius vita Pythagoræ'.

[74] Aristóteles, *De pythagoricis*, cit., fragm. 160, 'Hieronymus apologia adv. Rufinum'.

[75] *Vid.* Guthrie, W.K.C., *A History of Greek Philosophy: The Earlier Presocratics and the Pythagoreans*, Cambridge UP, Cambridge/London, 1985, p. 303n.

[76] Aristóteles, *Metaphysica*, Gredos, Madrid, 1998, A 5, 987a20-25.

no son equivalentes. El número *dos*, como es obvio, no agota el significado de lo doble –"porque de vez en cuando le sobreviene a una y la misma cosa alguna duplicidad de la potencia y del acto o de otra cosa, cuyo ser no es el ser de una pareja discreta"[77]. Entre los pitagóricos, cada cosa resulta ser muchas, de manera que si la virtud es el primer número al que se aplica la idea de lo mismo por lo mismo, la virtud será el número cuadrado. Es así como Pitágoras enseña que la justicia consiste en un número multiplicado por sí[78]. El problema es que el *cuatro*, el *nueve*, el *dieciséis*, el *veinticinco*, el *treinta y seis*, etc., son todos números cuadrados, pero todos ellos son distintos entre sí[79].

La tesis pitagórica de que la justicia supone alguna clase de reciprocidad es, no obstante, correcta. La reciprocidad, enseña Aristóteles, "… mantiene unidos a los hombres"[80]. Si no fuera posible una cierta reciprocidad, "no habría asociación"[81]. Como se ve, el Estagirita admite que la vida humana requiere 'alguna reciprocidad', pero no cree que la reciprocidad sea un problema exclusivo del derecho de contratos. También en la amistad se da lo recíproco. Sin embargo, no se puede decir que la amistad supone la perfecta identidad entre el dar y el recibir. Para la tradición aristotélica escolástica, existe amistad cuando el 'afecto recíproco' es medianamente proporcionado[82]. Lo mismo se plantea respecto de la justicia: "… la reciprocidad no se conforma ni a la justicia distributiva ni a la correctiva… No obstante, en las asociaciones que tienen por fin el cambio es esta clase de justicia la que mantiene unidos a los hombres, es decir, la reciprocidad proporcional y no igual"[83].

Todo lo expuesto hace que los escolásticos tardíos renuncien al paradigma de la exactitud cuando tratan del precio del pan, la igualdad de prestaciones y la justicia correctiva en general. Tal vez, la mejor exposición de la teoría escolástica de los contratos es la de Tomás de Mercado (?-1575), teólogo sevillano que entre los historiadores del pensamiento económico

---

[77]   Alberto Magno, *Metaphysica*, San Dámaso, Madrid, 2013, lib. 1, tract. 4, cap. 11.
[78]   Pseudo-Aristóteles, *Magna moralia*, cit., A 1, 1182a10-15.
[79]   *Vid.* Alejandro de Afrodisias, *Metaphysica*, Cornell UP, New York, 1989, 49, 5-10.
[80]   Aristóteles, *Ethica Nicomachea*, cit., E 5, 1132b30-1133a5.
[81]   *Vid.* Aristóteles, *Ethica Nicomachea*, cit., E 5, 1133b5-10.
[82]   Santo Tomás, por lo mismo, señala que en la amistad verdadera existe "… cierta conmutación del amor bajo la forma de la justicia conmutativa" (*Sententia Ethic.*, lib. 8, lect. 2, num. 9).
[83]   Aristóteles, *Ethica Nicomachea*, cit., E 5, 1132b21-1133a5. De consiguiente, "si uno que ocupa un puesto de autoridad golpea a otro, no debe ser a su vez golpeado por este, pero si uno golpea a una autoridad, no solo debe ser golpeado, sino sufrir además un castigo".

se presenta como "… el más perspicaz y, al mismo tiempo, más entretenido" de los escolásticos que se ocuparon de los asuntos del comercio[84]. Con arreglo a la *Summa* del dominico español, "… propio es de la justicia hacer igualdad en los contratos humanos. E igualdad es ajustar dos cosas disímiles. Como un caballo y cien ducados, en la esencia tan diferentes, <pero que> vienen a ser iguales en la estima si lo vale"[85]. Un poco más adelante, Mercado completa esta teoría indicando que, aunque la ley natural ordena vender por el precio justo, "… no señala cuál es el justo valor de cada especie de ropa"[86]. La proporción de las prestaciones contractuales es, en algún sentido, 'imprecisa', como sugiere Juan de Lugo (1583-1660)[87], y algo tiene de 'imaginario' ("… puede tener latitud"), para decirlo con palabras de Pedro de Valencia (1555-1620)[88]. Hoy, los teóricos del derecho de contratos enseñan eso mismo diciendo que, "en línea de principio, debe guardarse el mayor equilibrio posible entre las prestaciones"[89].

Una prueba del influjo tardoescolástico en el desarrollo del derecho privado moderno está en el art. 1441 del Código de Bello. Supuesto que la igualdad correctiva es un tipo de proporcionalidad que depende de factores diversos, como los usos, la cultura, la propia estimación, etc., y supuesto que en todo contrato se igualan cosas que son desiguales, el citado artículo destaca que las leyes de la conmutatividad nos imponen "… dar o hacer una cosa que se mira como equivalente a lo que la otra parte debe dar o hacer"[90], afirmación que bien podría integrarse con el principio de que las cosas se deben vender por el precio justo, "en cuanto sea posible"[91]. Corolario de lo anterior es que, tanto para la segunda escolástica como para el moderno derecho civil, la cuestión de la igualdad de prestaciones es más un ideal protector de las

---

[84]   Grice-Hutchinson, M., *The School of Salamanca. Readings in Spanish Monetary Theory (1544-1605)*, Clarendon, Oxford, 1952, p. 4.

[85]   Tomás de Mercado, *Summa de tratos y contratos*, cit., lib. 1, cap. 2, num. 58. "Y la justicia causa que mercándose el caballo se den por él los cien ducados y no menos, aunque se pueda con algún engaño o fuerza haber por menos" (ibid.).

[86]   Tomás de Mercado, *Summa de tratos y contratos*, cit., lib. 1, cap. 3, num. 77.

[87]   Juan de Lugo, *De iustitia et iure*, cit., t. 1, disp. 1, sect. 1.

[88]   Pedro de Valencia, *Escritos económicos*, Universidad de León, León, Obras completas vol. IV/1, 1994, fols. 193r-281v.

[89]   Díez-Picazo, L., *Fundamentos del derecho civil patrimonial I. Introducción. Teoría del contrato*, Civitas/Thomson, Navarra, 2007, p. 92.

[90]   Como era de esperarse, el Código Napoleónico se expresa en los mismos términos. Según se lee en el art. 1104, el contrato es conmutativo "… cuando cada una de las partes se obliga a dar o hacer una cosa que se considera equivalente de lo que se le da o se le hace".

[91]   Bello, A., *Derecho Romano*, La Casa de Bello, Caracas, 1981, p. 35.

partes que la defensa de una metafísica de las conmutaciones. En definitiva, decir sí a la reciprocidad es tanto como decir no al enriquecimiento ilícito[92], o sea, tanto como poner un límite a la pleonexía.

Las tesis escolásticas llegan a los procesos de codificación de la mano de Grotius, Samuel von Pufendorf (1632-1694) y Christian Wolff (1679-1754). Lejos del racionalismo que suele imputárseles, estos autores advierten que la enorme complejidad de las relaciones humanas hace imposible entender la igualdad conmutativa como identidad[93]. Puesto que la absoluta igualdad prestacional es imposible, esa igualdad deberá ser deducida de la voluntariedad del acuerdo. Así, con terminología de Wolff, si existe consenso entre las partes la equivalencia del contrato se habrá de presumir[94].

Con la pedagogía del que ha elegido la vocación de misionero entre hombres desconocidos, el agustino Alonso de Veracruz (1507-1584), discípulo directo de Vitoria, resume en una sola idea toda la doctrina aristotélica sobre lo justo correctivo: *los tratos y acuerdos que hubieran sido manchados con el engaño no obligarán*[95]. Veracruz, en todo caso, no es el primer aristotélico que ha enfatizado la relación de la justicia con la virtud de la fidelidad. Ya Teofrasto (*ca.* 372-287 aC) enseña que, a causa de la deslealtad (ἡ ἀπιστία), "… sospecha de inequidad por parte de los demás"[96], el desconfiado, "cuando manda a un esclavo a hacer las compras, envía a otro detrás para que averigüe exactamente lo que gastó"[97]. Lealtad/buena fe y derecho de contratos no solo se relacionan negativamente, i.e. por la conexión de la deslealtad con la desigualdad contractual. Se vinculan, ante todo, de manera positiva, haciendo recta la conmutación. La reparación, así, es un aspecto muy secundario de esta virtud.

Por último, la justicia aritmética es una virtud 'regulativa sive correctiva in commutatibus directiva'[98] y no 'conmutativa'[99]. Busca 'rectificar' los acuerdos privados, 'hacerlos correctos', 'sanos', incluso[99]. En cierto senti-

---

[92] Pothier, R.J., *Traité du contrat de vente*, Debure/Rouzeau-Montaut, Paris/Orléans, 1772, t. 1, p. 251.

[93] *Vid.* Samuel von Pufendorf, *De officio hominis et civis juxta legem naturalem libri duo*, CEPC, Madrid, 2002, lib. 1, cap. 14, num. 7.

[94] *Vid.* Christian von Wolff, *Grundsätze des Natur- und Völkerrechts*, Olms, Hildesheim, Gesammelte Werke vol. XIX, 1980, §§ 493-513.

[95] Alonso de Veracruz, *De iusto bello contra indos*, CSIC, Madrid, 1997, quæ. 1, num. 1.

[96] Teofrasto, *Characteres*, Cambridge UP, Cambridge/New York, 2004, cap. 18, num. 1.

[97] Teofrasto, *Characteres*, cit., cap. 18, num. 2.

[98] Aristóteles, *Ethica Nicomachea. Translatio Roberti Grosseteste Lincolniensis: Recensio pura*, XXVI 1-3/3, Brill/Desclée, Leiden/Bruxelles, 1972, E 4 [E 7].

[99] *Vid.* Contreras Aguirre, Sebastián, "Restitution and Corrective Justice in the Aristotelian Scholastic Tradition", *Cauriensia*, 15 (2020).

do, la única regla pseudomatemática que aquella impone es el respeto del derecho ajeno[100].

4. TEOLOGÍA ESCOLÁSTICA Y PRINCIPIO GENERAL DE LA BUENA FE

Con frecuencia, los historiadores del derecho de contratos enseñan que el principio de buena fe se relaciona con el concepto grecoclásico de *pístis* (πίστις). Sin duda es así. No obstante, la idea de *pístis* es muy amplia, lo suficiente como para incluir una serie de problemas que no tienen relación con el tema de la conmutatividad. En este contexto, los antiguos griegos advierten que la *pístis* es el tipo de creencia que nos mueve a aceptar los principios de la razón, 'las cosas primordiales y más conocidas', con terminología de Aristóteles[101]. En efecto, respecto de los primeros principios "… no hay que inquirir el porqué, sino que cada principio ha de ser digno de crédito en sí mismo"[102]. Son verdaderos *per se*[103].

La tesis según la cual 'creemos con fe' en los principios de la razón, práctica y especulativa, es una suerte de teorema subordinado de la doctrina general sobre el conocimiento demostrativo. Toda demostración parte de aquello que no se puede demostrar, ni siquiera refutar, y en relación con lo cual no vale más que la intuición[104]. Así, sucede que la fe nos mueve a creer en los principios, al igual que la fe nos hace creer en la palabra del otro: no se puede demostrar que alguien cumplirá justamente su promesa. No hay más alternativa que confiar. Ahora, ni siquiera el 'contrato cumplido' demuestra el 'justo cumplimiento' de una obligación, porque podría ocurrir que alguien devuelve el depósito, paga la deuda, entrega la cosa vendida, cumple el mandato, etc., por mero accidente[105].

---

[100]   Francisco Suárez, *De iustitia et iure*, Herder, Freiburg, 1958, disp. 4, quæ. 3; id., *De iustitia Dei*, cit., sect. 2, num. 2; Juan de Lugo, *De iustitia et iure*, cit., t. 1, disp. 1, sect. 1. "… así como la justicia <general> se define <como la> constante y perpetua voluntad de dar a cada uno su derecho, la justicia conmutativa se define <como la> constante y perpetua voluntad de dar a cada uno su derecho propio, i.e. <como la virtud que obliga a dar lo debido> al que tiene el dominio propio de la cosa o su equivalente moral" (*De iustitia Dei*, sect. 2, num. 2).

[101]   Aristóteles, *Analytica posteriora*, Harvard UP, London/Cambridge, 1960, A 2, 71b9-25.

[102]   Aristóteles, *Topica*, Gredos, Madrid, 2014, A 1, 100a25-100b25.

[103]   Aristóteles, *Topica*, cit., A 1, 100a25-100b25.

[104]   Aristóteles, *Analytica posteriora*, cit., A 2, 71b9-25.

[105]   Aristóteles, *Ethica Nicomachea*, cit., E 8, 1135b1-5. "… en efecto, uno puede restituir un depósito involuntariamente y por miedo, y entonces no debe decirse de él que hace una cosa justa o que obra justamente, a no ser por accidente".

Supuesta la fragilidad de la naturaleza humana, Suárez advierte que "… nadie, por santo que sea y cualquiera que sea la dignidad en que esté constituido, debe confiar en su propia gracia o constancia"[106]. El cumplimiento de buena fe de los contratos está lejos de ser algo sencillo. Para Suárez, el principio de la buena fe no se refiere solo a la conducta exterior o a la actuación de los demás, sino también, y principalmente, a la voluntad interior de cada quien. De otra forma, no podría hablarse, según el modelo de Tomás de Mercado, de la 'hermosa fidelidad'[107], ni tampoco de los 'varones santos que no dejan dormir a la razón', con palabras del célebre Alonso de Orozco (1500-1591)[108].

El significado natural de los términos *fe*, *fides* y *pístis* remite al 'actuar conforme a lo que se dice'. En sentido propio, "… se aplica el término *fe* al cumplimiento de lo que se ha dicho o prometido… de ahí el nombre de *fe*, porque se lleva a efecto lo que se ha concertado entre dos"[109]. En este marco, comenta Cicerón que "… *fides* se deriva de *fit* ('se cumple, se hace'), si bien esta etimología puede parecer a algunos un poco forzada"[110]. Como parece claro, el concepto de buena fe ha estado siempre presente en la reflexión sobre la justicia de los contratos. Aristóteles, incluso en las obras lógicas, subraya que el que actúa de mala fe torna sus relaciones en disputas[111]. Con el objeto de preservar la lealtad y la mínima nobleza de costumbres en los tratos y contratos, los autores de la tradición aristotélica vinculan la buena fe con la justicia, señalando que la razón "… pide que no se haga nada con insidias, con simulaciones, ni con falacias"[112] –la justicia correctiva ordena "… la sinceridad de las promesas y de los convenios"[113]. Pese a esto, es decir, pese a que Aristóteles invita a ganar y perder en la forma debida, i.e. proporcionadamente[114], que Cicerón proscribe el fingimiento[115], o pese a que Séneca (*ca.* 4 aC-65) repite a cada paso que los acuerdos se deben cumplir[116], lo cier-

---

[106] Francisco Suárez, *De mysteriis vitæ Christi*, BAC, Madrid, 1950, disp. 35, sect. 1, num. 10.

[107] "… en todos los contratos humanos es cosa muy hermosa la fidelidad y verdad y muy agradable la justicia" (*Summa de tratos y contratos*, num. 185).

[108] "Estos varones santos no dejan dormir a la razón sino hácenla siempre velar, cuyo oficio es apartar la paja del trigo, dividir el vicio de la virtud" (*De la suavidad de Dios*, cap. 49).

[109] Isidoro Hispalense, *Originum sive etymologiarum*, BAC, Madrid, 2004, lib. 8, cap. 2, num. 4.

[110] Cicerón, *De officiis*, cit., lib. 1, cap. 7, num. 23.

[111] *Vid.* Aristóteles, *Topica*, cit., Θ 11, 161a20.

[112] Cicerón, *De officiis*, cit., lib. 3, cap. 17, num. 68.

[113] Cicerón, *De officiis*, cit., lib. 1, cap. 7, num. 23.

[114] Aristóteles, *Ethica Nicomachea*, cit., E 4, 1132a10-20.

[115] Cicerón, *De officiis*, cit., lib. 3, cap. 17, num. 68.

[116] *Vid.* Séneca, *De beneficiis*, Bernat Metge/Emporium, Barcelona, 1954, lib. 5, cap. 10, num 4.

to es que ninguno de ellos, y que nadie hasta los escolásticos, ha elaborado una sistemática general acerca de la *fides* conmutativa.

El principio de buena fe, así como la presunción de inocencia y otras reglas de nuestro sistema jurídico, es un desarrollo de la escolástica medieval. La descripción de este principio como una regla general es, pues, de raigambre teológica. A nadie debiera sorprender esta afirmación. El problema de la buena fe –la convicción de estar viviendo una vida honrada y conforme a los indicadores de la justicia[117]– tiene una relación más o menos directa con la pregunta por el tipo de vida que debe vivir el cristiano. En opinión de canonistas y teólogos, la vida conforme a la fe requiere un ánimo especial de parte de los hombres para poner en práctica el plan de salvación. Es ese el sentido que la escolástica da, por ejemplo, al dilema de la fidelidad/infidelidad. Que la sistemática general de la buena fe se relacione con la *fides* religiosa no supone una confusión de los planos secular y sobrenatural. La diferencia entre 'lo que pertenece a la ley natural' y 'lo que es propio de la ley divina' es una especie de axioma para teólogos y canonistas. Luego, como el derecho humano no es ley divina, los escolásticos piden a las partes actuar con justicia, no vivir de acuerdo con la caridad (a nadie se pide 'poner la otra mejilla', aun cuando los estándares de la virtud puedan parecerle 'sobrehumanos' a la mayoría).

Los escolásticos de los siglos XVI y XVII, mucho más que los escolásticos medievales, distinguen con claridad las nociones de 'pecado' e 'injusticia'. Sin embargo, puesto que la malicia moral, independiente de los mandatos divinos y prohibida por el derecho de la razón, también se puede denominar 'pecado', Juan de Lugo y otros escolásticos de su tiempo hablan, al respecto, de 'pecado filosófico'[118] –un concepto muy usado por los moralistas ignacianos, pero que, como observa Schmutz, no parece que haya sido inventado por ellos[119]. Por otro lado, el esfuerzo que hacen Lugo, Suárez, Sánchez de Ávila, Molina, Oñate, etc., para no reducir el derecho de contratos a la teología moral, permite decir a los estudiosos de la segunda escolástica que el trabajo de estos jesuitas marca el inicio de un nuevo paradigma de pensamiento de las relaciones entre fe en sentido religioso y fe en sentido contractual, *giro copernicano* que posibilita "… la creación de una esfera transconfesional de derecho privado"[120]. En el fondo, ese cambio de

---

[117]   *Vid. Lexikon des Kirchenrechts*, s.v. 'Bona fides'; *Diccionario del español jurídico*, s.v. 'Buena fe'.

[118]   *Vid.* Juan de Lugo, *De incarnatione*, Lyons, 1633, disp. 5, sect. 5.

[119]   *Vid.* Schmutz, J., "Was Duns Scotus a Voluntarist? Juan Caramuel Lobkowitz against the Bratislava Franciscans", *Filosofický časopis*, n.e. (2016), pp. 147-184.

[120]   Decock, "La confianza más allá de la fe", cit., pp. 115-149.

paradigma supondría una revolución al interior de la filosofía escolástica y aristotélica, así como una defensa de la versión más radical del principio de autonomía de la voluntad.

Al referirme a la teoría de Oñate acerca de la ley-del-contrato, he dicho que no me parece que se pueda definir la tesis de este jesuita como liberal y novedosa. Difícilmente se puede describir como liberal una teoría ética que asume la existencia de ciertos males intrínsecos, i.e. de acciones que nunca es lícito intentar –Suárez, quien fuera maestro de Oñate, opina, exageradamente, que el precepto de la buena fe conlleva una obligación absoluta de cumplimiento de la palabra dada ('exageradamente', porque cualquier cambio en las circunstancias de las partes podría hacer que el cumplimiento del contrato se vuelva irrazonable, perjudicial para sí y para los otros, imprudente, etc.)[121]. De igual forma, parece difícil describir la concepción jesuítica de la fe como nueva o revolucionaria. Un escolástico medio siglo anterior a Pedro de Oñate, a saber, el agustino Juan de Guevara (1518-1600), es incluso menos teológico que el discípulo del llamado *doctor eximio* en su tratamiento de la fe. En primer lugar, Guevara niega que el primer analogado de la noción de *fides* sea la 'fe religiosa' o 'católica'. En palabras de Guevara, "ante todo, la fe significa fidelidad, virtud de la voluntad... que, como escribe Cicerón, consiste en la constancia y la verdad de las cosas que se pactan"[122]. En segundo lugar, el salmantino advierte que por la fe nos fiamos de las palabras de los otros, lo que es algo que se explica por el solo amor natural[123]. La buena fe, por último, también remite a la conciencia, "por lo cual se dice que <obrar de buena fe, obrar guiados por el derecho de la razón> es obrar según la conciencia"[124]. Nada de esto supone negar el concurso divino. En el nivel de la *fides* teologal, "... no podemos hacer lo que ordena la caridad por nuestras solas fuerzas"[125].

---

[121]   *Vid.* Francisco Suárez, *De incarnatione*, Ludovicus Vivès, Paris, Opera omnia vol. XVIII, 1859, disp. 43, sect. 2.

[122]   Juan de Guevara, *De fide*, Agustiniana, Guadarrama, 2009, quæ. 1, art. 1.

[123]   Juan de Guevara, *De fide*, cit., quæ. 4, art. 1.

[124]   Juan de Guevara, *De fide*, cit., quæ. 1, art. 1.

[125]   "... como solución intermedia, decimos que la palabra *fides* tiene cuatro o cinco acepciones <principales> –cualquier otro significado se reduce a esos sentidos. *Primero*: la palabra *fides* remite a la fidelidad, esto es, a la virtud de la voluntad de que trata Tomás de Aquino en la cuestión ciento nueve... *Segundo*: la palabra *fides* remite a la promesa o juramento por el que los hombres nos obligamos a hacer una cosa u otra... *Tercero*: *fides* significa confianza... En este sentido, Cristo no reprendió a Simón Pedro por su falta de fe revelada sino por su falta de confianza... *Cuarto*: según advierte Cicerón en

Llevada al terreno de la justicia correctiva, la *fides* exige, además de la libertad de las partes y del respeto del principio de igualdad, que no exista mezcla de involuntario, "… como ocurre en el ejemplo del que <sin haberlo previsto> tira las mercancías al mar"[126]. Se afirma, en este caso, que "… si alguien vende una casa movido por el temor a los azotes, o movido por la ignorancia, o por violencia… no se podrá decir que el contrato es justo, por darse aquí la mezcla de lo involuntario"[127]. En síntesis, y con los términos del aún poco conocido Pierre de Jean Olieu (1248-1298), la buena fe impone no hacer trampa, practicar la regla de oro y tratar a los hombres según la medida de la amistad[128].

5. CONCLUSIÓN

El derecho de contratos, al menos para la teoría escolástica de la justicia, depende casi existencialmente de los conceptos de igualdad de prestaciones, reciprocidad y buena fe. La tesis de los teólogos escolásticos es que, en el nivel de la justicia correctiva, dar a cada uno lo suyo supone tratar a los demás como iguales, esto es, situarse junto a los otros bajo la dirección de una cierta ley, que, como es obvio, tiene que ser la misma para todos los que han elegido ser partes del acuerdo. Esa ley es un signo de la voluntad, que dispone controlar la pasión y el vicio de pleonexía con una medida proporcionada al interés legítimo de cada quien. Nada de esto es matemático. Por mucho que se hable de compensación o medida aritmética, quien resuelve con otro hacer o dar una cosa sabe que ha renunciado al ideal de la exactitud –aquel que habla de reciprocidad, o aquel que invoca la imagen de la báscula para referirse a la justicia contractual, tiene claro que aquí no hay espacio para el simple talión.

El derecho de contratos nos exige presumir la buena fe. No se trata solo de confiar en que el otro cumplirá su palabra, sino también de aceptar que nunca lograremos más que *alguna igualdad*. Por esta razón, los escolásticos tardíos insisten en que, por ejemplo, el precio de la compra no representa un término indivisible ni es una equidiferencia ontológica. Con arreglo a la escolástica, el punto medio de los contratos se mueve dentro de ciertos márgenes. No es más que un determinado equilibrio prudencial.

---

el discurso *Pro Marco Cælio*, la palabra *fides* remite a la conciencia… *Quinto*: se llama *fe* a la creencia en lo que Dios ha revelado".

[126]   Francisco de Vitoria, *In secundam secundæ divi Thomæ*, cit., quæ. 77, art. 1.

[127]   Francisco de Vitoria, *In secundam secundæ divi Thomæ*, cit., quæ. 77, art. 1.

[128]   *Vid.* Pierre Olieu, *De emptione et venditione*, "De contractibus", Franciscan Institute Publications, New York, 2016, quæ. 1, num. 6.

En la terminología de Molina, los principios de igualdad correctiva y buena fe son como instancias de la regla de oro. Ahora bien, aunque teólogos de profesión, los escolásticos como Molina hacen 'ética civil', 'derecho natural'. De esa forma, estos autores plantean que la lealtad conmutativa sería obligatoria incluso si Dios no existiera. Con otras palabras, el orden de la ley divina o el contexto religioso que mueve a los teólogos escolásticos a tratar sobre la virtud de la fe, no convierte esta teoría en catequesis o jurisprudencia de confesión. De algún modo, el sentido práctico y la universalidad con que la escolástica de los siglos XVI y XVII pretende abordar los problemas de la justicia aritmética impide que sea así.

BIBLIOGRAFÍA

Afrodisias, Alejandro de, *Metaphysica*, Cornell UP, New York, 1989.

Aquino, Tomás de, *Opera omnia*, www.corpusthomisticum.org, recognovit ac instruxit Enrique Alarcón automato electronico Pampilonæ ad Universitatis Studiorum Navarrensis ædes ab A.D. MM.

Aristóteles, *Ethica Nicomachea*, CEPC, Madrid, 2014.

— , *Ethica Nicomachea. Translatio Roberti Grosseteste Lincolniensis: Recensio pura*, *XXVI 1-3/3*, Brill/Desclée, Leiden/Bruxelles, 1972.

— , *Ethica Eudemia*, Gredos, Madrid, 1985.

— , *Politica*, CEC, Madrid, 1989.

— , *De arte rhetorica*, Gredos, Madrid, 2014.

— , *Librorum deperditorum fragmenta*, Gruyter, Berolini, 1987.

— , *Metaphysica*, Gredos, Madrid, 1998.

— , *Analytica posteriora*, Harvard UP, London/Cambridge, 1960.

— , *Topica*, Gredos, Madrid, 2014.

Barrientos-Grandón, Javier (ed.), *El Código Civil*, Thomson, Santiago de Chile, 2017.

Bello, Andrés, *Derecho Romano*, La Casa de Bello, Caracas, 1981.

Bellomo, Manlio, *La Europa del derecho común*, Il Cigno Galileo Galilei, Roma, 1999.

Carro, Venancio, *La teología y los teólogos-juristas españoles ante la Conquista de América*, Imprenta de Juan Bravo, Salamanca, 1951.

Cicerón, *De officiis*, Alianza, Madrid, 2001.

Cano, Melchor, *De locis theologicis*, BAC, Madrid, 2006.

Colona, Ægidio, *Quæstiones super Rhetoricorum*, Venetia, 1515.

— , *De regimine principum*, Bernardinum Vercellensem & Andree Toresani de Asula, Venetiis, 1502.

— , *Expositio in librum de bona fortuna*, ms. vat. lat. 846, Biblioteca Apostolica Vaticana, Roma.

— , *Tractatus de erroribus philosophorum*, Marquette UP, Milwaukee, 1944.

Colona, Ægidio & García de Castrojeriz, Juan, *Glosa castellana al* De regimine principum *de Ægidio Romano*, CECP, Madrid, 2005.

Colonia, Alberto de, *Metaphysica*, Universidad San Dámaso, Madrid, 2013.

Contreras Aguirre, Sebastián, "Restitution and Corrective Justice in the Aristotelian Scholastic Tradition", *Cauriensia*, 15 (2020).

Decock, Wim, "La morale à l'aide du droit commun. Les théologiens et les contrats (16e-17e siècles)", *Revue historique de droit français et étranger*, 91 (2013) 2.

— , *Theologians and Contract Law. The Moral Transformation of the* ius commune *(ca. 1500-1650)*, Martinus Nijhoff, Leiden, 2012.

— , "Trust Beyond Faith: Re-Thinking Contracts with Heretics and Excommunicates in Times of Religious War", *Rivista Internazionale di Diritto Comune*, 27 (2016).

— , "La confianza más allá de la fe: Francisco Suárez sobre la obligatoriedad jurídica de los contratos con excomulgados", *Anales de la Academia Matritense del Notariado*, 52 (2017).

Díez-Picazo, Luis, *Fundamentos del derecho civil patrimonial I. Introducción. Teoría del contrato*, Civitas/Thomson, Navarra, 2007.

Domingo, Rafael (coord.), *Code Civil*, Marcial Pons, Madrid, 2005.

Duns Scoto, *Quæstiones in quartum sententiarum*, Ludovicus Vivès, Paris, Opera omnia vol. XVIII, 1894.

Duve, Thomas, "Kanonisches Recht und die Ausbildung allgemeiner Vertragslehren in der Spanischen Spätscholastik", en *Der Einfluss der Kanonistik auf die europäische Rechtskultur: Zivil- und Zivilprozessrecht*, Böhlau, Köln, 2009.

Finnis, John, *Natural Law and Natural Rights*, OUP, Oxford, 2011.

— , *Aquinas*, OUP, Oxford/New York, 1998.

García, Francisco, *Tratado utilísimo y muy general de todos los contratos (1583)*, Eunsa, Pamplona, 2003.

García del Corral, Ildefonso (ed.), *Cuerpo del derecho civil romano*, Jaime Molinas, Barcelona, 1889.

Gentili, Alberico, *De iure belli*, Hæredes Guilielmi Antonii, Hanoviæ, 1612.

Gordley, James, *Foundations of Private Law*, OUP, Oxford, 2006.

— , *The Philosophical Origins of Modern Contract Doctrine*, Clarendon, Oxford, 1991.

Grice-Hutchinson, Marjorie, *The School of Salamanca. Readings in Spanish Monetary Theory (1544-1605)*, Clarendon, Oxford, 1952.

Grotius, Hugo, *De iure belli ac pacis*, Liberty Fund, Indianapolis, 2005.

— , *De jure prædæ commentarius*, Liberty Fund, Indianapolis, 2006.

Guevara, Juan de, *De fide*, Agustiniana, Guadarrama, 2009.

Guthrie, William Keith Chambers, *A History of Greek Philosophy: The Earlier Presocratics and the Pythagoreans*, Cambridge UP, Cambridge/London, 1985.

Haering, Stephan & Schmitz, Heribert (eds.), *Lexikon des Kirchenrechts*, Herder, Freiburg, 2004.

Herzog, Tamar, *A Short History of European Law*, Harvard UP, Cambridge/London, 2018.

Hevia Bolaño, Juan de, *Curia philippica*, Real Compañía de Impresores y Libreros, Madrid, 1776.

Isidoro Hispalense, *Etymologiæ*, BAC, Madrid, 2004.

Kohler, Josef, "Die spanischen Naturrechtslehrer des 16. und 17. Jahrhunderts", *Archiv für Rechts- und Wirtschaftsphilosophie*, 10 (1917) 3.

Lugo, Juan de, *De iustitia et iure*, Petrus Prost, Lugduni, 1642.

— , *De incarnatione*, Lyons, 1633.

Mercado, Tomás de, *Summa de tratos y contratos (1571)*, Nacional, Madrid, 1975.

Molina, Luis de, *De contractibus*, Serrano de Vargas, Conchæ, 1597.

Muñoz Machado, Santiago (dir.), *Diccionario del español jurídico*, RAE/Planeta, Barcelona, 2019.

Murillo, Pedro Bernardo, *Cursus juris canonici*, Emmanuelis Fernandez, Matriti, 1743.

Olieu, Pierre, *De contractibus*, Franciscan Institute Publications, New York, 2016.

Oñate, Pedro de, *De contractibus in genere*, Romæ, 1646.

Orozco, Alonso de, *Libro de la suavidad de Dios*, Simon de Portonaris, Salamanca, 1576.

Pinhel, Arias, *Commentarii ad rub. et l. II, C. de rescindenda venditione*, Antuerpiæ, 1618.

Pothier, Robert-Joseph, *Traité du contrat de vente*, Debure/Rouzeau-Montaut, Paris/Orléans, 1772.

Pseudo-Aristóteles, *Rhetorica ad Alexandrum*, Eusal, Salamanca, 1989.

— , *Problemata*, Harvard UP, London/Cambridge, 1957.

— , *Liber de bona fortuna*, ms. lat. 14717, Bibliothèque Nationale de France, Paris.

— , *Magna moralia*, Gredos, Madrid, 2011.

Pufendorf, Samuel von, *De officio hominis et civis juxta legem naturalem libri duo*, CEPC, Madrid, 2002.

Sánchez de Ávila, Tomás, *De sancto matrimonii sacramento*, Antuerpiæ, 1620.

Schmitt, Carl, *The Nomos of the Earth*, Telos, New York, 2006.

Schmutz, Jacob, "Was Duns Scotus a Voluntarist? Juan Caramuel Lobkowitz against the Bratislava Franciscans", *Filosofický časopis*, número especial (2016).

Seckel, Emil, *Beiträge zur Geschichte beider Rechte im Mittelalter: Zur Geschichte der populären Literatur des Römisch-canonischen Recht*, Laupp, Tübingen, 1898.

Séneca, *De beneficiis*, Bernat Metge/Emporium, Barcelona, 1954.

Soto, Domingo de, *De iustitia et iure*, IEP, Madrid, 1967-1968.

— , *De natura et gratia*, Andreas a Portonariis, Salmanticæ, 1550.

Suárez, Francisco, *De voto*, Ludovicus Vivès, Paris, Opera omnia vol. XIV, 1859.

— , *De legibus ac Deo legislatore*, IEP, Madrid, 1967-1968.

— , *De iustitia et iure*, Herder, Freiburg, 1958.

— , *Commentarii in Ethica Aristotelis*, ms. lat. 6775, Bibliothèque Nationale de France, Paris.

— , *De iustitia Dei*, Ludovicus Vivès, Paris, Opera omnia vol. XI, 1858.

— , *De mysteriis vitæ Christi*, BAC, Madrid, 1950.

— , *De incarnatione*, Ludovicus Vivès, Paris, Opera omnia vol. XVIII, 1859.

Teofrasto, *Characteres*, Cambridge UP, Cambridge/New York, 2004.

Valencia, Pedro de, *Escritos económicos*, Universidad de León, León, Obras completas vol. IV/1, 1994.

Veracruz, Alonso de, *De iusto bello contra indos*, CSIC, Madrid, 1997.

Villey, Michel, *Le droit et les droits de l'homme*, PUF, Paris, 2016.

Vio, Tommaso de, *Commentaria in secundam secundæ*, Leonina, Roma, 1897.

Vitoria, Francisco de, *In secundam secundæ divi Thomæ*, Biblioteca de Teólogos Españoles, Salamanca, 1933-1952.

Volpi, Franco, *Il nichilismo*, Laterza, Roma, 1999.

Welzel, Hans, *Introducción a la filosofía del derecho. Derecho natural y justicia material*, B de F, Montevideo/Buenos Aires, 2011.

Wolff, Christian von, *Grundsätze des Natur- und Völkerrechts*, Olms, Hildesheim, Gesammelte Werke vol. XIX, 1980.

DERECHO PENAL

EL "INJUSTO DE BUENA FE" COMO UN CRITERIO DE DISTINCIÓN ENTRE INCUMPLIMIENTO CIVIL Y EL DELITO PENAL EN HEGEL[1]

Gonzalo García Palominos
Phd (Freiburg), LLM (Freiburg)
Profesor de Derecho Penal, Universidad de los Andes, Chile

> *"En el caso de lo injusto civil o injusto de buena fe*
> *no se impone ninguna pena, pues yo no he*
> *intentado nada en contra del derecho"*
> *(Añadidos al §89 de Hegel, G.W.F.*
> *Fundamentos de la Filosofía del Derecho)*

SUMARIO: 1. INTRODUCCIÓN. 2. INJUSTO DE BUENA FE Y LA TEORÍA DEL RECONOCIMIENTO DE HEGEL. 2.1. "Lo injusto de buena fe" (también traducido, por algunos, como injusto sin malicia o involuntario). 2.2. Introducción a la filosofía de Hegel. 2.2.1. La lógica del sistema filosófico completo, y en particular del concepto de reconocimiento. 2.2.2. La relación del sistema con el derecho. 2.2.3. La metodología y el concepto de injusto. 2.3. Punto de partida. 2.3.1. La falta de reconocimiento. 2.3.2. La lesión al valor del derecho general (la esencia). 3. ORIENTACIÓN PRÁCTICA DEL PLANTEAMIENTO. 3.1. El merecimiento de pena. 3.2. La distinción entre el injusto penal y civil. 4. PROPUESTA GENERAL ¿CUÁNDO UN INCUMPLIMIENTO CONTRACTUAL PODRÁ SER ENTENDIDO COMO DELITO?. BIBLIOGRAFÍA.

---

[1]   Este artículo ha sido escrito durante una estadía de investigación en la Universidad de Navarra, España, financiada por una beca de la Fundación Carolina (España) y la Universidad de los Andes (Chile), a quienes se extiende los agradecimientos. Especial agradecimiento a los colegas académicos de la Universidad de Navarra (España), Prof. Dr. Pablo Sánchez-Ostíz, Prof. Dra. Elena Iñigo y Prof. Dr. Mario Pereira, por la hospitalidad y apoyo científico permanente. El autor agradece a la ayudante de la cátedra de Derecho Penal en la Universidad de los Andes (Chile) Sofía Leniz por su colaboración en la revisión y corrección formal de este trabajo y al Prof. Dr. Hernán Corral por sus críticas y sugerencias.

1. INTRODUCCIÓN

Si bien la filosofía de Hegel, incluso la que tiene por objeto el derecho, no fue desarrollada exclusivamente con objetivos prácticos, como señala Pinkard, sí lo fue en un contexto histórico – la caída de Napoleón y el debate por la reforma constitucional y codificación alemana – que permite concluir que se trató de un esfuerzo por "demostrar cómo su especial enfoque idealista de la filosofía podía suministrar la necesaria orientación a aquellas disputas".[2] Parte importante de su exposición e, incluso, alguna reformulación de ideas, es consecuencia de que en el entorno de dicho debate un influyente Savigny había defendido la idea de que era absurdo criticar el derecho en tanto es expresión de la identidad del pueblo (*Geist*) y que, por ello, sólo cabía deducir compromisos a partir de él. Hegel se habría propuesto probar precisamente la esencial negatividad de la historia y del espíritu europeo, como una especie de actitud autocrítica del presente y constructiva de nuevas formas de *Geist (espíritu)*.[3]

Pues bien, este artículo se ha propuesto analizar los criterios de ilícito de "buena fe"[4] y la teoría del "reconocimiento", como consideraciones prácticas en el debate actual sobre la distinción entre el ilícito penal y el civil; esto es, como criterios de merecimiento de pena en delitos que presuponen una relación contractual. En especial, se propone dar una mirada al problema, considerando que todavía subsisten críticas a la legitimidad de ciertos tipos penales que suponen un incumplimiento contractual, como la desarrollada en torno al delito de apropiación indebida por la literatura penal chilena que denuncia una "desproporción" en la amenaza de pena en lo que entiende son meros ilícitos civiles[5] y que ha calificado como una especie de la "atávica prisión por deudas".[6] El artículo, pretende demostrar que, a partir de la idea general de *injusto de buena fe* y la tesis del reconocimiento, es posible resolver la distinción entre el ilícito penal del ilícito civil y encontrar caminos de cualificación del injusto penal particular.

---

[2]   Pinkard, Terry, *Hegel. Una Biografía*, Ed. Acento, Madrid, 2001, p. 592 y s.

[3]   Pinkard, p. 595.

[4]   Importante es destacar que el concepto de *buena fe* utilizado por Hegel, es diferente al desarrollado en nuestro contexto para el derecho civil o procesal. Véase para el concepto civil Gúzman Brito, Alejandro, "La buena fe en el Código Civil de Chile", en *Revista Chilena de Derecho*, Vol. 29 N° 1, (2002), Sección Estudios, pp. 11 – 23.

[5]   Hernández, Héctor, "La administración desleal en el derecho penal chileno", en *Revista de Derecho de la Pontificia Universidad Católica de Valparaíso*, XXVI (Valparaíso, Chile, 2005, Semestre I), pp. 201 – 258, p. 210.

[6]   Soto Piñeiro, Miguel, *La Apropiación Indebida*, Editorial Jurídica Conosur Ltda, 1994, Santiago, p. 11.

2. INJUSTO DE BUENA FE Y LA TEORÍA DEL RECONOCIMIENTO DE HEGEL

No todos los aspectos relevantes de la filosofía del derecho penal y la dogmática del derecho penal estan orientados a los problemas de la "imputación penal". También son clásicos, y de suma relevancia, aquellos trabajos relacionados con la búsqueda de elementos que permiten caracterizar y reconstruir un "injusto penal" como un ilícito especialmente cualificado. Antigua es la discusión sobre si existen diferencias cualitativas y cuantitativas con otros injustos, como el del derecho civil y el del derecho sancionatorio administrativo. Aquello que pareciera ser relativamente "indiscutible" en las ciencias sociales – piénsese en Durkheim, que sostenía que había una diferencia entre el derecho penal y todas las demás ramas del derecho[7] –, ha sido discutido sustantivamente por la filosofía del derecho penal generando una influencia decisiva en la dogmática penal. En esta última se nombran, por ejemplo, conceptos como "digno de pena" (Strafe-Verdienen) y "necesidad de pena" (Strafe-Bedürfen) desarrollado por Sax[8], y luego "merecimiento o necesidad de pena" (Strawürdig – Strafbedüftig)[9] y la teoría de protección exclusiva de bienes jurídicos[10] desarrollado por la literatura mayoritaria; otros intentos desarrollados directamente en el trabajo del injusto han sido, por ejemplo, el doble examen de proporcionalidad desarrollado por Frisch[11]

---

[7]   Robles, Gregorio, *Crimen y Castigo* (Ensayo sobre Durkheim), Cuadernos CIVITAS, Madrid, 2001, pp. 53 y ss; llamativo es que Durkheim sostenía una diferencia en el ilícito caracterizado por su objetivo represivo en que la sanción busca expiar al infractor su conducta ilícita y el ilícito restitutivo, en que la sanción busca restituir las cosas a su estado social normal.

[8]   Sax, Walter, "Grundsätze der Strafrechtspflege", en Bettermann; Nipperdez; Scheuner, *Die Grundrechte*, Band. III/2, Berlin, 1959, pp. 909 ss, específicamente p. 923; adicionalmente véase Sax, Walter,"Tatbestand und Rechtsgutsverletzung [I] und [II]", en *Juristenzeitung*, Tübingen, J. C. B. Mohr Verlag, 1976, pp. 9-16 [I], 80-85 [I], 429-439 [II].

[9]   Hamann, Andreas, Grundgesetz und Strafgesetzgebung, Neuwied u.a., Luchterhand, 1963, pp. 27 y ss.; Günter, Hans-Ludwing: *Strafrechtswidrigkeit und Strafunrechtsausschluß*, Köln, Berlin, Bonn, München, Carl Heymanns Verlag KG., 1983, pp. 5.255 y ss.

[10]   Entre otros Schmidhäuser, Eberhard: "Der Unrechtstatbestand", en Bockelmann, Paul; Kaufmann, Arthur; Klug, Ulrich (Hrsg.), *Festschrift für Kargl Engisch* (Frankfurt a. M., Vittorio Klostermann), 1969, pp. 433 ss.; Stratenwerth, Günter, *Handlungs-und Erfolgsunwert im Strafrecht, Schweizerische Zeitschrift für Strafrecht* (Bern, Verlag Stämpfli), 1963, pp. 233 y ss.; Jescheck, Hans-Heinrich y Weigend, Thomas, *Lehrbuch des Strafrechts, Allgemeiner Teil* (Berlin, Duncker & Humblot, 5. Aufl., 1996, p. 257.

[11]   Frisch, Wolfgang, "Wesentliche Strafbarkeitsvoraussetzungen einer modernen Strafgesetzgebung", en Eser; Kaiser; Weigend [Coord], *Von Totalitärem zu rechtstaatlichem Strafrecht*, 1993, pp. 201, 210 y ss.; Eser, Albin y Burkhardt, Björg (1992): *Strafrecht I, Allgemeine Verbrechenselemente*, München, Verlag C. H. Beck, pp. 61 y ss.

y Freund[12] o el concepto de antijuridicidad material planteada inicialmente por v. Liszt, así como la idea constitucional de un derecho penal como derecho de protección en contraposición a un derecho de lesión de deber en Hefendehl[13], etc.

El principal punto de partida de todas estas propuestas, en palabras de Frisch, es encontrar un criterio que determine el contenido mínimo del ilícito penal: *lo que no pueda justificar una privación de libertad (merecimiento y necesidad de pena) no puede llegar a definirse como delito.* Precisamente, dicho contenido negativo se dirige esencialmente a cualificar, por una parte el injusto penal y, por otra, distinguirlo de otro tipo de ilícitos que también son propios del derecho público. Este criterio, sin embargo, ha sido deficitario en la distinción entre el derecho penal y el derecho civil.[14] De entre los distintos conceptos propuestos, los más aceptados para hacer frente a tal desafío en la doctrina penal son los de *merecimiento y necesidad de pena*[15].

A pesar de que Hegel no utiliza dichos términos de manera expresa (aunque es posible encontrarlos en algunas traducciones) en su libro "Fundamentos de la Filosofía del Derecho",[16] *sí emprende "una empresa parecida" y, probablemente, realiza uno de los más importantes aportes al derecho penal y que, con el tiempo, se convertiría en una solución al desarrollo puramente consecuencialista (y liberal) del injusto penal. Se trata de lo que luego penalistas como Pawlik*[17] o Seelmann[18] *han denominado* teoría del reconocimiento y que, a partir de razonamientos lógicos, ha permitido la distinción entre el derecho civil y el derecho penal, a través de lo que Hegel denominó: *el injusto de buena fe.*

Si bien los criterios consecuencialistas (tratados hoy en día en la teoría del bien jurídico o protección exclusiva de bienes jurídicos) realizaron un aporte relevante desde la perspectiva de las garantías del ciudadano

---

[12] Freund, Georg, *Strafrecht Allgemeiner Teil*, Berlin, Heidelberg, Springer Verlag, 2009, nm. 1 y nm. 17 y ss.

[13] Idea extensamente explicada en su obra Hefendehl, 2002, pp. 9 y ss.

[14] En este sentido también Seelmann, p. 379.

[15] Sobre esta discusión ver Alwart, Heiner: *Strafwürdiges Versuchen, eine Analyse zum Begriff der Strafwürdigkeit und zur Struktur des Versuchsdelikts* (Berlín, Dunker & Humblot), 1982, pp. 21 y ss.; Bloy, pp. 30 y ss.; Altpeter, Frank, *Strafwürdigkeit und Straftatsystem* (Frankfurt, Peter Lang Verlag, 1990, et al.

[16] Se han utilizado para este trabajo distintas versiones de la obra de Hegel, sin embargo, se ha tenido de cabecera especialmente la siguiente: Hegel, Georg, fundamentos de la Filosofía del derecho o Compendio de derecho natural y Ciencia Política (Trad. Joaquín Aballeán), Tecnos, Madrid, 2017.

[17] Pawklik, 1999, pp. 46 y ss.

[18] Seelmann, p. 377.

frente al Estado y los límites (proporcionalidad) al ejercicio del derecho penal, introdujeron también la dificultad – por malos entendimientos –de no identificar la esencia del ilícito penal; esto, porque otros ámbitos del derecho –tales como en el derecho civil o administrativo– también regulan conductas relacionadas con el daño producido o su potencialidad e, incluso, incumplimientos contractuales con efectos perjudiciales en los bienes e intereses de las personas.

Probablemente, el concepto que más llama la atención en este contexto de solución sea el de "*Lo injusto de buen fe*".

2.1. *"Lo injusto de buena fe" (también traducido, por algunos, como injusto sin malicia o involuntario)*

Precisamente así se titula la letra A de la Sección Tercera del libro de Fundamentos de la filosofía del derecho de Hegel que lleva el nombre general "Lo Injusto" (§§82 – 104); esta sección se completa con el tratamiento del injusto en los párrafos destinados a los injustos del "fraude" (§§87-89) y del delito (§§95-96), lo que formaría una trilogía diferenciada de conductas contrarias al derecho. Precisamente, aquel tratamiento conjunto y, en parte, comparativo, permite llegar a consecuencias relevantes. Esto, en primer lugar, es posible percibirlo en la evidente y estructural distinción entre los conflictos que se presentan ya sea como meras "colisiones de derechos" (subjetivos) o, de manera más intensa, como "lesión de derechos"; en la primera se mantiene una lógica de conflicto intersubjetivo, que la literatura ha caracterizado por medio de la acentuación del aspecto subjetivo de la buena fe; esto es, como malicia, pero que en realidad – desde mi lectura – está centrado en si el conflicto intersubjetivo presupone una falta de reconocimiento del derecho como lo general y decisivo (§§84 a 86); justamente, por faltar un conflicto al reconocimiento intersubjetivo, es que para Hegel en el derecho civil no sea necesario eliminar el arbitrio subjetivo que implique la lesión al derecho. Como señala Seelman, en su interpretación a este párrafo, en el conflicto en que se presenta el ilícito civil se reconocería el derecho en general, es decir, *al otro como persona*, de manera tal que sólo se niega de *buena fe* el reconocimiento (Anerkennung) a una determinada pretensión del otro.[19] A mi juicio, no se trata exclusivamente – aunque eventualmente también podría serlo, pero no de manera esencial – de una cuestión que se defina a partir de aspectos subjetivos o

---

[19]   Seelmann, p. 377.

meras intenciones; por el contrario, se trata de la definición del conflicto, cuyo objeto para la justicia no está radicado únicamente en la mera contradicción al derecho, sino en la lesión de algún aspecto relevante del estatuto de la persona garantizado por el derecho.

2.2. *Introducción a la filosofía de Hegel*

Previo a analizar el concepto de "injusto de buena fe", resulta necesario introducir brevemente la filosofía de Hegel, y propongo hacerlo en base a tres pilares: i) el de la lógica del sistema filosófico completo, y en particular del concepto de reconocimiento; ii) la relación del sistema con el Derecho y iii) la metodología y el injusto.

2.2.1. La lógica del sistema filosófico completo, y en particular del concepto de reconocimiento

En un reciente estudio sobre la teoría del castigo en Hegel, Herszenbaun ordena este planteamiento, en el contexto sistemático del pensamiento hegeliano que tiene como elemento fundamental precisamente "el reconocimiento".[20] Como lo destacaba antes también Seelmann, el concepto de reconocimiento describiría "una particular relación entre autoconciencias enfrentadas". En la fenomenología del espíritu de Hegel, tanto la "Conciencia" (desarrollados en los capítulos 1 a 3) como la "Autoconciencia" (capítulo 4), según se explica, juegan un rol fundamental tanto en el conocimiento de los objetos externos (distintos a sí mismo) y de uno mismo (desde la subjetividad), respectivamente.[21] A partir del conocimiento de uno mismo como autoconciencia (como otro yo), surgiría el reconocimiento de "otras" autoconciencias: de los otros. Como explica este autor, ya que en Hegel lo característico de la conciencia es ser *constituyente de la objetividad*, "el enfrentamiento con estas otras autoconciencias es inevitable". Aquello se explicaría porque cada autoconciencia exige ser reconocida como verdadero sujeto constituyente de lo que es como tal; para ser un sujeto autoconsciente, se debe ser reconocido como tal por otra autoconciencia:[22] *"La lucha a muerte entre autoconciencias es el camino por*

---

[20]   Herszenbaun, Miguel Alejandro, "La teoría del castigo en el pensamiento jurídico de Hegel = The theory of punishment in Hegel's legal thought", en *UNIVERSITAS. Revista de Filosofía, Derecho y Política*, p. 45-75, dic. 2017, p. 53.

[21]   Herszenbaun, p. 53 y s.

[22]   Herszenbaun, p. 55.

medio del cual puedo hacerle evidente a mi rival que yo no soy pura vida biológica, que no soy pura objetividad y que hay en mí una vida espiritual, simbólica, cultural que no se reduce a mi pura materialidad."[23]

De la Maza, por su parte, explica que en la filosofía de Hegel se desarrollan dos estados de intersubjetividad que, para efectos de lo que se está analizando, resulta esencial. Un primer estado destacaría la relación entre individuos que es propia de la intersubjetividad y que sería absorbida esencialmente en la familia y el Estado, en tanto son concebidos como singularidades que se relacionan consigo mismas.[24] Citando un análisis posterior de Habermas, este autor señala que el amor es, primariamente, planteado como "reconciliación de opuestos" que configurarían formas desfiguradas de comunicación en lucha por el reconocimiento.[25] Este tipo de relaciones intersubjetivas con manifestación del reconocimiento, no serían, en todo caso, propias de la eticidad, sino pertenecientes a la naturaleza (*dieses Seinselbstsein in einem fremden gehört der Natur, nicht der Sitlichkeit*).[26] De Zan explica que la transición de este primer estado "primario de reconocimiento", basado en el amor y en la moralidad, hacia una universalización, se debe comprender mediante un proceso histórico-evolutivo que se desarrolla con otra lógica; esto, porque no habría una *continuidad evolutiva natural*, como la de las pequeñas comunidades primarias y la constitución de la *polis de la filosofía griega*, sino que es consecuencia de luchas por los derechos (*Kampf um Anerkennung*) o de conflictividad; estas serían producidas por las experiencias anteriores de reconocimiento y expresiones subsistentes de relaciones con la negación del reconocimiento.[27] El reconocimiento, entonces, se da también a otro nivel o estado, que es en la sociedad civil.

2.2.2. La relación del sistema con el derecho

Así entonces , la perspectiva que propone Hegel si bien dista de ser normativa –más bien es ontológica[28]– permite, como señala Siep – recons-

---

[23]   Herszenbaun, p. 55.

[24]   De la Maza, p 71 y s.

[25]   De la Maza, p 71 y s.

[26]   De Zan, Julio, "La lucha por el reconocimiento en Hegel: ¿acontecimiento moral, o antropológico? Discusión de algunas interpretaciones recientes", en Falgueras, Ignacio; García, Juan A. y Padial, Juan J. (Editores), *Yo y Tiempo. La antropología filosófica de G.W.F. Hegel*, Vol. I. La sustancialidad y subjetividad humanas. Contrastes, Málaga, 2010, pp. 307-318, p. 309.

[27]   De Zan, p. 309.

[28]   De Zan, p. 310

truir y adoptar posiciones críticas a las instituciones humanas.[29] El *problema del derecho*, así como los conflictos a los cuales este debe avocarse (y abocarse), formarían parte de un problema especial de reconocimiento del otro como persona jurídica (sujeto de derecho) en una sociedad concreta y organizada. El derecho aquí juega un rol relevante, en tanto permite institucionalizar y normativizar esas relaciones de reconocimiento. Parece necesario destacar dos aspectos acá:

Lo primero, es que *en* el derecho abstracto el desarrollo del concepto de persona está vinculado con lo que hoy podríamos denominar derecho a la propiedad sobre bienes o cosas.[30] En añadidos al §33 de Fundamentos, se explica que la voluntad libre – precisamente para no permanecer abstracta y darse una existencia real o empírica – debe materializarse, siendo la primera – aunque entiendo que no la única – la relación inmediata sobre las cosas externas respecto de las cuales es posible el ejercicio de la propiedad. Si la voluntad libre, entonces, se vincula con relación inmediata sobre y con las cosas del mundo real (propiedad como modo de libertad) y en relación a estas, a su vez, se generan relaciones similares para con otras personas, el conflicto por el reconocimiento debe ser institucionalizado por el derecho, por medio de la asignación de propiedad y el contrato. En otras palabras, cuando se es persona titular de derechos, el derecho no sólo institucionaliza el ejercicio de la libertad sobre cosas, sino que además impone el reconocimiento de las otras personas en su cualidad de persona titular de sus propios derechos.[31]

El segundo aspecto es aún más sistemático. Como explica Bergés, la filosofía del derecho en Hegel ha sido configurada en base a dos máximas: "sé una persona y respeta a los demás como personas" (§36) y "hay que salir del estado de naturaleza". La primera máxima se traduciría en dos imperativos: el primero ("sé persona") se traduciría en "sé conciente de que eres una persona y entra en relaciones jurídicas acorde con esta nueva autoconciencia", mientras que el segundo ("respeta a los demás como personas") remitiría al reconocimiento de un derecho absoluto del hom-

---

[29]   Siep, Ludwig, *Anerkennung als Prinzip der praktischen Philosophie. Untersuchungen zu Hegels Jenaer Philosophie des Geistes*, Freiburg, München 1979, pp. 19 y s; De la Maza Samhaber, p. 72.

[30]   Véase con mayor profundidad en Ávila, Alexander y Castellanos, Nilson, "La libertad y el derecho penal en Hegel. Una comprensión desde el derecho abstracto", en *Revista Vía Iuris*, Número 18 * Enero – Junio, 2015, pp. 87 – 100, p. 94.

[31]   Ávila/Castellanos, p. 94.

bre que sería irrenunciable e imprescriptible.[32] Por su parte, la segunda máxima, señalaría que la validez de las categorías jurídicas requerirían la realización de estructuras inmanentes de la libertad que van más allá de la libertad contractual y son indisponibles. Aquí lo relevante es que de la primera máxima se concluiría que la totalidad de la esfera del derecho "adquiriría un tono despótico" cuando se elimina las formas en las que se objetiva el concepto de persona, como en el contrato o en la propiedad. La segunda máxima tendría la relevancia de que la subjetividad abstracta de la persona tiene su desarrollo en diferentes niveles del derecho y en que, a este nivel, se produce una colisión entre formas más abstractas de libertad con formas más concretas. [33]

2.2.3. La metodología y el concepto de injusto

La interpretación del concepto general *injusto*, al menos desde el derecho penal, es equívoco y ha generado permanentes confusiones, ya que tiende a reconstruirse a partir del concepto pena (como negación). Así, a modo de ejemplo, Molina Fernandez si bien comienza acertadamente con comprender la ley como la voluntad general y el injusto como la falta de coincidencia entre la voluntad particular del individuo con dicha voluntad general, termina por proveerle una significación simbólico-comunicativa[34] que, como injusto general, no coincide con el planteamiento de Hegel, sino sólo con el injusto penal. Como destaca Herszenbaun, en la perspectiva de Hegel, a pesar de reconocer el acto en su dimensión natural (como acto acaecido en el espacio y en el tiempo), en realidad se refiere sólo al significado jurídico-social de la conducta en su relación con la normatividad vigente: el hecho es una mera oposición objetiva al derecho vigente, entendido en un sentido muy amplio. Este, en términos generales, no se trataría de un acto creador de normatividad, y, por el contrario, sólo se definiría por su oposición a la normatividad vigente: no-derecho (Unrecht).[35] El reconocimiento de la pura contrariedad al derecho, entonces, no permitiría la distinción en distintos tipos de ilícitos; aquella diferenciación estaría posibilitada por tres tipos de juicios que posibilitan la reconstrucción

---

[32] Bergés, Alfredo, "El derecho como sistema de niveles de libertad", en Giusti, Miguel (Ed), *Dimensiones de la Libertad, Sobre la Actualidad de la Filosofía del Derecho de Hegel*, Anthropos editorial, Lima, 2014, 38 – 81, p. 43 y s.

[33] Bergés, p. 44.

[34] Molina, Fernando, *Antijuridicidad y sistema del delito*, J.M. Bosch Editor, Madrid, 2003, p. 193 (véase además cita 21).

[35] Herszenbaun, p. 61.

del concepto y que la filosofía, a propósito de la dialéctica (especulativa)[36] de Hegel, denomina juicio negativo.

La reconstrucción del concepto a partir de un juicio negativo es una metodología que tendría su orígen en la afirmación de Spinoza: "Omnis determinatio est negatio", según el cual las cosas finitas son limitadas en la medida en que están determinadas cualitativamente.[37] Sin embargo, para Hegel, y a diferencia de Spinoza, el juicio negativo por medio del cual las cosas finitas se excluirían de sí mismas por otras cosas finitas, tendría un factor de determinación en elementos de carácter cuantitativo. Por lo mismo, como afirma Rohmer, las cosas encarnarían lo ilimitado precisamente en la limitación que les es inmanente:[38] Así, si el *ser* es, al mismo tiempo, es *no-ser* de otro – lo que implica una negación del *ser* más propio e inherente de cada algo finito – eso significaría que las cosas finitas tienen, por un lado, un *ser-para-sí* y, por otro lado, un *ser-para-otros*. Desde esta perspectiva el *ser finito* sería una lucha constante en no perderse a sí mismo en la relación con el otro, y no enajenarse en el otro y perder su identidad.[39] El juicio sería, por lo tanto, la búsqueda del concepto en su singularidad, como relación diferenciadora.[40]

En este contexto sistemático es que Hegel desarrolla la conceptualización en torno al tipo de ilícito que es competencia del derecho civil y el que es propio del derecho penal. Para conceptualizar el injusto y sus modalidades, como concepto general en los parágrafos §§ 82 y 83, desarrolla un planteamiento que tiene tres pilares a partir del juicio negativo: i) juicio negativo simple; ii) juicio negativo idéntico y iii) juicio negativo absoluto o infinito,[41] de los cuales surgen los ilícitos del derecho civil (de buena fe), del fraude y del delito.

2.3. *Punto de partida*

El planteamiento principal tiene como punto de partida, entonces, el reconocimiento de que, al existir distintos títulos jurídicos que represen-

---

[36] Sobre el método especulativo hegeliano, véase Sánchez Fernández, José, "La proposición especulativa y su reflejo en la construcción de la filosofía del espíritu de Hegel", en *Fragmentos de filosofía*, Núm. 7, 2009, pp. 87-111.

[37] Rohmer, Stascha, "Límite, juicio y alteridad en Hegel", en *Eidos,* N° 28, 2018, pap. 103-119, p. 109.

[38] Rohmer, p. 110.

[39] Rohmer, p. 111-114.

[40] Rohmer, p. 116.

[41] Sobre este aspecto en derecho penal, Bascuñán R., Antonio, "Delito y pena en la Filosofía del Derecho de Hegel", en *Anuario de Filosofía Jurídica y Social – Sociedad Chilena de Filosofía Jurídica Social,* Número 15, 1997, pp. 289 – 303, p. 290.

tan relaciones intersubjetivas institucionalizadas *sobre las cosas*, pueden generarse fricciones de reconocimiento. Precisamente, ya que la naturaleza de la posesión o del contrato, como títulos jurídicos (en relación con el reconocimiento de otros) y su particularidad de que respecto a una misma cosa puedan surgir distintos títulos (heterogeneidad), Hegel señala que es posible el surgimiento de "colisiones de derechos" caracterizadas como "apariencias en sí mismas" (§§ 82 y 84), en que la voluntad particular se contrapone al derecho en sí mismo. Precisamente, el injusto civil es caracterizado acá como una contraposición entre el derecho en sí mismo (como esencia) y la voluntad particular que es su manifestación fenoménica (§82 y añadido VII 173), pero en que la pretención particular no se alza como pretensión general: "...el calificativo `mío´, sólo está negando lo particular" y no lo general. En otras palabras, se trata de un conflicto que tiene por objeto una colisión que se resuelve con la debida subsunción de la cosa bajo la propiedad de una u otra persona, sin que exista una pretensión de anular el derecho, aunque el derecho se deba imponer negando a su negación; la voluntad universal del derecho, una vez reconocida como realidad efectiva, debe "resignar" opiniones e intereses particulares (§86).[42] El injusto que es objeto del derecho civil – por apariencia o por su experiencia empírica inadecuada al derecho – , es un injusto de *buena fe* para el derecho, porque es una apariencia en sí misma ('Schein des Rechts') y no para uno mismo, porque considera subjetiva y erróneamente lo injusto como recto.

El delito, en cambio – y hasta donde puedo captar de estas lecturas– se explicaría en una doble esfera que lo diferencian de otros injustos: i) la falta de reconocimiento y ii) la lesión al valor del derecho general (la esencia).

2.3.1. La falta de reconocimiento

Como señala Seelman[43] – interpretando los parágrafos §§90 y 95 de la obra de Hegel – se podría definir como un injusto aquella conducta caracterizada por privar de reconocimiento a la universalidad del otro: "a su persona, a su capacidad jurídica". El merecimiento de pena estaría dado, entonces, por un comportamiento caracterizado por el desconocimiento

---

[42]   He utilizado acá una traducción mucho más clara y expedita en De la Rubia, José Antonio, "Injusticia y delito en Hegel", en *Revista Electrónica de la Asociación Andaluza de Filosofía*, D. L: CA-834/97. - ISSN 1138-3569, pp. 34-39.

[43]   Seelmann, p. 378

del otro como individuo libre e igual al infractor. Como señala este autor, sólo aquello "exige una reacción que tiene que superar la reparación material del status quo". Herszenbaun,[44] por su parte, sostiene que aquella "deliberada negación" de la personalidad de otra voluntad es lo que estaría presente en la violencia (Zwang) y el delito (Verbrechen), aunque en diversos grados, y por lo mismo, existirían distintas formas de ilicitud y de reproche penal;

2.3.2. La lesión al valor del derecho general (la esencia)

Por su parte, como afectacion del derecho en sí, y a diferencia del ilícito civil, el delito no estaría caracterizado por un simple enfrentamiento de autoconciencias individuales,[45] sino que existiría adicionalmente un atentado al derecho. Como señala expresamente Hegel, en el injusto penal no aparecen respetados "ni el derecho en sí ni el derecho como se me aparece" (en apariencia) [§90 y su añadido]; se niega la particularidad y la universalidad (infinitud).

Es evidente que Hegel no quiere restringir su análisis ni al contrato, ni a la propiedad ni al delito exclusivamente. Estas son, en realidad, formas o modos diferentes de intersubjetividad normativizada que, como señala De la Rubia, representan manifestaciones no sujetas a los meros deseos individuales inmediatos, sino que son producidos por cierto grado de racionalidad, en tanto se produce por criterios de justicia compartidos. Así contextualizado, el delito es desconocimiento de la subjetividad del otro y de la más grave negación de la normatividad intersubjetiva.[46]

Pawlik expresa esta misma idea sobre la tesis de Hegel, pero a partir de su teoría de la acción, sosteniendo que si el actuar voluntariamente de una persona vincula a su autodeterminación una pretensión específica de adecuación al derecho, con ello, además, se estaría estableciendo una pretención de generalidad.[47] La acción – y luego el delito – serían expresión de sentido jurídico penalmente relevantes.[48] Desde este punto de vista, seguiendo a penalistas neohegelianos, la acción en derecho penal significa tomar posición respecto de la obligación que surge de la norma penal. La

---

[44]   Herszenbaun, p. 57.
[45]   Herszenbaun, p. 57.
[46]   De la Rubia, pp. 34 y ss.
[47]   Pawlik, Michael, *Confirmación de la norma y equilibrio en la identidad. Sobre la legitimación de la pena estatal*, Atelier, Barcelona, 2019, pp. 25 y s.
[48]   Pawlik, 2019, p. 26

interpretación de estos a la afirmación de Hegel no puede quedarse ahí, ya que tanto el autor (y su perspectiva del reconocimiento) como sus adversarios, han exigido algo más que la sola infracción al derecho como opción comunicativa. En realidad, se trataría de "*lesionar posiciones jurídicas de otro*" como un ataque a la víctima como "persona".[49] En otras palabras, el ladrón no sólo se apropia de cosa ajena, sino que considera a su víctima "un mero recurso al que espitar según le parezca" o "se atribuye a sí mismo el poder de decisión sobre cuándo otros seres humanos merecen ser tratados como personas y cuándo pueden ser tratados como cosa".[50]

Así las cosas, a diferencia del *injusto de buena fe*, como señala Pawlik, el injusto penalmente relevante sólo se produce cuando un sujeto ha manifestando un poder que ejerce coactivamente contra la voluntad ajena, imponiendo su "programa normativo", que se interpreta como rebelión contra el ordenamiento normativo y se presenta como una sublevación normativa, más allá de posibles responsabilidades civiles.[51]

Para Hegel, voluntad y libertad representan una especie de unidad, en la medida que la voluntad se hace real por medio de la libertad. La violencia y la coacción sobre las personas y su propiedad, responden al significado de negación del derecho y la persona, en cuanto anula y suprime su voluntad libre. El delito, en tanto conducta del delincuente, suprimiría tanto el concepto de voluntad libre ajena como el propio, debido a que el sujeto niega incluso su propia libertad.[52]

2.4. A un nivel intermedio, entre el injusto civil y el penal, Hegel ubica al *fraude o engaño* (Betrug), que es tratado en los parágrafos §§87 y ss. En ellos explica, probablemente el aspecto más discutido y menos aceptado de su tesis[53]: el injusto del fraude, diferenciado del ilícito penal; pero también del ilícito civil. Aquí queda patente la idea de Hegel, de que la lesión al derecho, que implica falta de reconocimiento de otro en la intersubjetividad, presupone la más grave anulación de la voluntad de otro caracterizada en la coacción y el delito; excluye, o al menos atenúa dicho injusto, el hecho que el injusto no excluya la voluntad – y, por lo tanto, no anule la subjetividad, aun cuando exista una "comunión sólo externa de la voluntad" (§87). En otras palabras, el fraude constituiría un tipo de conflicto que

---

49   Pawlik, 2019, p. 41.
50   Pawlik, 2019, p. 41.
51   Pawlik, 2019, p. 38.
52   Vásquez, Eduardo, *Dialéctica y Derecho en Hegel*, Monte Ávila Ed., 1968, p. 103 y ss. De la Rubia, p. 35.
53   Véase sobre Vásquez, p. 100.

afecta la voluntad, pero no la excluye. De la Rubia,[54] utilizando el lenguaje hegeliano, sostiene que se trata de un injusto que supone que no se lesiona la voluntad particular del otro, sino que "simplemente" se le ha instalado en la subjetividad y en la mera apariencia, haciéndole creer que la acción es justa. Entiende que el ilícito no radica en su particularidad, sino en la ausencia de la universalidad existente en sí. Se trata de aparentar coexistencia entre voluntad particular y general, conociendo, sin embargo, la contraposición con el derecho.

3. ORIENTACIÓN PRÁCTICA DEL PLANTEAMIENTO

Quisiera destacar dos aspectos que resultan ser muy prácticos y que reciben de las tesis de Hegel, que aquí se analizan, algún grado de solución u orientación a la solución. El primero, más general, dice relación con (i) el merecimiento de pena, mientras que el segundo, más concreto, dice relación con (ii) la distinción entre el injusto penal y civil.

3.1. El merecimiento de pena

Sin duda, la propuesta de análisis del injusto como "no-derecho" – tripartito – y particularmente el del "*injusto de buena fe*" de Hegel ha servido como modelo de análisis (crítico), tanto para quienes han querido exponer una tesis de injusto objetivo, como para quienes han querido introducir esta exigencia en la teoría de la acción o, más específicamente, como un elemento de la teoría de la imputación. Trabajos en lengua española, como el de Molina Fernández[55], precisamente han mostrado interés por constatar contradicciones entre dichos presupuestos y la estructura de la teoría del delito moderna. En lo particular, sin embargo, me parece que el trabajo de Hegel en torno "al injusto de buena fe" en contraposición con el ilícito del fraude y el ilícito de delito, tiene la virtud – sin perjuicio del lenguaje complejo – de distinguir tipos diferenciados de conflictos que tienen como objeto al derecho y, al mismo tiempo, grados diferenciados en que se presenta la contradicción a este. Sólo tangencialmente o de manera práctica se podría vincular con el dolo y la culpabilidad, en tanto su relevancia está en demostrar que no todo conflicto de la justicia –del *ius*– tiene

---

[54]   De la Rubia, p. 35.
[55]   Molina, Fernando, *Antijuridicidad y Sistema del Delito*, J.M. Bosch Editor, Madrid, 2003, p. 193.

unas mismas dimesiones sociales y se aproxima a un mismo tipo de expresión antinormativa. Probablemente, centrarse en el problema del dolo o la culpabilidad, como problemas de imputación, más que en el del injusto y sus cualidades sustantivas, puede hacer perder su norte. Aquello no obsta a que la soluciones que se puedan encontrar a los problemas concretos puedan estar ubicadas en aspectos subjetivos.

En realidad, pareciera ser que Hegel plantea una diferenciación sustantiva que abarca todo el espectro, que va desde el *tipo de conflicto* que es competencia de cada rama del derecho, pasando por el contenido del injusto, hasta la definición del sujeto de "imputación".

En efecto, en Hegel el derecho garantiza una capacidad de desarrollar materialmente la autodeterminación en que, como diría Pawlik, "el dominador y el dominado son idénticos": personas en el derecho.[56]

Siguiendo aspectos abstractos de la tesis hegeliana, muchos autores se han visto tentados a entender que en toda "norma jurídica" en abstracto hay expresión y garantía relevante de la libertad o de una *posición jurídica* que supone. De ahí, asumen la relevancia ético-social y penal de todo ilícito bajo la idea, aparentemente mal entendida (por su acentuación), de que el Estado está por sobre el individuo, de manera que en toda norma hay expresión de lo universal que debe imponerse sobre el interés individual. Se acude a la idea, efectivamente sostenida por Hegel, de que en una infracción a una norma se presenta un injusto que atenta contra el derecho como universalidad, que es, al mismo tiempo y siempre, una instancia garantizadora de reconocimiento y libertad. Me parece que ninguna de estas cuestiones es posible de extraer, sin más o de manera absoluta, de la tesis de Hegel, y si lo fuere, la tesis de Hegel perdería parte importante de su relevancia.

Precisamente, el contraste del injusto penal con el injusto de *buena fe* y, en menor medida, del injusto del fraude, dan lugar al rechazo de una tesis estrictamente normativa y meramente formal, como también al rechazo de una tesis que no reconozca aspectos del derecho – el ordenamiento del derecho – en la materialidad y sustantividad. En su materialidad, significa que las instancias de reconocimiento que se adoptan en el derecho, adquieren relevancia precisamente en su manifestación de la realidad. Como destaca Vásquez, la voluntad sólo es real en cuanto tiene existencia sensible y se materializa en la persona que tiene, por ejemplo, derecho a poseer en el

---

[56]   Pawlik, 2019, p. 50.

ejercicio de la libertad[57] y, por lo mismo, el injusto penal se representa en una "coacción contra la existencia de la libertad en las cosas externas".[58] Probablemente, uno de los tantos aportes de la filosofía de Hegel sea reconocer que si bien existe una primacía de la *polis* ante el individuo, aquello no implica un desplazamiento del individuo en tanto sujeto jurídico (persona), ya que se trata de "una unidad viva" entre la libertad individual y la libertad universal.[59] Dichos individuos son personas en su dimensión relacional e intersubjetiva, lo que la *polis* y el derecho concretizan.[60] La dimensión entre lo universal y lo particular que el derecho configura en favor de la primera, en realidad se refiere a que el derecho elimina "lo arbitrario y la particularidad" del yo aislado, de manera de garantizar el reconocimiento del estatus de *persona de otros*. Nadie es persona sino en el reconocimiento de la personalidad del otro objetivamente.

El derecho penal se asienta así en su sustantividad y no en su mera formalidad. No se trata de la lesión al derecho en cuanto mera normatividad (ni siquiera debido a sus efectos comunicativos), sino en cuanto universalidad del derecho que corresponda a una instancia institucional de reconocimiento – aspectos del reconocimiento de la subjetividad jurídica – y refleja un aspecto relevante para el ejercicio de la libertad del sujeto. Un ejemplo de aquella búsqueda de sustantividad se aprecia en el desarrollo en torno al "honor", que la literatura explica en comparación con la fundamentación contractualista en Hobbes.[61] Se ha sostenido que mientras el primero tiende a acentuar "la vanagloria y a la necesidad de afirmación del poder propio ante los otros", Hegel ubica el honor dentro de la "lucha a muerte por la propia libertad", cuestión que va mucho más allá de «la conciencia y el saber que tiene el sujeto de sus determinaciones o particularidades".[62]

Al configurar el ilícito criminal – en sus particularidades – un desprecio a aspectos de la identidad de alguien y su libertad, se niega no sólo dicha esfera reducida sino todo el estatus de persona.[63] Pero, en términos sociales, la afectación de lo universal también resulta relevante. De aquello, surgen dos niveles de relevancia del delito: la que afecta la esfera de

---

[57]   Vásquez, p. 102.
[58]   Vásquez, p. 104.
[59]   Véase con detención Prada L., Manuel, "La idea de *reconocimiento* en el Hegel de Jena. Una lectura con Paul Ricœur", en *Franciscanum* 163, Vol. lvii (2015), pp. 21-49, p. 24.
[60]   Con mayores referencias PRADA, p. 26.
[61]   Prada, pp. 34 y s.
[62]   Prada, p. 35.
[63]   Prada, p. 34.

reconocimiento de la víctima – en su materialidad y sustantividad – y la que afecta al derecho en tanto universalidad por la imposición del delincuente de su voluntad particular.[64]

Todavía una última cuestión. De la exposición de Hegel a su diferenciación en tres modos de No-Derecho o injusto (*Unrecht*), es posible reconocer que, sin perjuicio de la existencia de una conducta contraria al ordenamiento del derecho, no existe un injusto penal de contenido puramente objetivo. El no-derecho puede adoptar particularidades y propiedades que lo hacen graduable. A mi juicio, la distinción entre fraude y delito no da cuenta de que el fraude no pueda llegar a ser entendido como un ilícito penal, sino que existe una gradualidad en la afectación de la voluntad en su libertad. Aquellas particularidades son las que, en términos generales, son valoradas y consideradas por el legislador. No cabe duda que este criterio tiene capacidad crítica, pero también simbólica que le permite a la literatura penal reconstruir, de mejor manera, los injustos penales desde una perspectiva concreta de merecimiento de pena.

3.2. *La distinción entre el injusto penal y civil*

La relevancia del desarrollo del "injusto" y, en particular, la del injusto de buena fe, no es meramente accesoria. A pesar de que el desarrollo del derecho ha dejado atrás muchos de los presupuestos considerados por Hegel – probablemente por el desarrollo no sólo del derecho penal, sino también del mismo derecho privado e incluso del derecho constitucional –, la vigencia y acentuación del tipo de problemas que atañe a cada una de las ramas del derecho, esa distinción adquiere actualidad. .

Al contrario de lo dicho respecto del derecho penal, al derecho civil no le correspondería asumir la tarea de garantizar las condiciones de reconocimiento institucional necesarios para que cada persona pueda conducir su vida desde su propio proyecto, ni menos resolver "el conflicto" como supresión de la existencia de la voluntad general representada en la norma infringida. El ilícito de "buena fe" consistiría entonces en la negación de lo particular, esto es, del acuerdo de voluntades por ejercicio de la voluntad,

---

[64] Vásquez, p. 106. Este autor, considera que para Hegel sólo es relevante para el delito la violación al derecho en cuanto tal y no el daño en sí (p. 1087). De mi lectura a Hegel, sin embargo, me parecen que ambas esferas son inseparables (de la misma forma que voluntad y libertad son una unidad), precisamente porque el daño se materializa en la anulación de la subjetividad o en la coacción (anulación) del ejercicio de la libertad.

pero que al mismo tiempo afirma lo general y universal[65] y no niega lo universal en la subjetividad o capacidad jurídica de la víctima.[66] La competencia del derecho civil está radicada en un tipo de conflicto intersubjetivo, cuya expectativa social es la de resolver a base de la mejor "subsunción del caso al derecho".

4. PROPUESTA GENERAL ¿CUÁNDO UN INCUMPLIMIENTO CONTRACTUAL PODRÁ SER ENTENDIDO COMO DELITO?

Este artículo se ha planteado como objetivo demostrar que, a partir de la idea general del *injusto de buena fe* y la tesis del reconocimiento, es posible obtener propuestas generales – que luego deben ser concretadas – en torno a la distinción entre el injusto civil y el injusto penal.

En términos generales, se puede concluir, que a partir de un incumplimiento contractual no sería posible advertir sino sólo un "*injusto de buena fe*", independiente de las particularidades subjetivas del incumplimiento.

Las situaciones penalmente relevantes serían, a partir de este planteamiento (considerado como idea general), excepciones calificadas que, en todo caso, también deberían estar fundadas en la doble perspectiva sustantiva y material que Hegel presenta como criterios: así, un incumplimieto contractual puede llegar a considerarse como delito: a) cuando se trate de un conflicto que supere el mero enfrentamiento de autoconciencias individuales (injusto de buena fe), en cuyo caso la infracción a la particularidad sea una manifestación de la deslealtad al derecho como universalidad (infinitud) y; b) cuando el incumplimiento de un acuerdo de voluntades suponga también el incumplimiento de los deberes de una posición de garante sobre un aspecto especialmente relevante referido al estatuto subjetivo de una persona, de manera tal que el incumplimiento contractual derive en una instrumentalización de la persona (víctima), en el desconocimiento de su personalidad o en un desconocimiento *grave* de su estatus jurídico en su relación con las cosas o bienes.

Se trata, entonces, de la asunción de una posición de deber en relación a otro, donde ya no está en juego una mera particularidad (mera negación de *buena fe* a una determinada pretensión del otro), sino que expresa una

---

[65]   Bascuñán, p. 295.
[66]   Con mayor profundidad Pawlik, Michael, *Ciudadanía y Derecho*, Atelier, Barcelona, 2016, p. 46 y s.

negación del otro, que debe ser homologable en gravedad a la "coacción contra la existencia de la libertad en las cosas externas".[67]

BIBLIOGRAFÍA

Alwart, Heiner, *Strafwürdiges Versuchen, eine Analyse zum Begriff der Strafwürdigkeit und zur Struktur des Versuchsdelikts* (Berlín, Dunker & Humblot), 1982.

Ávila, Alexander y Castellanos, Nilson, "La libertad y el derecho penal en Hegel. Una comprensión desde el derecho abstracto", en *Revista Vía Iuris*, Número 18 * Enero – Junio, 2015, pp. 87 – 100.

Bascuñán R., Antonio, "Delito y pena en la Filosolía del Derecho de Hegel", en *Anuario de Filosofía Jurídica y Social – Sociedad Chilena de Filosofía Jurídica Social*, Número 15, 1997, pp. 289 – 303.

Bergés, Alfredo, "El derecho como sistema de niveles de libertad", en Giusti, Miguel (Ed), *Dimensiones de la Libertad, Sobre la Actualidad de la Filosofía del Derecho de Hegel*, Anthropos editorial, Lima, 2014, 38 – 81.

Bloy, pp. 30 y ss.; Altpeter, Frank, *Strafwürdigkeit und Straftatsystem* (Frankfurt, Peter Lang Verlag, 1990, et al.

De la Rubia, José Antonio, "Injusticia y delito en Hegel", en *Revista Electrónica de la Asociación Andaluza de Filosofía*, D. L: CA-834/97. - ISSN 1138-3569, pp. 34 – 39.

De Zan, Julio, "La lucha por el reconocimiento en Hegel: ¿acontecimiento moral, o antropológico? Discusión de algunas interpretaciones recientes", en Falgueras, Ignacio; García, Juan A. y Padial, Juan J. (Editores), *Yo y Tiempo. La antropología filosófica de G.W.F. Hegel*, Vol. I. La sustancialidad y subjetividad humanas. Contrastes, Málaga, 2010, pp. 307-318.

Eser, Albin y Burkhardt, Björg (1992): *Strafrecht I, Allgemeine Verbrechenselemente*, München, Verlag C. H. Beck.

Freund, Georg, *Strafrecht Allgemeiner Teil*, Berlin, Heidelberg, Springer Verlag, 2009, nm. 1 y nm.

Frisch, Wolfgang, "Wesentliche Strafbarkeitsvoraussetzungen einer modernen Strafgesetzgebung", en Eser; Kaiser; Weigend [Coord], *Von Totalitärem zu rechtstaatlichem Strafrecht*, 1993.

Gúzman Brito, Alejandro, "La buena fe en el Código Civil de Chile", en *Revista Chilena de Derecho*, Vol. 29 N" 1, (2002), Sección Estudios, pp. 11 – 23.

Hamann, Andreas, Grundgesetz und Strafgesetzgebung, Neuwied u.a., Luchterhand, 1963, pp. 27 y ss.; Günter, Hans-Ludwing: *Strafrechtswidrigkeit und Strafunrechtsausschluß*, Köln, Berlin, Bonn, München, Carl Heymanns Verlag KG., 1983.

---

[67]   Vásquez, p. 104.

Hegel, Georg, fundamentos de la Filosofía del derecho o Compendio de derecho natural y Ciencia Política (Trad. Joaquín Aballeán), Tecnos, Madrid, 2017.

Hernández, Héctor, "La administración desleal en el derecho penal chileno", en *Revista de Derecho de la Pontificia Universidad Católica de Valparaíso*, XXVI (Valparaíso, Chile, 2005, Semestre I), pp. 201 – 258..

Herszenbaun, Miguel Alejandro, "La teoría del castigo en el pensamiento jurídico de Hegel = The theory of punishment in Hegel's legal thought", en *UNIVERSITAS. Revista de Filosofía, Derecho y Política*, p. 45-75, dic. 2017.

Jescheck, Hans-Heinrich y Weigend, Thomas, *Lehrbuch des Strafrechts, Allgemeiner Teil* (Berlin, Duncker & Humblot, 5. Aufl., 1996.

Molina, Fernando, *Antijuridicidad y sistema del delito*, J.M. Bosch Editor, Madrid, 2003.

Molina, Fernando, *Antijuridicidad y Sistema del Delito*, J.M. Bosch Editor, Madrid, 2003.

Pawlik, Michael, *Ciudadanía y Derecho*, Atelier, Barcelona, 2016.

Pawlik, Michael, *Confirmación de la norma y equilibrio en la identidad. Sobre la legitimación de la pena estatal*, Atelier, Barcelona, 2019.

Pinkard, Terry, *Hegel. Una Biografía*, Ed. Acento, Madrid, 2001.

Prada L., Manuel, "La idea de *reconocimiento* en el Hegel de Jena. Una lectura con Paul Ricœur", en *Franciscanum* 163, Vol. lvii (2015), pp. 21-49.

Robles, Gregorio, *Crimen y Castigo* (Ensayo sobre Durkheim), Cuadernos CIVITAS, Madrid, 2001.

Rohmer, Stascha, "Límite, juicio y alteridad en Hegel", en *Eidos*, N° 28, 2018, pap. 103-119.

Sánchez Fernández, José, "La proposición especulativa y su reflejo en la construcción de la filosofía del espíritu de Hegel", en *Fragmentos de filosofía*, Núm. 7, 2009, pp. 87-111.

Sax, Walter, "Grundsätze der Strafrechtspflege", en Bettermann; Nipperdez; Scheuner, *Die Grundrechte*, Band. III/2, Berlin, 1959.

Sax, Walter,"Tatbestand und Rechtsgutsverletzung [I] und [II]", en *Juristenzeitung*, Tübingen, J. C. B. Mohr Verlag, 1976.

Schmidhäuser, Eberhard, "Der Unrechtstatbestand", en Bockelmann, Paul; Kaufmann, Arthur; Klug, Ulrich (Hrsg.), *Festschrift für Kargl Engisch* (Frankfurt a. M., Vittorio Klostermann), 1969.

Siep, Ludwig, *Anerkennung als Prinzip der praktischen Philosophie. Untersuchungen zu Hegels Jenaer Philosophie des Geistes*, Freiburg, München 1979.

Soto Piñeiro, Miguel, *La Apropiación Indebida*, Editorial Jurídica Conosur Ltda, 1994.

Stratenwerth, Günter, *Handlungs-und Erfolgsunwert im Strafrecht, Schweizerische Zeitschrift für Strafrecht* (Bern, Verlag Stämpfli), 1963.

Vásquez, Eduardo, *Dialéctica y Derecho en Hegel*, Monte Ávila Ed., 1968.

FALSA DENUNCIA Y OBLIGACIÓN DE DETENCIÓN POLICIAL DE BUENA FE

Rodrigo Guerra Espinosa
Doctor en Derecho, Universidad de Los Andes
Profesor de Derecho Penal, Universidad de Los Andes, Chile

SUMARIO: 1. INTRODUCCIÓN. 2. OSTENSIBILIDAD EN HIPÓTESIS DE FLAGRAN-CIA. 3. CARACTERÍSTICAS DE LA OBLIGACIÓN DE DETENCIÓN. 4. FALSA DE-NUNCIA Y OBLIGACIÓN DE DETENCIÓN POLICIAL DE BUENA FE. 5. FALSA DE-NUNCIA Y EJERCICIO LEGÍTIMO DE UN DEBER. 6. CONCLUSIÓN Y BALANCE. BIBLIOGRAFÍA .

1. INTRODUCCIÓN

Con posterioridad a la tramitación legislativa, que encabezó la reforma procesal penal chilena, se regulan las facultades, derechos y deberes que tienen las policías en torno a la obligación de detención, ante la denuncia de hechos posiblemente constitutivos de delito. Obligación que es consecuencia de las hipótesis de flagrancia consagradas en el ordenamiento procesal penal. Este ordenamiento indica que "*corresponderá a los funcionarios de Carabineros de Chile y de la Policía de Investigaciones de Chile realizar las siguientes actuaciones, sin necesidad de recibir previamente instrucciones particulares de los fiscales: Practicar la detención en los casos de flagrancia, conforme a la ley*" (art. 83), y respecto de los casos de flagrancia, las hipótesis de detención son:

> "*a) El que actualmente se encontrare cometiendo el delito; b) El que acabare de cometerlo; c) El que huyere del lugar de comisión del delito y fuere designado por el ofendido u otra persona como autor o cómplice; d) El que, en un tiempo inmediato a la perpetración de un delito, fuere encontrado con objetos procedentes de aquél o con señales, en sí mismo o en sus vestidos, que permitieren sospechar su participación en él, o con las armas o instrumentos que hubieren sido empleados para cometerlo, y e) El que las víctimas de un delito que reclamen auxilio, o testigos presenciales, señalaren como autor o cómplice de un delito que se hubiere cometido en un tiempo inmediato. f) El que aparezca en un registro audiovisual cometiendo un crimen o simple delito al cual la policía tenga acceso en un tiempo inmediato. __Para los efectos de lo establecido en las letras d), e) y f) se entenderá por tiempo inmediato todo aquel que transcurra entre la comisión del hecho y la captura del imputado, siempre que no hubieren transcurrido más de doce horas*" (art. 130).

Ahora bien, esta obligación de detención, consagrada en el art. 130 del Código Procesal Penal (en adelante CPP), reconoce algunas limitaciones. Así, no resulta aplicable cuando no se presente ostensibilidad en la flagrancia (art. 85 inc. 1º). Es decir, que los funcionarios policiales deben detener, sin orden previa de los fiscales, en "*casos fundados, en que, según las circunstancias, estimaren que exista algún indicio de que ella hubiere cometido o intentado cometer un crimen, simple delito o falta; de que se dispusiere a cometerlo*". Sin embargo, pareciera que existir una tendencia legislativa de expansión de la detención a un estadio previo a la existencia de indicios[1].

De ahí que la demanda de control de situaciones delictivas ponga en reserva la comprensión del Derecho penal como un instrumento secundario en casos de mayor gravedad. Además de estas limitaciones de ostensibilidad, la normativa contempla casos excepcionales en que no se requerirá la existencia de uno o más indicios en casos de detención imputativa[2]; detención por la falta de comparecencia al Ministerio Público y; c) detención por falta de comparecencia a las actuaciones ante el tribunal, entre otros[3]. Así las cosas, el reconocimiento de la obligación de detención de las policías es una norma prescriptiva que demanda estricta sujeción a sus requerimientos. Esta sujeción implica no solo la imposibilidad de detener a una persona en ausencia de flagrancia, sino que también la ilegitimidad, por ejemplo, del registro de sus vestimentas. La detención por flagrancia confirma una excepción en el contexto de las detenciones.

A continuación, analizaremos en qué consiste la obligación de detención en flagrancia, para luego analizar las objeciones que se le formulan. De este modo, podremos decidir si la detención es correcta según los parámetros del sistema jurídico chileno, con el objetivo de tratar la buena fe en casos en los que la denuncia falsa tenga apariencia de ser veraz. Luego, derivar las consecuencias jurídicas de la buena fe en estas situaciones de

---

[1]   Respecto de la modificación del término "*indicios*" por "*indicio*" en la regulación del sistema chileno, entre otros elementos, para facilitar la detención y cuestionamientos de las exigencias de ostensibilidad en los casos de flagrancia, véase Duce J., M., *Informe complementario boletín n° 11314-25 que amplía control preventivo de identidad*, 1 de agosto de 2017, *passim*.

[2]   En este contexto, se puede indicar que detención imputativa es aquella que se dictamina sin una citación previa. Esto es, con la finalidad de garantizar la presencia del imputado en la audiencia de formalización, véase, Horvitz Lennon, M. I y López Masle, J., *Derecho procesal penal. Tomo I*, Editorial Jurídica de Chile, Santiago, 2009, pp. 364 y ss.

[3]   Para más detalle respecto del contenido material de estas formas de detención, véase Pizarro Quezada, M. A., *La detención. aspectos generales en el proceso penal. Defensorías regionales. Minuta regional*, Santiago, diciembre, N° 3 del 2010, *passim*.

detención y ciertas consideraciones dogmáticas en torno a las causales de justificación, específicamente en lo que concierne a la letra e) del art. 130. Última disposición que contempla el caso en que las víctimas de un delito que reclaman auxilio, o testigos que señalen al autor o cómplice de un hecho delictivo en tiempo inmediato.

2. OSTENSIBILIDAD EN HIPÓTESIS DE FLAGRANCIA

La obligación de detención que deriva del término flagrancia es importante. Pues bien, el término flagrante nos permite extraer una serie de consecuencias en materia penal y procesal penal. Este concepto tiene origen en el término *flagrans-flagrantis* que materializa la idea de que el hecho constitutivo de delito arde o resplandece en el acto de percepción[4]. Así, la detención en casos de flagrancia se presenta por hechos perceptibles de forma sensorial y no obligatoriamente visual en la ejecución material del hecho. De ahí que la flagrancia represente un *factum* evidente, que permite a los agentes policiales realizar una asociación entre el hecho y la figura delictiva que contempla el ordenamiento penal, sin recurrir a sospechas infundadas o a un análisis dogmático de alta complejidad[5].

La flagrancia, en atención a la forma en que se encuentra positivizada en el ordenamiento penal chileno, evita formas arbitrarias de razonamiento. Esto es, aquellas que tengan su origen en suposiciones antojadizas que sensorialmente no se correspondan a los supuestos que establece el legislador en el art. 130 del CPP. De esta forma, los indicios son un esfuerzo del legislador para evitar una deducción a través de elementos aleatorios que no constituye una figura delictiva. En la obligación de detención en casos flagrancia, se observa que el legislador busca entregar precisión a los operadores ante evidencia posiblemente constitutiva de un hecho delictivo. Esto sin descuidar el grado de participación de los involucrados y el grado

---

[4]   En este orden de ideas, "en la estructura del acto existen diversas facetas que difieren de la percepción, como imaginar, recordar o abstraer. El agente puede imaginar algo que no existe, por ejemplo un unicornio. No obstante, puede estar imaginando un unicornio al ver un caballo, pero el acto perceptivo (caballo) y el imaginado (unicornio) son incompatibles, ya que mientras perciba el caballo, el agente sostiene su realidad y, mientras lo imagine, el unicornio continuará siendo irreal. Por ello, 'esa es la razón por la cual las personas no apagan incendios reales con extintores imaginados'", Guerra Espinosa, R., "Impulso irresistible en el miedo insuperable", *Revista Política Criminal*, Vol. 14, N.º 28, Diciembre, 2019, Art. 2, pp. 54-94, p. 83.

[5]   Arteaga Sánchez, A., "Privación de libertad y flagrancia: ¿Interpretación amplia o restrictiva?", en *Debido proceso y medidas de coerción personal*, Editorial Texto, Caracas, p. 39.

de desarrollo de la hipótesis delictiva. Ciertamente, debemos también indicar, que la forma de materializar las hipótesis que contempla el legislador en el art. 130 del CPP responde a la prueba testimonial de la víctima y testigos del hecho según lo dispuesto en la letra e) del mismo artículo. De este modo, se podría llegar incluso a sostener que la ostensibilidad "también puede ser puesta en tela de juicio, pues en los casos de las letras c), d) y e) no es necesario que el delito sea evidente para quien practica la detención"[6].

Por último, cabe agregar que las discusiones propias a los elementos subjetivos y objetivos de la configuración tipifica de la conducta delictiva no son necesarios en el agente que practica la detención de ser ciudadano. Así las cosas, en figuras delictivas, propias de los crímenes y simples delitos contra las personas e incluso en algunas propias del ámbito patrimonial, no es necesario que las víctimas realicen un ejercicio dogmático, esto es, propio de la configuración positiva que nos presente el legislador chileno en el ordenamiento jurídico-penal. De ahí que no sea parte de la flagrancia el uso de un leguaje que evoque cada uno de los términos que enuncia el legislador del tipo prohibitivo.

De este modo, según lo expuesto con anterioridad, puede tratarse de una lesión de un delito de mutilación y no tendría por qué la víctima saber la distinción dogmática entre un miembro más o menos importante según el art. 396 del Código Penal. Sin embargo, sí tienen la función de conocer estas diferencias los funcionarios de policía. Funcionarios que deben llevar a la víctima a constatar las lesiones, y resguardar el sitio del suceso para realizar las tareas de inspección correspondiente y recabar todo antecedentes que permita esclarecer los hechos en torno a la hipótesis de flagrancia que presencian.

Estos elementos, en torno a la hipótesis delictiva de la situación de flagrancia enunciada (miembros más o menos importantes), permiten una mejor formalización y desarrollo de la audiencia de control de detención. Esto según los parámetros que dispone el legislador en materia penal y procesal penal. Así pues, con independencia de la calificación de la conducta en torno a la mutilación de un miembro más o menos importante, la detención debe ser declarada legal aún cuando puedas existir discusión dogmática en relación con la subsunción de un hecho, en la fase de valoración de este conforme a la norma, en un tipo prohibitivo en concreto.

---

[6]   Oliver Calderón, G., "Facultades autónomas de la Policía en el Sistema Procesal Penal chileno", *Revista de Derecho de la Pontificia Universidad Católica de Valparaíso*, 51 (segundo semestre de 2018), pp. 35 – 67, p. 43.

3. CARACTERÍSTICAS DE LA OBLIGACIÓN DE DETENCIÓN

Ciertamente existe un reconocimiento general de la obligación de detención en casos de flagrancia en el modelo continental europeo y el modelo anglosajón. Posiblemente, ello se deba a una serie de factores que se encuentran relacionados con una plataforma conceptual propia del principio de seguridad. Es decir, el cumplimiento del contenido deóntico de este principio de raíces ilustradas que nos permite, desde una política criminal orientada a principios, sostener la existencia de la obligación de la detención más allá de un solo reconocimiento meramente positivo[7].

Dicho sea de paso, en el sistema procesal penal chileno cualquier persona tiene la facultad de detener a otra en flagrancia[8]. Así las cosas, nos parece que la flagrancia no responde solo a un sistema comunicacional propio de la realidad jurídica. Pues bien, los ciudadanos tienen capacidad para discernir si están o no en presencia de una hipótesis de flagrancia. De este modo, existe una matriz sociocultural y antropológica que explicaría el origen de esta facultad. De esta forma, es conceptualmente admisible que las personas –a través de su racionalidad– identifiquen y reduzcan la complejidad del entorno en labores de seguridad. Labores que, ciertamente, no son serían propias de una autotutela.

Del fracaso de un tecnicismo puramente jurídico-positivo en la detención, nos podemos refugiar en el argumento más preciso que presenta nues-

---

[7] En este contexto, siguiendo la posición del profesor Sánchez-Ostiz, nos parece que "existen diversos principios en la dogmática, nos parece razonable trazar el contenido en tres, que son básicos: el principio de seguridad o necesidad de tutela en la vida social, el de legalidad y el del respeto de la dignidad, conforme al modelo de Sánchez-Ostiz. Esta metodología entrega una propuesta científica que, desde nuestra perspectiva, logra desentrañar una adecuada aplicación de la ponderación de principios en la resolución de casos concretos.__La tensión entre un principio y otro se resolverá por medio de la ponderación; sin embargo, se pueden presentar casos de conflicto en los cuales se dé prioridad a la dignidad humana por sobre una norma que resguarde la seguridad social. Casos en los que consideramos que deben entrar las denominadas metarreglas que, caracterizadas como criterios operativos, permiten resolver cierto grupo de casos.__La primera metarregla es la prioridad condicionada entre principios. Entre los tres mencionados existiría una jerarquía que los condiciona. La seguridad social es fundamental, pero es un radical que no puede anteponerse a la libertad. Libertad que es parte del accionar humano, constitutiva de una de las facetas que atienden a su desenvolvimiento en sociedad. Sin embargo, la dignidad humana como una máxima está sobre los radicales anteriores", véase Guerra Espinosa, R., "Principio de no contradicción en el estado de necesidad", *Revista de Derecho de Valdivia*, Vol. XXX, n ° 2, diciembre, 2017, pp. 367 – 389, p. 382.

[8] Lo expuesto, constituye un argumento en favor de observar a la detención como una cuestión de hecho que es ponderada según la evidencia del caso. Así, no es posible limitar la valoración de la de la detención solamente a factores de índole dogmático.

tro ordenamiento, con el objetivo de explicar por qué la detención en flagrancia la pueden practicar nuestros ciudadanos. Pues bien, la detención es indicativa de la evidencia de un hecho, que debe ser analizada en atención a las circunstancias que rodean el caso en concreto, y no es posible reducir el análisis de los presupuestos a un mero tecnicismo jurídico, pues la imputación nos acompaña en esta fase del proceso. No hemos de olvidar la imposibilidad de detener a una persona si no es posible acreditar la existencia de un control de la situación y el conocimiento de estar inserto en un proceso causal, es decir, en aquello que nos permite subsumir un hecho (imputación fáctica) en una norma prohibitiva, prescriba o permisiva[9].

La facultad de detener que tienen los ciudadanos se rige por parámetros rígidos. Estos deben entregar de inmediatamente al detenido a la autoridad sin retardo alguno. De lo contrario, la detención es ilegal y podría ser subsumida bajo una figura delictiva, a modo de ejemplo, secuestro o en una detención ilegal[10]. También el ordenamiento tampoco faculta a las personas a realizar labores de investigación en el proceso de detención. En efecto, en caso de realizar labores de investigación estas deberían ser declaradas ilegales porque que no existe una derivación de tal función.

Esta facultad de detención de los ciudadanos es una obligación de los tribunales. Pues bien, cualquier tribunal en materia penal o en materia de familia debe ordenar una detención en delito flagrante, es decir, cuando el hecho delictivo tenga lugar en sus dependencias (art. 134 inciso 3 del CPP). Al comparar esta obligación de detención en flagrancia con la obligación de policías, uno puede observar que han de practicar la detención

---

[9]   Por medio de la interpretación de las normas se busca determinar el contenido de los términos de una disposición jurídica. Esta presenta tanto elementos normativos como descriptivos. Los primeros son aquellos términos legales que demandan del intérprete una valoración, es decir, una subsunción del hecho en el contenido semántico de una norma prohibitiva, permisiva o prescriptiva en la fase de valoración del hecho conforme a la norma. Por otra parte, los elementos descriptivos reflejan una realidad naturalística que puede ser apreciada por los sentidos. Elementos que se manifiestan en la disposición jurídica con expresiones comunes del uso del lenguaje, véase Sánchez-Ostiz, P., *Imputación y teoría del delito. La doctrina kantiana de la imputación y su recepción en el pensamiento jurídico-penal contemporáneo*, B de F, Buenos Aires, 2008, *passim.*

[10]   En este orden de ideas, se podría explorar la presencia de alguna circunstancia modificatoria de responsabilidad por los excesos cometidos en la detención. A modo de ejemplo, en el caso de particulares y funcionarios públicos, la atenuante del art. 11 N° 10 del C.P (de obrar *"por celo de la justicia"*) podría ser aplicada. De ahí que, en la persecución de una hipótesis de flagrancia, en la que lesionen otros bienes jurídicos, podríamos observar una situación de exigibilidad disminuida, véase Cury Urzua, E., *Derecho Penal. Parte General*, Ediciones UC, Santiago, 2005, p. 489.

de todo individuo que esté en situación de flagrancia. De ahí que, en caso de no cumplir esta norma prescriptiva, se puede incurrir en sanciones. En esta línea, art. 129 del CPP dispone en su inc. 2 que: *"los agentes policiales estarán obligados a detener a quienes sorprendieren in fraganti en la comisión de un delito"*.

Otros ejemplos de la obligación a la detención policial se advierten, a modo de ejemplo, en el delito de quebrantamiento de condena, la infracción de una medida cautelar decretada por un tribunal o el incumplimiento de una orden de alejamiento en una suspensión condicional, entre otros casos. También el hecho de ingresar a un domicilio sin autorización de la víctima, en el caso de advertir la comisión de un ilícito en su interior (art. 206 del CPP). Última hipótesis que responder a una excepción a la regla general de inviolabilidad del hogar consagrada en la Constitución[11]. Por otra parte, en los simples delitos o crímenes de acción penal pública es admisible la obligación de detener. Sin embargo, en los delitos de acción penal pública previa instancia particular exigen el consentimiento de la víctima (arts. 361 a 366 quater del CP) con excepción del caso de los menores de edad. Por último, en el caso de la detención por delitos de acción privada no es admisible la detención, porque el legislador no contempla esa hipótesis de forma expresa y, asimismo, la detención en la mayoría de las faltas no se admite[12].

4. FALSA DENUNCIA Y OBLIGACIÓN DE DETENCIÓN POLICIAL DE BUENA FE

Al margen de las características generales de la obligación de detención enunciadas –en lo que nos hemos detenido con especial atención en la diferenciación entre una norma prescriptiva y de excepción a la potestad

---

[11] Así las cosas, la Constitución chilena dispone en su art. 19 N.º 5: *"La inviolabilidad del hogar y de toda forma de comunicación privada. El hogar sólo puede allanarse y las comunicaciones y documentos privados interceptarse, abrirse o registrarse en los casos y formas determinados por la ley"*.

[12] Según lo dispuesto en el art. 134 del CPP, *"Quien fuere sorprendido por la policía in fraganti cometiendo un hecho de los señalados en el artículo 124, será citado a la presencia del fiscal, previa comprobación de su domicilio. La policía podrá registrar las vestimentas, el equipaje o el vehículo de la persona que será citada. Asimismo, podrá conducir al imputado al recinto policial, para efectuar allí la citación. No obstante lo anterior, el imputado podrá ser detenido si hubiere cometido alguna de las faltas contempladas en el Código Penal, en los artículos 494, N°s. 4 y 5, y 19, exceptuando en este último caso los hechos descritos en los artículos 189 y 233; 494 bis, 495 N° 21, y 496, Nos. 3, 5 y 26"*.

de las policías–, son diversos autores en la dogmática que, de manera más o menos minuciosa, reconocen la problemática de la falsedad en la denuncia. Así, la falsa denuncia nos lleva a la calificación del acto como no ajustado a derecho una de las materias más importantes de este trabajo y que trae aparejada la dificultad de estudiar la finalidad del acto de habla de la denuncia. Y continuamos sosteniendo que es parte de una valoración del hecho (denuncia) conforme a la norma (verdadera).

Lo expuesto, se observa una vez más en la expresión falsedad. Naturalmente, estamos de acuerdo que la falsedad en la denuncia es parte de un comportamiento antijurídico. Así, ¿cuál es el rol de la falsedad en el ejercicio de una detención en flagrancia constituida a través de la sola declaración de un testigo? De esta forma, en diversas oportunidades, pasando fácilmente de la mera denuncia a la detención, se atribuye validez y veracidad a los dichos del testigo o víctima. Habiendo así simplificado la problemática, uno podría no observar mayores dificultades en objetar la detención con la mera declaración de un testigo que no es conteste con otros presupuestos fácticos que materializan la hipótesis de flagrancia.

Si bien el testimonio de la víctima podría ser cuestionado de forma exhaustiva para denotar la veracidad de la denuncia, ello nos libera en lo más mínimo de sus antecedentes comunicacionales. Contenido que únicamente podrá ser contrastado en extensión en el desarrollo del proceso penal. Por ello, la comunicación y finalidad de la denuncia no está ausente en la problemática[13]. Pues bien, la finalidad de la denuncia tiene un rol en la calificación de esta como falsa. De ahí que, como todo substrato del discurso, aceptamos el hecho de sustraernos empíricamente de la posibilidad de acceder a la conciencia en su estado puro. Conocemos el argumento de una comprensión meramente subjetiva en la finalidad de una denuncia y nos oponemos a dicha compresión. Sin embargo, ni la ruptura radical con esta lectura de un Derecho Penal del ánimo[14] puede librarnos de incurrir en una cooperación material al mal. Porque lo que se pone en cuestionamiento en la detención no es la falsedad de la denuncia sino su sentido

---

[13]   Se puede observar el problema de la intencionalidad en los actos del habla, en consonancia con la plataforma conceptual y la problemática de fenomenología, en Derrida, J., Limited Inc., Editorial Pólvora, Santiago, 2018, pp. 122 y ss.

[14]   En este sentido, si exigiéramos al sistema penal conocer con plena certeza la motivación de la falsa denuncia daríamos lugar a un Derecho penal del sentimiento. Se advierte sobre las consecuencias de este Derecho penal en Trapero Barreales, M. A., *Los elementos subjetivos en las causas de justificación y de atipicidad*, Comares, Granada, 2000, p. 164.

teleológico, es decir, aquello que orienta a las policías en el momento de ejecutar una detención. En otras palabras, la posibilidad de su realización y de su cumplimiento según lo dispuesto en el art. 130 del CPP.

Es por lo anterior que la palabra falsedad soporta un peso de argumentación que podría radicalizarse y hacer imposible toda detención en la que solo se constate el testimonio de la propia víctima o terceros. Así, la valoración de un patrón de valoración de la denuncia no reside en el cuestionamiento de los dichos de la víctima o testigos del hecho, sino dentro del contexto de una verdad formal que, una vez más, es consecuencia del principio de buena fe. Pues bien, uno de los deberes que emana de la buena fe es una verdad formal en la denuncia. La verdad formal exige que las afirmaciones realizadas –en una denuncia constitutiva de hipótesis de flagrancia– sean sobre hechos reales. Si bien se podría aceptar la idea de un deber de veracidad en la denuncia –en consonancia con una norma prescriptiva– esta interpretación es parcialmente adecuada[15]. De este modo, el proceso exige una verdad que, si bien depende de un plano heterorreferencial, con independencia de las diferencias que se pueden presentar en la percepción de un hecho, esté sujeta a la evidencia recabada en la investigación. En efecto, lo que se afirma por verdadero en la denuncia se encuentra en un plano de incertidumbre que a veces no podrá ser calificado como falsa denuncia. Esto con independencia de la existencia o no de una condena sobre la persona denunciada.

Lo expuesto, es otra forma de indicar que, si la brecha entre la incertidumbre de la veracidad de la denuncia y su falsedad es una posibilidad, es porque no espera un análisis sobreviniente a la toma de la denuncia

---

[15]   En este contexto, con independencia de estar tratando una materia procesal penal, podemos observar que en materia procesal civil "el segundo deber que emanaría de la buena fe procesal alude a la verdad del conflicto: según una idea fuerte de la misma, un proceso honesto exige que las afirmaciones sobre los hechos sean verdaderas. Para no redundar aquí sobre cuestiones que han sido latamente difundidas en la literatura sólo se dirá el motivo por el cual se cree que la interpretación fuerte se equivoca al emplear la categoría de deber en este punto. Los procesos no exigen 'decir la verdad' en el siguiente sentido: la verdad es un concepto relacional, pues depende del contexto en que ella se indaga, por lo que siempre se encuentra supeditada a la calidad y cantidad de los datos que se logren recaudar. En consecuencia, lo que se afirma en un juicio puede no ser verdadero sin que por ello, necesariamente, sea falso. Esta zona intermedia es la que una tesis fuerte se resiste a aceptar: los procesos judiciales implican conceder un grado más o menos amplio de incertidumbre porque lo que allí se dice muchas veces no puede ser corroborado ni falseado, cuando se dicta la sentencia", Larroucau Torres, J., "Tres lecturas de la buena fe procesal", *Revista Chilena de Derecho Privado*, N ° 21, pp. 259 – 305, p. 271.

en un plano heterorreferencial. La denuncia requiere *a priori* aceptar las diferencias que pueden existir en la calificación del hecho. Así las cosas, podríamos preguntarnos ¿por qué esta identidad heterorreferencial es paradójicamente un espacio para la falsedad? Sin embargo, no es la heterorreferencialidad lo que permite la falsa denuncia sino más bien un comportamiento doloso que la policía difícilmente podría estar en condiciones de observar en el sitio del suceso. De ahí que la fenomenología de la falsa denuncia no sea accidental, sino más bien propia de una diferenciación que no pertenece en plenitud a las policías. Por ello, es necesario precisarlo una vez más, en la siguiente sección, a través de un análisis que considere las posibilidades estructurales de la falsa de denuncia en las causales de justificación.

5. FALSA DENUNCIA Y EJERCICIO LEGÍTIMO DE UN DEBER

Las causales de justificación constituyen un grupo de normas permisivas con presencia en el art. 10 del CP. Sin embargo, también estas normas permisivas se encuentran fuera del CP. Estas surgen de la aceptación del principio del interés preponderante y deben su aplicación a una comprensión sistemática de la formulación del artículo 10 N° 10. Última disposición que establece que se encuentra exento de responsabilidad el que "*obra en cumplimiento de un deber o en el ejercicio legítimo de un derecho, autoridad, oficio o cargo*". Para algunos autores de la dogmática comparada, la disposición del art. 10 N° 10 constituye la materialización del principio del interés preponderante, es decir, una regla de construcción de las reglas de permisión. Por ello, se reconoce en esta disposición la ponderación de intereses como una problemática inherente a las causales de justificación. De ahí que un sector de la dogmática considere que la disposición del art. 10 N ° 10 por sí misma no es una causal de justificación, porque requiere de normas de complemento que orienten su lectura[16].

La dogmática pena chilena acepta en su mayoría el principio del interés preponderante e incluso que las causales de justificación puedan estar comprendidas en otras normas situadas fuera del ordenamiento penal[17]. Asimismo, reconoce que incluso existen formas supralegales de justifica-

---

[16]   Véase, Molina Fernández, F., Estado de necesidad y justificación penal: ¿Es lícita la tortura en situaciones extremas?, Grupo Editorial Ibáñez, Colombia, 2009, pp. 43 y ss.

[17]   Guerra Espinosa, R., "Ambivalencia en el principio del interés preponderante", *Revista de Derecho de la Pontificia Universidad Católica de Valparaíso* [online]. 2017, n.49, pp.187-215, *passim*.

ción que podrían estar situadas en la disposición del art. 10 N ° 10. Sin embargo, la doctrina observa con desconfianza estas formas supralegales, porque su contenido es maleable a través de la inexigibilidad. Con todo, en el caso de la detención por una denuncia falsa la situación es distinta. Pues bien, en diversos pasajes de la dogmática penal comparada, específicamente en el manual de Derecho penal de Santiago Mir, es posible observar que, en la detención que practica un policía ante una falsa denuncia, "se habla de las causales de justificación cuando el instrumento actúa en el amparo de una causa de justificación". Así, Mir llega a sostener que, a modo de ejemplo, si "alguien interpone una denuncia falsa en contra de un enemigo, pero rodeada de una apariencia tal de veracidad que obliga a la Policía a detener de buena fe al denunciado. La Policía actúa justificadamente, en cumplimiento de su cargo (art. 20, 7° CP), pero está siendo utilizada como instrumento por el denunciante, que es autor mediato del delito de detenciones ilegales"[18].

De este modo, incluso indica, el profesor Mir, que "lo mismo sucede cuando el funcionario cumple una orden delictiva no manifiestamente antijurídica, que ha sido dictada dolosamente por el superior competente y con arreglo a las formalidades legales, supuesto en que existe deber de obedecer"[19]. Así, esta posición de dogmática acepta que la policía actúa amparada por una norma permisiva. Pues bien, en el ordenamiento jurídico-español indica que: "*están exentos de responsabilidad criminal: 7.° El que obre en cumplimiento de un deber o en el ejercicio legítimo de un derecho, oficio o cargo*" (art. 20, 7°). La disposición si bien no enuncia en el ordenamiento español la obligación de detener ante presupuestos fácticos que sean propios de una hipótesis de flagrancia, podemos indicar que las normas procesales del ordenamiento español lo disponen. De esta forma, las exigencias de la detención, que materializan la hipótesis de flagrancia, son admitidas por la práctica procesal española[20].

Como podemos observar hasta este momento, las consideraciones del profesor Mir, complementadas con los antecedentes enunciados, se presentan de la siguiente manera: para que un agente policial pueda detener

---

[18]   Mir Puig, S., Derecho Penal. Parte General, 9ª ed., Editorial Reppertor, Barcelona, 2011, p. 392.

[19]   Mir Puig, S., Derecho Penal. Parte General, 9ª ed., Editorial Reppertor, Barcelona, 2011, p. 392.

[20]   Falcone Salas, D., "Concepto y sistematización de la detención ilegal en el proceso penal chileno", *Revista de Derecho de la Pontificia Universidad Católica de Valparaíso*, XXXVIII, Valparaíso, Chile, 2012, 1er Semestre, pp. 433 – 495, p. 448, nota 62.

a través de una falsa denuncia debe ser instrumentalizado. En primer lugar, es necesario que la denuncia, con independencia de su falsedad, este revestida por elementos fácticos que permitan percibir la veracidad en los dichos de la víctima o en las declaraciones de los testigos que presenciaron el hecho. En segundo lugar, se puede hablar de una causal de justificación, si el agente policial actúa según los presupuestos del ejercicio legítimo de un deber. Causal de justificación que se observa en el art. 10 N ° 10 del CP chileno. Por último, una denuncia falsa, rodeada de una apariencia de veracidad, obliga a la policía a detener de buena fe al denunciado. Así las cosas, el agente policial es un instrumento del denunciante (autor mediato del delito de detenciones ilegales).

Estas últimas consideraciones del profesor Mir son, sin dudas, aquellas que nos permite reflexionar en torno a la colisión de permisos en el estado de necesidad[21]. Pues bien, según Mir, la orden impartida (detención por la falsa denuncia) constituye una agresión ilegítima frente al detenido, con independencia del que ejecuta la detención actúa justificadamente. Si el particular se defiende, estaríamos ante una defensa que recae sobre un tercero no agresor, esto es, el agente de policía. Sin embargo, esta línea de argumentación supondría desconocer la verdad formal de la denuncia.

Según Mir, el afectado por una falsa denuncia no puede reaccionar en los mimos términos de la legítima defensa. Pues bien, el agente policial es un inocente instrumentalizado a través de una falsa de denuncia que –dotada de una tal veracidad– le hace creer que es verdadera. A lo sumo podría decirse que puede repeler la agresión, pero no podría contratacar en los términos de la legítima defensa, porque la autoridad está amparada por el ejercicio legítimo de un deber. Sin embargo, nos parece difícil poder llegar a sostener, a diferencia Mir, que la policía y el detenido injustamente se encuentran en la misma situación jurídica. Si bien ninguno de estos actúa antijurídicamente, debemos admitir que las normas del sistema procesal se complementan el ejercicio de las causales de justificación[22]. Así las cosas, una estricta ponderación de los intereses en cuestión nos lleva a sostener que el denunciado no puede resistirse a la detención, porque el sistema procesal acepta un margen

---

[21]   Véase, Mir Puig, S., Derecho Penal. Parte General, 9ª ed., Editorial Reppertor, Barcelona, 2011, p. 392.

[22]   Respecto de la posibilidad de argumentar en forma sistemática en el Derecho Penal, véase Schünemann, B. (1991): "Introducción al razonamiento sistemático en Derecho Penal", en: Schünemann, B. (comp.), *El sistema moderno del Derecho penal: Cuestiones fundamentales. Estudios en honor de Claus Roxin en su 50° aniversario*, trad. Jesús-María Silva Sánchez, Tecnos, Madrid, 1991, *passim*.

de incertidumbre en la denuncia de terceros, no existe una situación de peligro actual o inminente propia del estado de necesidad y, finalmente, existe en su situación la posibilidad de discutir la valoración del hecho conforme a la norma en el proceso penal. Y de hecho, todo ello, con la posibilidad de interponer una querella por la detención ilegal más la correspondiente solicitud de indemnización extracontractual por los daños sufridos[23].

6. CONCLUSIÓN Y BALANCE

Como hemos podido observar en el desarrollo de este trabajo, la falsa denuncia se presenta para explicar cómo el principio de la buena fe opera en el sistema jurídico penal. Pues bien, el agente ejecuta un acto de habla que, además de generar un efecto doloso en el proceso, causa otro efecto que no es querido por la policía en la detención en el caso de la letra e) del art. 130 del CPP. Es innegable que, aunque en la falsa denuncia pueden operar otros factores no relacionados a un comportamiento doloso, como lo sería en el caso de una situación relativa a un error de reconocimiento, entre otros factores, propios de la percepción de la situación delictiva, desde un punto de vista jurídico-penal es posible imputar responsabilidad penal por una falsa denuncia. Por eso, la falsa denuncia puede adquirir igualmente relevancia en el plano del principio de buena fe en la detención. Ello con independencia de que el relato resulte o no verosímil según los cargos que se imputan en el momento de la detención.

BIBLIOGRAFÍA

Arteaga Sánchez, A., "Privación de libertad y flagrancia: ¿Interpretación amplia o restrictiva?", en Debido proceso y medidas de coerción personal, Editorial Texto, Caracas, 2007.

Cury Urzua, E., *Derecho Penal. Parte General*, Ediciones UC, Santiago, 2005.

Derrida, J., *Limited Inc.*, Editorial Pólvora, Santiago, 2018

Duce, M., *Informe complementario boletín n° 11314-25 que amplía control preventivo de identidad*, 1 de agosto de 2017, *passim*. Disponible en: https://www.camara.cl/pdf.aspx?prmID=110489&prmTIPO=DOCUMENTOCOMISION [fecha de consulta 14/12/2019]

---

[23] Según lo dispuesto la letra e) del art. 342 del CPP el Contenido de la sentencia definitiva contendrá: "*la resolución que condenare o absolviere a cada uno de los acusados por cada uno de los delitos que la acusación les hubiere atribuido; la que se pronunciare sobre la responsabilidad civil de los mismos y fijare el monto de las indemnizaciones a que hubiere lugar*".

Falcone Salas, D., "Concepto y sistematización de la detención ilegal en el proceso penal chileno", *Revista de Derecho de la Pontificia Universidad Católica de Valparaíso*, XXXVIII, Valparaíso, Chile, 2012, 1er Semestre, pp. 433 – 495.

Guerra Espinosa, R., "Ambivalencia en el principio del interés preponderante", *Revista de Derecho de la Pontificia Universidad Católica de Valparaíso* [online]. 2017, n.49, pp.187-215, *passim*. Disponible en: https://scielo.conicyt.cl/scielo.php?script=sci_abstract&pid=S0718-68512017000200187&lng=es&nrm=iso [fecha de consulta 19/12/2019]

Guerra Espinosa, R., "Impulso irresistible en el miedo insuperable", *Revista Política Criminal*, Vol. 14, N.° 28, diciembre, 2019, Art. 2, pp. 54-94. Disponible en: http://politcrim.com/wp-content/uploads/2019/10/Vol14N28A2.pdf [fecha de consulta 22/12/2019]

Guerra Espinosa, R., "Principio de no contradicción en el estado de necesidad", *Revista de Derecho de Valdivia*, Vol. XXX, n° 2, diciembre, 2017, pp. 367 – 389. Disponible en: https://scielo.conicyt.cl/pdf/revider/v30n2/art16.pdf [fecha de consulta 19/12/2019]

Horvitz Lennon, M. I y López Masle, J., *Derecho procesal penal. Tomo I*, Editorial Jurídica de Chile, Santiago, 2009.

Larroucau Torres, J., "Tres lecturas de la buena fe procesal", Revista Chilena de Derecho Privado, N ° 21, pp. 259 – 305, p. 271.

Mir Puig, S., *Derecho Penal. Parte General*, 9ª ed., Editorial Reppertor, Barcelona, 2011.

Molina Fernández, F., Estado de necesidad y justificación penal: ¿Es lícita la tortura en situaciones extremas?, Grupo Editorial Ibáñez, Colombia, 2009.

Oliver Calderón, G., "Facultades autónomas de la Policía en el Sistema Procesal Penal chileno", *Revista de Derecho de la Pontificia Universidad Católica de Valparaíso*, 51 (segundo semestre de 2018), pp. 35 – 67, p. 43. Disponible en: https://scielo.conicyt.cl/pdf/rdpucv/n51/0718-6851-rdpucv-00101.pdf [fecha de consulta 19/12/2019]

Pizarro Quezada, M. A., *La detención: aspectos generales en el proceso penal, Defensorías regionales. Minuta Regional*, Santiago, diciembre, N ° 3, 2010. Disponible en: http://webcache.googleusercontent.com/search?q=cache:V0cH6Nd2DTA-J:www.biblio.dpp.cl/biblio/DataFiles/5460.doc+&cd=1&hl=es&ct=clnk&gl=cl [fecha de consulta 16/11/2019]

Sánchez-Ostiz, P., *Imputación y teoría del delito. La doctrina kantiana de la imputación y su recepción en el pensamiento jurídico-penal contemporáneo*, B de F, Buenos Aires, 2008.

Schünemann, B., "Introducción al razonamiento sistemático en Derecho Penal", en Schünemann, B. (comp.), *El sistema moderno del Derecho penal: Cuestiones fundamentales. Estudios en honor de Claus Roxin en su 50° aniversario*, trad. Jesús-María Silva Sánchez, Tecnos, Madrid, 1991.

Trapero Barreales, M. A., *Los elementos subjetivos en las causas de justificación y de atipicidad*, Comares, Granada, 2000.

"CEGUERA BUSCADA Y CEGUERA CONFIADA". EL INFLUJO DE LA BUENA FE DESDE LA IGNORANCIA DELIBERADA Y EL ERROR VENCIBLE

Tatiana Vargas Pinto
Doctora en Derecho Penal, Universidad de los Andes, Chile
Profesora de Derecho Penal, Universidad de los Andes, Chile

1. EL PROBLEMA DEL DESCONOCIMIENTO "IMPUTABLE" DEL TIPO PENAL

Los términos ignorancia y error suelen equipararse frente a sus consecuencias al establecer la responsabilidad penal de un sujeto por su conducta[1]. Si bien la ignorancia supone falta de conocimiento y el error implica un conocimiento equívoco, en ambos casos el agente no se representa elementos del delito necesarios para atribuirle responsabilidad. De hecho, se habla normalmente solo de error, que podría ser de tipo o de prohibición si se distingue dolo de consciencia de ilicitud[2].

---

[1]   En general, Etcheberry, A.: *Derecho penal. Parte general.* 3ª edic., Editorial Jurídica de Chile, Santiago, 1998, pp. 331 y 332; Politoff, S.; Matus, J. P.; Ramírez, M. C., *Lecciones de Derecho penal chileno. Parte general.* Editorial Jurídica de Chile, Santiago, 2004, p. 261; Novoa, E.: *Curso de Derecho penal chileno*, 3ª edic., Editorial Jurídica de Chile, Santiago, 2005, t. I, p. 535. Otra visión que recupera la distinción entre erro e ignorancia en van Weezel, A.: *Error y mero desconocimiento*, 2ª edic., LegalPublishing, Santiago de Chile, 2009, pp. 53-58.

[2]   Como se sabe, el error de tipo excluye el dolo y el error de prohibición excluye la consciencia de ilicitud. En general se acepta esta distinción en el ámbito jurídico-penal chileno, como se observa sobre todo en la discusión sobre la cualidad "voluntaria" que exige la definición de delito del art. 1. Ver Hernández, H.: "Comentario Art. 1°", en Couso, J.; Hernández, H. (dirs.), *Código Penal comentado*, AbeledoPerrot, LegalPublishing, Santiago, 2011, pp. 53-69, 82-87. Quienes tratan todos los elementos subjetivos

Sin mayores separaciones sobre la clase de error según el objeto desconocido (elementos del tipo o injusto penal), se atenderá aquí al error vencible y a la posible relación con la llamada "ignorancia deliberada". Si el error y la ignorancia no se diferencian para efectos de imputación de una conducta por falta de conocimientos del agente[3], cabe cuestionar si es que el error vencible y la ignorancia deliberada son también similares o intercambiables.

Estas nociones no parecen ser sinónimo. Las definiciones y la eventual relación entre esas categorías son especialmente relevantes para la imputación subjetiva de un injusto penal. Aunque error vencible e ignorancia deliberada pueden tener relevancia para la culpabilidad, en el juicio final de imputación personal, normalmente se tratan sus repercusiones en el ámbito de la culpa o imprudencia e incluso en la determinación del dolo; como ocurre con tesis que aceptan asimilar la ignorancia deliberada con el dolo[4].

La cuestión es también importante en el Derecho penal chileno actual, desde la división entre error de tipo y error de prohibición. El Anteproyecto de Código Penal de 2018 considera la "suma indiferencia" con relación al error de prohibición vencible (art. 15[5]). Si el error es invencible

---

en el juicio de culpabilidad mantienen otra visión, con una noción única de error, Novoa (2005), pp. 533-547; aunque mantiene cierta separación, Politoff; Matus; Ramírez (2004), pp. 255-270, 323-338.

[3]   La equivalencia se da bajo el supuesto de que se refieran a un mismo objeto; es decir, error o ignorancia respecto de los elementos de un tipo penal o respecto de su ilicitud. Los errores (y las ignorancias) sí se distinguen si se refiere al tipo o a la prohibición. Se sabe que las consecuencias por error de tipo son más benignas que las del error de prohibición. En el primer caso, nunca habría dolo, ni responsabilidad penal. Podría existir un cuasidelito si el error de tipo es vencible, los que se castigan solo por excepción. En cambio, en el error de prohibición únicamente no hay pena si es invencible o inevitable.

[4]   Es probable que la equiparación se deba al desarrollo del *Common Law*, particularmente en el tráfico de drogas, así Comments, "Willful Blindness as a substitute for Criminal Knowledge", *Iowa Law Review*, 63, 1977, pp. 466-470. En Chile especialmente, Oxman, N.: "Ignorancia deliberada y error en el tráfico de drogas", en Vidales, C.(coord.), *Tráfico de drogas y delincuencia conexa*, Tirant lo Blanch, Valencia, 2014, pp. 386 y ss.; Rebolledo, L.: "La ignorancia deliberada en el tráfico ilícito de drogas", *Revista del Ministerio Público*, N° 61, 2014, p. 175.

[5]   Art. 15, Anteproyecto de Código Penal Chileno de 2018. *"Error sobre la ilicitud del hecho. No es penalmente responsable quien actúa u omite desconociendo la ilicitud del hecho siempre que el error haya sido invencible para el hechor. En caso de ser vencible se reconocerá una atenuante muy calificada de conformidad con lo dispuesto en los artículos 60, 61 o 62, a menos que el error fuere indicativo de suma indiferencia acerca de la ilicitud del hecho".*

sigue la regla de exclusión de responsabilidad penal aceptada usualmente por falta de consciencia de antijuridicidad. Además, agrega la regla de atenuación de responsabilidad para el error de prohibición vencible, que se acepta también desde una teoría normativa restrictiva de culpabilidad[6]. El Anteproyecto establece una atenuante muy calificada y obligatoria. Sin embargo, excluye esta atenuante si el error de prohibición vencible "fuere indicativo de suma indiferencia acerca de la licitud del hecho".

En el Anteproyecto se suprime la atenuante si ese error de prohibición supone o representa una "suma indiferencia". Este rechazo de la atenuante parece señalar que en realidad no habría error de prohibición, es decir, que existe consciencia de ilicitud. Los efectos de esta indiferencia son duros, si se entiende que la exclusión del error de prohibición vencible implica la consciencia de ilicitud potencial y real, por la afirmación de una responsabilidad plena. Igualmente, los términos del Anteproyecto son equívocos. Podría entenderse que lo que suprime la suma ignorancia es la aplicación obligatoria de la atenuante, pero podría todavía proceder una atenuante facultativa.

Esta indiferencia cualificada de suma aparentemente no es ignorancia, sino conocimiento[7]. De todas formas, se trataría de un conocimiento limitado a la antijuridicidad de la conducta, que no alcanza al dolo. La "indiferencia" no se refiere a la realización del tipo penal, por lo que no equivaldría a afirmar el dolo del agente. Es probable que la indiferencia suma coincida con la "ignorancia suma", cuando los términos se emplean indistintamente.

Aun si ellos se asemejan, pareciera ser que el calificativo de "sumo" representa una cualidad de alto grado o intensidad, que no necesariamente implica que sea idéntico a deliberado. En principio, la deliberación apunta a una búsqueda intencional, o, al menos, a una dirección en la que se excluye la buena fe del agente ante ese estado de "desconocimiento".

Aquí se cuestiona que la ignorancia deliberada suponga realmente desconocimiento del agente que impida imputarle una conducta como propia, ya sea se trate de una imputación fáctica o de una normativa[8]. Sin

---

[6] Cabe recordar que desde esta teoría se mantiene la separación entre dolo y consciencia de ilicitud, con la consecuente distinción entre error de tipo y error de prohibición.

[7] En la doctrina nacional se ha aceptado básicamente desde nociones normativas. Revisar Hernández (2011) pp. 79 y 80.

[8] La diferencia entre una y otra imputación es de nivel con relación al objeto del juicio, si se trata del hecho en un primer nivel o del injusto penal en un segundo nivel. Respecto de la distinción de niveles de imputación, Hruschka, J.: "La imputación ordi-

embargo, esta clase de *ignorancia* no es clara; se confunde con otras formas de imputación y de exclusión de responsabilidad. Su determinación es importante respecto del error vencible. La ignorancia vencible o evitable podría ser equivalente a ese error, pero la deliberación introduce una consideración que no parece compatible con la buena fe de quien actúa, a diferencia de la hipótesis vencible.

En este breve estudio se pretende precisamente examinar la ignorancia deliberada y el posible rol de la buena fe en la delimitación de su sentido frente a otras categorías subjetivas de imputación. A pesar del interés que pueda tener instituciones como la ignorancia suma, se analizará específicamente el probable influjo de la buena fe con relación al error vencible, sea de tipo o de prohibición. El marco obedece a la relevancia del error vencible en la determinación de responsabilidad, cuyos efectos se admiten aun cuando no hay normas que los contemplan[9].

Aquí se plantea que la buena fe es un criterio límite de determinación. Su presencia en la vencibilidad del error y su ausencia en la ignorancia deliberada distingue ambas categorías y repercute en la definición de sus consecuencias. De modo de que la ignorancia deliberada configura una forma de *imputación subjetiva* por un conocimiento mínimo, que puede ser equivalente a una modalidad de culpa o imprudencia, y no una categoría de "desconocimiento imputable". La exclusión de la buena fe muestra la concurrencia de una real modalidad de conocimiento que admite imputación.

---

naria y extraordinaria en Pufendorf. Sobre la historia y el significado de la diferencia entre *actio libera in se* y *actio libera in sua causa*", Pastor Muñoz, Nuria (trad.), *Revista de Derecho Penal y Criminología*, 2.ª Época, núm. 12, 2003, pp. 224 y 225. En Chile ver especialmente, Mañalich, J.P.: "¿Presupone la *applicatio legis ad factum* una *imputatio facti?*, *CRIMINT – Revista En Letra Derecho Penal*, Joachim Hruschka in memoriam, Fascículo especial, 2018, pp. 22-25.

[9] La admisión de efectos con relación al dolo no suele generar mayor preocupación normativa, por su vinculación con aspectos fácticos que se atribuyen frente a un tipo. El juicio de atribución exige su verificación, con una respuesta binaria: existe o no dolo. Sin embargo, el reconocimiento del error de prohibición reclama mayores alcances normativos por la comprensión de sentido normativo-jurídico que supone y la especificidad sus efectos. Así, destacan las primeras sentencias que acogen el error de prohibición y la atenuación de responsabilidad, como la conocida SCS de 4 de agosto de 1998 (Rol: 1338-1998). Aunque hay otros pronunciamientos anteriores que reconocen de algún modo el error de prohibición, no desarrollan el alcance de sus consecuencias. Más sobre esta relevante sentencia, Vargas, T.: "Caso 'Chépica'. SCS, 4/08/1998, Rol N° 1338-1998", en Vargas, T. (dir.), *Casos destacados de Derecho penal. Parte general*, Thomson Reuters, Santiago de Chile, 2016, pp. 183-198.

Así, comenzaremos por revisar los conceptos básicos de indiferencia suma, ignorancia deliberada y error vencible. Luego nos ocuparemos del posible rol de la buena fe y su influencia particular en el error vencible y en la llamada ignorancia deliberada. Finalmente, concluiremos con una propuesta de interacción que objeta imputaciones realmente ciegas y ofrece criterios de delimitación subjetiva.

2. INDIFERENCIA SUMA, IGNORANCIA DELIBERADA Y ERROR VENCIBLE

Existen vinculaciones entre indiferencia e ignorancia calificada de deliberada, específicamente a raíz del dolo. Algunos consideran tal ignorancia como modalidad de dolo, precisamente con base en la indiferencia del agente. Ragués[10] precisa que esa falta de conocimiento puede merecer el tratamiento del dolo siempre que se deba a la indiferencia hacia el objeto lesionado o a la búsqueda intencionada de ese desconocimiento. En otro momento entiende que tal ignorancia reclama igual necesidad de pena que el dolo eventual por "un grado de indiferencia equiparable"[11].

Cabe preguntarse si la indiferencia hacia el objeto lesionado equivale a la búsqueda intencionada del estado de ignorancia. Parece ser que considera ambas alternativas como motivaciones disvaliosas para fundar el tratamiento más duro como supuesto doloso. De hecho, cuestiona que este tratamiento proceda cuando la razón del desconocimiento sea un descuido grave y no falta de interés por conocer o una "grave indiferencia"[12].

Interesa realmente la fuente de la ignorancia; pero también es relevante establecer si esos motivos son idénticos y si puede sostenerse un verdadero desconocimiento. En términos ordinarios, la ignorancia deliberada se asocia con un desconocimiento "buscado", es decir, consciente e intencional. Interesa saber a qué se refiere esta búsqueda y si es igual a la indiferencia o se equipara a ella.

La búsqueda consciente del desconocimiento se relaciona con el dolo, en el sentido de un conocimiento más o menos cierto de un estado de

---

[10] Ragués, R.: "De nuevo, el dolo eventual: un enfoque revolucionario para un tema clásico. Recensión a Gabriel Pérez Barberá, El dolo eventual. Hacia el abandono de la idea de dolo como estado mental, Hammurabi, Buenos Aires, 2011", *InDret*, N° 3, 2012, p. 9.

[11] Ragués, R.: *El dolo y su prueba en el proceso penal.* J.M. Bosch Editor, Barcelona, 1999, pp. 182 y 183.

[12] Ragués (2012) p. 9.

ignorancia respecto de la realización de un tipo penal. Sin embargo, esta idea de "dolo" se alejaría de su determinación frente a la realización directa de un tipo penal. Se puede cuestionar si es un conocimiento equivalente o, incluso, si es el conocimiento propio del dolo.

Esta última duda parece descartarse ante la idea de indiferencia. Ella se vincula con una actitud o estado de ánimo que no se inclina hacia un objeto, ni a favor ni en contra; pero el objeto ha de conocerse. Desde el punto de vista del comportamiento, la falta de inclinación o interés se refiere a la conducta, a sus cualidades o repercusiones. El agente actúa sin importar esas calidades o repercusiones. La falta de interés o decisión de no indagar más puede referirse a la realización del tipo penal o a lo injusto.

Jakobs[13] distingue ambos casos y afirma que el sujeto no registra esas cualidades porque no le interesan, le da igual hacerlo. ¿Puede darle lo mismo algo que desconoce? Jakobs cita a Aristóteles para exponer la indiferencia desde una perspectiva *ex post*, cuando el sujeto ya actuó y no le importa, a diferencia de la imprudencia. Esta idea parece coincidir con las propuestas para separar dolo eventual de culpa consciente, con la fórmula de Frank, que es hipotética y difícilmente se contesta desde la perspectiva *ex post*[14].

La indiferencia interesa al momento de actuar y responde a una actitud que solo puede existir respecto de algo que se conoce. Por eso se destaca en otro lugar el examen de Brady[15]. Precisa la noción de indiferencia respecto de un comportamiento peligroso, cuando el agente advierte los riesgos, pero no totalmente sus consecuencias y ellas no le importan suficien-

---

[13]   Jakobs, G.: "El lado subjetivo del hecho", Cancio, Manuel (trad.), *Disertación en Conferencias Internacionales de Derecho Penal*, Córdoba, Argentina, 2003, www.derechopenalenlared.com, pp. 7 y 8. Se dirige mayormente a esta falta de interés en el conocer, ante la crítica que le merece la distinción entre los conocimientos del tipo penal y del injusto, con sus consecuencias. Así, Jakobs, G.: *Derecho penal Parte general*, Cuello, Joaquín; Serrano, José Luis (trads.), 2ª edic., Marcial Pons, Madrid, 1997, pp. 312-315. Pareciera ser que distingue la ignorancia deliberada, como "ceguera ante los hechos" y aun como "imprudencia dirigida", de la indiferencia. Ciertamente, la falta deliberada o dirigida de conocimientos puede no entenderse en términos de indiferencia respecto de la realización del tipo o del injusto. Si es así, tal deliberación no es relevante jurídico-penalmente.

[14]   Difícilmente un sujeto dirá en un juicio *ex post* que realmente no le interesa.

[15]   Brady, J.: "Recklessness, negligence, indifference and awareness", *The Modern Law Review*, Vol. 43, 1980, pp. 386-390. Ver más en Vargas, T.; Perin, A.: "La "vidente" imputación imprudente. A propósito de la delimitación entre imprudencia y dolo", *Polít. Crim*, Vol 15, N° 29, 2020, pp. 131-134.

temente. En este sentido, la indiferencia exige un conocimiento mínimo que responde a la actitud de falta de interés que la define.

Ragués[16] define la ignorancia deliberada como aquella situación en la que el agente "podía haber obtenido determinada información pero, por razones muy diversas, ha preferido no adquirirla y mantenerse en un estado de incertidumbre". No admite expresamente cierto conocimiento en la definición. Sin embargo, la situación de incertidumbre supone una conducta peligrosa que ha de conocerse. También cita casos de ejemplo en los que un sujeto prefiere o decide no conocer a partir de ciertos conocimientos mínimos, como el saber que darán los resultados de una prueba, el caminar en un precipicio o el administrar sociedades.

Luego distingue casos de representación de riesgos y señala como indiferencias tanto el "mero conocimiento", como el desconocimiento[17]. Se advierte aquí que tal desconocimiento no solo es una representación de riesgos; también Ragués precisa qué sería lo desconocido. Describe el mero conocimiento vinculado con la consciencia de un riesgo de lesión, es decir, con un peligro *ex post*. En el caso del "desconocimiento", la indiferencia radica en que al sujeto le importa tan poco el interés afectado que ni siquiera nota que lo puso en peligro. No conocería el peligro, pero es difícil sostener que no es consciente de cierto grado de peligrosidad *ex ante* de la conducta para que realmente no le interese las consecuencias de su conducta. De hecho, señala que en este caso la indiferencia es más difusa porque se refiere a todos los intereses susceptibles de ser lesionados, por lo que incluso habría consciencia de un peligro general.

La idea de ignorancia deliberada[18], asociada a una indiferencia al actuar, es finalmente un problema de voluntad que se da por algún conoci-

---

[16] Ragués, R.: "Mejor no saber. Sobre la doctrina de la ignorancia deliberada en Derecho penal", *Discusiones XIII*, N°13, 2, 2013, p.11.

[17] Ragués (2013) pp. 31 y 32.

[18] En el sistema del *Common Law* se habla de *willful blindness,* acuñada principalmente por autoridades inglesas, cuando el agente sospecha un hecho, advierte su probabilidad, pero rehúsa obtener la confirmación final porque en el caso quiere tener la posibilidad de negar el conocimiento, Williams, G.: Criminal Law. The General Part, 2ª edic., Stevens & Sons Ltd, Londres, 1961, § 57, p. 159. Gráficamente ocurre cuando el agente deliberadamente "cierra sus ojos" a lo obvio, Toh, C.: "Knowing, not knowning and almost knowing: Knowledge and the docrine of mens rea", *Singapore Academy of Law Journal*, 20, 2008, pp. 678 y 679. Se ha extendido a numerosas áreas, aunque con varias propuestas de definición sobre los límites subjetivos. Por ejemplo, Lorelei, R.: "Is 'Willful Blindness' the New 'Recklessness after Global-Tech?", *Federal Circuit Bar Journal*, 21, 2011, pp. 165 y ss.; Hagen, K.: "Eyes Wide Shut: Induced Patent Infringement and the

miento[19]. Según el conocimiento de que se trate, si alcanza con mayor o menor certeza los elementos del tipo o del injusto, podrá ser un problema de imprudencia, de dolo e incluso de consciencia de ilicitud.

En este sentido se contesta a la pregunta de Jakobs[20], al presentar el problema de indiferencia respecto de los elementos del tipo, sobre si se trata de desconocimiento de hechos que exonera o de un defecto de voluntad que no exonera. Queda por responder si la búsqueda del estado de ignorancia es también una forma de conocimiento y cuándo existe realmente. De este modo, se examina la ignorancia deliberada limitada a esa hipótesis de búsqueda, en la que el agente se pone en esa situación.

En el error vencible la falta de conocimiento no es buscada, pero es evitable con el cuidado debido. La remisión a figuras imprudentes es compatible con formas de imputación extraordinarias[21], que parecen darse también en tal idea de ignorancia deliberada. Ambos casos pueden llevar a examinar un momento anterior en el que el agente se puso en este estado, ya sea porque lo buscó directamente o porque fue descuidado en advertir la posible realización del tipo. De todas formas, la posibilidad de dirigir una imputación subjetiva no supone aún una imputación normativa aun de modo extraordinario[22].

---

[19]   Willfull Blindness Standard [comments], Marquette Intellectual Property Law Review, 17, 2013, pp. 305 y ss.

[19]   Jakobs (2003) p. 9 admite aun en el caso del error evitable un "defecto volitivo abierto" que se esconde tras un "defecto cognitivo". En el caso de la indiferencia, este segundo defecto no existe. Afirma que no yerra, a pesar de que "no piensa" en el significado objetivo de su conducta. También van Weezel (2009) p. 54, vincula el problema con la voluntad. Presenta la falta de sanción o, como máximo, la atenuación para el déficit en la formación de la motivación por desconocimiento invencible o por desconocimiento "difícilmente vencible", cuando se estima que no obedece a un defecto de la voluntad.

[20]   Jakobs (2003) p. 7.

[21]   Así, Mañalich, J.P.: "Sobre la conexión funcional entre el dolo y la consciencia de antijuridicidad en el Derecho penal chileno", *Revista Estudios de la Justicia*, N° 16, 2012, p. 23. Sánchez-Ostiz, P.: "Imputación e incumbencias en Derecho penal", *Polít. crim.* Vol. 12, N° 24, 2017, p. 1214, precisa que en la imputación extraordinaria no solo proceden supuestos de alic (*actio libera in causa*) y la olic (*omissio libera in causa*), sino también de imprudencia, de error vencible y de responsabilidad por la propia inimputabilidad. También dirá que es el campo propio de la incumbencia, referida a los juicios de imputación por defectos. Con esta idea, aquí se comparte la inclusión también de supuestos deliberados de "desconocimientos" (en mayor o menor grado).

[22]   Aunque pueda imputarse una conducta de modo extraordinario, en un momento anterior, puede no haber imputación normativa, si no existen reglas o ellas no se infringe, como lo precisa Sánchez-Ostiz, P.: *Imputación y teoría del delito. La doctrina kantiana de la imputación y su recepción en el pensamiento jurídico-penal contemporáneo*, Montevideo-Buenos Aires: B de f, 2008, pp. 24-32.

Los dos supuestos son evitables, pero no parecen ser evitaciones equivalentes. Hay algo que distingue la evitabilidad buscada de la que se produce descuidada o "confiadamente". Al parecer, habría un espacio para la buena fe en el error vencible, que permite distinguir este caso de la ignorancia deliberada y admitir alguna forma de imprudencia, pero no todavía una hipótesis dolosa. Parece que en situaciones en las que se elige no saber el sujeto igual conoce una situación de riesgo general, pero el buscar desconocer riesgos más concretos (peligrosidad concreta o peligro concreto) añade un argumento que podría acercarlo más a una forma de dolo eventual.

3. EL influjo de la buena fe

La pregunta por la buena fe en el Derecho penal parece estar fuera lugar. Cierta vinculación puede hallarse en figuras que se construyen por engaño, como los fraudes y las falsedades[23]. Incluso hay normas en el Código Penal que dejan de proteger a las víctimas cuando ya no cabe seguir contando con la contando con el cumplimiento de la conducta del agente, como en los casos de engaños burdos u ostensibles en las falsedades. Así, en la falsificación de moneda, el art. 171 dispone[24]:

> *"Si la falsificación o cercenamiento fueren tan ostensibles que cualquiera pueda notarlos y conocerlos a la simple vista, los que fabricaren, cercenaren, expendieren, introdujeren o circularen la moneda así falsificada o cercenada podrán ser castigados como responsables de estafas y otros engaños, con las penas que se establecen en el título respectivo".*

Puede evidenciarse que la exclusión del castigo por falsificación para quien comete la falsedad tiene en cuenta que cualquiera en el lugar de la víctima podría haber notado el engaño. El "engañado" se dejó caer en la creencia errada, sin que quede protegido ante esa situación, salvo que se

---

[23] La vinculación en las falsedades es evidente ante la idea de fe pública como objeto de tutela, que el CP chileno contempla en el Título IV (arts. 162-214). Así, particularmente interesante es la conexión con la buena fe que hace Groizard, A.: *Código penal de 1870 concordado y comentado*, 2ª edic., Establecimiento tipográfico de los sucesores de J. A. García, Madrid, t. III, 1911, p. 774. En el Código Penal chileno se habla expresamente de la buena fe en la falsificación de moneda (art. 170), respecto del conocimiento del sujeto que recibe y circula moneda, pero no con relación al objeto de tutela. De todas formas, la fe pública no es equivalente a buena fe, pues aquella alude a una confianza general y no se limita a la situación particular de la víctima, aunque puede decirse que la incluye.

[24] Normas similares se establecen para otros casos de falsedades, como los arts. 179, 184 y 192.

den los presupuestos de una estaba. De alguna manera, la víctima ya no puede ampararse en la buena fe para ser protegida ante falsedades que cualquiera pueda notar. La contra excepción que remite a la sanción de la estafa rescata la buena fe de la víctima por su creencia frente a un engaño idóneo[25]. De hecho, la legislación española cita expresamente la buena fe de quien primero fue víctima, del adquirente, aunque luego distribuye los documentos falsificados.

> Art. 389 CP español: "*El que falsificare o expendiere, en connivencia con el falsificador, sellos de correos o efectos timbrados, o los introdujera en España conociendo su falsedad, será castigado con la pena de prisión de seis meses a tres años.*
>
> *El adquirente de buena fe de sellos de correos o efectos timbrados que, conociendo su falsedad, los distribuyera o utilizara será castigado con la pena de prisión de tres a seis meses o multa de seis a veinticuatro meses. No obstante, si el valor aparente de los sellos o efectos timbrados no excediera de 400 euros, se impondrá la pena de multa de uno a tres meses.*"

La buena fe juega un especial rol en la circunstancia agravante del abuso de confianza, por la necesaria creencia de la víctima, que cuenta con que el agente cumpla con la tarea encomendada o comprometida. Se observa que la mayoría de estas generales referencias tienen por objeto a la víctima, la buena fe de la víctima, y no la conducta del agente. Un caso particular es el que cumple el principio de confianza al delimitar los ámbitos de competencia del sujeto que actúa y que puede ser imputado por un delito[26]. Es él quien ha de contar con que las demás personas que interactúan con él

---

[25]   Puede decirse que incluso la exigencia de idoneidad del engaño en la estafa está teñida por la necesaria buena fe de la víctima. Sobre engaño idóneo, suficiente o concluyente, Piña, J.I.: *Fraude de seguros*, Editorial Jurídica de Chile, Santiago, 2006, pp. 52-70; Hernández, H.: "Normativización del engaño y nivel de protección de la víctima en la estafa: lo que dice y no dice la dogmática", *Revista Chilena de Derecho*, vol. 37, N° 1, 2010, pp. 15 y ss.; Mañalich, J.P.: "¿Responsabilidad jurídico-penal por causaciones de menoscabo patrimonial a propósito de fallas en la construcción de inmuebles?", *Polit. Crim*, vol. 5, N° 10, Art. 2, 2010, pp. 345 y 346; Mayer, L.: "El engaño concluyente en el delito de estafa", *Revista Chilena de Derecho*, vol. 41 N° 3, 2014, pp., 1018 y ss.; Balmaceda, G.: "El delito de estafa en la jurisprudencia chilena", *Revista de Derecho*, vol. XXIV, N° 1, 2011, pp. 69-77.

[26]   Respecto al rol del principio de confianza frente a la delimitación de conductas, Puppe, I.: "División del trabajo y de la responsabilidad en la actuación médica", *InDret*, N° 4 (2006), pp. 3-5. En Chile, son interesantes los aportes en el tráfico vial de Contreras, L.; García, G.: "Caso 'Atropello de Johnny H.' Rendimiento del Principio de Confianza. STOP de Santiago (3°), 27/06/2013, Rit: 94-2013", en Vargas, T. (dir.), *Casos destacados de Derecho penal. Parte general*, Thomson Reuters, La Ley, 2015, pp. 81-94; Contreras, L.: "el principio de confianza como criterio delimitador de la responsabilidad penal de los médicos", *Acta Bioethica*, 2019; 25 (1), pp. 37-42.

se han de comportar conforme lo esperado, que seguirán las normas, a la hora de conducirse.

Puede discutirse si este principio es relevante al imputar su comportamiento o para establecer el vínculo con el resultado[27]. En cualquier caso, su seguimiento no excluye *per se* la responsabilidad penal del agente ni su desconsideración supone afirmar tal responsabilidad. Aun si se cuenta con que los demás han de cumplir con las reglas, y hay buena fe respecto de la conducta de los otros intervinientes, el agente puede igualmente infringir una norma y crear un riesgo jurídicamente relevante. Por otra parte, puede no contar con que otros sujetos seguirán las reglas e igualmente cumplir las normas que a él se le imponen.

Más allá de la buena fe que puede hallarse en este principio frente al comportamiento del agente, se plantea aquí la cuestión sobre su posible rol al delimitar las categorías de imputación subjetiva básicas. Antes de revisar la relación con la ignorancia deliberada y con el error vencible, se excluyen los supuestos de error invencible por la evidente buena fue de quien actúa bajo ese error. El sujeto no solo no se representa la posibilidad de realizar el tipo penal, sino que ni siquiera podía haberlo hecho. Incluso podría decirse que su confianza es total. El caso empieza a cambiar cuando existe un error vencible, cualquiera sea su clase (de tipo o de prohibición), si es que se distinguen.

3.1. Buena fe y error vencible

El sujeto que actúa bajo error vencible desconoce realmente la incidencia de su conducta, ya sea frente al cumplimiento de un tipo penal o ante la realización de un injusto. Sin embargo, vimos que ese desconocimiento es evitable y, en tal sentido, podría imputarse. De igual forma, la llamada ignorancia deliberada importa un desconocimiento actual, en principio, real, que se vincula además con una conducta más activa aún del agente. Observamos un denominador común que se da por un primer desconocimiento o ceguera de los hechos con atención al tipo penal o a la norma jurídico-penal, y, también, por una cierta relación del comportamiento del agente con ese estado de desconocimiento.

---

[27]   Revisar estudio de Cancio, M.: *Líneas básicas de la Teoría de la Imputación Objetiva*, Ediciones Jurídicas Cuyo, Mendoza, 2004, pp. 52, 75-79, 85, 117-123. También, frente al proceder práctico nacional respecto de la conducta de la víctima, Vargas, T.: "La 'desgraciada' conducta de la víctima: Un problema de imputación", *Polít. crim.* Vol. 9, N°18, 2014, Art. 2, pp. 363-365.

Al atender a este segundo elemento, vemos la relevancia de la conducta para una posible imputación y, a la vez, un factor distintivo que permite separar ambas situaciones y sus consecuencias[28]. La relación de la conducta del agente con las hipótesis de "desconocimiento" no es igual. Cuando se habla de error vencible se advierte no solo que el sujeto podría haber evitado el yerro. El sujeto no lo buscó, como sí ocurre en la ignorancia deliberada. Esta falta de dirección marca el límite entre aquel error y tal ignorancia.

En el caso del error vencible el sujeto no es *fuente consciente* de la creación de la situación de desconocimiento, a pesar de que pueda evitarse. Aquí destaca la buena fe del agente, que actúa bajo un desconocimiento o "ceguera confiada", pues no ha provocado el error o, al menos, no lo ha provocado de modo directo y consciente. Así, no cabe imputar directamente la conducta o el injusto, según se trata de una imputación de primer nivel o de segundo nivel.

Podría imputarse una conducta imprudente, pero no de modo automático. Debe haber una disposición legal que describa y sancione la conducta y una regla de conducta que el agente ha de infringir. Muñoz Conde[29] considera especialmente la buena fe del agente (funcionario público) que actúa bajo error vencible. Plantea la posibilidad de una responsabilidad imprudente y admite que podría haber solo una infracción disciplinaria.

3.2. *Buena fe e ignorancia deliberada*

Cuando se habla de ignorancia deliberada, en cambio, la exclusión de la buena fe es clara. Sin embargo, la determinación de esta modalidad subjetiva es compleja. Observamos que en ocasiones se eleva a nivel de dolo, pero también podría confundirse con supuestos de error vencible. La delimitación es importante, por las diversas consecuencias. Por supuesto, la diferencia entre dolo e imprudencia depende de las nociones que de ellos se tenga. Como el desarrollo de estos requisitos subjetivos excede los

---

[28] Si bien se advierte una relación con el comportamiento anterior del agente en el error vencible y en la ignorancia deliberada, el nexo con la idea de incumbencia tiene más en la ignorancia deliberada. No solo interesa como condición que posibilita esa imputación del deber de cuidado, como lo destaca Sánchez-Ostiz (2017) pp. 1221 y ss. Interesa sobre todo cuando en la deliberación ya no caben deberes de cuidado y existen normas más fuertes que se han de respetar.

[29] Muñoz Conde, F.: *Derecho penal. Parte especial.* 8ª edic., Tirant lo Blanch, Valencia, 1990, p. 550.

límites de esta presentación, solo se señalan las nociones que se toman por base, sin detenerse en las distintas discusiones al respecto.

Se parte de una concepción de dolo que supone un juicio de adscripción a un sujeto que conoce todos los elementos objetivos del tipo penal[30]. Quien actúa con dolo conoce que su conducta cumplirá con el tipo con cierta certeza o alta probabilidad[31], por lo que su realización (como ejecución o abstención) implica que lo busca. Se distingue así de una conducta culposa o imprudente, en la que el agente no busca la realización del tipo, pues lo conoce solo como una posibilidad general, un peligro (*ex post*) general. Diremos que el conocimiento de este peligro supone el conocimiento de la peligrosidad (*ex ante*) de la conducta[32], aunque se suele aceptar la culpa inconsciente sobre la base de la mera previsibilidad del tipo[33].

La previsibilidad se satisface con la sola posibilidad de conocer que puede realizarse el tipo. Esta noción mínima de imprudencia (inconsciente) trabaja con dos posibilidades: la posibilidad de conocer y la posibilidad de realización del tipo penal o peligro *ex post*[34]. Aquí se rechaza esta definición y se rescata el deber de previsión, como una exigencia mayor de imputación que supone que el agente se representa al menos la peligrosidad general de la conducta[35]. Ese conocimiento explica la dirección de tal deber de conocimiento, de una norma de cuidado para una representación mayor que esa peligrosidad genérica, la previsión de una peligrosidad más concreta que permita a la vez advertir un peligro (*ex post*) general. Así sería equivalente a la llamada imprudencia consciente, pero se distingue

---

[30] Esta noción admite un objeto valorado, un comportamiento, y un juicio de valoración en atención a la verificación del tipo. Rechaza así las tesis meramente normativas o exclusivamente fácticas que ponen énfasis solo en el conocimiento. Para una revisión del carácter adscriptivo de dolo en Chile, Oxman, N.: "El dolo como adscripción de conocimiento", *Polít. Crim*, Vol 14, N° 28, 2019, pp. 446 y ss; Mañalich (2012) pp. 20-22. Sobre una normativización complementaria, Schünemann, B.: *Obras*, Rubinzal-Culzoni Editores, Santa Fe, 2009, t. I, p. 339,

[31] Los cursos causales no son totalmente controlables, por lo que no existe una certeza segura.

[32] Para la distinción entre peligrosidad y peligro según la perspectiva *ex ante* y *ex post*, revisar Hirsch, H.J.: "Peligro y peligrosidad", Sola Reche, E. (trad.), *ADPCP*, vol. XLIX, Fasc. II, 1999, pp. 513 y ss.

[33] Más en Vargas, T.: "Algunos antecedentes sobre el complejo 'deber de previsión' médico", *Revista de Derecho*, vol. XXX, N° 1, 2017, pp. 353, 354, 360-363.

[34] El sujeto no conoce el peligro *ex post*, pero incluso podría entenderse que en la previsibilidad el agente ni siquiera conoce la peligrosidad *ex ante* de su conducta. En tal caso, se cuestiona pueda dirigirse algún deber de actuación a quien desconoce presupuestos que lo admitan.

[35] Más sobre esta propuesta en Vargas; Perin (2020), pp. 133-136.

aun del dolo eventual porque no llega a advertir un peligro concreto. Una equiparación requiere un fundamento que la sostenga.

Como hemos visto, se cuestiona que la ignorancia deliberada sea realmente un supuesto de desconocimiento. Es importante verificar si es una forma de conocimiento equivalente al dolo; si puede asimilarse a conductas imprudentes –como pueden serlo supuestos de error vencible– o a modalidades irrelevantes desde el punto de vista jurídico penal. Para esta distinción se plantea la inclusión de la buena fe como criterio o baremo de imputación.

La ignorancia deliberada no solo es evitable por el agente. Éste debe haber buscado el "desconocimiento", ya sea porque se puso en ese estado o se mantuvo en esa situación luego de haberla advertido. Existe un componente intencional que puede reconocerse precisamente a través de la exclusión de la buena fe.

La "ceguera buscada" no es realmente ceguera. La búsqueda del desconocimiento no es compatible con la falta de cuidado en la representación[36]. No existe descuido como en el error vencible. Las características de semejante conducta del agente, marcada por la ausencia de buena fe, explica la exclusión de efectos y condiciones que sí pueden darse en el error vencible, como la improcedencia de la pena natural o la falta de atribución de incompetencia, que destaca Jakobs[37], sin advertir la injerencia de la buena fe en el motivo o fuente de ese estado subjetivo. Solo distingue casos de "indiferencia" en cuanto se refieren al ordenamiento jurídico o a la realización del tipo. Critica la regulación alemana, al admitir responsabilidad plena únicamente para la indiferencia frente a la norma; mientras que respecto del tipo no habría responsabilidad por el hecho doloso.

Efectivamente, quien se pone en esa situación de "ignorancia" no infringe un deber de previsión, por lo que no puede ser un supuesto de lo que

---

[36] Aunque no lo señala, Ragués (2013) pp. 19, 32 y 33, plantea como extraño afirmar que existe error en quien ha evitado conocer.

[37] Jakobs (2003) p. 9. Ragués (2013) pp. 28-31, muestra la procedencia de la pena natural en las conductas imprudentes por el diverso contenido expresivo de la conducta que explica otra necesidad de pena, haciéndose cargo de las principales críticas. Sobre la base de la distinción de dos calidades de las personas ante la sociedad, sujeto que demanda protección y eventual infractor, recoge un doble mensaje de la pena: contribuye a buscar la paz social y, a la vez, persuade sobre la conveniencia del empleo de medios lícitos para lograr objetivos.

se conoce como imprudencia inconsciente[38]. Puede decirse que la búsqueda del estado de desconocimiento concreto es una forma de indiferencia, siempre que el agente llegue a conocer la peligrosidad de su conducta respecto de la realización del tipo e incluso el peligro para los bienes protegidos por esa figura, aunque no con el nivel de probabilidad e intensidad que puede existir en el dolo directo.

Esa consciencia de quien busca tal estado coincide al menos con una modalidad imprudente que se considera consciente, cuando no le interesa un mayor conocimiento o derechamente lo evade. También en la doctrina del *Willful Blindness* se parte de la advertencia de riesgos, que explicaría la indiferencia respecto del conocimiento de las consecuencias de la conducta[39]. Quien sabe que desconoce, lógicamente no desconoce. El agente sabe y controla lo que sabe, por lo que puede imputársele su conducta[40]. Evidentemente, esta mera afirmación podrá ser relevante para la imputación de una conducta consciente, pero no todavía para una imputación normativa, que requiere que exista una disposición legal que sancione la hipótesis culposa o imprudente y un concreto deber de cuidado que el agente infringe.

La imputación imprudente puede apoyarse además en el principio *pro reo*, ante la falta de mayores datos sobre la consciencia concreta del agente y los niveles de exigencia. Efectivamente falta el conocimiento concreto del agente y, desde esta perspectiva, se mantiene cierta ceguera. Sin embargo, se distingue de la imprudencia consciente precisamente en la causa del desconocimiento concreto, que en la deliberación de esa "ignorancia" (para la evitar un mayor conocimiento) se da por la inexistencia de la buena fe de quien se pone en ese estado.

Esa exposición del agente, no ya de la víctima, añade un fundamento adicional que hace equivalente la imputación a la que procede a título de

---

[38]   Ya hemos criticado en otro momento esta denominación porque la dirección de un deber de previsión exige que el agente al menos reconozca la peligrosidad general de la conducta y que existan reglas que demanden el conocimiento de una peligrosidad concreta para requerir el empleo de un deber de cuidado en la conducción de la acción.

[39]   Pillsbury, S.: "Crimes of Indifference", *Rutgers Law Review*, 49, 1996, pp. 110, 120, 121, 129 y ss.

[40]   En este sentido ver Sánchez-Ostiz (2017) p. 1215. También separa las incumbencias de conocer (conocer y querer) y de disposición (saber y voluntariedad), cuya infracción mantienen procedente la imputación del hecho y la imputación normativa respectivamente, ibíd, p. 1219. Hace procedente la imputación, pero no la supone.

dolo eventual y no solo de culpa o imprudencia consciente[41]. Esta conducta se opone al esfuerzo para conocer, aunque en el hecho coincida con el error vencible porque efectivamente no logró conocer con más detalle. En tal sentido, tiene más fuerza la idea de incumbencia como carga al destinatario de una norma que posibilita la imputación de su conducta[42].

Ragués[43] pregunta si tiene sentido que aquellos que se esfuerzan por conocer estén en peor situación para el Derecho penal de los que evitan profundizar en el conocimiento sobre sus actos. Aunque no plantea el posible rol de la buena fe, su consideración permite contestar ese interrogante. También puede dar razón a la distinción que realiza sobre la ignorancia deliberada que califica de *stricto sensu*, cuando el agente haya evitado adquirir los conocimientos mínimos que requiere el dolo eventual[44]. Sería una situación intermedia entre el mero conocimiento del peligro y el desconocimiento del peligro (con consciencia de un peligro general), cuando hay sospecha inicial de que se podría lesionar algún interés indeterminado, pero no confirma tal riesgo. También habría cierta conciencia inicial de riesgo para un interés, por lo que al menos responde a la advertencia de la peligrosidad concreta de la conducta que parece alcanzar también un peligro general; especialmente si lo concibe con mayor fuerza que el desconocimiento y lo asocia a los conocimientos del dolo eventual que no alcanza. Además, equipara la indiferencia grave a la hostilidad sobre la base de igual necesidad de pena, para reafirmar valores, lograr la paz social e intentar motivar el fracaso del uso de medios ilícitos[45].

Una equiparación con el dolo eventual solo a partir de la entidad de los conocimientos que se dejan de percibir o adquirir no está suficientemente fundada, si en el hecho solo puede establecerse una consciencia de riesgo que coincide con la de la imprudencia, al no representarse un peligro más concreto. La exclusión de la buena fe en la dirección consciente de

---

[41]   No se trata de una equiparación por defecto, a pesar de que algo se intuye sobre esta forma de imputación. Así destaca la usual solución en nuestro medio Rebolledo (2014) p. 167.

[42]   Sánchez-Ostiz (2017) p. 1213, destaca la relación de la incumbencia con las cargas que recaen sobre los ciudadanos para precisar la concreta norma de acción, una suerte de obligación de menor intensidad para establecer otra obligación mayor o más fuerte, aunque critica la falta de definición de tales ideas. Igualmente, retomaremos algunos aspectos más desarrollados al seguir el examen del rol de la buena fe del agente frente al conocimiento considerado en la dirección de normas.

[43]   Ragués (2013) p. 12.

[44]   Ragués (2013) pp. 18, 32.

[45]   Ragués (2013) pp. 30 y 31.

quien evita ese mayor conocimiento suma un importante argumento para separar imputaciones subjetivas y dar razones para implicar al agente[46]. De otra forma se dejaría de considerar la fuente del conocimiento y desconocimiento del agente, que hace una diferencia frente a la imprudencia consciente justamente a raíz de la buena fe del agente.

Si bien Ragués[47] no llega a examinar el rol de la buena fe en la causa del estado del agente respecto del conocimiento de las características y consecuencias de su conducta, se preocupa por las razones para evitar un mayor conocimiento. Distingue aquellas vinculadas con una debilidad moral del sujeto de las que se relacionan con beneficios para eludir responsabilidad.

Más que especificar los motivos para evitar profundizar en el conocimiento, interesa examinar más las fuentes en términos de imputación. Ciertamente, tiene relevancia para tales efectos la distinción entre aspectos morales y beneficios que de algún modo se conectan con la responsabilidad. Sin embargo, la consideración de la buena fe revela la relación directa de la conducta del agente con el estado en que se halla para efectos de imputación. Permite mantener la imputación a pesar del defecto por el control del agente y la dirección de la norma

4. CONTRA UNA IMPUTACIÓN CIEGA

La ignorancia o ceguera buscada no es realmente ceguera. Existe una consciencia sobre la realización de la conducta y sus repercusiones, aunque no concreta o en directa relación con el tipo o con la norma penal. En realidad, estas consideraciones se han hecho respecto de la realización del tipo penal, sobre la base de la distinción entre injusto y culpabilidad. Cuando la búsqueda de cierto desconocimiento se refiere a la norma penal, los

---

[46]   Se responde así a otra crítica que formula Ragués (2013) p. 18, a la consideración de la ignorancia deliberada como una forma de imputación subjetiva que integre supuestos distintos desde el grado de implicancia. El grado de implicancia se ve desde el parámetro de la buena fe. Asimismo, delimita con más sentido la incumbencia del agente, como carga para destinatarios de normas en los términos expuestos especialmente por Sánchez-Ostiz (2017) pp. 1215 y ss.: "si eres destinatario de la norma, preocúpate por conocer el concreto deber y circunstancias del caso, así como mantenerte en disposición de poder cumplirlo". Distingue dos facetas de las incumbencias: para conocer hechos y normas y las de disposición. Aclara además que la infracción de una incumbencia no supone atenuar la pena y habla de errores "tan intolerables", como en caso de dolo eventual.

[47]   Ragués (2013) p. 32.

argumentos que sustentan la imputación total son más fuertes, especialmente si basta con la consciencia potencial de ilicitud.

Se observa que integrar consideraciones sobre la buena fe del agente termina de explicar las razones para excluir responsabilidad penal o para afirmarla. La buena fe de quien actúa concurre siempre cuando hay error o ignorancia invencible, simplemente no se advierte quizá por ser evidente. La buena fe también es clave para la vencibilidad del error o desconocimiento y delimitar la imputación de comportamientos, fáctica y normativamente.

Puede decirse que el error vencible o evitable está fundado en la buena fe del sujeto que realiza la conducta punible.

La llamada ignorancia deliberada es evidentemente evitable y, por tanto, vencible. Sin embargo, la sola evitabilidad no la define[48]. No se trata de cualquier supuesto vencible, ni de cualquier desconocimiento. El agente se pone en esa situación de desconocimiento concreto o más cierto a partir de ciertos conocimientos. Hay una exposición voluntaria que no se da cuando se alude solo al error evitable o vencible.

La falta de interacción en la evitabilidad de este error por parte de quien actúa explica que normalmente no tenga responsabilidad penal, salvo que se den presupuestos para una imputación imprudente. Esta imputación no es automática, aunque el error sea vencible. Tiene que haber una disposición legal y una regla de conducta que se infrinja. La falta de buena fe en la deliberación marca una diferencia, que no solo está en la verificación de cierto conocimiento.

El criterio de la buena fe permite distinguir entre la vencibilidad del error y la vencibilidad de la deliberación, aunque exista un conocimiento que pueda coincidir. La ausencia de la buena fe en la deliberación descarta toda hipótesis de imprudencia inconsciente. Quien se pone en un estado de cierto desconocimiento no infringe un deber de cuidado, pues se dirige a ese estado. Sí puede coincidir con una imprudencia consciente. Sin embargo, la búsqueda de ese estado introduce un elemento adicional, una exposición del agente que está ausente en las conductas imprudentes.

---

[48]   De hecho, las conductas dolosas son también evitables. Así se comprende la tesis de la "evitabilidad" de van Weezel (2009) pp. 45-48, como categoría supraordenadora del dolo y de la imprudencia, por la relación de sentido hacia una realización típica determinada, que permite imputarlos subjetivamente. Pero la evitabilidad no es suficiente, por eso no puede dejar de reconocer la necesidad de descripción típica, que requiere también la determinación de la norma y del concreto deber.

La consideración de la buena fe pone énfasis en la causa del defecto del agente, se detiene en su exposición y añade un fundamento adicional al verificar la imputación de su conducta[49]. Específicamente respecto de la realización del tipo penal, suma un argumento que hace equivalente la imputación a la que procede a título de dolo eventual, que respeta la diferencia con imputaciones por dolo directo, con preeminencia del *pro reo* y del *indubio pro reo*. La presencia de la buena fe en el error vencible y su ausencia en la ceguera buscada termina de explicar las distintas imputaciones y sus consecuencias jurídico-penales.

BIBLIOGRAFÍA

Balmaceda, G.: "El delito de estafa en la jurisprudencia chilena", *Revista de Derecho*, vol. XXIV, N° 1, 2011.

Brady, J.: "Recklessness, negligence, indifference and awareness", *The Modern Law Review*, Vol. 43, 1980.

Cancio, M.: *Líneas básicas de la Teoría de la Imputación Objetiva*, Ediciones Jurídicas Cuyo, Mendoza, 2004.

Contreras, L.: "el principio de confianza como criterio delimitador de la responsabilidad penal de los médicos", *Acta Bioethica*, 2019; 25 (1).

Contreras, L.; García, G.: "Caso 'Atropello de Johnny H.' Rendimiento del Principio de Confianza. STOP de Santiago (3°), 27/06/2013, Rit: 94-2013", en Vargas, T. (dir.), *Casos destacados de Derecho penal. Parte general*, Thomson Reuters, La Ley, 2015.

Comments, "Willful Blindness as a substitute for Criminal Knowledge", *Iowa Law Review*, 63, 1977.

De la Masa, I.: "La distribución del riesgo y la buena fe. A propósito del error, el dolo y los deberes precontractuales de información", *Revista de Derecho de la Pontificia Universidad Católica de Valparaíso*, t. XXXVII, 2011.

---

[49] Es especialmente interesante la consideración del principio de buena fe que hace De la Masa, I.: "La distribución del riesgo y la buena fe. A propósito del error, el dolo y los deberes precontractuales de información", *Revista de Derecho de la Pontificia Universidad Católica de Valparaíso*, t. XXXVII, 2011, pp. 131-133, en la delimitación del error y del dolo en la formación incorrecta del consentimiento. Su examen va más allá de los vicios del consentimiento. Se pregunta específicamente por las razones para preferir una posición por sobre la otra (del destinatario de la declaración por sobre el *errans*). Advierte un problema de imputación, relativo a la administración de riesgos de la información defectuosa y recurre a la buena fe como herramienta de ponderación de los distintos intereses. Aunque observa la buena fe de quien presta el consentimiento y pueda asimilarse a la víctima, interesan aquí las apreciaciones referidas al agente que alega desconocimiento por su injerencia en tal estado.

Etcheberry, A.: *Derecho penal. Parte general.* 3ª edic., Editorial Jurídica de Chile, Santiago, 1998.

Groizard, A.: *Código penal de 1870 concordado y comentado,* 2ª edic., Establecimiento tipográfico de los sucesores de J. A. García, Madrid, t. III, 1911.

Hagen, K.: "Eyes Wide Shut: Induced Patent Infringemente and the Willfull Blindness Standard [comments], Marquette Intellectual Property Law Review, 17, 2013.

Hernández, H.: "Comentario Art. 1°", en Couso, J.; Hernández, H. (dirs.), *Código Penal comentado,* AbeledoPerrot, LegalPublishing, Santiago, 2011.

Hernández, H.: "Normativización del engaño y nivel de protección de la víctima en la estafa: lo que dice y no dice la dogmática", *Revista Chilena de Derecho,* vol. 37, N° 1, 2010.

Hirsch, H.J.: "Peligro y peligrosidad", Sola Reche, E. (trad.), *ADPCP,* vol. XLIX, Fasc. II, 1999.

Hruschka, J.: "La imputación ordinaria y extraordinaria en Pufendorf. Sobre la historia y el significado de la diferencia entre *actio libera in se* y *actio libera in sua causa*", Pastor Muñoz, Nuria (trad.), *Revista de Derecho Penal y Criminología,* 2.ª Época, núm. 12, 2003.

Jakobs, G.: *Derecho penal Parte general,* Cuello, Joaquín; Serrano, José Luis (trads.), 2ª edic., Marcial Pons, Madrid, 1997.

Jakobs, G.: "El lado subjetivo del hecho", Cancio, Manuel (trad.), *Disertación en Conferencias Internacionales de Derecho Penal,* Córdoba, Argentina, 2003, www.derechopenalenlared.com

Lorelei, R.: "Is 'Willful Blindness' the New 'Recklessness after Global-Tech?", *Federal Circuit Bar Journal,* 21, 2011.

Mayer, L.: "El engaño concluyente en el delito de estafa", *Revista Chilena de Derecho,* vol. 41 N° 3, 2014.

Mañalich, J.P.: "¿Presupone la *applicatio legis ad factum* una *imputatio facti*?, *CRIMINT – Revista En Letra Derecho Penal,* Joachim Hruschka in memoriam, Fascículo especial, 2018.

Mañalich, J.P.: "Sobre la conexión funcional entre el dolo y la consciencia de antijuridicidad en el Derecho penal chileno", *Revista Estudios de la Justicia,* N° 16, 2012.

Mañalich, J.P.: "¿Responsabilidad jurídico-penal por causaciones de menoscabo patrimonial a propósito de fallas en la construcción de inmuebles?", *Polit. Crim,* vol. 5, N° 10, Art. 2, 2010.

Muñoz Conde, F.: *Derecho penal. Parte especial.* 8ª edic., Tirant lo Blanch, Valencia, 1990.

Novoa, E.: *Curso de Derecho penal chileno,* 3ª edic., Editorial Jurídica de Chile, Santiago, 2005, t. I.

Oxman, N.: "Ignorancia deliberada y error en el tráfico de drogas", en Vidales, C.(-coord.), *Tráfico de drogas y delincuencia conexa,* Tirant lo Blanch, Valencia, 2014.

Oxman, N.: "El dolo como adscripción de conocimiento", *Polít. Crim*, Vol 14, N°
28, 2019.

Pillsbury, S.: "Crimes of Indifference", *Rutgers Law Review*, 49, 1996.

Piña, J.I.: *Fraude de seguros*, Editorial Jurídica de Chile, Santiago, 2006.

Politoff, S.; Matus, J. P.; Ramírez, M. C., *Lecciones de Derecho penal chileno. Parte general*. Editorial Jurídica de Chile, Santiago, 2004.

Puppe, I.: "División del trabajo y de la responsabilidad en la actuación médica", *InDret*, N° 4 (2006).

Ragués, R.: "De nuevo, el dolo eventual: un enfoque revolucionario para un tema clásico. Recensión a Gabriel Pérez Barberá, El dolo eventual. Hacia el abandono de la idea de dolo como estado mental, Hammurabi, Buenos Aires, 2011", *InDret*, N° 3, 2012.

Ragués, R.: "Mejor no saber. Sobre la doctrina de la ignorancia deliberada en Derecho penal", *Discusiones XIII*, N°13, 2, 2013.

Ragués, R.: *El dolo y su prueba en el proceso penal*. J.M. Bosch Editor, Barcelona, 1999.

Rebolledo, L.: "La ignorancia deliberada en el tráfico ilícito de drogas", *Revista del Ministerio Público*, N° 61, 2014.

Schünemann, B.: *Obras*, Rubinzal-Culzoni Editores, Santa Fe, 2009, t. I.

Sánchez-Ostiz, P.: *Imputación y teoría del delito. La doctrina kantiana de la imputación y su recepción en el pensamiento jurídico-penal contemporáneo*, Montevideo-Buenos Aires: B de f, 2008.

Sánchez-Ostiz, P.: "Imputación e incumbencias en Derecho penal", *Polít. crim*. Vol. 12, N° 24, 2017.

Toh, C.: "Knowing, not knowning and almost knowing: Knowledge and the docrine of mens rea", *Singapore Academy of Law Journal*, 20, 2008.

Vargas, T.: "Caso 'Chépica'. SCS, 4/08/1998, Rol N° 1338-1998", en Vargas, T. (dir.), *Casos destacados de Derecho penal. Parte general*, Thomson Reuters, Santiago de Chile, 2016.

Vargas, T.: "La 'desgraciada' conducta de la víctima: Un problema de imputación", *Polít. crim*. Vol. 9, N°18, 2014, Art. 2.

Vargas, T.: "Algunos antecedentes sobre el complejo 'deber de previsión' médico", *Revista de Derecho*, vol. XXX, N° 1, 2017.

Vargas, T.; Perin, A.: "La "vidente" imputación imprudente. A propósito de la delimitación entre imprudencia y dolo", *Polít. Crim*, Vol 15, N° 29, 2020.

Weezel, A.: *Error y mero desconocimiento*, 2ª edic., LegalPublishing, Santiago de Chile, 2009.

Williams, G.: Criminal Law. The General Part, 2ª edic., Stevens & Sons Ltd, Londres, 1961.

DERECHO PROCESAL

LA CONGRUENCIA PROCESAL COMO LÍMITE DEL PRINCIPIO DISPOSITIVO EN EL PROCESO CIVIL

Maite Aguirrezabal Grünstein[1]

Doctora en Derecho, Universidad de Navarra
Profesora de Derecho Procesal, Universidad de los Andes, Chile

SUMARIO: 1. INTRODUCCIÓN. 2. FORMULACIÓN DEL PRINCIPIO DISPOSITIVO EN LA DOGMÁTICA PROCESAL CIVIL. 3. LA FIJACIÓN DEL OBJETO DEL PROCESO Y EL PRINCIPIO DISPOSITIVO. 3.1. Generalidades. 3.2. Elementos configuradores del objeto del proceso. 4. LA PROHIBICIÓN DE *MUTATIO LIBELLI* COMO GARANTÍA DE DEFENSA DE LAS PARTES. 5. DIVERSAS MANIFESTACIONES DEL PRINCIPIO DISPOSITIVO EN EL PROCESO CIVIL. 5.1. En la iniciativa de parte. 5.2. En el principio de congruencia procesal. 5.2.1. En la aplicación del principio *tantum devolutum quantum apellatum.* 5.2.2. En algunas formas anormales de terminación del proceso. 5.2.3. En el deber de cooperación de las partes en el proceso. BIBLIOGRAFÍA CITADA.

1. INTRODUCCIÓN

La forma como se conducen los sujetos en el proceso ha sido en estos tiempos una preocupación constante para la dogmática procesal, incorporándose bajo el alero del principio de la moralidad procesal, que a su vez se disgrega en diversos principios como el de la buena fe, la colaboración o cooperación procesal y la proscripción del fraude o abuso del proceso.

El tema no es de fácil tratamiento, puesto que para su consagración la ley suele recurrir a enunciados abiertos con amplios márgenes interpretativos y en que no se sanciona el incumplimiento de estos deberes, lo que se traduce en valoraciones éticas de la actividad de defensa.

---

[1]   Universidad de los Andes, Monseñor Álvaro del Portillo N° 12.455, Las Condes, Santiago de Chile.

2. FORMULACIÓN DEL PRINCIPIO DISPOSITIVO EN LA DOGMÁTICA PROCESAL CIVIL

El principio dispositivo puede conceptuarse como aquel que "en el proceso civil atribuye a las partes la tarea de estimular la actividad judicial y aportar los materiales del proceso"[2], y que reconoce a las partes la iniciativa exclusiva para poner en movimiento el aparato jurisdiccional.

Palacio lo define como "aquel en cuya virtud se confía a la actividad de las partes tanto el estímulo de la función judicial como la aportación de materiales sobre los que ha de versar la decisión del juez"[3], agregando Oteiza que el principio dispositivo supone "el dominio de la parte sobre el derecho que sustenta su pretensión"[4].

Más que hablar del principio dispositivo debería tratarse como un "principio de elección dispositiva"[5], porque si las partes tienen el completo dominio de sus derechos en el proceso, también tienen la libertad para decidir el ejercicio de los mismos, y utilizar o no los medios procesales que la ley coloca a su disposición.

En sentido similar discurren Gómez Orbaneja y Herce Quemada, para quienes "el principio dispositivo propiamente dicho consiste en que las partes poseen dominio completo, tanto sobre su derecho sustantivo, como sobre los derechos procesales implícitos en el juicio, en el sentido que son libres de ejercitarlos o no"[6].

Su vigencia obedece principalmente a la ideología liberal que imperaba en la época de la codificación a finales del siglo XIX y que se manifiesta en una desconfianza en los poderes del Estado, y en donde se considera que el proceso civil sirve principalmente para la discusión de intereses privados.

Manresa, redactor de la Ley de Enjuiciamiento Civil española de 1881, refleja tal sentir, cuando expresa que "la mejor ley de procedimiento es la que deja menos campo al arbitrio judicial", en la medida que este es "in-

---

[2] Montero, J.; Ortells, M. y Gómez-Colomer, J. *Derecho jurisdiccional. Parte general*, Barcelona, Bosch, 1993, t. I. Pág. 465-471, citado por Esparza Leibar, I., *El principio del debido proceso*, Barcelona, Bosch, 1995, p. 33.
[3] Palacio, L. *Derecho procesal civil*, Buenos Aires, Abeledo-Perrot, 1979, pp. 253-254.
[4] Oteiza, E. "El principio de colaboración y los hechos como objeto de la prueba. O 'provare o soccombere'. ¿Es posible plantear un dilema absoluto?", en *Los hechos en el proceso civil*, Morello (dir.), Buenos Aires, La Ley, 2003, pp. 83 y 83.
[5] Wyness, R. *Los principios formativos del procedimiento civil*, Buenos Aires, Ediar,1945, p. 65.
[6] Gomez Orbaneja, E. y Herce Quemada, E. *Derecho procesal civil*, t. i, Madrid,1979, p. 191.

compatible con las instituciones liberales", confundiendo el autor el dominio del objeto litigioso con el dominio respecto del proceso[7].

Esta confusión vino a subsanarla la doctrina alemana, que limitó el concepto de principio dispositivo al de dominio por los litigantes del interés privado y el de aportación de parte a la introducción de la prueba en el proceso, separación que ha sido acogida por doctrinas como la italiana[8] y la española.

Otros autores prefieren considerar este principio como un verdadero sistema, dentro del cual se enmarcan, por ejemplo, los principios jurídicos naturales, las reglas técnicas y las manifestaciones del principio dispositivo[9].

Cappelleti en cambio, distingue entre el principio dispositivo en sentido formal y en sentido material[10].

En el primero de ellos, el principio dispositivo se refiere al manejo del proceso por parte de los interesados como instrumento técnico que garantiza el ejercicio de los derechos subjetivos que corresponderían a las partes en virtud del sentido material de este mismo principio dispositivo, lo que les permitiría decidir sobre el ejercicio de la acción y los planteamientos que formulen al tribunal, pero dentro de las limitaciones formales establecidas por el proceso.

---

[7]   Manresa Navarro, J., Comentarios a la Ley de Enjuiciamiento Civil, 1° ed., Madrid, 1881, t.I, p. 10, a lo que agrega Montero Aroca, J., Análisis crítico de la ley de enjuiciamiento civil en su centenario, Civitas, Madrid, 1982, p. 80, que "la base ideológica liberal de los autores de la LEC les lleva a desconocer el reparto de funciones del juez y de las partes en el proceso, convirtiendo a aquél en un ente pasivo y a estas en verdaderas dueñas de la Litis".

[8]   En este sentido, Cappelletti, M., *La testimonianza della parte nel sistema dell'oralità (Contributo allá teoria della utilizzazione probatoria del sapere delle parti nel processo civile)*, 2.a ed., Milano, Giuffrè, 1962, Liebman, E., "Fondamento del principio dispositivo", *Rivista di Diritto processuale*, 4, 1960, pp. 551 y ss.; Proto Pisani, A. *Lezioni di diritto processsuale civile*, Roma, Jovene, 2014. En lo que respecta a la dogmática española, entre otros, Aragoneses Alonso, P. *Proceso y derecho procesal*, Madrid, Edersa, 1997, p. 182-183; Gomez Orbaneja, E. *Derecho procesal civil*, Madrid, 1962, pp. 191 y ss, Serra Domínguez, M., Liberalización y socialización del proceso civil, en Revista de Derecho Procesal Iberoamericana, 1972, n° 3, pp. 519 y ss.; Cordón Moreno, F. *Introducción al derecho procesal*, Navarra, Eunsa, 1995, p. 140 y ss. y Picó y Junoy, J., *El derecho a la prueba en el proceso civil*, Bosch, Barcelona, 1996, pp. 207 y ss.

[9]   Aunque la distinción entre sistema y principio no termina de ser concretada, vid. en este sentido, Alsina, H., *Tratado teórico práctico de derecho procesal civil y comercial*, Compañía Argentina de Editores, Buenos Aires, 1941, pp. 98 y ss; y Díaz, C., Instituciones de Derecho Procesal, Parte General, T.I, Abeledo Perrot, Buenos Aires, 1988, p. 299.

[10]   Cappelletti, M., "La testimonianza della...", op. cit., pp. 553.

Por lo tanto, la libertad en el ejercicio del derecho subjetivo se encontraría demarcada por las formas a las que el principio dispositivo se encuentra sujeto en el aspecto formal.

Como bien señala Calamandrei[11], el principio dispositivo es "la proyección en el campo procesal de aquella autonomía privada en los límites señalados por la ley, que encuentra su más enérgica afirmación en la tradicional figura del derecho subjetivo y, mientras la legislación substancial reconozca la autonomía, el principio dispositivo debe ser coherentemente mantenido en el proceso civil, como expresión insuprimible del poder reconocido a los particulares de disponer de su propia esfera jurídica".

En su orientación material, el principio dispositivo resulta de mayor aplicación cuando se trata de derechos enteramente disponibles y disminuye su vigencia cuando se trata de derechos o intereses en donde se encuentran comprometidos derechos indisponibles o el interés general, aumentando en dichas hipótesis el principio de actuación de oficio. Como señala Couture, en esos casos no es lícito a las partes limitar la actividad jurisdiccional[12].

Agrega Montero Aroca que, "frente a la idea de que las partes son dueñas del proceso, a lo largo del siglo XX se ha ido desarrollando como idea opuesta, la que suele conocerse como publicización del proceso civil. Aunque esa publicización se ha articulado con matices diferentes, como es natural que fuera, todos ellos tienen una misma raíz que atiende al aumento de los poderes del Estado dentro de la sociedad, por lo que se trata siempre de una cierta base autoritaria, por lo menos si entendemos la palabra autoritario en sentido general, en el que equivale a aumento, exageración, desarrollo anómalo, deformación de la autoridad. Autoritario o autoritarismo son siempre formas exageradas, deformadas de la autoridad, y por ello persona con autoridad es algo muy distinto de persona autoritaria"[13].

---

[11]   Calamandrei, P. *Instituciones de derecho procesal civil*, vol. i, Buenos Aires, Ejea, 1981, pp. 404-405.

[12]   Couture, E., *Fundamentos del derecho procesal civil*, Buenos Aires, De Palma, 1958, p. 186. Sería el caso por ejemplo de los procesos relativos al estado civil de las personas o los procesos ante los tribunales de familia e incluso ante los tribunales del trabajo.

[13]   Montero Aroca, J., "El proceso civil llamado social como instrumento de justicia autoritaria", en *Revista Iberoamericana de Derecho Procesal*, n° 6, 2004, p.15.

3. LA FIJACIÓN DEL OBJETO DEL PROCESO Y EL PRINCIPIO DISPOSITIVO

3.1. Generalidades

El objeto del proceso puede ser definido como "aquello sobre lo que, en cada proceso, se proyecta la actividad jurisdiccional o procesal: la del juzgador y la de las partes"[14].

Es fijado por las partes, en especial por la parte demandante, y su correcta delimitación resulta de vital importancia en relación con otras instituciones procesales que se ven afectadas por la identificación de este, lo que además resulta imprescindible para una adecuada resolución del conflicto.

La identificación del objeto del proceso se efectúa en la demanda, en que no sólo se exige la identificación de las partes, sino también los hechos y fundamentos de derecho en los que se funda, debiendo fijarse además con claridad y precisión lo que se pida.

Estos elementos delimitan una concreta acción con una pretensión específica, no pudiendo luego ser alterados en su esencia a lo largo del proceso, en atención a la prohibición de la mutatio libelli, a la que luego nos referiremos.

Si se varía uno de estos elementos, se introducen cuestiones nuevas que, como se ha señalado por la jurisprudencia, "alteran los términos precisos del litigio, con indudable merma del derecho de defensa de la otra parte, la cual, de haberse alegado oportunamente la cuestión, podría haber redargüido y probado en contra"[15].

De ahí entonces que pueda concluirse que los principios de defensa y contradicción no permiten variar los términos del litigio y supone la imposibilidad de que las partes puedan posteriormente agregar nuevos elementos configuradores de la litis.

---

[14]   De la Oliva Santos, A.; *Objeto del proceso y cosa juzgada en el proceso civil*, Thompson Civitas, Madrid, 2005, p. 23. Agrega que "en términos clásicos, el objeto del proceso es la cosa (en sentido amplio y, a la vez, propio) de la que un proceso trata: la res de qua agitur, la cosa de que se trata, que en los procesos regidos por el denominado principio dispositivo, es, a su vez, la res iudicio deducta (la cosa llevada a juicio)".

[15]   Sentencia del Tribunal Supremo español, de fecha 15 de junio de 1982.

3.2. Elementos configuradores del objeto del proceso

Siguiendo a Tapia[16], podemos señalar que los elementos configuradores del objeto del proceso son el petitum y la causa de pedir, y por lo tanto, se modifica la demanda si se altera cualquiera de estos dos elementos.

En lo que respecta al petitum, esto es, la concreta tutela jurídica que se solicita, viene determinada por dos elementos.

Por una parte, la demanda se dirige al juez, a quien se solicita una resolución que puede consistir en una condena, una declaración, la constitución o un cambio jurídico.

Por otra, la demanda se dirige contra el demandado, respecto del cual se solicita una prestación o una abstención. Si varía alguno de estos elementos, en opinión de la citada autora, también varía la acción.

La concreción del petitum concretará también el objeto, porque distintas solicitudes podrían dar lugar a acciones diversas, y de ahí que se exija claridad en los que se pide.

Agrega Tapia que "delimitado así este elemento constitutivo del objeto del proceso, las consecuencias procesales son importantísimas: el Juez competente para conocer de la demanda así configurada lo será en función de la concreta tutela que se pide, así como el tipo de procedimiento; no podrá alterarse ese objeto a lo largo del proceso; el juez deberá pronunciarse exactamente sobre ese objeto; no podrá iniciarse un nuevo proceso con ese mismo objeto...etc"[17].

El otro elemento configurador lo constituye la causa petendi o causa de pedir, que en palabras de Romero puede describirse como el fundamento de la acción o el título justificador del derecho[18], y que vendría a ser el objeto de la pretensión, vinculada a un conflicto intersubjetivo surgido de en relación con obligaciones, intereses, derechos subjetivos, etc.

Considera D'Ors, que en el caso de *titulus* nos encontramos con una palabra vulgar que viene a adquirir en su evolución un significado técnico de *causa petendi*[19].

---

[16]   Tapia Fernández, I.; "Sujetos y objeto del proceso civil", en *Anuario jurídico de La Rioja*, N° 5, 1999, pp. 19 y ss.

[17]   Tapia Fernández, I.; "Sujetos y objeto...", op. cit., p. 23.

[18]   Cfr. Romero Seguel, A., *Curso de Derecho Procesal Civil*, Tomo I, Editorial Jurídica, Santiago, 2007, pp. 19 y ss. Agrega el autor que la doctrina concibe este elemento como una causa jurídicamente relevante, que no es un hecho puro y simple, sino que con la aptitud necesaria para poner en movimiento una norma y producir efectos jurídicos.

[19]   Cfr. D'ors, Alvaro, "Titulus", en *Anuario de la Historia del Derecho Español. Estudios en homenaje a don Eduardo de Hinojosa*, T. XXIII, 1953, pp. 497-498.

Cabe por lo tanto referirse a las figuras de la pretensión procesal y el derecho de acción.

La pretensión en sentido genérico es el acto consistente en exigir a otro algo que debe tener por relevancia jurídica.

La acción es un derecho subjetivo público inherente a todos los justiciables, y su goce no se encuentra limitado por ley.

Mientras que la pretensión se dirige contra el demandado, el derecho de acción, como derecho público subjetivo, se dirige contra el Estado a fin de obtener una determinada tutela jurídica de un derecho o interés legítimo.

Con su ejercicio, se solicita al estado tutela jurídica con un pedido concreto respecto del demandado.

Devis Echandía entrega una noción amplia al señalar que la pretensión procesal es "el efecto jurídico concreto que el demandante o el querellante persiguen con el proceso, efecto al cual se quiere vincular al demandado (si lo hay) o al imputado y luego procesado"[20], agregando Couture que "la pretensión es la afirmación de un sujeto de derecho de merecer la tutela jurídica y, por supuesto, la aspiración concreta de que esta se haga efectiva"[21].

Agrega este autor que "la causa petendi es la razón de la pretensión, o sea el fundamento inmediato del derecho deducido en juicio", y que se trata de "la razón y el fundamento mismo, ya sean invocados expresamente, ya sean admitidos implícitamente"[22].

Esto último se traduce en el aforismo *ne eat iudex ultra petita partium*[23], que da origen al requisito de congruencia que deben cumplir las sentencias judiciales, consistente en la identidad entre lo que el juez resuelve y la pretensión y defensa de las partes[24].

---

[20] Devis Echandía, H. *Teoría General del Proceso*, Tomo I, Editorial Universidad, Buenos Aires, 1995, p. 235

[21] Couture, E., *Fundamentos del Derecho Procesal Civil*, 3° ed. De Palma, Buenos Aires, 1977, p. 186.

[22] Couture, E.; *Fundamentos del Derecho...*op.cit., p 195.

[23] Que significa que el juez no va más allá de lo que las partes le han pedido.

[24] Ello sin perjuicio de lo ya señalado a propósito del principio del iura novit curia y la amplitud que posee el órgano jurisdiccional al momento de aplicar la norma jurídica.

Esta misma idea se repite en el artículo 177 del Código de Procedimiento Civil, que define la causa de pedir como "el fundamento inmediato del derecho deducido en juicio".

A su vez, nuestra Corte Suprema la ha definido como "el conjunto de hechos que fundamentan la petición, en búsqueda de la identificación de los mismos a un aspecto concreto, los que debidamente acreditados, persiguen se les apliquen determinadas consecuencias jurídicas"[25], agregando los tribunales deben atenerse a las cuestiones de hecho que las partes le hayan sometido, las cuales acotan los problemas litigiosos y han de ser fijadas en los escritos de alegaciones, que son los rectores del proceso. Así lo exige el principio de contradicción y el derecho de defensa, por lo que el fallo ha de adecuarse a las pretensiones y planteamientos de las partes, sin que quepa modificar los términos de la demanda, contestación o reconvención ni modificar el objeto del pleito[26].

Sobre los elementos que conforman la causa de pedir, se ha discutido largamente por la doctrina si ésta se encuentra configurada por el conjunto de los hechos alegados por el actor, o si junto con los hechos deben considerarse también los argumentos de derecho que fundamentan la pretensión.

La adopción de una postura deriva en una serie de consecuencias prácticas relevantes, vinculadas principalmente al principio del *Iura Novit Curia*[27] y el rol del juez en la calificación jurídica de los hechos sobre los que debe pronunciarse.

En este sentido, y siguiendo a Romero, "para los que postulan que la causa de pedir sólo se encuentra conformada por los hechos, el juez tendría una mayor amplitud a la hora de aplicar el derecho y calificar jurídicamente los hechos, al punto que podría perfectamente llegar a prescindir de la calificación que el actor asigne a los hechos en la demanda"[28].

---

[25]   En fallo de fecha 15 de marzo de 2012, causa rol 5549-11.

[26]   Sentencia del Tribunal Supremo Español de 20 de diciembre de 2002, recogiendo la de 13 de mayo de 2002. Consagra lo que se ha denominado la prohibición de la *mutatio libelli*, que rige todas las etapas procesales e instancias.

[27]   Que puede traducirse como "El juez conoce el derecho" y que sirve para determinar el grado de autonomía de la que goza el tribunal al momento de aplicar el derecho. Cfr. en este punto, Hunter Ampuero, I., "Iura Novit Curia en la jurisprudencia chilena", *Revista de Derecho de la Universidad Austral de Chile*, vol. 23, n° 2, pp. 197-221

[28]   Romero Seguel, A., *Curso de Derecho..., op. cit., p. 21.*

Por lo tanto, el juez podría aplicar a la causa de pedir una normativa jurídica completamente distinta a la propuesta por las partes, si considera que se corresponde más adecuadamente con lo pretendido[29].

Así también lo ha declarado de modo reiterado el Tribunal Constitucional español, cuando señala que "los tribunales no tienen necesidad, ni tampoco obligación, de ajustarse a los razonamientos jurídicos que les sirven para motivar sus fallos a las alegaciones de carácter jurídico aducidas por las partes y pueden basar sus decisiones en fundamentos jurídicos distintos, pues la tradicional regla encarnada en el aforismo "iura novit curia" les autoriza para ello"[30].

En cambio, para los que postulan que la causa de pedir está también integrada por un componente jurídico, la actividad del órgano jurisdiccional se encontraría limitada en atención a que el juez no podría alterarla so pretexto de aplicar el derecho[31].

Nuestra jurisprudencia ha sido conteste al señalar que la fundamentación jurídica propuesta por las partes no es vinculante para el juez y que "no es preciso que en la demanda se citen las disposiciones legales que le

---

[29] En este sentido, señala Couture, *Fundamentos del Derecho...*, op. cit. p. 196, que "el fundamento del derecho que se ventila en el juicio no es tan sólo el que invoca el actor; el fundamento es el derecho que rige la especie litigiosa; y ese fundamento lo debe buscar el juez aun fuera de las alegaciones de las partes". También Palacio, L.; *Derecho procesal civil*, Buenos Aires, Abeledo Perrot, 1979, t. I, p. 30, nos recuerda que "el juez debe decidir si se ha operado la consecuencia jurídica afirmada por el actor, pero para ello le es indiferente la designación técnica que aquél haya asignado a la situación de hecho descripta como fundamento de la pretensión, desde que es consubstancial a la función decisoria la libertad en la elección de la norma o normas que conceptualizan el caso (iura novit curia)".

[30] STC español, de fecha 5 de mayo de 1982, y en el mismo sentido, STC de 23 de mayo de 1990.

[31] Cfr. en este sentido, Tapia Fernández, I.; *El objeto del proceso. Alegaciones. Sentencia. Cosa juzgada.* Editorial La Ley, Madrid, 2000, p. 24, expresa que "el límite a las facultades de aplicación del derecho por los Tribunales viene exactamente determinado por los límites que los litigantes hayan querido establecer respecto de sus derechos subjetivos, su medida y la amplitud de su ejercicio. Porque en esto se basa precisamente el principio dispositivo." Por otra parte, Prieto Castro, L.; "El cambio del punto de vista jurídico", *Revista de Derecho Procesal*, Madrid, 1956, p. 255, indica que "el juez no es libre en el manejo del derecho en tanto en cuanto su libertad pudiera atentar contra dicho principio dispositivo, concebido como una indicación de límites puestos por las partes a la función jurisdiccional". A su vez, Cortés Domínguez, V.; *Derecho Procesal Civil. Parte General*, (con Moreno Catena, Víctor), Editorial Tirant lo Blanch, Valencia, 2001, p. 144, indica que la causa de pedir no sólo está integrada por los hechos sino además por todo aquello que es fundamentación de lo que se pide.

sirven de fundamento, sino tan sólo los principios, la razón jurídica de la acción"[32].

Se ha dicho reiteradamente que la posibilidad del juez de calificar jurídicamente la situación de hecho planteada por las partes, con independencia de lo que éstas hayan afirmado en sus postulaciones, encuentra como único límite la posibilidad efectiva de que se afecte la garantía de defensa en juicio.

Esta idea ha sido refrendada por la jurisprudencia comparada en el sentido que la congruencia procesal impide la alteración de la causa de pedir en lo que respecta a la fijación de los hechos y del objeto del proceso.

Así, los tribunales españoles han señalado que "la congruencia forma parte de la tutela judicial efectiva a que se refiere el artículo 24 de la Constitución y consiste en la adecuación entre los pronunciamientos judiciales y lo que se pidió al juez, incluida la razón de ser de esa petición.

La incongruencia adquiere relevancia constitucional, de modo que al caer en ella se infringen no sólo los preceptos ordinarios procesales sino también el artículo 24 CE, cuando afecta al principio de contradicción, mediante una modificación sustancial de los términos del debate procesal, que se traduce en indefensión de las partes que, por no haber podido prever el alcance y sentido de la controversia, se ven en la imposibilidad de alegar o actuar en apoyo de sus derechos e intereses. El deber de congruencia es compatible con la utilización por el órgano judicial del principio tradicional del cambio de punto de vista jurídico expresado en el aforismo iura novit curia, pero no legitima en ningún caso para variar sustancialmente la causa petendi.

De modo que hay incongruencia cuando en el pronunciamiento judicial se altera el objeto del proceso (por referencia a sus elementos subjetivos y objetivos, causa de pedir y petitum) modificando sustancialmente los términos en que se planteó el debate procesal y violando el principio de contradicción, al no dar a la parte la oportunidad de oponerse o discutir sobre los puntos que se deciden inaudita parte en la sentencia. Pues el deber de congruencia se resume en la necesaria correlación que ha de existir entre los pedimentos de las partes, oportuna y convenientemente deducidos, y el fallo de la sentencia, teniendo en cuenta el petitum y la causa petendi o hechos en que se fundamenta la petición deducida".

Agrega Colombo que esos límites se violan cuando su aplicación altere sustancialmente el contenido del contradictorio, por lo que lo que nunca

---

[32]   Fallo de la Corte Suprema, de fecha 14 de enero de 1947, RDJ, t. XLIV, sec. ¡, p. 450.

podrá ocurrir, es que el cambio en la calificación jurídica deje a las partes en la indefensión[33].

4. LA PROHIBICIÓN DE *MUTATIO LIBELLI* COMO GARANTÍA DE DEFENSA DE LAS PARTES

Como ya se ha señalado, en nuestra legislación procesal civil, son las partes las que fijan y determinan lo que constituye el tema del debate, el objeto procesal[34], precluyendo a partir de ese instante toda posibilidad de intentar un cambio en la acción ejercitada.

La consagración de la prohibición de la *mutatio libelli,* que tiene por objeto, siguiendo a Castillejo Manzanares, imponer a las partes la preclusión en alegaciones de manera que el objeto del proceso y los términos del debate queden definidos lo antes posible, de manera que, si no hacen valer las alegaciones dentro de las etapas previstas por el legislador, se extingue el derecho de hacerlas valer con posterioridad[35].

Por ello, "luego de trabada la litis no pueden introducirse nuevas peticiones distintas a las alegadas y concretadas por las partes en la fase de discusión, pues ello conduciría a un nuevo proceso y crearía una situación de indefensión en todos aquellos que, confiando en las peticiones iniciales de sus oponentes, así prepararon su defensa"[36].

Y siguiendo esta misma orientación, la Corte Suprema ha declarado que "de la forma ante dicha, las argumentaciones incorporadas por el demandante sobre las cuales modificó sus pretensiones, constituyen alegaciones que han sido traídos a colación y desarrolladas solo al interponer el presente recurso de casación en el fondo, por lo que no habiendo formado parte de la controversia, cuyo marco quedó fijado en la demanda y las defensas

---

[33]   Cfr. Colombo Campbell, J.; *Los Actos Procesales,* Tomo II, Editorial Jurídica de Chile, Santiago, 1997, p. 446, quien agrega que "más allá de la atribución que el juez pudiere tener al respecto, la designación del derecho es un requisito de la demanda, quiérase o no. Así lo reconoce nuestra legislación en el artículo 254 del Código de Procedimiento Civil".

[34]   Así se desprende por ejemplo de los artículos 253, 254, 309 y 768 N°4 del Código de Procedimiento Civil. La misma idea se repite en el proyecto de Código Procesal Civil, actualmente en tramitación.

[35]   Castillejo Manzanares, R.; *Hechos nuevos...,* op.cit. pp59-60.

[36]   Buendía Cano, A., "Limitaciones por parte de los tribunales de apelación respecto a la cognición tenida por el juzgador de primera instancia", *Diario La Ley,* N.° 7785, Sección Tribuna, 27 Ene. 2012, Año XXXIII, p. 3.

y excepciones opuestas por los demandados, esta Corte no puede pronunciarse sobre ellos"[37].

En este sentido, el 261 del Código de Procedimiento Civil permite la modificación sustancial de la demanda antes que haya sido contestada, por ende, una vez que el demandado ha opuesto su resistencia no cabe efectuar ningún tipo de variante, norma que repite el artículo 257 del Proyecto de Código Procesal Civil.

Por su parte, el artículo 322 del citado Código permite tan solo la agregación de hechos cuando fueren sobrevinientes, desconocidos o nuevos, pero nada agrega respecto a la modificación del derecho aplicado o la calificación jurídica.

Sin perjuicio de lo ya señalado, la doctrina está conteste en el sentido que podría producirse la modificación de la demanda si ella se limita a aclarar hechos no esenciales o a la corrección de errores por ejemplo, de tipo aritmético, sin que en ningún caso ello pueda significar la alteración de los hechos ya alegados[38].

El Proyecto de Código Procesal Civil en su artículo 276 dispone expresamente que "las partes no podrán alterar el contenido de la demanda, la contestación y, en su caso, la reconvención, sin perjuicio de lo dispuesto en el artículo 257. Con todo, en la audiencia preliminar, podrán efectuar las alegaciones que estimen procedentes en relación con lo expuesto por la contraria a efectos de aclarar o modificar las pretensiones o defensas formuladas, pero sin que puedan alterar sustancialmente las que sean objeto principal del pleito, en cuyo caso, serán rechazadas de plano. En todo caso, el tribunal deberá conceder siempre a la contraparte, la oportunidad para ejercer sus facultades de contradicción y prueba correspondientes".

También podría extenderse dicha modificación a la alegación de hechos complementarios o no esenciales, lo que en nuestra legislación se cumple en los trámites de réplica y dúplica.

Para Picó[39], se consideran como modificaciones prohibidas, la adición de hechos esenciales no nuevos y el cambio de los hechos esenciales ale-

---

[37]   Fallo dictado por nuestra Corte Suprema con fecha 24 de junio de 2011 en la causa rol 1716-09.

[38]   Señala Picó i Junoy, J.; *La modificación de la demanda en el proceso civil*, Tirant Lo Blanch, Valencia, 2006, p. 106, que "por aclarar se entiende cualquier actividad dirigida a explicar concretar los hechos alegados en la demanda, sin que en ningún caso pueda suponer su transformación".

[39]   Cfr. Picó i Junoy, J.; *La modificación de la...*, op. cit., p. 114 y ss.

gados para fundamentar la misma pretensión, puesto que lo último implicaría una transformación de la causa de pedir puesto que ello supone la adición de hechos nuevos, situación prohibida por nuestra legislación procesal civil.

Agrega Hunter que "esto significa que se trata de un poder más reducido y se impide a las partes agregar hechos diferentes a los propuestos en la demanda y que puedan restar eficacia a la contestación.

El poder de aclarar no se extiende a la agregación de hechos o argumentos nuevos, sino que se aportan explicaciones que permiten resolver las dudas, imprecisiones u oscuridades en relación con el contenido de los escritos o argumentos ya expresados"[40].

Del mismo modo, si con posterioridad a la notificación de la demanda o después de la contestación a la misma o de la reconvención, en su caso, ocurriese algún hecho nuevo de relevancia para fundamentar las pretensiones o defensas de las partes y la decisión sobre el asunto controvertido, o hubiese llegado noticia de un hecho relevante para la decisión que la parte no haya podido ni debido conocer con anterioridad, las partes podrán alegarlo durante el curso del proceso por escrito o a más tardar en la audiencia preliminar, ofreciendo la prueba necesaria para acreditarlo", es decir permite a las partes agregar hechos nuevos en la audiencia preliminar, siempre que no modifiquen la pretensión o la defensa. Por último, la interposición de la demanda y su notificación genera el efecto de litispendencia. Como se observa el actor puede modificar su demanda o agregar hechos nuevos, pero dicho poder tiene como límite el objeto del litigio, esto es, no puede modificar ninguno de los elementos que lo determinan: las partes, el petitum y su causa de pedir.

En lo que respecta al petitum, se permite la mejor concreción o aclaración de lo solicitado en la demanda o la corrección de errores de transcripción y se consideran como prohibidas "todas aquellas que hacen referencia a la ampliación de la cuantía del petitum por hechos distintos a los inicialmente alegados; la formulación de nuevos petitums; y el cambio de la acción ejercitada"[41].

La introducción de una nueva petición con carácter de principal está prohibida porque nuestra legislación En los escritos de réplica y dúplica podrán las partes ampliar, adicionar o modificar las acciones y excepciones

---

40   Hunter Ampuero, I., "*El poder del juez …* ", *op. cit.*, p. 152.
41   Cfr. Picó i Junoy, J.; *La modificación de la…*, op. cit., p. 133.

que hayan formulado en la demanda y contestación, pero sin que puedan alterar las que sean objeto principal del pleito[42].

Considera Berzosa que "existe introducción de una petición nueva cuando la adición efectuada tiene entidad por sí misma, es esencial y autónoma con referencia a la que ya se había ejercitado, hasta tal punto que igualmente podría haberse ejercitado, hasta tal punto que igualmente podría haberse realizado en primer lugar"[43].

Cualquier cambio generaría un nuevo objeto litigioso[44].

Si el actor arguye una nueva calificación jurídica a los hechos propuestos, dejaría al demandado indefenso al no poder discutir los aspectos jurídicos de la controversia, es decir, aun cuando se pueda argumentar que no hay modificación de la pretensión, sí hay una afectación al derecho de defensa[45].

A modo de conclusión, podemos señalar entonces que el modelo chileno obedece a un sistema rígido en materia de modificación de la demanda, lo que resulta coherente con el sistema de preclusiones que establece el artículo 64 del Código de Procedimiento Civil.

5. DIVERSAS MANIFESTACIONES DEL PRINCIPIO DISPOSITIVO EN EL PROCESO CIVIL

Como ya señalamos, el principio dispositivo en sentido material presenta varias manifestaciones, entre las que cabe destacar las que siguen:

5.1. En la iniciativa de parte

En virtud del cual, y según se ha explicado, las partes pueden disponer de sus derechos materiales de manera tal que dicha disposición incluye

---

[42]   Artículo 312 del Código de Procedimiento Civil.

[43]   Berzosa Francos, M; *Demanda, causa petendi y objeto del proceso*, El Almendro, Córdoba, 1984, p.121

[44]   Cfr. en este sentido, Castillejo Manzanares, R., *Hechos nuevos o de nueva noticia en el proceso civil de la LEC*, Tirant lo Blanch, Valencia, 2006, pp. 53 y ss.

[45]   Vid. Hunter Ampuero, I.; "El poder del juez ...", op. cit., p. 151. Agrega el autor que la temática es más amplia si se considera que el cambio en la calificación jurídica podría resolverse en la necesidad de probar otros hechos no previstos por las partes.

solicitar la tutela jurisdiccional de esos derechos[46], quedando entonces la actividad jurisdiccional sujeta a la voluntad de las partes por lo menos en su iniciación.

> En lo que respecta al proceso civil, y a pesar del aumento de los poderes que se atribuyen al juez en las distintas legislaciones, difícilmente podrá modificarse la forma como el conocimiento de los asuntos llega al órgano jurisdiccional, reemplazándolo por la oficialidad del juez, puesto que debe distinguirse entre la iniciativa y el conocimiento del proceso[47].

> Cappelletti denomina a la iniciativa de parte como principio de demanda privada, en virtud del cual se prohíbe al juez la oficialidad en el inicio de un procedimiento civil, lo que se justifica en el hecho que si se permitiera a los organismos públicos iniciar los juicios civiles por sí o en representación de los particulares, "la disponibilidad del derecho material se vería sustancial y críticamente alterada hasta el extremo de que, en tal contexto, se habría convertido en público, y el proceso por ende, en inquisitivo"[48].

5.2. En el principio de congruencia procesal

El principio dispositivo no sólo se manifiesta en la iniciativa para solicitar la tutela jurisdiccional, sino que también en la libertad para fijar los límites de lo que se pretende o lo que se ha denominado la fijación del objeto del litigio y de donde se desprende que "el inequívoco objeto del proceso lo constituye la pretensión procesal"[49].

De lo anterior deriva también otro aspecto fundamental constituido por el principio de congruencia procesal, en virtud del cual las partes tienen el derecho a que el juez limite su pronunciamiento a lo que las partes han solicitado en juicio y que se considera como garantía fundamental en el respeto del derecho de defensa.

De esta manera, el principio dispositivo no sólo determina la iniciativa en el procedimiento, sino que también constituye el supuesto sobre el cual

---

[46]   Lo que se ha querido traducir en aforismos como *nemo iudex sine actore*.

[47]   Cfr. En este sentido, Gozaini, O., "El principio de congruencia frente al principio dispositivo", LL 2007-C-1308.

[48]   Cappelletti, *El proceso civil en el derecho comparado*, 2° ed., Olejnik, Santiago, 2017, p. 24. Cfr. en este mismo sentido, Kielmanovich, "Sobre la flexibilización del deber de congruencia en materia de los hechos", LL, 2008-A-589.

[49]   Guasp, J. *Derecho procesal civil*, Madrid, Civitas, 2005, p. 212. Se extiende la fijación del objeto del proceso a la parte demandada, quien lo limita con el ejercicio de las excepciones, especialmente las materiales.

se trabará la litis, y consecuentemente, fijará la actividad probatoria y la decisión, traducida en la sentencia[50].

5.2.1. En la aplicación del principio *tantum devolutum quantum apellatum*

Por el cual la extensión de la competencia del juez de segunda instancia queda fijada por la extensión de la competencia del juez de primera instancia, lo que podríamos decir que constituye también una extensión del principio de congruencia, y que se traduce en la prohibición de la reforma en perjuicio[51].

5.2.2. En algunas formas anormales de terminación del proceso

El principio dispositivo se manifiesta a lo largo de todo el proceso, influyendo incluso en ciertas formas de terminación del proceso mediante figuras tales como el desistimiento de la demanda, el allanamiento y ciertos equivalentes jurisdiccionales como la conciliación o la transacción. Incluso podría decirse que el abandono de procedimiento puede considerarse como una manifestación de una falta de disposición del proceso por parte del actor.

5.2.3. En el deber de cooperación de las partes en el proceso

El principio de colaboración coloca al justiciable en un rol de cooperación con el servicio judicial, que se traduce principalmente en la conducta procesal a observar por las partes, y en virtud de lo cual se sancionan las actuaciones de quienes traicionan el ideal de la búsqueda en el éxito del proceso civil para que produzca los resultados esperados. Las visiones individualistas del proceso civil (son solo las partes responsables del impulso y conducción del proceso) y la social (por la oficialidad el juez es quien asume, incluso sólo el rol protagónico) se superan o se sintetizan con una nueva mirada.

Las partes y el juez asumen responsabilidad en la conducción e impulso del proceso; entre ellos se distribuyen roles para un resultado que atañe a toda la sociedad.

---

[50]   Así se reconoce en el artículo 64 de nuestro Código de Procedimiento Civil.
[51]   Conocida también como reformatio in peius.

Las partes deben aportar todo el material de sustento de sus peticiones al tribunal con diligencia para la adecuada prosecución del caso. En modelos de procesos por audiencia tiene una importancia fundamental la audiencia preparatoria o preliminar para el primer acercamiento al caso y la planificación del mismo[52]

El aporte informativo y probatorio oportuno de las partes para delimitar su pretensión o defensa integra el principio de cooperación; ello como renovada visión del contradictorio para una justa y pronta resolución del caso[53].

La colaboración constituye una especificación del principio de la buena fe y lealtad procesal, definido como "el conjunto de reglas de conducta, gobernadas por el imperativo ético, a las cuales deben ajustarse todos los sujetos del proceso…", y que "proscribe la malicia, la mala fe y la deshonestidad como instrumentos inaceptables para ganar los pleitos"[54], de manera que la buena fe, la veracidad y la probidad son parte de este principio general.

Se traduce principalmente en la conducta procesal observada por las partes, principio en virtud del cual se sancionan las actuaciones de quienes traicionan el ideal de la búsqueda en el éxito del proceso civil para que produzca los resultados esperados.

Así, la concepción del proceso como un conflicto de carácter adversarial, ha dado paso a una ideología menos conflictual y más colaborativa, y en este esquema "la colaboración, la buena fe y lealtad procesal, la moralización del proceso y el llamado solidarismo toman la palabra buscando dejar atrás la idea del proceso como una contienda entre partes parciales enfrentadas ante un tercero imparcial, y en el afán de la búsqueda de la verdad objetiva impone la redefinición del principio de la buena fe procesal para dar lugar a un deber de colaboración entre todos los que intervienen en el proceso, incluyendo deberes de asistencia del juez, y los deberes de veracidad e integridad de las partes"[55].

---

[52] Koch, R., *Mitwirkungsverantwortung im Zivilprozess,* Tübingen, Mohr Siebeck, 2013, pp. 10-25; Lienhard, A., *Die Materielle Prozessleitung der Schweizerischen Zivilprozessordnung, Zürich*, Dike, 2013, p. 21.

[53] Sobre el principio de cooperación y el rol de las partes en el aporte de los hechos y el derecho para una correcta decisión y resolución del proceso puede verse Goulart Lanes, J. C., "Fatos e direito no processo civil cooperativo", *Revista dos Tribunais*, São Paulo, 2014, pp. 122-130.

[54] Bustamante Rúa, M., "Principios del Derecho procesal", en *Derecho procesal contemporáneo*, Universidad de Medellín, Medellín, 2010, p. 98.

[55] Palomo Vélez, D., "Las cargas probatorias dinámicas: ¿es indispensable darse toda esta vuelta?", en *Revista Ius et Praxis*, año 19, n° 2, 2013, p. 449. Cfr. también este sentido,

BIBLIOGRAFÍA CITADA

Alsina, H., *Tratado teórico práctico de derecho procesal civil y comercial*, Compañía argentina de editores, Buenos Aires, 1941.

Aragoneses Alonso, P. *Proceso y derecho procesal*, Madrid, Edersa, 1997.

Berzosa Francos, M; *Demanda, causa petendi y objeto del proceso*, El Almendro, Córdoba,1984.

Buendía Cano, A., "Limitaciones por parte de los tribunales de apelación respecto a la cognición tenida por el juzgador de primera instancia", *Diario La Ley*, N° 7785, Sección Tribuna, 27 Ene. 2012, Año XXXIII.

Calamandrei, P. *Instituciones de derecho procesal civil*, vol. i, Buenos Aires, Ejea, 1981.

Cappelletti, M., *La testimonianza della parte nel sistema dell'oralità (Contributo allá teoria della utilizzazione probatoria del sapere delle parti nel processo civile)*, 2.a ed., Milano, Giuffrè, 1962.

Cappelletti, M., "Le grandi tendenze evolutive del proceso civile nel diritto comparato", en *Processo e idelogie*, Il Moulino, Bolonia, 1969.

Cappelletti, *El proceso civil en el derecho comparado*, 2° ed., Olejnik, Santiago, 2017.

Castillejo Manzanares, R.; Hechos nuevos o de nueva noticia en el proceso civil de la LEC, Tirant lo Blanch, Valencia, 2006.

Colombo Campbell, J.; *Los Actos Procesales*, Tomo II, Editorial Jurídica de Chile, Santiago, 1997.

Cordon Moreno, F. *Introducción al derecho procesal*, Navarra, Eunsa, 1995.

Cortés Domínguez, V.; *Derecho Procesal Civil. Parte General*, (con Moreno Catena, Víctor), Editorial Tirant lo Blanch, Valencia, 2001.

Couture, E., *Fundamentos del derecho procesal civil*, Buenos Aires, De Palma, 1958.

Couture, E., *Fundamentos del Derecho Procesal Civil*, 3° ed. De Palma, Buenos Aires, 1977.

De la Oliva Santos, A.; *Objeto del proceso y cosa juzgada en el proceso civil*, Thompson Civitas, Madrid, 2005.

Devis Echandía, H. *Teoría General del Proceso*, Tomo I, Editorial Universidad, Buenos Aires, 1995.

Díaz, C., Instituciones de Derecho Procesal, Parte General, T.I, Abeledo Perrot, Buenos Aires, 1988.

D'ors, Alvaro, "Titulus", en *Anuario de la Historia del Derecho Español. Estudios en homenaje a don Eduardo de Hinojosa*, T. XXIII, 1953.

Esparza Leibar, I., *El principio del debido proceso,* Barcelona, Bosch, 1995.

Gomez Orbaneja, E. y Herce Quemada, E. *Derecho procesal civil*, t. i, Madrid,1979.

Cappelletti, M., "Le grandi tendenze evolutive del proceso civile nel diritto comparato", en *Processo e idelogie*, Il Moulino, Bolonia, 1969, p. 169.

Gomez Orbaneja, E. *Derecho procesal civil*, Madrid, 1962.

Goulart Lanes, J. C., "Fatos e direito no processo civil cooperativo", *Revista dos Tribunais*, São Paulo, 2014.

Gozaini, O., "El principio de congruencia frente al principio dispositivo", LL 2007-C-1308.

Guasp, J. *Derecho procesal civil*, Madrid, Civitas, 2005.

Hunter Ampuero, I., "Iura Novit Curia en la jurisprudencia chilena", *Revista de Derecho de la Universidad Austral de Chile*, vol. 23, n° 2.

Hunter Ampuero, I., "El poder del juez para rechazar in limine la demanda por manifiesta falta de fundamento", *Ius et Praxis*, v.15 n.2, 2009.

Kielmanovich, "Sobre la flexibilización del deber de congruencia en materia de los hechos", LL, 2008-A-589.

Koch, R., *Mitwirkungsverantwortung im Zivilprozess*, Tübingen, Mohr Siebeck, 2013.

Liebman, E., "Fondamento del principio dispositivo", *Rivista di Diritto processuale*, 4, 1960.

Manresa Navarro, J., Comentarios a la Ley de Enjuiciamiento Civil, 1° ed., Madrid, 1881.

Montero Aroca, J., Análisis crítico de la ley de enjuiciamiento civil en su centenario, Civitas, Madrid, 1982.

Montero, J.; Ortells, M. y Gómez-Colomer, J. *Derecho jurisdiccional. Parte general*, Barcelona, Bosch, 1993.

Montero Aroca, J., "El proceso civil llamado social como instrumento de justicia autoritaria", en *Revista Iberoamericana de Derecho Procesal*, n° 6, 2004.

Oteiza, E. "El principio de colaboracion y los hechos como objeto de la prueba. O 'provare o soccombere'. .Es posible plantear un dilema absoluto?", en *Los hechos en el proceso civil*, Morello (dir.), Buenos Aires, La Ley, 2003.

Palacio, L. *Derecho procesal civil*, Buenos Aires, Abeledo-Perrot, 1979.

Palomo Vélez, D., "Las cargas probatorias dinámicas: ¿es indispensable darse toda esta vuelta?", en *Revista Ius et Praxis*, año 19, n° 2.

Picó y Junoy, J., *El derecho a la prueba en el proceso civil*, Bosch, Barcelona, 1996.

Picó i Junoy, J.; *La modificación de la demanda en el proceso civil*, Tirant Lo Blanch, Valencia, 2006.

Prieto Castro, L.; "El cambio del punto de vista jurídico", *Revista de Derecho Procesal*, Madrid, 1956.

Proto Pisani, A. *Lezioni di diritto processsuale civile*, Roma, Jovene, 2014.

Romero Seguel, A., *Curso de Derecho Procesal Civil*, Tomo I, Editorial Jurídica, Santiago, 2007.

Serra Domínguez, M., Liberalización y socialización del proceso civil, en Revista de Derecho Procesal Iberoamericana, 1972

Tapia Fernández, I.; "Sujetos y objeto del proceso civil", *en* Anuario jurídico de La Rioja, N° 5, 1999.

Tapia Fernández, I.; *El objeto del proceso. Alegaciones. Sentencia. Cosa juzgada.* Editorial La Ley, Madrid, 2000.

Wyness, R. *Los principios formativos del procedimiento civil*, Buenos Aires, Ediar,1945.

LA PROTECCIÓN DE LA BUENA FE PROCESAL EN LA GESTIÓN JUDICIAL DE DESIGNACIÓN DEL ÁRBITRO

Alejandro ROMERO SEGUEL
Doctor en Derecho, Universidad de Navarra
Profesor de Derecho Procesal, Universidad de los Andes, Chile

SUMARIO: 1. EXPLICACIÓN DEL PROBLEMA. 2. LA INTERRUPCIÓN DE LA PRES-CRIPCIÓN. 3. LA LITISPENDENCIA EN EL ARBITRAJE. 4. LA GESTIÓN DE DESIG-NACIÓN DEL ÁRBITRO. 5. EL NEXO CON EL PRINCIPIO DE BUENA FE PROCE-SAL. 6. CONCLUSIONES. BIBLIOGRAFÍA.

1. EXPLICACIÓN DEL PROBLEMA

La buena fe constituye un principio general del derecho, con indiscutido valor en el arbitraje. Su proyección se manifiesta desde la discusión de la cláusula de arbitraje por las partes hasta la conclusión del procedimiento, incluida la etapa de ejecución del fallo.

Lo anterior obliga, entre tantas posibilidades, a que el árbitro cumpla fielmente con el deber de revelación de las causales de inhabilidad o de conflicto de interés; a que las partes promuevan oportunamente las alegaciones procesales, bajo sanción de preclusión; a reconocer límites para que el árbitro pueda comunicarse con las partes unilateralmente y sin el conocimiento de la otra, salvo las gestiones necesarias para la instalación.

En la instalación del arbitraje surgen varios problemas, cuya solución se vincula al principio de la buena fe, para evitar que una parte pueda utilizar el proceso judicial para causar un daño a otro.

En algunos casos este tipo de dificultades son inherentes y recurrentes en contratos que contemplan actividades para arbitrales, como ocurre en la liquidación de seguros, donde no se puede exigir instalar el arbitraje hasta que no esté concluida la etapa de liquidación o de ajuste de la póliza[1].

---

[1] A modo de ejemplo, SCS, 17 de octubre de 2017, al señalar: "Quinto: Que este criterio de subordinar el inicio del procedimiento jurisdiccional a la circunstancia de suscitar-

Uno de los temas más recurrentes es si gestión de designación de árbitro puede interrumpir la prescripción. En la práctica acontece que la parte renuente a la instalación del arbitraje despliega conductas dilatorias, con el propósito inequívoco de consumar un plazo de prescripción.

Por la singularidad del arbitraje, la gestión judicial de designación de árbitro debe estimarse como un acto procesal que interrumpe la prescripción, como se pasa a explicar.

2. LA INTERRUPCIÓN DE LA PRESCRIPCIÓN

La interrupción de la prescripción es una institución jurídica, a través de la cual se atribuye a ciertas conductas el efecto jurídico de hacer perder el tiempo que ha transcurrido para que opere la prescripción. Como lo señala la Corte Suprema, 7 de junio de 2017, *"(...) la interrupción de la prescripción consiste en la cesación de la pasividad del sujeto en contra de quien se prescribe, quien sale de su inactividad y acude al tribunal a manifestar su interés por mantener su derecho (...)"*[2]. De manera más lacónica, el mismo tribunal ha señalado, en sentencia de 20 de marzo de 2019, que el efecto propio de la interrupción *"es detener el curso de la prescripción, como ocurre en las situaciones en que existe requerimiento judicial (...)"*[3].

En su aplicación práctica la interrupción de la prescripción ha sido una materia debatida e interpretada de diversas maneras por la doctrina y la

---

se una real dificultad entre las partes parece razonable y lo demuestra el presente caso en que la negativa a la cobertura surgió sólo con el Informe de Liquidación N° 128748, del 02 de noviembre de 2009, lo que llevó al asegurado a recurrir a la instancia arbitral, notificándose la solicitud de designación de árbitro dispuesta por el X Juzgado Civil de Santiago en causa Rol N° 5.826-2011, con fecha 14 de mayo de 2011, esto es, dentro de los dos años computados en la forma referida. El criterio que refiere el inicio del cómputo del plazo al día del siniestro discurre sobre el supuesto distinto en que no se produce negación de la cobertura y por tanto no se suscita conflicto a ese preciso respecto, sin perjuicio de poder existir otros desacuerdos. En el caso de autos la propia aseguradora requirió la intervención del liquidador para el ajuste del seguro y sólo al estimar el liquidador que no cabía la cobertura la aseguradora demandada hizo suya la opción suscitándose la dificultad o desacuerdo que debió zanjarse por la vía jurisdiccional (SCS, 17 de octubre de 2017. Rol 13.786-16 (MJ 51867), "Tecnitransport S.A. con Renta Nacional Cía. de Seguros Generales S.A".

[2]   SCS, 7 de junio de 2017. Rol N° 7407-2016. Vlex. Resolución N° 283255. "Constructora Intecpa Ltda. con P."

[3]   SCS, 20 de marzo de 2019. Rol 31.172-18 (MJ 254355) "Mayol Albónico, Mauricio con Tesorería General de la República".

jurisprudencia[4]. La disputa clásica y permanente se encamina a la determinación de qué tipo de actos producen el efecto propio de la interrupción, que es detener el curso de la prescripción.

El debate ha girado normalmente en torno a si para interrumpir la prescripción basta con la presentación de la demanda ante el tribunal

---

[4] Sintetiza el debate, en esta materia, la sentencia de la SCS, de 3 de octubre de 2017, al señalar: "CUARTO: Que conforme a la crítica que el recurso dirige a la sentencia impugnada, el asunto a dilucidar radica en determinar si para interrumpir la prescripción basta con la presentación de la demanda ante el tribunal dentro del plazo que establece la ley, o es necesario, además, que sea notificada dentro del mismo, como lo concluyen en este caso los sentenciadores. Sobre la materia ha existido, desde antiguo, discusión en la doctrina, siendo para algunos autores la interpretación correcta aquella que sostiene que es indispensable que la demanda sea notificada antes del vencimiento del plazo, desde que es la única forma de que tengan efecto las resoluciones judiciales y sobre la base, fundamentalmente, de lo dispuesto en el artículo 2503 N° 1 del Código Civil, en virtud del cual no se produce la interrupción 'si la notificación de la demanda no ha sido hecha en forma legal'. Sin embargo, para otros la notificación no es una exigencia para interrumpir la prescripción, como lo demostrarían los artículos 2518 y 2503 del mismo cuerpo legal, que sólo refieren la necesidad de que exista 'demanda judicial' o 'recurso judicial', aparte de agregar algunas consideraciones de orden práctico, que dicen relación con las dificultades que entraña la notificación y la desigualdad que ello puede generar en la duración del plazo, y otras de carácter institucional, como sugiere el profesor Peñailillo, en el sentido de distinguir entre los aspectos sustantivos y procesales de la demanda. Es menester precisar, en todo caso, que no existe duda o discrepancia en cuanto a que para que la interrupción produzca efectos la demanda debe ser notificada (Peñailillo Arévalo, Daniel, 'Los Bienes, La Propiedad y otros Derechos Reales', Editorial Jurídica, año 2006, página 414). La primera postura ha sido acogida mayoritariamente por la doctrina y la jurisprudencia. En favor de la segunda destaca el autor José Clemente Fabres, quien sostuvo que 'Si la prescripción se interrumpe con cualquier recurso, no debe contarse la interrupción desde la fecha de la notificación de la demanda, sino desde la fecha en que se entabló el recurso o la demanda. Es cierto que sin la notificación no surte efecto la demanda, pero efectuada la notificación se retrotraen sus efectos a la fecha en que se interpuso la demanda o el recurso. De aquí ha nacido la práctica de poner 'cargo' a los escritos' (Instituciones de Derecho Civil Chileno, tomo II, Imprenta y Librería Ercilla, 1902, pág. 446). En la doctrina actual se inclinan por esta interpretación los profesores Daniel Peñailillo A. (ob. cit., pág. 415) y Ramón Domínguez A. ('La Prescripción Extintiva. Doctrina y Jurisprudencia', Editorial Jurídica, año 2004, pág. 260 y ss.), sin perjuicio de otros autores que también han manifestado su conformidad con ella, como don René Abeliuk M. (citado por Domínguez, en ob. cit., pág. 264, nota 784)" (SCS, 3 de octubre de 2017. Rol N° 49-17, MJ 51870, "Medel, David y otros con Díaz Verdugo, Ricardo"). El tema tampoco es pacífico en la doctrina civil, donde se han propuesto diversas explicaciones sobre la forma como opera la interrupción de la prescripción. Con una síntesis de la doctrina clásica y con nuevas propuestas sobre el punto, Pizarro Wilson, Carlos, "La interrupción civil de la prescripción por la mera presentación de la demanda", Pinochet Olave, Ruperto, "La notificación de la demanda debe efectuarse

dentro del plazo, o es necesario, además, que sea notificada dentro del mismo. También se cuestiona si la demanda debe ser notificada antes del vencimiento del plazo, conforme a lo dispuesto en el artículo 2503 N°1 del Código Civil, y qué debe entenderse por "demanda judicial" o "recurso judicial". No existe duda o discrepancia en cuanto a que para que la interrupción produzca efectos la demanda debe ser notificada, atendido que con ese acto procesal surge uno de los efectos materiales de la litispendencia[5].

Desde el punto de vista procesal, la discusión anterior se explica porque, en una perspectiva teórica, no existe una respuesta doctrinal y legal acerca de cuando se produce o nace el estado de litispendencia, coexistiendo diversas soluciones[6].

Nuestro ordenamiento procesal civil, como lo ponen de manifiesto varias normas legales, sigue el sistema del emplazamiento para entender que el acto procesal de demanda produce los efectos materiales y procesales antes indicados. Con la notificación legal de la demanda, que constituye el primer elemento del trámite procesal del emplazamiento, se produce el estado de litispendencia. Como se anticipaba, esta solución ha sido justificada tradicionalmente invocando art. 1911 inc. 2° del CC, que declara

---

dentro del plazo de prescripción para interrumpir civilmente la prescripción", Alcalde Silva, Jaime, "Sobre la eficacia procesal de la demanda que interrumpe la prescripción extintiva", todos en *Estudios de Derecho Civil XII*, (VV.AA), Santiago: Thomson Reuters, 2017, Edit. H. Corral, P. Manterola, pp. 161-172 ,173-188 y 189-210, respectivamente.

[5]   Una síntesis del tema, Peñailillo Arévalo, Daniel, *Los Bienes, La Propiedad y otros Derechos Reales*, Santiago: Editorial Jurídica, 2006, p. 414.

[6]   La proyección práctica de esta discusión en nuestro medio, en el último tiempo se advierte en la sentencia de la SCS, de 7 de marzo de 2019, al señalar: DÉCIMOTERCERO: Que en apoyo de lo concluido existen diversas razones de doctrina, las que se sustentan en el Derecho Romano, que en el derecho formulario se da origen a la relación que vincula a las partes con motivo de la *litis contestacio*, la cual con diferentes adecuaciones se mantiene hasta nuestros días, en que precisamente surge la relación procesal entre las partes y de éstas con el juez. De esta forma la relación procesal se origina en el momento en que la pretensión extraprocesal, real o presuntamente resistida por el deudor, es acogida a tramitación por el tribunal y puesta en conocimiento del demandado entendida en sentido amplio, como todo recurso judicial encaminado al ejercicio de un derecho. Dicho planteamiento indica que la única forma en que una demanda constituye o da origen a un proceso es por medio del conocimiento cierto de ella por el demandado, no resultando posible fijar ninguna vinculación para este último con anterioridad, salvo que el legislador expresamente autorice a proceder sin su conocimiento en casos graves y urgentes; actuaciones que una vez realizadas inmediatamente se le ponen en conocimiento (SCS, 7 de marzo de 2019. Rol N° 12.985-2018. Autos caratulados "Sociedad Transportes Sur Ltda. con Distribuidora Santa Rita Ltda").

que se entiende litigioso un derecho desde que se notifica judicialmente la demanda. La misma solución se desprende de los arts. 2518 y 2503 CC.

3. LA LITISPENDENCIA EN EL ARBITRAJE

Diversos estudios doctrinales han puesto de manifiesto que en materia arbitral el estado jurídico de litispendencia, en virtud del cual se entiende que un acreedor ha cesado en su actitud pasiva o inactividad interrumpiendo la prescripción, presenta características propias[7].

Lo anterior se debe a que este mecanismo de solución de conflictos opera de manera diversa a la forma como actúa la judicatura ordinaria en varios aspectos relevantes. En efecto, el arbitraje supone una renuncia a la jurisdicción estatal a través del ejercicio de la autonomía de la voluntad, donde las partes encomiendan la solución de los conflictos a terceros que nominan directamente o mediante la intervención de la justicia, a falta de acuerdo (art. 222 COT).

Para que un acreedor interesado pueda reclamar su derecho ante un árbitro está obligado a realizar varios actos previos antes de poder presentar su demanda.

De un modo concreto, en su actual reglamentación, la diferencia radical en materia arbitral es consecuencia del carácter accidental del arbitraje, lo que significa que el tribunal arbitral debe ser previamente instalado como tribunal, sin que sea posible deducir directamente la demanda como acontece ante los tribunales ordinarios. Como bien lo dice Aylwin, "es principio legal que los magistrados judiciales no pueden entrar al ejercicio de sus funciones mientras no cumplan las formalidades prescritas para la instalación de los jueces. El COT dedica a esta materia el párrafo 4° de su Título X, reglamentando la forma como deben instalarse los jueces ordinarios. Los árbitros, como magistrados judiciales, necesitan también, una vez nombrados, instalarse legalmente para desempeñar sus funciones; es lo que ha dispuesto el COT en su art. 236"[8].

---

[7]   Sobre el tema, entre otros, Cucarella, Luis Andrés, "Litispendencia y arbitraje", en *Anuario de Justicia Alternativa*, Tribunal Arbitral de Barcelona: J.M. Bosch, 2001, pp. 45-60, Cordón Moreno, Faustino, *Arbitraje y jurisdicción: algunas cuestiones polémicas*, Madrid: Civitas, 2010, pp. 15-37; Ried Undurraga, Ignacio, "Tres cuestiones sobre la excepción de litispendencia en el proceso civil chileno" en *Revista de Derecho*, P. Universidad Católica de Valparaíso, N° 45, 2015, pp. 205-241.

[8]   Aylwin Azócar, Patricio, *El juicio arbitral*, Editorial Jurídica de Chile, 5ª ed., 2009, p. 370.

Es precisamente la necesidad de instalar el arbitraje lo que lleva a que la gestión de designación en nuestro sistema deba reconocerse como un acto eficaz para interrumpir civilmente la prescripción. Esto se ve reforzado, además, por una omisión en la regulación, cuyo contenido fundamental data de la Ley de Organización y Atribución de los Tribunales de Justicia, de 1875, que nunca ha clarificado desde cuándo se debe tener comenzado el arbitraje[9].

La omisión referida del COT contrasta con la Ley N 19.971, sobre Arbitraje Comercial Internacional. En su afán por facilitar la actuación arbitral, esa normativa ha establecido un sistema más expedito para la pronta actuación del tribunal arbitral. Conforme al artículo 19 de dicha ley, *"las partes tendrán libertad para convenir el procedimiento a que se haya de ajustar el tribunal arbitral en sus actuaciones"*. Luego, el artículo 21 de la LACI, respecto de la iniciación de las actuaciones arbitrales establece que, *"salvo que las partes hayan convenido otra cosa, las actuaciones arbitrales respecto de una determinada controversia se iniciarán en la fecha en que el demandado haya recibido el requerimiento de someter esa controversia a arbitraje"*. Esta regulación, como se puede apreciar, no establece ninguna exigencia relativa al juramento del árbitro ante un ministro de fe. Tampoco considera la necesidad de iniciar gestiones judiciales previas de nominación en la que se cite a los futuros demandados. A falta de acuerdo, la ley le asigna al presidente de la Corte de Apelaciones la competencia para designar al árbitro a solo requerimiento de la parte interesada.

A la carencia de una definición legal sobre el momento en que se entiende iniciado el arbitraje interno o doméstico, se suman los ritualismos de la práctica arbitral chilena, que puede dilatar considerablemente la instalación del tribunal, para que el acreedor pueda presentar su demanda reclamando su derecho.

La situación anterior, en consecuencia, obliga a examinar qué valor tiene la gestión de designación de los árbitros como acto procesal en la institución denominada como interrupción civil de la prescripción. Esto se hace ineludible especialmente cuando las partes no se han puesto de acuerdo en la nominación del compromisario directamente, y el acreedor se ve compelido a comenzar el trámite judicial tendiente a instalar el arbitraje.

---

[9]   En no acontece en otros ordenamientos. A modo de contraste, en España la ley de arbitraje de 1988, en su artículo 22.1, indicaba que el procedimiento arbitral comienza cuando los árbitros hayan notificado a las partes por escrito la aceptación del arbitraje. La nueva Ley 60/2003 cambió lo anterior indicando que "salvo que las partes hayan convenido otra cosa, la fecha en que el demandado haya recibido el requerimiento de someter la controversia a arbitraje se considerará la de inicio del arbitraje".

4. LA GESTIÓN DE DESIGNACIÓN DEL ÁRBITRO

La manera de proceder a la designación depende del modo como las partes han organizado el arbitraje, esto es, si es ad hoc o institucional.

En arbitraje ad hoc, la designación depende del acuerdo de arbitraje suscrito en ejercicio de la autonomía de la voluntad. Es un principio elemental que el nombramiento de los árbitros debe hacerse con el consentimiento unánime de las partes interesadas en el litigio sometido a su decisión (art. 232 COT). A falta de acuerdo directo entre las partes respecto del nombre del árbitro, corresponde a la justicia ordinaria hacer la designación, debiendo, en tal caso, recaer dicho nombramiento en un solo individuo y diverso de los dos primeros indicados por cada parte; se procederá en los demás, en la forma establecida en el CPC para el nombramiento de peritos (art. 232 inc. 2° COT).

Para concretar lo anterior, la parte interesada debe iniciar una gestión de designación, presentando su petición ante el Tribunal competente. Ella se tramita de conformidad a las reglas del art. 414 del CPC, citando para tal efecto a las partes a un comparendo de designación que, para el caso de no coincidir las partes en nominar de común acuerdo al árbitro, debe hacerlo el juez.

En el caso del arbitraje interno, a mi entender, la notificación de esta gestión es un acto que logra la interrupción de la prescripción atendido que se trata de una actuación del acreedor mediante la que inequívocamente está tratando de lograr la instalación del tribunal, debiendo por tal razón entender que con ello se logra el efecto propio de la interrupción, que es "detener el curso de la prescripción". Dicha actuación, por varias razones que se explican, debe ser comprendida dentro de lo que el Código Civil define como interrupción civil de la prescripción en el art. 2503 inc. 1°.

La interpretación anterior se ha visto ratificada en el último tiempo por varios fallos que vienen admitiendo que la notificación de la gestión de designación de árbitro es acto válido para interrumpir civilmente la prescripción extintiva.

Sobre este punto, ilustra la correcta doctrina la sentencia de la Corte de Apelaciones de Santiago, de 24 de agosto de 2015, al señalar que, *(...) debe precisarse que las gestiones sobre nombramiento judicial de compromisorios importan una gestión preparatoria del arbitraje, con miras al juicio arbitral, que es su objeto mediato o fin último, lo que significa que esas actuaciones judiciales, tienen el alcance de interrumpir civilmente la prescripción. Así, por lo demás, lo ha resuelto nuestro máximo tribunal al señalar que "la notificación de la petición hecha a la justicia ordinaria para que designe un árbitro que deba conocer el conflicto suscitado entre las partes –cuyo es el caso de autos– interrumpe civilmente la prescripción en los términos del citado artículo 2503 del Código Civil".* (CS, 24.01.2005, Rol N° 3210-03)"[10].

Con anterioridad también había llegado a la misma conclusión la sentencia la Corte de Apelaciones de Santiago, 3 de noviembre de 2009, al resolver: *8°) Que, al tenor de las disposiciones anteriormente señaladas, los USD$ 100.000 que pagó Hapag Lloyd Container Linie GMBH a la empresa naviera DSR-Senator Lines GMBH corresponden a una satisfacción voluntaria y parcial, por transacción, a la reclamación que por un monto mayor se le hacía judicialmente en el procedimiento arbitral, situación a la que se le aplica el indicado artículo 1249 N° 2 del Código del Comercio, prescripción cuya interrupción se produjo en esta caso al notificarse cualquier resolución destinada a ejercer el derecho de reembolso, desde que con ella se inicia el procedimiento. Por consiguiente, el plazo adicional de seis meses debe contarse desde el 8 de julio de 2005 en que se otorgó la transacción y se hizo con ella el pago que satisfizo la demanda en juico arbitral, plazo que se interrumpió como bien expresa el fallo de primera instancia, con la notificación de la solicitud de nombramiento de árbitro a la demandada Hapag Lloyd Ltda, hecha el 02 de enero de 2006"[11].*

Aplicó el mismo criterio la sentencia de la Corte Suprema de 17 de mayo de 2004, que reconoce a la gestión de designación de árbitro la capacidad de interrumpir la prescripción cuando su notificación se efectúa dentro del plazo de prescripción correspondiente. Señala este fallo: *"Duodécimo: Que el referido error, empero, no ha tenido influencia en lo dispositivo del fallo. En efecto, aún cuando el artículo 1248 del Código de Comercio contenga un plazo de prescripción de corto tiempo, por ser de 2 años y, por lo mismo, inferior al plazo de 5 años aludido en el artículo 2515 del Código Civil, no tiene aplicación al caso sub lite el artículo 2523 de dicho Código, que permite, en su N° 2, la interrupción de la prescripción (interrupción civil evidentemente) mediando sólo requerimiento (que en concepto de la recurrente puede ser extrajudicial), toda vez que dicha disposición se refiere a "las prescripciones mencionadas en los 2 artículos precedentes", esto es, a la prescripción que reglan los artículos 2521 y 2522, razón por la cual la prescripción del artículo 1248 del Código de Comercio, de 2 años, se interrumpe por la notificación de la demanda o recurso judicial, en los términos del inciso final del artículo 2518 y del artículo 2503, ambas normas del Código Civil. En la especie, habiendo*

---

[10]   C. de Ap. de Santiago, 24 de agosto de 2015. Rol N° 3057-15, MJ42649.
[11]   C. de Ap. de Santiago, 3 de noviembre de 2009. Rol N° 5355-08 (MJ 23.594), "Hapag Lloyd con Arja Textil Ltda".

empezado a correr el plazo de prescripción el 19 de octubre de 1996, como acertadamente lo sostuvo el juez árbitro, y notificándose al demandado la petición de designación de árbitro el 21 de octubre de 1998, las acciones deducidas están extinguidas por la prescripción establecida en el artículo 1248 del Código de Comercio, compartiendo esta Corte, en consecuencia, en su totalidad, los razonamientos vertidos por el tribunal arbitral de primer grado. Luego, de cualquier forma la excepción de prescripción había de ser acogida y, como consecuencia de ello, rechazada la demanda[12]. En este caso, se observa que la Corte Suprema ratifica la prescripción de la acción deducida sólo debido a haberse notificado la gestión de petición de árbitro fuera de plazo; no en razón de la eficacia de la gestión misma, la que queda implícitamente reconocida.

Los criterios antes referidos coinciden con una interpretación teleológica que viene haciendo nuestra Corte Suprema, al reconocer el efecto de interrumpir la prescripción a otras gestiones preparatorias, en cuanto denoten que el acreedor de un crédito está realizando actos tendientes a su cobro. En tal sentido, es ilustrativo la sentencia de la Corte Suprema de 7 de marzo de 2019, al señalar: *"OCTAVO: Que con la finalidad de aclarar la interpretación del término "demanda judicial" cabe señalar que los tribunales, y esta Corte Suprema en especial, han determinado reiteradamente que dicho propósito se cumple "mediante todo recurso judicial interpuesto por el acreedor en resguardo del derecho que le pertenece y al cual la prescripción que corre en su contra amenaza con extinguir, y no solamente la demanda que prevé y reglamenta el artículo 254 del Código de Procedimiento Civil" (Corte Suprema 21 de noviembre de 1988. Revista de Derecho y Jurisprudencia, Tomo 85, Segunda Parte, Sección Primera, Pág. 206). Además, anteriormente en fallo de 28 de junio de 1955 también dejó sentado que: "los términos recurso judicial y demanda judicial, que emplea el Código Civil no pueden considerarse en el sentido restringido con que el Código de Procedimiento Civil denomina al escrito que, redactado con las formalidades que se encarga de precisar, sirve al actor para obtener en juicio el reconocimiento de un derecho que alguien le desconoce, por el contrario, para los fines de manifestar el propósito de que no se abandona un derecho "demanda judicial", "recurso judicial", deben entenderse en un sentido más amplio, como es, toda acción hecha valer ante la justicia y encaminada a obtener o resguardar un derecho amenazado". (Revista de Derecho y Jurisprudencia, Tomo 52, Segunda Parte, Sección Primera, Pag. 193)*[13].

---

[12]   SCS, 17 de mayo de 2004. MJ 9293, "Compañía de Seguros La República S.A. con Armadores de la Motonave Western Tide".

[13]   SCS, 7 de marzo de 2019. Rol N° 12.985-2018. Autos caratulados "Sociedad Transportes Sur Ltda. con Distribuidora Santa Rita Ltda".

También se debe considerar que ratifica que la gestión de designación de árbitro tiene eficacia para interrumpir la prescripción, el carácter contencioso que se atribuye a dicha gestión. Esto último se ha ido consolidando en el último tiempo al admitir que en ella se formulen oposiciones, aunque todavía no exista acuerdo sobre el procedimiento que se debe aplicar[14].

En suma, la gestión examinada produce la interrupción de la prescripción al estar presente los requisitos propios de los actos de este tipo, a saber: (i) una acción positiva del acreedor en orden a hacer efectivo su crédito sobre el patrimonio del deudor, en sede jurisdiccional; (ii) una gestión que involucre al deudor o que garantice el conocimiento de las pretensiones del acreedor.

Dicho de otro modo, el acreedor que se ve obligado a iniciar la gestión judicial para nominar un árbitro realiza una actividad procesal que hacer operar la interrupción civil de la prescripción. Es inequívoco que con ello el peticionario manifiesta una intención expresa de no renunciar a sus derechos y perseguir el cumplimiento de la obligación, en este caso de parte de las aseguradoras. Aunque dicha actuación no constituye una demanda judicial en el sentido restringido del término, sí tiene el mérito de poner en funcionamiento la actividad jurisdiccional para que, finalmente, una

---

[14]   Entre otras, C. de Ap. de Santiago de 13 de septiembre de 1993, resolvió: *"3° Que la ley no ha señalado el procedimiento conforme al cual deben tramitarse las oposiciones que se formulan en el juicio de nombramiento del árbitro, motivo por el cual, en primer término, debe determinarse si esa oposición se encuentra revestida de fundamento plausible o si, por el contrario, la misma constituye sólo un ardid para dificultar la constitución del arbitraje y burlar de este modo la ley o el compromiso; 4°. Que, habida consideración a que esas oposiciones constituyen cuestiones accesorias del juicio de nombramiento de árbitro, ellas deben someterse a la tramitación contemplada por la ley para los incidentes(...)"* (*RDJ*, t. XC, sec. 2ª p. 137); SCS 7 de diciembre de 1993, *F. del M.* N° 421, p. 1084 (La gestión es voluntaria, pero se puede transformar en contenciosa conforme al art. 823 del CPC); C. de Ap. de Santiago, 24 de julio de 1995, *RDJ*, t. XCII, sec. 2ª, p. 93 (Es causal de oposición al arbitraje la inexistencia de la comunidad); C. de Ap. Pedro Aguirre Cerda, 22 de abril de 1989, *RDJ*, t. LXXXII, sec. 2ª p. 43. SCS 26 de noviembre de 2003, *F. del M.* N° 416, p. 3071; SCS, 26 de noviembre de 2003. MJ 9376 (*Segundo: Que la gestión de nombramiento de árbitro efectuado por la Justicia Ordinaria, constituye, como lo dice don Patricio Aylwin (El Juicio Arbitral, Pág. 340 Edit. Jurídica 1952) una gestión preparatoria del arbitraje, pero de carácter previo e independiente. Ella se agota con la decisión judicial que resuelve la cuestión y nombra arbitro o que por el contrario, no da lugar a tal designación, sea porque no se dan los presupuestos fácticos o jurídicos para hacerlo o porque acoge una oposición. En todas estas situaciones se pone término a la instancia, decidiendo el asunto. Por ende la resolución final es una sentencia definitiva, al tenor de lo dispuesto en el artículo 158 del Código de Procedimiento Civil y como lo reconoce, el mismo autor citado, (Pág. 361) contra esta sentencia proceden los recursos de apelación y casación según las reglas generales"*).

vez instalado el arbitraje pueda promover su pretensión tendiente a obtener una sentencia favorable a sus intereses.

5. EL NEXO CON EL PRINCIPIO DE BUENA FE PROCESAL

En el caso de la gestión judicial de designación de árbitros, su calificación como un acto eficaz para interrumpir la prescripción se enmarca en el contenido elemental de la buena fe procesal, que obliga a prescindir de situaciones de abuso que perjudiquen a una parte que ha sido diligente en la reclamación de sus derechos[15].

La existencia de una gestión previa de designación de árbitro, que es iniciada por el futuro demandante, puede durar un tiempo prolongado, donde la futura demandante está impedida de presentar su demanda por razones que se explican en consideración a la regulación legal vigente, que no le son imputables.

Desde el punto de vista de la protección de la buena fe procesal, debe ser suficiente que el futuro actor haya realizado los actos procesales relativos a la gestión de nominación de árbitro, para entender que su comportamiento produce el efecto jurídico de interrumpir el plazo de interposición de una acción.

Es contrario a la buena fe procesal exigir que el actor haya presentado y notificado la demanda para interrumpir la prescripción, atendido que por no estar instalado el tribunal arbitral esa conducta es un acto imposible de realizar.

La imposibilidad de exigir a un acreedor actuaciones contrarias a la naturaleza del arbitraje ha sido ratificado en nuestra jurisprudencia. A apropósito de las gestiones prejudiciales se ha resuelto que ellas no se pueden solicitar al árbitro hasta no agotar la instalación de este. Sobre este tema, la Corte Suprema ha fallado que si el tribunal de compromiso no está constituido se debe solicitar la medida prejudicial precautoria ante la justicia ordinaria[16]. Asimismo, se ha resuelto que los jueces no pueden decretar medidas prejudiciales, ya que estas presuponen la constitución del tribunal[17].

---

[15]   Sobre el tema, Larroucau Torres, Jorge, "Tres lecturas de la buena fe procesal" en RChDP, 2013, Santiago, N° 21, p. 259-305.

[16]   En este sentido, SCS 16 de noviembre de 1964, *RDJ*, t. LXI, sec. 1ª, p. 395.

[17]   SCS 6 de enero de 1997, *RDJ*, t. XCIV, sec. 1ª, p. 1.

6. CONCLUSIONES

En nuestro derecho la gestión de designación de árbitro tiene el mérito de interrumpir la prescripción de la acción. Al iniciarse dicha actuación, se genera entre las partes el estado de litispendencia, al tratarse de un acto del acreedor que inequívocamente se encamina a hacer exigible su crédito.

Con la notificación de la gestión de designación se produce la interrupción civil de la prescripción al estar presente los requisitos propios de los actos de este tipo, a saber: (i) una acción positiva del acreedor en orden a hacer efectivo su crédito sobre el patrimonio del deudor, en sede jurisdiccional; (ii) una gestión que involucre al deudor o que garantice el conocimiento de las pretensiones del acreedor.

El principio de la buena fe procesal debe llevar a entender que las gestiones judiciales de instalación del tribunal arbitral no puedan perjudicar al acreedor que quiere reclamar su crédito.

BIBLIOGRAFÍA

Alcalde Silva, Jaime, "Sobre la eficacia procesal de la demanda que interrumpe la prescripción extintiva", en *Estudios de Derecho Civil XII*, (VV.AA), Santiago: Thomson Reuters, 2017, Edit. H. Corral, P. Manterola, pp. 161-172 ,173-188 y 189-210, en *Estudios de Derecho Civil XII*, (VV.AA), Santiago: Thomson Reuters, 2017, Edit. H. Corral, P. Manterola, pp. 189-210.

Aylwin Azócar, Patricio, *El juicio arbitral*, Editorial Jurídica de Chile, 5ª ed., 2009.

Cordón Moreno, Faustino, *Arbitraje y jurisdicción: algunas cuestiones polémicas*, Madrid: Civitas, 2010.

Cucarella, Luis Andrés, "Litispendencia y arbitraje", en *Anuario de Justicia Alternativa*, Tribunal Arbitral de Barcelona: J.M. Bosch, 2001.

Larroucau Torres, Jorge, "Tres lecturas de la buena fe procesal" en *Revista Chilena de Derecho Privado*, 2013, Santiago, N° 21.

Peñailillo Arévalo, Daniel, *Los Bienes, La Propiedad y otros Derechos Reales*, Santiago: Editorial Jurídica, 2006.

Pinochet Olave, Ruperto, "La notificación de la demanda debe efectuarse dentro del plazo de prescripción para interrumpir civilmente la prescripción", en *Estudios de Derecho Civil XII*, (VV.AA), Santiago: Thomson Reuters, 2017, Edit. H. Corral, P. Manterola.

Pizarro Wilson, Carlos, "La interrupción civil de la prescripción por la mera presentación de la demanda", en *Estudios de Derecho Civil XII*, (VV.AA), Santiago: Thomson Reuters, 2017, Edit. H. Corral, P. Manterola.

Ried Undurraga, Ignacio, "Tres cuestiones sobre la excepción de litispendencia en el proceso civil chileno" en *Revista de Derecho,* P. Universidad Católica de Valparaíso, N° 45, 2015.

Jurisprudencia

- SCS 16 de noviembre de 1964, *RDJ,* t. LXI, sec. 1ª, p. 395.
- SCA Pedro Aguirre Cerda, 22 de abril de 1989, *RDJ,* t. LXXXII, sec. 2ª p. 43.
- SCA de Santiago de 13 de septiembre de 1993, *RDJ,* t. XC, sec. 2ª p. 137); SCS 7 de diciembre de 1993, *F. del M.* N° 421, p. 1084.
- SCA de Santiago, 24 de julio de 1995, *RDJ,* t. XCII, sec. 2ª, p. 93.
- SCS 6 de enero de 1997, *RDJ,* t. XCIV, sec. 1ª, p. 1.
- SCS 26 de noviembre de 2003, *F. del M.* N° 416, p. 3071.
- SCS, 17 de mayo de 2004. MJ 9293, "Compañía de Seguros La República S.A. con Armadores de la Motonave Western Tide".
- SCA de Santiago, 3 de noviembre de 2009. Rol N° 5355-08 (MJ 23.594), "Hapag Lloyd con Arja Textil Ltda".
- SCA de Santiago, 24 de agosto de 2015. Rol N° 3057-15, MJ42649.
- SCS, 3 de octubre de 2017. Rol N° 49-17, MJ 51870, "Medel, David y otros con Díaz Verdugo, Ricardo").
- SCS, 17 de octubre de 2017. Rol 13.786-16 (MJ 51867), "Tecnitransport S.A. con Renta Nacional Cía. de Seguros Generales S.A".
- SCS, 7 de junio de 2017. Rol N° 7407-2016. Vlex. Resolución N° 283255. "Constructora Intecpa Ltda. con P."
- SCS, 7 de marzo de 2019. Rol N° 12.985-2018. Autos caratulados "Sociedad Transportes Sur Ltda. con Distribuidora Santa Rita Ltda").
- SCS, 20 de marzo de 2019. Rol 31.172-18 (MJ 254355) "Mayol Albónico, Mauricio con Tesorería General de la República".

DERECHO ROMANO

ALGUNAS CONSIDERACIONES SOBRE LA BUENA FE EN EL DERECHO ROMANO

Manuel Grasso

Doctor en Derecho, Università degli Studi di Roma Tor Vergata
Profesor de Derecho Romano, Universidad de los Andes, Chile

SUMARIO: 1. INTRODUCCIÓN. 2. EXPANSIVIDAD Y REPAROS. 3. PROTECCIÓN, CONFIANZA, HONESTIDAD. 3.1. La *fides* y el fiable. 3.2. La *bona fides* y el hombre de bien. 4. COOPERACIÓN. 4.1. Las obligaciones de fuente contractual. 4.2. Libertad y colaboración. 5. SEGURIDAD JURÍDICA. 5.1. La tensión con la buena fe. 5.2. Grandes jueces y autoridad de los juristas. 6. REFLEXIONES CONCLUSIVAS. BIBLIOGRAFÍA.

1. INTRODUCCIÓN

En su manifestación –hoy denominada– objetiva[1], la buena fe es un principio-valor jurídico autóctono del derecho de las obligaciones y su origen romano (ss. III-II a.C.) está estrechamente asociado al reconocimiento de cobertura jurídica de algunos negocios típicos perfeccionados mediante el mero consentimiento de las partes (*nudus consensus*). La tutela jurisdiccional de estas *conventiones* se concretaba mediante *iudicia bonae fidei*[2], o

---

[1]   Sobre el origen de la distinción buena fe objetiva y subjetiva en la pandectística alemana del s. XIX y, en especial, sobre el debate entre Bruns e Wächter que terminó generándola, *vid.* –para todos– Neme Villarreal, M. L.: "Buena fe subjetiva y buena fe objetiva. Equívocos a los que conduce la falta de claridad en la distinción de tales conceptos", en *Revista de Derecho Privado. Universidad Externado de Colombia*, 17, 2009, pp. 46-48. Pese a que se ha postulado su "unidad" (Guzmán Brito, A.: "La buena fe en el Código Civil de Chile", en *Revista Chilena de Derecho* 29, 2002, 1, pp. 21-23), parece adecuado hablar de dos dimensiones de un único principio: una buena fe protectora (subjetiva) que tutela a quien de manera equivocada, pero honestamente, creyó obrar de manera lícita y otra prescriptiva (objetiva) porque de allí emanan normas que ordenan conductas que parecen conformes a un modelo de hombre honesto, recto y leal (en este sentido: Corral Talciani, H.: *Curso de derecho civil. Parte general.* LegalPublishing Chile, Santiago, 2018, pp. 31-32).

[2]   La reconstrucción historiográfica relaciona intensificación del tráfico comercial entre romanos y extranjeros (ss. III-II a.C.) y creación de la *iurisdictio peregrina* (242 a.C), con la valorización del principio "consensualístico" y la relevancia de la buena fe (en este sentido, entre otros, Cardilli, R.: "*Societas vitae* in *Cic.* off. 3,70 e *obligatio consensu contracta*", en *Bullettino dell'Istituto di Diritto romano*, 105, 2012, pp.185-196). No hay certeza acerca del elenco completo de los *iudicia bonae fidei*. Sin embargo, en posible incluir

sea, procesos caracterizados por una fórmula cuya *intentio* contenía la frase *quidquid dare facere oportet ex fide bona*: "dar o hacer [en favor del actor] todo aquello que (en virtud de la relación jurídica causal mencionada en la *demonstratio*) convenga a la buena fe"[3].

De aquellos acuerdos surgía una obligación que se expresaba con la frase *oportere ex fide bona*[4] lo que "significaba que las partes debían comportarse de manera correcta y leal en el cumplimiento de los compromisos asumidos" y también "que el contenido concreto de la obligación recíproca nacida del acuerdo no quedaba delimitado exclusivamente por lo querido por las partes"[5]. La buena fe operaba en la configuración de lo debido y su violación determinaba el juicio afirmativo de responsabilidad. Era el "estándar que prescribía cómo debía comportarse y cumplir un deudor diligente"[6], el parámetro al que debían "atenerse las partes al interpretar y aplicar el contrato, y el juez al resolver eventuales litigios"[7].

En comparación con los *iudicia stricta*[8], los *bonae fidei* se habrían caracterizado por reconocer mayor libertad al *iudex*[9]. No es temerario conectar

---

en esta clase a las acciones que nacen de los cuatro contratos consensuales (*emptio venditio, locatio conductio, mandatum, societas*), la *actio tutelae*, las que surgen de la *negotiorum gestio* y del *depositum* (donde los *iudicia* así estructurados concurren con *formulae in factum conceptae*), y la *actio fiduciae*. Para las distintas hipótesis *vid*. Talamanca, M., "Processo civile (dir. rom.)", en *Enciclopedia del diritto*, XXXVI. Giuffrè, Milano, 1987, p. 64 nt. 457 y Kaser, M.: *Das römische Privatrecht, 1. Das altrömische, das vorklassische und klassische Recht*. C.H. Beck'sche, München, 1955, p. 486.

3   La propuesta de traducción al castellano es de Facco, J.H.: "*Oportere ex fide bona*. Una construcción decisiva de la jurisprudencia romana", en *Revista de Derecho Privado*. *Universidad Externado de Colombia*, 24, 2013, p. 23, aunque nos pertenece la integración que está entre corchetes.

4   En realidad, como precisa Cardilli, R.: Damnatio *e* oportere *nell'obbligazione*. Jovene, Napoli, 2016, p. 242, a estos *negotia* se les atribuyó como efecto el surgimiento de "una estructura recíproca homóloga (dos *oportere ex fide bona* contrapuestos), estructura que, en tiempos de Augusto, Labeón calificará de manera unitaria como *ultro citroque obligatio* (D. 50,16,19)" (para una bibliografía sobre este punto, *ibid*., p. 242 nt. 67 [sigue]).

5   Cardilli, R.: *Societas vitae* in *Cic. off.* 3,70 cit., p. 195.

6   Schermaier, M.J.: "Non-Roman Foundations of European Legal Culture", en Fiori, R. (al cuidado de), *Modelli teorici e metodologici nella storia del diritto privato*. Jovene, Napoli, 2008, p. 326.

7   Lantella, L. y Stolfi, E.: *Profili diacronici di diritto romano*. Giappichelli, Torino, 2005, p. 218.

8   Entre otras fuentes, *vid*. Ulp. 28 *ad ed*. D. 13,6,3,2. Para una hipótesis de paternidad justinianea de la categoría *vid*., para todos, Biondo, B.: "Actiones stricti iuris", en *Bullettino dell'Istituto di Diritto Romano*, XXXII, 1922, pp. 61-72.

9   Talamanca, M.: Processo civile cit., p. 65. Sin embargo, no debe exagerarse esta interpretación al punto de concebir los *iudicia bonae fidei* como juicios de equidad o directamente entregados al arbitrio libre del juez.

a los primeros con la noción de *ius strictum*[10]: "un derecho estrictamente
adherente a las formalidades de la tradición, que no contempla tanto las
efectivas intenciones (…) sino la observancia (…) de antiguos rituales y
de procedimientos preestablecidos"[11]. Los nuevos e informales negocios
del *ius gentium* (ss. III-II a.C.) resquebrajaron las estructuras tradicionales
romanas y terminaron exigiendo una reforma que constituye un ejemplo
histórico de cómo un ordenamiento jurídico, en un determinado momento de su desarrollo, decide suplementar la originaria aplicación estricta y
formal de reglas existentes con un mecanismo que se propone ir más allá
de esas restricciones positivistas[12]. El origen de la buena fe se conecta así
con el conflicto entre ley positiva y justicia, tensión que los romanos expresaron con la frase *summum ius, summa iniuria*[13].

Juristas y pretores tuvieron un rol decisivo en el proceso de creación[14]
de este particular mecanismo de tutela. Los motivó la necesidad de adecuar el derecho a la intensificación de prácticas comerciales entre romanos
y extranjeros[15], y actuaron bajo el influjo de ideas basadas en la equidad[16].
Sin embargo, los juristas romanos del período clásico fueron muy cautos
en el alcance de esa reforma y durante mucho tiempo se mostraron más
bien renuentes a extender el concepto de buena fe más allá de la esfera
cubierta por aquellos procesos[17]. Ya en el período postclásico, en cambio,
se decidió extender la operatividad de la buena fe a todos los contratos, incluso a los –así denominados durante este período– *stricti iuris*[18] ("es ecuo
tomar en consideración a la buena fe [en todos] los contratos"[19]; C. 4,10,4
[a. 290 d.C.]).

---

[10]   Así lo hacen Lantella, L. y Stolfi, E.: *Profili diacronici di diritto romano* cit., p. 212 nt. 536.

[11]   Lantella, L. y Stolfi, E.: *Profili diacronici di diritto romano* cit., p. 212.

[12]   Schermaier, M.J.: "*Bona fides* in Roman contract law", en Zimmermann, R. y Whittaker,
S. (eds.): *Good Faith in European Contract Law*. Cambridge University Press, Cambridge,
2000, pp. 63 y 65-66.

[13]   Schermaier, M.J.: *Bona fides* cit., p. 65.

[14]   Entre otros, Marrone, M., *Istituzioni di diritto romano*. Palumbo, Palermo, 1994², p. 25.

[15]   En general sobre tradicionalismo e innovación, nuevas realidades sociales y necesidad
de adecuar los esquemas jurídicos, *vid.* Grosso, G.: "Schemi giuridici vecchi e realtà
nuova", en *Il diritto dell'economia*, 1959 (ahora en Id.: *Tradizione e misura umana del diritto*.
Edizioni di Comunità, Milano, 1976, pp. 73-78).

[16]   Schermaier, M.J.: *Bona fides* cit., p. 65.

[17]   Schermaier, M.J.: Non-Roman Foundations of European Legal Culture cit., p. 87.

[18]   Guzmán Brito, A.: La buena fe en el Código Civil de Chile cit., p. 14. Sobre el fenómeno de extensión de la *bona fides* incluso a todos acuerdos con contenido jurídico
patrimonial en la tradición romanística y en algunos códigos vigentes, *vid.* Lantella, L.
y Stolfi, E.: *Profili diacronici di diritto romano* cit., p. 219.

[19]   *Bonam fidem in contractibus considerari aequum est.*

En el derecho actual, la buena fe se ha consolidado como principio inderogable en materia de contratos[20] y experimenta un potente proceso de expansión que la proyecta hacia otras instituciones jurídicas[21]. Es un "principio cumbre del derecho"[22], fundamento y elemento fuerte del sistema jurídico romanístico[23] y uno de los núcleos del derecho más adherente a la realización del *bonum et aequum*[24]. Su reconocimiento responde a la necesidad de que en toda comunidad organizada sus "miembros actúen lealmente, como personas de recto proceder y sin querer engañar o aprovecharse del error ajeno"[25]. El derecho está llamado a reforzar la confianza entre las personas y en este sentido la buena fe se presenta como fundamento de las relaciones humanas: "[u]na sociedad en la que cada uno desconfiara del otro se asemejaría a un estado de guerra latente entre todos, y en lugar de la paz dominaría la discordia"[26]. Junto con el personalismo ético, esto es,

---

[20] Así surge, por ejemplo, de su rotundo reconocimiento en los *Principios de Unidroit* (2016): "1) Las partes deben adecuar su conducta a las exigencias de la buena fe en el comercio internacional.- 2) Ellas no pueden excluir esta obligación ni limitar su alcance" (art. 1.7 [Buena fe]). Hay allí una consideración de la buena fe como *ius cogens* (Schipani, S.: "Fundamentos romanísticos y derecho chino [Reflexiones sobre un esfuerzo común para ampliar el sistema", en *Revista de Derecho Privado. Universidad Externado de Colombia*, 35, 2018, p. 26 nt. 14].

[21] Corral Talciani, H.: "La aplicación jurisprudencial de la buena fe objetiva en el ordenamiento civil chileno", en *Revista de Derecho Privado. Universidad Externado de Colombia*, 12-13, 2007, p. 189. Pocos serían, en efecto, los sectores del derecho no alcanzados directa o indirectamente por el principio de buena fe. En el ámbito del derecho chileno, se ha resaltado la presencia de una abundante jurisprudencia que ha utilizado el art. 1546 del *Código Civil*, que consagra la buena fe como una "herramienta eficaz no sólo para profundizar y flexibilizar la reglamentación del contrato. sino también para aportar criterios éticos de comportamiento tanto en las fronteras del contrato (antes y después) como más allá de sus dominios (derechos reales, tratados, negociación colectiva laboral, conducta procesal, actos administrativos, fuero laboral)" (*ibid.*, pp. 176-177). De principio general del derecho con operatividad "transversal" que se extiende a todas las ramificaciones del ordenamiento jurídico, habla Castresana, A.: Fides, bona fides: *un concepto para la creación del derecho*. Tecnos, Madrid, 1991, p. 103.

[22] Hinestrosa, F.: "De los principios generales del derecho a los principios generales del contrato", en *Revista de Derecho Privado. Universidad Externado de Colombia*, 5, 2000, p. 21.

[23] Sobre el significado "fuerte" de la palabra *principium*, como inicio de un proceso temporal y elemento permanente del sistema, *vid.* Schipani, S.: *La codificazione del diritto romano comune*. Giappichelli, Torino, 1999, pp. 83-117.

[24] Schipani, S.: "Rileggere i *Digesta*. Enucleare i principii. Proporli", en Trisciuoglio, A. (al cuidado de): *Valori e principii del diritto romano*. Edizioni Scientifiche Italiane, Napoli, 2009, p. 62.

[25] Corral Talciani, H.: *Curso de derecho civil* cit., p. 31.

[26] Larenz, C.: *Derecho Civil. Parte general*. Revista de Derecho Privado, Madrid, 1978, p. 59.

el reconocimiento de la autodecisión y la responsabilidad, la buena fe es el elemento ético-social que fundamenta el orden jurídico [27].

Sin embargo, su dilatado uso ha generado preocupación en quienes consideran que, por la imposibilidad de predeterminar a priori su preciso alcance y por conceder a los jueces un excesivo poder, se trata de un recurso peligroso que se apoya en un elemento ético de valoración y que coloca a los ciudadanos a merced de la arbitrariedad de aquellos[28]. Busnelli ubica dentro del grupo de los "paladines del derecho positivo" a los principales detractores de la buena fe, quienes la combaten para lograr expulsarla junto a la equidad, ambas intrusas dentro del sistema de derecho positivo y enemigas de su buen funcionamiento[29].

Las consideraciones que proponemos en este trabajo pretenden evidenciar que estas dos fuerzas en tensión (inevitable y positiva expansión de la buena fe, y reparos y riesgos que impone su aplicación) ya habían sido prefiguradas desde el "principio" por el jurista Quinto Mucio Escévola (§2). Además, exploraremos algunas fuentes romanas que contienen valiosos elementos y recursos técnicos para reflexionar sobre la buena fe y su relación con la protección y la confianza (§ 3), y con valores como la coopera-

---

[27]   Larenz, C.: *Derecho Civil* cit., p. 58.

[28]   En el fondo, se desconfía de las cláusulas generales y la buena fe es una de ellas (sobre la función de los principios como cláusulas generales *vid.* Del Prato, E.: "I principi nell'esperienza civilistica: una panoramica", en *Rivista Italiana per le Scienze Giuridiche. I principi nell'esperienza giuridica* [numero speciale]. Jovene, Napoli, 2014, pp. 267, donde sostiene que los principios son "al mismo tiempo reglas elásticas y criterios que gobiernan la aplicación de otras reglas"). Refiere Garofalo, A.M.: "Il problema della clausola generale di buona fede nell'equilibrio tra formanti", en *La Nuova Giurisprudenza Civile commentata*, 4/2018, p. 576, que la doctrina ha "alternado momentos de desconfianza hacia las cláusulas generales, de las cuales la buena fe ha representado siempre el paradigma, y momentos de fuerte confianza en ellas". Como expresión emblemática del rechazo a la técnica normativa de las cláusulas generales, el civilista italiano menciona la monografía de Hedemann, J.W.: *Die Flucht in die Generalklauseln. Eine Gefahr für Recht und Staat*, Mohr, Tübingen, 1933 (*non vidi*). El empleo de cláusulas generales –según el jurista alemán– pone en peligro al Derecho y al Estado por la inseguridad (*Unsicherheit*) que conllevan y relacionada la arbitrariedad (*Willkür*) que facilitan.

[29]   Busnelli, F.D.: "Notas en tema de buena fe y equidad", en *Roma e America. Diritto Romano Comune*, 13, 2002, pp. 100-101. En cierta forma también advierte esta conexión, Corral Talciani, H.: *La aplicación jurisprudencial de la buena fe* cit., p. 177, cuando señala que, aunque tímidos y cautelosos, los avances de la jurisprudencia chilena en materia de reconocimiento de la buena fe son "significativos y promisorios para una tradición cultural legalista como la que ha imperado por tantos años en los estrados judiciales chilenos".

ción (§4) y la seguridad jurídica (§5). De todo ello nos ocuparemos antes de pasar a proponer algunas reflexiones conclusivas (§6).

2. EXPANSIVIDAD Y REPAROS

Cicerón (*off.* 3,17,70) nos informa que "Quinto Mucio Escévola, el pontífice máximo, decía que había una enorme fuerza [creativa] en los juicios en los que se agrega [la frase] «según la buena fe». Él consideraba que el concepto de buena fe se manifiesta muy ampliamente y está presente en las tutelas, las sociedades, los actos fiduciarios, los mandatos, las compraventas, las locaciones, en las cuales queda contenida la comunión de vida [entre los hombres]: en estos juicios es propio de un gran juez estatuir lo que cada parte debe garantizar a la otra"[30].

Con el sintagma *manare latissime* referido al concepto de buena fe (*fidei bonae nomen*) Quinto Mucio pretende expresar su amplia potencia expansiva y propagadora. No es casual que para ilustrar esa capacidad de dilatación mencione tanto relaciones del *ius gentium* (o sea, accesibles a personas de diversas *civitates*, tales como sociedad, mandato, compraventa y locación), como instituciones propias del *ius civile* (sólo accesibles a ciudadanos romanos, tales como la tutela y los actos fiduciarios). Todas ellas están alcanzadas por aquel concepto y caracterizadas por contener la "comunión voluntaria (*societas*) entre los hombres [que] es vista como expresión de un dato natural conectado al vivir"[31].

Esta expansividad es doble. Por un lado, el jurista piensa en la *bona fides* como "principio ordenador de lealtad y corrección (...) conviertiéndola en una propuesta universal, expandiendo en este específico ámbito de ne-

---

[30]   Cic. *off.* 3,17,70: *Quintus quidem Scaevola, pontifex maximus, summam vim esse dicebat in omnibus arbitriis in quibus adderetur 'ex fide bona'. fideique bonae nomen existimabat manare latissime idque versari in tutelis, societatibus, fiduciis, mandatis, rebus emptis venditis, conductis locatis, quibus vitae societas contineretur: in his magni esse iudicis statuere, praesertim cum in plerisque essent iudicia contraria, quid quemque cuique praestare oporteret.*

[31]   Cardilli, R.: *Societas vitae* cit., p. 194. Fiori, R.: Bonus vir. *Política filosofía retorica e diritto nel de officiis di Cicerone.* Jovene, Napoli, 2011, p. 334 traduce la frase "*quibus vitae societas contineretur*" con la lacónica y efectiva frase "en que consiste la vida social". Cfr., sin embargo, la intepretación Naumowicz, P.: Fidei bonae nomen *et* societas vitae. *Contribution à l'étude des actions de bonne foi.* Tesis doctoral defendida el 19/03/2011, Université Panthéon-Assas, pp. 102-108, para quien la expresión *societas vitae* no es de paternidad muciana y se trataría de una idea estoica que ocupa un lugar destacado en el pensamiento socio-político de Cicerón. La expresión indica la idea de afinidad social, intimidad, comunidad concreta de vida.

gocios [del derecho de gentes] la idea romana de *fides*"[32]. Las relaciones entre todos los hombres, sin importar la comunidad a la que pertenenzcan, deberían estar ordenadas por el principio de lealtad y corrección. Por otro lado, hay también un significado objetivo en la idea de expansión expresada en el el *manare latissime*: la *bona fides* ordena muchas relaciones humanas[33], en especial –aunque no exclusivamenate– aquellas que exigen colaboración y confianza[34].

Aquella expresión superlativa de Quinto Mucio (*manare latissime*) para referirse a la gran expansividad y potencia de la buena fe[35] encuentra un fuerte contrapeso en la también hiperbólica locución que el jurista utiliza para expresar la preocupación que provoca su connatural incerteza. En efecto, el jurista considera que hay una *summa vis* inherente a los juicios de buena fe. Esta fuerza (*vis*) es creadora: es una fuerza "que genera significados, que modela conductas, que permite concretar el carácter indeterminado del valor ínsito en los conceptos presentes en la *formula*"[36]. El titular de esa fuerza es el juez, quien está llamado a determinar qué es lo que cada parte, en el caso concreto, "debe garantizar a la otra". *Vis* en el sentido de "actividad humana potencialmente prevaricadora"[37]. Al concretar el con-

---

32 Cardilli, R.: *Societas vitae* cit., p. 195.

33 Idea que está presente en la potente interpretación de Cardilli, R.: «Bona fides» tra storia e sistema. Giappichelli, Torino, 20102, p. 38: "en un tendencial –según Q. Mucio– proceso de expansión, de virtual propensión a cubrir las relaciones". Cfr. también Brutti, M.: *Il diritto privato nell'antica Roma*. Giappichelli, Torino, 2009, p. 21, quien se refiere a la "ampliación a relaciones que ya no se producen solamente dentro de la comunidad ciudadana [romana]".

34 Cfr. también la interpretación del *manare latissime* de Neme Villarreal, M.L.: *La buena fe en el derecho romano*. Universidad Externado de Colombia, Bogotá, 2010, p. 125 nt. 464, para quien la frase de Quinto Mucio se propone expresar la riqueza de la '*fides bona*' como 'fuente' de reglas objetivas de comportamiento o –directamente– "motor de creación" de tales reglas.

35 Lantella, L. y Stolfi, E.: *Profili diacronici di diritto romano* cit., pp. 218-219, evidencian una fuerte extensión del ámbito de aplicación de la *bona fides* (objetiva) durante finales de la república y principios del principado: las acciones relativas a algunos contratos reales como el depósito y el comodato adquieren naturaleza de buena fe, al igual que la relativa a la *negotiorum gestio*; los juristas invocan la *bona fides* en relación a figuras negociales no tuteladas con acciones de buena fe, como por ejemplo en materia de *stipulatio*; la *bona fides* deja de operar sólo en el ámbito de los recuersos procesales y se habla directamente de *bonae fidei contractus*.

36 Cardilli, R.: «Bona fides» tra storia e sistema cit., p. 35.

37 Cardilli, R.: «Bona fides» tra storia e sistema cit., p. 36 nt. 65. Cfr., sin embargo, Falcone, G.: "Il rapporto *ius gentium – ius civile* e la *societas vitae* in Cic., *off.* 3.69-70", en *Annali del Seminario Giuridico dell'Università degli Studi di Palermo*, LVI, 2013, p. 267 nt. 32, quien considera más natural interpretar la *summa vis* como "'altísimo valor, relevancia' o

cepto-valor de la buena fe, el juez podría caer en arbitrariedad. Por esta razón Quinto Mucio evoca la figura del *magnus iudex*, es decir, un modelo ideal de juez que, asistido por los juristas, esté capacitado para "dominar esta 'fuerza', sin dejarse vencer por ella"[38].

En suma, la buena fe es un "concepto-valor"[39] óptimo para ordenar las relaciones humanas y –precisamente por eso – se lo eleva a principio general con enorme capacidad expansiva. Sin embargo, la necesidad de traducción concreta en reglas de conducta y normas preceptivas[40] a través de una operación de concretización judicial, presenta algunos riesgos. En efecto, más de veinte siglos después, resuenan las palabras que Cicerón (*off.* 3,17,70) expresó para referirse a un problema muy cercano al de la *fides bona*: "quiénes son hombres honestos y qué es actuar bien es una gran cuestión"[41]. Desde siempre ha existido una incesante búsqueda de la tecnificación de la buena fe; sin embargo, se trata de un valor trascendente, no susceptible de ser "tecnificado"[42]. Cuando el derecho toma ese valor lo convierte en precepto y norma, pero se trata de una norma abierta: "no es posible saber su contenido eventual, su futuro; nadie puede agotar su contenido"[43].

Es fecundo indagar en su matriz originaria, la *fides*, y en su devenir sucesivo en el derecho romano. Eso es lo que haremos en las líneas que siguen.

'extrema eficacia, carácter incisivo' de los *arbitria*" *bonae fidei*. En este sentido se había expresado también Fiori, R.: Bonus vir. *Política filosofía retorica e diritto* cit., p. 334.

[38]   Cardilli, R.: «Bona fides» tra storia e sistema cit., 36 nt. 65.

[39]   Los valores, junto a las normas, la sociedad y la historia son las dimensiones que, según la perspectiva "tetradimensionalista", integran el derecho y ocupan a los investigadores en el campo de la ciencia jurídica (Pérez Luño, A.-E.: "La filosofía del derecho como tarea: cuestiones y trayectorias de investigación", en *Anales de la Cátedra Francisco Suárez*, 44, 2010, pp. 547-570). Es inconcebible poder operar en el campo jurídico sin tomar posición en relación con los valores que allí están en juego (Orestano, R.: "Realtà» «parole» «valori» nella scienza del diritto", en *Rivista di diritto civile*, anno XXXI, 1985, n. 5 [Parte prima], p. 495) y es ilusorio sostener que puedan existir juristas aislados de lo metajurídico o prejurídico. Por el contrario, precisamente lo que caracteriza a las singulares experiencias jurídicas es la adopción de sus propios valores constitutivos, su propia tabla de valores, incluso cambiantes (*ibid.*, p. 497).

[40]   Cardilli, R.: «Bona fides» tra storia e sistema cit., p. 63 nt. 65.

[41]   *[Q]ui sint boni et quid sit bene agi magna quaestio est.*

[42]   Frezza, P.: "Buona fede e diritto romano", en *Il principio di buona fede (Giornata di studio – Pisa, 14 Giugno 1985)*. Giuffrè, Milano, 1987, p. 85.

[43]   Rezzónico, J.C.: "Efecto expansivo de la buena fe", en *La Ley*, 1991-C (cita online: AR/DOC/3409/2001).

3. PROTECCIÓN, CONFIANZA, HONESTIDAD

Por exceso de esquematismo se habla de *fides* arcaica y de *fides bona* clásica. En realidad, no hay entre ellas ni total diferencia, ni completa asimilación; sí continuidad y complementación.

3.1. *La* fides *y el fiable*

En el período más remoto de la antigua Roma la *fides* alcanzaba el rango de divinidad[44]. La principal virtualidad práctica de esta deidad era la de reforzar la generación de un vínculo "libre" (en el sentido de voluntario o discrecional[45]) entre personas mediante el estrechamiento de las manos derechas[46] y que se conectaba con ritos celebrados por los Flamines y por orden de Numa[47]. La *fides* se conecta con el juramento (Liv. 1,24,1), con la verdad de lo declarado y con la "fidelidad a todo lo que se ha dicho y convenido, en definitiva, a todo lo que de manera correspondiente a ello los demás esperan de nosotros"[48]. Cicerón (*off.* 3,31,111) recuerda que "nuestros antepasados no reconocieron vínculo más sagrado que el juramento para el mantenimiento de las promesas"[49].

La *fides* se manifestaba con amplitud en el ámbito del derecho internacional público: la expresión *deditio in fidem* indicaba la sujeción a la dominación romana; en materia de tratados internacionales, el término enfatizaba la fidelidad a la palabra empeñada y los tratados se conservaban en un templo (construido en el siglo III a.C.) dedicado –precisamente– a la

---

[44]   Entre otros, Val. Max. 6,6 pr.: "*venerabile fidei numen*" ["el venerable numen de la lealtad"]. Cfr., para una reconstrucción de la naturaleza y las funciones de la *fides* en el período arcaico y su influencia en la *bona fides* del derecho clásico, Fiori, R.: "*Fides e bona fides*. Gerarchia sociale e categorie giuridiche", en Id. (al cuidado de): *Modelli teorici e metodologici nella storia del diritto privato*. Jovene, Napoli, 2008, pp. 237-259.

[45]   Grosso, G., "Buona fede (Premesse romanistiche)", en *Enciclopedia del diritto*, V. Giuffrè, Milano, 1959 (ahora también en Id.: *Scritti storico giuridici*. Torino, Giappichelli, 2001, p. 675).

[46]   Liv. 23,9,3: *paucae horae sunt intra quas iurantes per quidquid deorum est, dextrae dextras iungentes, fidem obstrinximus —ut sacratas fide manus, digressi a conloquio, extemplo in eum armaremus?* ["Pocas horas han pasado desde que, jurando por todos los dioses, estrechamos nuestra derecha a la suya y empeñamos nuestra fe; ¿fue para armar contra él las mismas manos consagradas a la fe y ligadas, apenas recién salidos del coloquio?"]. *Vid.* también Liv. 1,1,8; 1,21,4; 1,58,7; 29,24,3.

[47]   Grosso, G: Buona fede cit., p. 675.

[48]   Grosso, G.: Buona fede cit., p. 676.

[49]   *Nullum enim vinculum ad adstringendam fidem iureiurando maiores artius ese voluerunt.*

diosa *Fïdes*[50]. De todas ellas se deducen dos significados básicos: un pueblo se confía a la *fides* de Roma y esto significa que se coloca bajo su protección y con ello se asegura buen trato y lenidad de parte del conquistador; *fides* también significa cumplimiento estricto de la palabra dada[51]. En la antigüedad, Roma gozaba de prestigio y reconocimiento en este sentido, de hecho "la *fides populi Romani*, se exalta como virtud que es una garantía de lealtad y de respeto de algunos principios de comportamiento correcto y de respeto de la confianza del otro"[52].

Este modelo se reproduce también dentro de la comunidad romana, con prevalencia en el ámbito de algunas relaciones entre personas de desigual fuerza. Un fuerte y un débil, alguien con capacidad de asegurar protección prolongada en el tiempo y otro con necesidad de contar con ella. La *fides* opera en la relación entre patrono y su esclavo liberado (*patronus* y *libertus*[53]), y entre patrono y clientes[54], imponiendo en ambos supuestos deberes recíprocos de cuidado y protección[55]. La relación de clientela surgía cuando un individuo o grupo, predominantemente extranjeros, solicitaba trabajo, sustento y protección, y se sometía al poder de la *gens* (grupo primigenio) que lo acogía fiduciariamente: de hecho, *in fidem se dedere* indicaba –en este ámbito– el acto de sometimiento del cliente al patrono e *in fidem accipere* la aceptación de este último[56].

---

[50]   Schermaier, M.J.: *Bona fides* cit., pp. 78-79. En el orden internacional, la *fides* también alude a la lealtad que había que observar en la guerra (*fides in bello*) y a la conducta debida en el trato a los embajadores (*fides in colloquio*) (*vid.* Di Pietro, A.: "La *fides publica* romana", ahora en Id., *Imperio y Derecho*. Ucalp, La Plata, 2014, pp. 368 s.). Sobre la concepción romana de las relaciones entre los pueblos, *vid.* Catalano, P.: *Linee del sistema sovrannaziole romano*. Giappichelli, Torino, 1965, *passim*.

[51]   Schermaier, M.J.: *Bona fides* cit., pp. 78-79.

[52]   Grosso, G: Buona fede cit., p. 675. Val. Max. 6,6 nos recuerda *quam semper in nostra ciuitate uiguisse et omnes gentes senserunt*" ["que siempre en nuestra ciudad se la ha honrado: tal es la opinión que todos los pueblos tienen de nosotros"].

[53]   No hay igualdad, ni fáctica ni jurídica, entre libertador (*ex dominus*) y *libertus* (ex esclavo) (*vid.*, por último, Stagl, J.F.: "De cómo el hombre llegó a ser persona: los orígenes de un concepto jurídico-filosófico en el derecho romano", en *Revista de Derecho de la Pontificia Universidad Católica de Valparaíso*, XLV, 2015, pp. 381-382).

[54]   Sobre *cliens*, término del que deriva la expresión "clientela", para expresar distintos tipos "de relaciones entre personas o grupos de rango social superior y personas o grupos de rango social inferior", *vid.* Serrao, F.: *Diritto privato economia e società nella storia di Roma. 1. Dalla società gentilizia alle origini dell'economia schiavistica*. Jovene, Napoli, 20062, pp. 50-54 y 258-259.

[55]   Schermaier, M.J.: *Bona fides* cit., p. 79.

[56]   Serrao, F.: *Diritto privato economia* cit., p. 50.

La *fides* es el criterio regulador originario de estas relaciones entre desiguales. La Ley de las XII Tablas (8,21[57]) contiene una norma que sanciona la infracción a esta relación fiduciaria cometida por la parte fuerte de la misma: "El patrono, si ha engañado al cliente, sea sacro"[58]. Pese a que sobre el cliente pesan deberes de trabajo y de obediencia hacia el patrono, la regulación decenviral no contiene una norma que sancione su incumplimiento, ya que quien necesita protección es la parte débil de la relación[59].

Andando el tiempo, la *fides* se convirtió en un principio ético y amplió su campo de actuación a las relaciones entre particulares en plano de igualdad[60]. Algunos deberes de cuidado y protección que caracterizaban ciertas relaciones entre desiguales ya estaban también presentes de manera análoga en algunas antiguas relaciones fiduciarias que luego fueron protegidas mediante *bonae fidei iudicia*, tales como las que derivan de la *tutela*, de la operación de la *fiducia*, las existentes entre *mandator* y *mandatarius* y las que se instauran en virtud de la *societas omnium bonorum*[61]. Lo interesante es que en estos supuestos no hay un especial énfasis en la 'fidelidad a la palabra dada", sino más bien una serie de pautas acerca de cómo las partes relacionadas deben comportarse entre sí: "el *mandatarius* debe esforzarse para cumplir lealmente su mandato; el *tutor* debe administrar los negocios de su pupilo como si fueran los propios; quien recibió un bien en virtud del negocio de *fiducia*, aun habiendo adquirido la propiedad, tiene que conservar el objeto conforme los términos del acuerdo fiduciario y luego restituirlo; entre los miembros de una *societas (omnium bonorum)* todas las disposiciones de cualquiera de ellos tiene efecto para y contra todos los demás, lo que presupone y conlleva un alto grado de honestidad entre los *socii*"[62]. Lo más llamativo es que "a excepción de la *fiducia*, [en un comienzo] los deberes que surgían de estas relaciones no eran [jurídicamente] exigibles"[63], por lo que se trataba de una forma de entregarse a la *fides* de la

---

[57]   Referida por Servio *ad Aen.* 6,609.

[58]   *Patronus si clienti fraudem fecerit sacer esto.* Para una interpretación, *vid.* Serrao, F.: *Diritto privato economia* cit., pp. 51-52.

[59]   Serrao, F., *Diritto privato economia* cit., p. 52. Por el contrario, con anterioridad a la norma decenviral –con certeza durante el reinado de Rómulo (VIII a.C)– se sancionaba duramente a cualquiera de los dos (patrono o cliente) que hubiese incumplido los deberes recíprocos emanados de la *fides* (según nos informa Dion. Hal. 2,10,3).

[60]   Grosso, G.: Buona fede cit., p. 675.

[61]   Schermaier, M.J.: *Bona fides* cit., pp. 79-80.

[62]   Schermaier, M.J.: *Bona fides* cit., p. 80.

[63]   Schermaier, M.J.: *Bona fides* cit., p. 80 (lo puesto entre corchetes nos pertenece) y nt. 106 con importantes aclaraciones sobre esta afirmación de ausencia de cobertura jurídica de estas relaciones.

otra persona sin tener la posibilidad de accionar judicialmente para reclamar el cumplimiento forzado de las conductas debidas.

Relacionado con estos significados de la palabra *fides* hay otro que evoca la idea de "crédito" socio-jurídico de que goza una persona. De las fuentes se deduce que el término *fides* indica "la cualidad de un sujeto que aparece como «confiable» respecto a sus comportamientos y sus palabras" y que exige "una coincidencia entre «confiabilidad» y «estabilidad»; una estabilidad que no es solamente constancia en los comportamientos, sino también respeto de la posición que a cada uno le corresponde en la jerarquía cósmica"[64]. La fiabilidad de una persona admite grados y es proporcional a su rango social: son los miembros de la clase dirigente, los ricos y potentes, quienes gozan de mayor crédito[65]. Se considera que los "notables" están en mejores condiciones que los más débiles para garantizar protección y tutela, ya que por su *auctoritas* es más difícil condicionarlos, y que por su condición "*noblesse oblige*: el *bonus vir*, para mantenerse 'fiable' a los ojos del grupo, para ser definido *constans* y *gravis*, debe comportarse correctamente o se convertirá en *inconstans ac levis*, o sea no fiable"[66].

Así, la *fides* asume un importante rol socio-jurídico y es un valor que ocupa un lugar destacado en la escala de valores propia de la experiencia jurídica romana. No es casualidad que Cicerón (*off.* 1,8,23) la relacione

---

[64] Fiori, R.: *Fides e bona fides* cit., pp. 241-242. La *fides* se relaciona con conceptos como los de "*honor, decus, fama, dignitas*". En esta misma línea, ya Castresana, A.: Fides, bona fides cit., pp. 13-14, había llegado a la conclusión de que *fides* alude a "«tener palabra», como una cierta condición que mantenida o prolongada en las relaciones entre los hombres genera una «confianza» un «estado de confianza» respecto del sujeto, titular de la *fides*, y, por ello, «hombre de palabra», «cumplidor de sus compromisos»".

[65] Fiori, R.: *Fides e bona fides* cit., pp. 242-243.

[66] Fiori, R.: *Fides e bona fides* cit., p. 243 y nt. 27 donde se invocan fuentes del período clásico relacionadas predominantemente con la valoración de declaraciones de los testigos en un proceso. *Mod. 8 reg. D. 22,5,2: In testimoniis autem dignitas fides mores gravitas examinanda est: et ideo testes, qui adversus fidem suae testationis vacillant, audiendi non sunt* ["En las declaraciones de los testigos se ha de examinar la dignidad, la fidelidad, las costumbres y la seriedad de ellos; en consecuencia, no deben ser escuchados aquellos que vacilan en cuando a la fidelidad de sus declaraciones"]; Call. 4 *de cogn. D. 22,5,3* pr.: *Testium fides diligenter examinanda est. ideoque in persona eorum exploranda erunt in primis condicio cuiusque, utrum quis decurio an plebeius sit: et an honestae et inculpatae vitae an vero notatus quis et reprehensibilis: an locuples vel egens sit, ut lucri causa quid facile admittat* (…) ["Debe examinarse con diligencia la fidelidad de los testigos. Por eso mismo, en cuanto a la persona de ellos se ha de explorar en primer lugar la condición de cada uno, si acaso alguno sea decurión o plebeyo, y si de vida honesta y no culpada, o si alguno tuviera nota y fuera reprensible, si sea rico o necesitado, de suerte que fácilmente admita alguna cosa por causa de lucro (…)"].

con el más elevado de los valores jur*ídicos,* la *iustitia*[67]: "Pues el fundamento de la justicia es la *fides,* es decir la constancia y la sinceridad en las palabras y en los convenios"[68]. Además, Cicerón eleva a modelo de referencia el ideal ético del *vir bonus.* Sus palabras y comportamientos deber ser veraces[69], pues la falsedad rompe el orden cósmico y expone al individuo a la sanción de la comunidad, esto es, a la separación del grupo u orden jerárquico al que pertenece[70]. Empero, el *bonus vir* es un hombre no sólo fiable, sino también honrado: es un hombre de bien.

3.2. *La* bona fides *y el hombre de bien*

No hay mucha claridad sobre el pasaje de la *fides* a la *bona fides*[71]. De ambas los romanos hicieron surgir deberes de conducta. Los estudiosos están de acuerdo en visualizar, por un lado, una relación de sucesión temporal y, por otro lado, una extensión de aquellos deberes que surgían de la *fides* a la *bona fides*[72]. En otros términos, esta última sería una especificación de

---

[67] Quizás no haga falta insistir en que la concepción romana del derecho postula una estrecha relación entre *ius* y *iustitia.* Esta cercanía no significa asimilación, sino tendencia, finalidad. Como es sabido, el Tít. I del Lib. I del Digesto de Justiniano lleva como rúbrica *De iustitia et iure* [De la justicia y del Derecho] y el primer fragmento allí colocado por los compiladores da cuenta de aquella estrecha relación; Ulp. 1 *inst.* D. 1,1,1 pr.: *Iuri operam daturum prius nosse oportet, unde nomen iuris descendat. Est autem a iustitia appellatum; nam, ut eleganter Celsus deinit, ius est ars boni e aequi* [Conviene que el que ha de dedicarse al derecho conozca primero de dónde proviene la palabra *ius* (derecho). Llámase así de *iustitia* (justicia); porque, según lo define elegantemente Celso, es el arte de lo bueno y equitativo]. También se conserva en el Digesto de Justiniano (Ulp. 1 *reg.* D. 1,1,10 pr.) una definición de *iustitia* en términos de *constans et perpetua voluntas ius suum cuique tribuendi* ["constante y perpetua voluntad de dar a cada uno su derecho"], seguida de una ética jurídica mínima (Ulp. 1 *reg.* D. 1,1,10,1): *Iuris praecepta sunt haec: honeste vivere, alterum non laedere, suum cuique tribuere* [Los preceptos del derecho son estos: vivir honestamente, no hacer daño a otro, dar a cada uno lo suyo.].

[68] *Fundamentum autem est iustitiae fides, id est dictorum conventorumque constantia et veritas.* La traducción al castellano es de Di Pietro, A.: La *fides publica* romana cit., p. 355. Cfr. Falcone, G.: "L'esordio del commento ulpianeo al editto sui patti (D.2.14.1pr.) tra critica testuale e studio dei percosi concettuli", en *Annali del Seminario Giuridico dell'Unviersità di Palermo (AUPA)*, 53, 2009, p. 228 y nt. 7 para una bibliografía.

[69] El *vir bonus,* en cuanto persona fiable, hace que la palabra dada tenga un valor vinculante. Este carácter no deriva del juramento mismo, sino de la *constantia* en los juramentos promisorios y de la *veritas* en los juramentos asertorios, que son calidades del *vir bonus* (Fiori, R.: *Fides* e *bona fides* cit., p. 245).

[70] Fiori, R.: *Fides* e *bona fides* cit., pp. 246-247.

[71] Schermaier, M.J.: *Bona fides* cit., p. 77 y nt. 88.

[72] Schermaier, M.J.: *Bona fides* cit., p. 77. Fiori, R.: *Fides* e *bona fides* cit., p. 248, considera que en un momento histórico, imposible de determinar con precisión pero segura-

la noción más antigua de *fides* aplicada al ámbito del derecho privado y exclusivamente al ámbito procesal de los *iudicia bonae fidei*[73].

De ahí que todo el bagaje socio-ético-religioso que portaba aquella ingresara al derecho a través del esquema procesal introducido por el pretor asesorado por jurisconsultos. Esto desmiente la ilusoria tesis general de que los juristas romanos habrían aislado el derecho de todo lo extrajurídico, o sea, del orden social, la moral y sus normas[74]. Esta inadecuada teoría condicionó el modo de entender la buena fe objetiva en ciertos períodos de la tradición de derecho civil. El positivismo jurídico creó las bases ideológicas de la teoría de la buena fe "ética" y esto influyó en el modo en que los romanistas interpretaron la buena fe objetiva en el derecho romano[75]. La doctrina romanística del siglo XIX y la primera mitad del XX imaginó "un origen ético, extrajurídico, de la *bona fides* romana, elevada a rango jurídico por el pretor en su edicto y recién después admitida en el *ius civile*"[76].

Sin embargo, la doctrina más moderna cuestiona el pretendido "aislamiento" (*Isolierung*) del fenómeno jurídico romano y tiende a reconocer una relación monolítica entre el contenido del derecho y la estructura social, los modelos éticos y el momento religioso[77]. En consecuencia, una adecuada investigación historiográfica debe partir de una "reconstrucción

---

mente acaecido entre los siglos IV y III a.C., "de la noción de *fides* se enucleó la de *bona fides*"

[73]   Fiori, R.: *Fides* e *bona fides* cit., p. 249.

[74]   Durante el s. XX el autor más representativo de esta concepción fue Schulz, F.: *I principii del diritto romano*. Sanzoni, Firenze, 1946, pp. 16 ss. Según Fiori, R.: "Storicità del diritto e problemi di metodo. L'esempio della buona fede oggettiva", en Garofalo, L. (al cuidado de): *Scopi e metodi della storia del diritto e formazione del giurista europeo*. Jovene, Napoli, 2007, p. 37, en aquella mirada se evidencia la proyección de categorías propias del intérprete en el estudio del derecho romano. En particular, la idea presente en ámbito germánico (ss. XVII-XVIII) de que el derecho es un sistema potencialmente completo, y la afirmación de la separación del derecho (positivo y natural) de la teología moral y que tomará forma definitiva en la distinción kantiana entre ética y derecho.

[75]   Fiori, R.: Storicità del diritto e problemi di metodo cit., pp. 36-39. Para las doctrinas positivistas el derecho natural no tiene rango jurídico y a lo más sus principios y reglas integran la esfera moral. Fue ésta la concepción que dio origen a una buena fe completamente "ética" en cuanto principio del derecho natural (*ibid.*, p. 37).

[76]   Fiori, R.: Storicità del diritto e problemi di metodo cit., p. 40.

[77]   Puntual, Cardilli, R.: "'*Vir bonus*' e '*bona fides*', en Vir bonus. *Un modello ermeneutico della riflessione giuridica antica*. La Matrice, Bari, 2013, p. 179, donde también se opone decididamente a la hipótesis según la cual en derecho romano se habría verificado un "aislamiento" (*Isolierung*) del derecho, tanto de la ética como de las cuestiones sociales (Schulz, F.: *I principii del diritto romano* cit., pp. 16 ss.).

del diálogo entre las formas jurídicas y las estructuras económicas, sociales y culturales"[78].

La buena fe en el derecho romano es un valor ético en la medida en que no se entienda la ética "como un sistema de principios autónomos (o sea, no heterónomos) (…) sino [como] el conjunto de vínculos que obligan al *bonus vir* a no incumplir su rol (…) teniendo bien presente que ello encarna un valor 'meta-individual', heterónomo y vinculante para el ciudadano, ya que sustancialmente coincide con la evolución de los *mores*, 'éticos' y 'jurídicos' al mismo tiempo"[79]. La buena fe impone el deber de respetar la palabra dada, lealtad y corrección, no defraudar la confianza de aquel que se entregó a nuestra protección y cooperación, ser honesto y –en definitiva– estable en el mantenimiento del crédito socio-jurídico.

Volvamos a Cic. *off.* 3,17,70, ahora para leerlo en su totalidad y así poder percibir esta fuerte compenetración entre estructura social, principios éticos y mecanismos jurídicos:

"En efecto, cuánta importancia tienen aquellas palabras «que por causa tuya o de la confianza en tí depositada yo haya sido engañado o defraudado»; cuánta importancia también en aquellas otras palabras de oro «así como es oportuno que se actúe bien entre hombres honestos y sin fraude». Sin embargo, quiénes sean hombres honestos y qué signifique actuar bien es una cuestión muy grande. Quinto Mucio Escévola, el pontífice máximo, decía que había una enorme fuerza [creativa] en los juicios en los que se agrega [la frase] «según la buena fe». Él consideraba que el concepto de buena fe se manifiesta muy ampliamente y está presente en las tutelas, las sociedades, los actos fiduciarios, los mandatos, las compraventas, las locaciones, en las cuales queda contenida la comunión de vida [entre los hombres]: en estos juicios es propio de un gran juez estatuir lo que cada parte debe garantizar a la otra"[80].

78　　Fiori, R.: Storicità del diritto e problemi di metodo cit., p. 26.

79　　Fiori, R.: Storicità del diritto e problemi di metodo cit., p. 45). Sobre los *mores*, su naturaleza, composición y funciones en el período arcaico del derecho romano, cfr., para todos, Talamanca, M., "I '*mores*' ed il diritto", en Id. (dir.): *Lineamenti di storia del diritto romano*. Giuffrè, Milano, 1979, pp. 36-41.

80　　Cic. *off.* 3,17,70: *Nam quanti verba illa «UTI NE PROPTER TE FIDEMVE TUAM CAPTUS FRAUDATUSVE SIM» quam illa aurea «UT INTER BONOS BENE AGIER OPORTET ET SINE FRAUDATIONE».* Sed, qui sint boni et quid sit bene agi magna quaestio est. Quintus quidem Scaevola, pontifex maximus, summam vim esse dicebat in omnibus arbitriis in quibus adderetur 'ex fide bona'. fideique bonae nomen existimabat manare latissime idque versari in tutelis, societatibus, fiduciis, mandatis, rebus emptis venditis, conductis locatis, quibus vitae societas contineretur: in his magni esse iudicis statuere,

En tiempos de crisis de la república, Cicerón conecta la experiencia jurídica con los valores éticos y viceversa[81]. En el ámbito de la reflexión ético-filosófica acerca de la dialéctica entre lo útil y lo honesto[82], menciona el modelo romano de la *bona fides* y se apoya en la enseñanza de Quinto Mucio para conectar el *vir bonus* y el *bene agi* con un aspecto de los *iudicia bonae fidei*.

En efecto, según Quinto Mucio[83] la buena fe no puede ser definida a priori a través de una norma general y abstracta; por el contrario, su contenido debe determinarse luego de conocer la totalidad de los elementos fácticos en combinación con los intereses de las partes en conflicto. Esta imposibilidad de predeterminar el contenido de la buena fe y la necesidad del momento de actuación judicial para determinar la conducta correcta y leal en el caso concreto exigen la presencia de un "gran juez" capaz de realizar una adecuada concreción del concepto-valor en el caso sometido a su decisión. El jurista piensa en un modelo ideal (*magnus*) de juez[84], aquel que –como ya hemos señalado– tiene idoneidad para no dejarse llevar por la enorme fuerza creativa que se le concede a través de las instrucciones contenidas en la fórmula en esta clase de juicios. En suma, "gran juez" es el que determina de manera adecuada lo que impone en concreto la buena fe en atención a las circunstancias del caso[85] y cumple así con la instrucción

---

praesertim cum in plerisque essent iudicia contraria, quid quemque cuique praestare oporteret. Hay abundante literatura sobre este pasaje; nos limitamos a señalar: Cardilli, R.: «Bona fides» tra storia e sistema cit., pp. 29-49; Fiori, R.: *Bonus vir. Política filosofía retorica e diritto* cit., pp. 334-337; Falcone, G.: "Il rapporto *ius gentium – ius civile* e la *societas vitae* in Cic., *off.* 3.69-70", en *Annali del Seminario Giuridico dell'Università degli Studi di Palermo*, LVI, 2013, pp. 259-273.

[81]   Esta circulación bidireccional, problemas ético-filosóficos y aspectos jurídicos, encuentra su razón de ser en que tanto la *magna questio* filosófica como la tarea del *magnus iudex* dependen de la "*prudentia*, que no es solamente saber filosófico, sino también *iuris prudentia*" (Fiori, R.: Bonus vir. *Política filosofía retorica e diritto* cit., 337).

[82]   Sobre la estructura del tercer libro del *de officiis* y, en particular, sobre la *comparatio* entre *honestum* y *utile* vid. Cardilli, R.: «Bona fides» tra storia e sistema cit., pp. 31-32 y el detallado análisis de Fiori, R.: Bonus vir. *Política filosofía retorica e diritto* cit., 242-268.

[83]   Sigo la interpretación de Cardilli, R.: «Bona fides» tra storia e sistema cit., pp. 44-49.

[84]   Fiori, R.: Bonus vir. *Política filosofía retorica e diritto* cit., 336 nt. 205, advierte que la frase *in his magni esse iudicis statuere* "podría ser interpretada no sólo (...) leyendo *magnus* como atributo de *iudex* (...), sino también interpretando *magni* en sentido adverbial («en estos juicios es tarea fundamental del juez establecer...»)". Esta última había sido la interpretación de Lombardi, L.: *Dalla «fides» alla «bona fides»*. Giuffrè, Milano, 1961, p. 191 nt. 72.

[85]   Fiori, R.: Bonus vir. *Política filosofía retorica e diritto* cit., pp. 336-337, identifica un paralelismo entre *sapiens* y *magnus iudex* en este tramo de la obra ciceroniana: "así como para percibir la *natura* es necesario un *sapiens* que sea capaz de comprender también el cambio de las circunstancias y adaptar ahí los principios, del mismo modo en los

recibida a través de la fórmula de determinar si el demandado, conforme los "criterios ético-sociales vigentes entre personas de bien"[86], debe dar y/o hacer algo en favor del actor. En cambio, no sería coherente con este modelo ideal de juez aquel que aprovechándose de la amplitud de poderes, sin considerar las circunstancias concretas del caso, dictara una resolución arbitraria, subjetiva, antojadiza, ya sea mediante la imposición de deberes que no encuentren fundamento en el concepto-valor de buena fe, ya sea omitiendo imponer otros que aquél sí prescribe.

Este modelo de representación de la buena fe es totalmente coherente con la concepción romano-clásica del derecho que se expresa en la definición de Celso del *ius* como el *ars boni et aequi* (Ulp. 1 *inst.* D. 1,1,1 pr.). No es posible avanzar aquí en una interpretación a fondo de esta frase[87]. Digamos simplemente que al igual que en materia de buena fe, la totalidad del *ius* postula una monolítica compenetración entre derecho, sociedad y moral: el contenido del derecho expresa ideas de valores que una sociedad comparte en un determinado momento histórico[88]. Los valores son categorías con contenido variable, pero no de contenido indeterminado. La buena fe es uno de esos valores y es por eso que para identificar el contenido jurídico de la buena fe en un determinado ordenamiento, no basta con observar sólo las normas jurídicas allí presentes, sino que es necesario observar el contexto social y la ética imperante en el momento histórico en que ese ordenamiento impera[89].

En otra línea interpretativa, Brutti lee el término *ars* como referido a la *iurisprudentia* y, en particular, "a las decisiones interpretativas que los

---

iudicia bonae fidei, que tienen en cuenta la variación de las situaciones, es necesario un *magnus iudex,* o sea un juez dotado de la *magnitudo animi* que consiste en juzgar *bonum* solo aquello que es *honestum*".

[86] Pugliese, G. (con la colaboración de Sitzia, F. y Vacca, L.): *Istituzioni di diritto romano. Sintesi.* Giappichelli, Torino, 19982, p. 148.

[87] Para una propuesta hermenéutica que –en sus líneas generales– compartimos *vid.* Gallo, F.: *Celso y Kelsen. Para la refundación de la ciencia jurídica.* Eudeba, Buenos Aires, 2015, *passim.* El autor identifica en la definición celsina una descripción de la esencia del antiguo sistema del *ars iuris*: artificialidad del derecho y connotaciones de lo bueno y lo igual (*bonum et aequum*) que deben respetarse para crearlo, interpretarlo y aplicarlo; en apretada síntesis, en la noción romano-clásica de *ius* es central la búsqueda de una "solución buena", óptima, razonable, adecuada a los intereses en conflicto y que responde a la igualdad proporcional (*ibid.*, p. 52 s.). Para otra visión, cfr. Cerami, P.: "La concezione celsina del *ius*. Presupposti cultural e implicazioni metodologiche. I. L'interpretazione degli atti autoritativi", *en Annali del Seminario Giuridico dell'Unviersità di Palermo (AUPA)*, 38, 1985, pp. 5-250.

[88] Cardilli, R.: '*Vir bonus*' e '*bona fides*' cit., p. 181.

[89] Cardilli, R.: '*Vir bonus*' e '*bona fides*' cit., p. 182.

juristas realizan para adaptar y renovar el derecho tradicional, a través de soluciones que aparecen como justas". Por su parte, el sintagma *bonum et aequum*, según la reelaboración ulpianea de la frase de Celso, constituiría una hendíadis equivalente al valor-justicia[90]. El propio Cicerón nos presenta su versión de la expresión *bonum et aequum*: "que sea necesario juzgar en base a lo ecuo y lo bueno, no según interpretaciones engañosas y distorsionadas del derecho"[91]. Se trata de una concepción de la *scientia iuris* que intenta ir más allá de los esquemas heredados del pasado; en este contexto, "engañosa" es la interpretación que se basa exclusivamente en la tradición y no considera la voluntad y los intereses concretos de las partes[92].

En resumen, la buena fe es un concepto-valor que necesita la concreción de un "gran juez". Pero el modelo romano funcionó no por la proliferación de grandes jueces, sino –principalmente– por el rol central que se le asignó a la *scientia iuris:* los juristas planteaban innovaciones[93] o seleccionaban buenas concreciones judiciales y creaban reglas. En efecto, andando el tiempo, esas soluciones que emanaban de la buena fe comenzaron a formar parte del contenido de la obligación derivada de determinados tipos contractuales (*nomen contractus*; los medievales acuñaron la noción de *natura contractus*[94]) o incluso a consolidarse como reglas aplicables a todos los contratos. Esto supuso, indirectamente, un empobrecimiento de la buena fe ya que las aplicaciones comenzaron a ser automáticas (hoy diríamos "legales"[95]) agotando así su apertura y flexibilidad propria.

Como lo señalamos en la introducción (*supra* § 1), la buena fe representa un ejemplo histórico de cómo, en un determinado momento de su desarrollo, un ordenamiento jurídico suplementó la originaria aplicación

---

[90]   Brutti, M.: *Il diritto privato nell'antica Roma* cit., p. 59.

[91]   Cic. *Pro Caecina* 23,65: ... *ex aequo et bono, non ex callido versutoque iure rem iudicari oportere.*

[92]   Brutti, M.: *Il diritto privato nell'antica Roma* cit., p. 59.

[93]   En este sentido hay que tener en cuenta que durante el período clásico del Derecho romano el sistema judicial esta encarnado por los magistrados y los jueces privados y "el carácter no profesional de quienes desempeñan estas funciones y, en concreto, de los jueces, genera un modelo de ordenamiento jurídico en el que el juez es el destinatario de una normativa que le viene dada externamente desde la potestad de los magistrados o la autoridad de la Jurisprudencia, y que él simplemente declara (*ius dicere*) en el caso concreto, pero que no contribuye a crear" (Paricio Serrano, J. y Fernández Barreiro, A.: *Historia del derecho romano y su recepción europea.* Marcial Pons, Madrid, 201711, p. 35).

[94]   Fiori, R.: *Fides* e *bona fides* cit., 258. Sobre los *naturalia negotii vid.*, para todos, Cardilli, R.: "El problema de la resistencia del tipo contractual en el derecho romano: entre *natura contractus* y *forma iuris*", en *Roma e America. Rivista di diritto dell'integrazione e unificazione del diritto in Europa e in America latina*, vol. 26, 2008, pp. 161-220.

[95]   En este sentido: Guzmán Brito, A.: *La buena fe en el Código Civil de Chile* cit., 14.

estricta y formal de reglas mediante la incorporación de un mecanismo que se propone ir más allá de las restricciones positivistas.

Lo que es claro es que el derecho no es indiferente a los valores; antes bien, presupone la adopción de ellos y su incorporación al ordenamiento jurídico mediante concretos mecanismos de realización. En el derecho romano también es posible identificar decisiones de política del derecho en materia de contratos que se inspiran en la noción de cooperación entre iguales y que, en definitiva, se conectan con la buena fe. En las líneas que siguen nos proponemos aportar algunos elementos de reflexión sobre este tópico.

4. COOPERACIÓN

4.1. *Las obligaciones de fuente contractual*

Hay un fuerte nexo entre contrato y obligación en el sistema jurídico romanístico[96]. La línea dogmático-sistemática de las *Institutiones* de Gayo y de Justiniano coloca en el centro a la obligación y al contrato como una de sus fuentes, ligado de manera indisoluble al surgimiento de aquella[97].

Las obligaciones, especialmente las de origen contractual, constituyen un valioso instrumento[98] de cooperación humana que se configura como esquema jurídico que permite conservar la libertad personal del deudor

---

[96]   Cardilli, R.: "Contrato y obligación: la importancia de su vínculo en la tradición del derecho civil", en *Revista de Derecho Privado. Universidad Externado de Colombia*, 15, 2008, p. 41 y Esborraz, D.F.: "El efecto obligacional: otra 'diferencia específica' de la noción de contrato del sistema jurídico latinoamericano", en *Obligaciones. Contratos. Responsabilidad.* Universidad Externado de Colombia, Bogotá, 2011, pp. 289-409.

[97]   Para una profundización de estos aspectos sistemáticos *vid.* Schipani, S.: "*Obligationes* e sistematica. Cenni sul ruolo ordinante della categoria", en *Linguaggio e sistematica nella prospettiva di un romanista. Atti della Giornata di studi in onore del Professor Lelio Lantella (Torino, 22 marzo 2013).* Edizioni Scientifiche Italiane, Napoli, 2014, pp. 124-196. El ligamen obligación-contrato es reconocido por los juristas clásicos romanos; con razón Arangio-Ruiz, V.: *Istituzioni di diritto romano.* Jovene, Napoli, 200614 (reimpr.), p. 296, ha escrito que para la jurisprudencia clásica romana el término contrato es aplicable a los actos jurídicos bilaterales destinados a producir obligaciones. Es inabarcable la literatura romanística sobre la noción de contrato en el derecho romano clásico; *vid.*, para todos, Paricio, J.: "Una historia del contrato en la jurisprudencia romana", en *Annali del Seminario Giuridico dell'Università di Palermo*, LIII, 2009, pp. 71-114.

[98]   En general, el carácter "instrumental" de las instituciones jurídicas y del derecho en su totalidad en favor del ser humano, centro y protagonista de todo ordenamiento jurídico, es un dato fuerte del sistema jurídico romanístico y encuentra un firme reconocimiento en la afirmación de Hermogeniano (ss. III-IV d.C.): *hominum causa omne*

y ordena la "colaboración entre personas libres y jurídicamente independiente unas de las otras" [99]. Pero el contrato es un dispositivo útil en la
medida en que de él se haga derivar un vínculo jurídico fuerte y estable.
Motivadas por un interés, en general de índole económica[100], las personas
contratan porque entienden que de ese modo aseguran la realización futura de la prestación capaz de satisfacer aquel interés. Esperan que la persona vinculada coopere mediante la ejecución de la conducta debida. En
definitiva, a las partes no les interesa directamente celebrar un contrato,
lo que los contratantes realmente quieren es intercambiar bienes, recibir y
dar cosas en préstamo, asociarse para realizar una determinada actividad,
garantizar el cumplimiento de una obligación existente, etc[101].

El contrato es un acto de previsión dirigido a gobernar el futuro[102]. Con
frecuencia las personas contratan y, por lo general, comprometen su esfuerzo e invierten recursos porque confían en la eficacia de la obligación
que crean. Esa confianza suele apoyarse en un dato que proviene de la
experiencia práctica: la habitualidad del cumplimiento espontáneo de los
deberes jurídicos que surgen de un contrato[103]. También suelen contar

---

[99] *ius constitutum sit* ["todo el derecho (ha) sido constituido por causa de los hombres"]
      (D. 1,5,2; la misma idea se encuentra expresada en en Gai. 1,8 y I. 1,2,12).
      Schipani, S.: Obligationes *e sistemática* cit., 133. *Vid.*, asimismo, Cardilli, R.: Damnatio *e*
      oportere *nell'obbligazione* cit., *passim.*

[100] Sobre la relevancia del concepto de interés y su relación originaria con el patrimo-
      nio, D'Ors, A.: *Nueva introducción al estudio del derecho.* Civitas, Madrid, 1999, p. 20, ha
      remarcado que "[t]odo el derecho se refiere a «cosas» y «personas». Las cosas que
      interesan al derecho son aquellas que tienen utilidad para las personas, y por eso las
      llamamos «bienes»; la ventaja de aprovechar los bienes se llama «interés» (...) Todo el
      derecho se refiere, pues, al interés personal sobre las cosas». En el derecho romano la
      patrimonialidad es un requisito tanto del contenido de la prestación como del interés
      del acreedor (Marrone, M., *Istituzioni di diritto romano* cit., p. 430). Hay ordenamientos
      jurídicos nacionales vigentes que, en cambio, distinguen entre el contenido de la pres-
      tación, que necesariamente debe ser susceptible de valoración económica, e interés
      del acreedor, que –por el contrario– podría ser patrimonial o no patrimonial (v.gr. art.
      1174 del Código civil italiano y art. 725 del Código civil y comercial argentino).

[101] Sacco, R.: "Alla ricerca dell'origine dell'obbligazione", en *Rivista di diritto civile*, XLV,
      1999, p. 611 no duda en ver el origen histórico de la obligación contractual en "la ne-
      cesidad de cooperación entre seres humanos" y ejemplifica: "[t]engo la necesidad de
      que alguien me ayude a construir mi casa (...) he cazado de más y tengo demasiadas
      presas, otros han hecho la recolección y tienen excesiva verdura. La utilidad del inter-
      cambio es evidente".

[102] Lecuyer, H.: "El contrato: acto de previsión", en *Revista de Derecho Privado. Universidad
      Externado de Colombia*, 18, 2010, 39.

[103] Sobre la importancia de la observancia espontánea del derecho, *vid.* las lúcidas re-
      flexiones de Gallo, F.: *Celso y Kelsen* cit., pp. 126-128. La necesidad de fomentar el

otros factores, tales como la verificación de que la persona con quien se contrata suele cumplir con sus compromisos (esto es, su crédito socio-jurídico), las garantías personales o reales que pueda ofrecer, la eficiencia y tempestividad de los órganos que predispone el Estado para realizar el cumplimiento forzado.

La obligación conlleva un riesgo que le es inherente: el del incumplimiento de la prestación debida y la consiguiente insatisfacción del interés que, en las de origen contractual, motivó su surgimiento. En efecto, el deudor mantiene su libertad y dentro de las realidades posibles está la del incumplimiento[104]. El Derecho está llamado mitigar este riesgo y a proteger aquella confianza; en definitiva, un derecho puesto a los servicios de los hombres debe apuntalar aquella confianza que es la base de la cooperación en el intercambio de bienes y servicios[105].

---

cumplimiento no forzado –o por equivalente– de los deberes jurídicos encuentra un afirmarción en Ulp. 1 *inst.* D. 1,1,1,1: *Cuius merito quis nos sacerdotes appellet: iustitiam namque colimus et boni et aequi notitiam profitemur, aequum ab iniquo separantes, licitum ab illicito discernentes, bonos non solum metu poenarum, verum etiam praemiorum quoque exhortatione efficere cupientes, veram nisi fallor philosophiam, non simulatam afectantes* ["Merecidamente, alguien podría llamarnos sacerdotes del derecho: de hecho, cultivamos la justicia y profesamos el conocimiento de lo bueno y lo ecuo, separando lo ecuo de lo inicuo, discerniendo lo lícito de lo ilícito, deseando hacer buenos a los hombres no sólo por el temor a las penas sino también con la exhortación de los premios, buscando con ansia, si no me equivoco, la verdadera filosofía, no la aparente"].

[104] Sin perjuicio de lo señalado en la nota precedente, es un dato inherente al fenómeno jurídico, imposible de erradicar, la posibilidad de transgresión de los deberes jurídicos. En este sentido, son siempre lúcidas las reflexiones de Calamandrei, P.: *Istituzioni di diritto processuale civile secondo il nuovo Codice*. Padova, Cedam, 1943 (ahora en Id., *Opere giuridiche. IV. Istituzioni di diritto processuale civile*, RomaTre-Press, Roma, 2019, pp. 41-46) cuando conecta la posibilidad práctica de la inobservancia del derecho con la coercibilidad y la razón de ser, en definitiva, de leyes, jueces y abogados.

[105] En buena medida, la disciplina jurídica de las obligaciones contiene una serie de principios, conceptos y reglas destinados a apuntalar esa realidad futura que es la cooperación debida por el deudor y esperada por el acreedor. En este sentido, cumple una función importante la –así denominada– responsabilidad contractual. En efecto, los mecanismos asociados a la ejecución forzada y al resarcimiento del daño por incumplimiento de la obligación surgida del contrato propician el cumplimiento espontáneo, toda vez que operan mediante una surte de coacción psicológica. Con razón señala Betti, E.: *Teoria generale delle obbligazioni. II. Struttura dei rapporti d'obbligazione*. Giuffrè, Milano, 1953, p. 65., que la "responsabilidad tiene por función preliminar o preventiva la de colocar al deudor en una situación de coacción, o sea, de ejercitar sobre el renuente una presión (coacción) que, determinando un juicio de conveniencia, lo induzca –a través de ese juicio– al voluntario cumplimiento de la deuda". Pero hay otra, incluso principal, función de la resposabilidad que es sustitutiva porque "garantiza al acreedor –para el supuesto de que la coacción psicológica falle en el objetivo de indu-

4.2. Libertad y colaboración

Es evidente el rol que ha asumido y asume en el ámbito del derecho relativo a los contratos el principio de la buena fe objetiva: principio inderogable[106], límite de la autonomía de la voluntad[107] y, en definitiva, fundamento ético-jurídico del deber de cumplir lo acordado. Es importante remarcar que esta fidelidad a la palabra empeñada no se funda solo en el reconocimiento de la posibilidad de que los particulares se dicten sus propias normas[108] (autonomía privada), sino también –y fundamentalmente– en la propia buena fe como concepto-valor que protege la confianza[109].

En el derecho romano clásico la virtualidad de la buena fe va más allá de exigir el mantenimiento de la promesa según la mera letra del acuerdo[110]. De hecho, el contenido de la obligación contractual, esto es, los concretos deberes que derivan del reglamento contractual, encuentran como fundamento último la buena fe, ya sea que deriven de la eficacia del *consensus* o de las reglas del tipo[111], ya sea que deriven de la operación de integración[112] llevada a cabo por el juez[113].

---

      cir al deudor a cumplir– una satisfacción mediante una vía totalmente independiente de la voluntad y de la actividad del deudor" (*ibid.*, pp. 66-67).

[106] Cardilli, R.: Societas vitae cit., p. 196. *Vid.* también aquí *supra* §1.

[107] Para mencionar un solo ejemplo recordemos que hay una directa conexión entre buena fe y prohibición de condonación anticipada del dolo se percibe claramente en Ulp. 30 *ad ed.* D. 16,3,1,7: *Illud non probabis, dolum non esse praestandum si convenerit: nam haec conventio contra bonam fidem contraque bonos mores est et ideo nec sequenda est* ["Si se hubiere convenido que no se ha de prestar el dolo, no lo aprobarás; porque esta convención es contra la buena fe y las buenas costumbres, y por esto no se ha de observar"].

[108] Se trata de una idea fuertemente centrada en la construcción pandectística del negocio jurídico "y la posibilidad de considerar el contrato, en el que el poder de la voluntad encuentra un momento de expresión electiva en la *conventio*, como una fuente de producción del derecho" (Cardilli, R.: Societas vitae cit., p. 185).

[109] Sobre la "vinculatoriedad a la palabra empeñada" como imposición de la buena fe *vid.* Neme Villarreal, M.L.: La buena fe en el derecho romano cit., 163-164 y fuentes allí mencionadas.

[110] Neme Villarreal, M.L.: La buena fe en el derecho romano cit., pp. 165-172.

[111] Ambas fuentes de deberes, *consensus* y tipo, se conectan con la buena fe según Fiori, R.: *Fides* e *bona fides* cit., 258.

[112] En el sentido de operación técnico-jurídica consistente en recurrir a "fuentes heterónomas –es decir diversas de la voluntad de las partes– para la construcción del reglamento contractual" (Facco, J.H.: "El principio de buena fe objetiva en el derecho contractual argentino", en *Revista de Derecho Privado. Universidad Externado de Colombia*, 16, 2009, p. 149 y nt. 1 para una bibliografía sobre el tema).

[113] Un famoso pasaje de Papiniano expresa una analogía entre fuerza normativa de la voluntad de las partes e idéntica potencia generadora de deberes de la buena fe. Pap. 9 *quest.* D. 16,3,24: (…) *et est quidem constitutum in bonae fidei iudiciis, quod ad usuras atti-*

Hay un texto de Ulpiano (D. 19,1,11,1) que permite visualizar una idea que muchas veces ha quedado tapada por la fuerza de otra. De hecho, se ha acentuado la idea de que el principio de buena fe –operante en los *iudicia bonae fidei*– concedía a los jueces un poder "libre" para determinar el contenido del contrato "yendo más allá de lo querido por las partes"[114]. Esto ha terminado por ocultar que la buena fe protege fundamentalmente lo querido por las partes, lo efectivamente acordado y actuado por ellas. La fuerza vinculante de la autonomía privada descansa en la buena fe porque ella tutela la cooperación esperada y libremente asumida. El texto cuya relectura permite evidenciar estas ideas es el siguiente:

Ulp. 32 *ad ed.* D. 19,1,11,1: "Y ante todo se ha de saber que se comprende en este juicio solamente lo que se convino que debía prestarse: en efecto, puesto que se trata de un juicio de buena fe, nada es más conforme a la buena fe que el que se cumpla lo que en concreto se convino entre las partes. Si, en cambio, nada se convino, entonces se harán las prestaciones que naturalmente ingresan en la potestad de este juicio"[115].

Ulpiano discurre sobre el mecanismo de tutela de la expectativa del comprador, es decir, la acción que deriva de la compra[116]. La pretensión del comprador está delimitada por lo convenido. El texto es interesante porque conecta el cumplimiento de lo concretamente convenido entre las partes con el principio de buena fe, operante en el ámbito de la acción de compra. "In primis", debe indagarse qué es lo que las partes convinieron,

---

net ut tantundem possit officium arbitri quantum stipulatio: sed contra bonam fidem et depositi naturam est usuras ab eo desiderare temporis ante moram, qui beneficium in suscipienda pecunia dedit. si tamen ab initio de usuris praestandis convenit, lex contractus servabitur ["(…) Y si bien se ha establecido que en los juicios de buena fe, en lo que se refiere a intereses, el poder del juez puede hacer tanto como la *stipulatio*, es contrario a la buena fe y a la naturaleza del depósito pretender, aún antes de que se incurra en mora, los intereses de parte de quien proporcionó un beneficio al aceptar el dinero. Sin embargo, si desde el principio se convino pagar intereses, se observará la ley contractual (…)]. Sobre el fragmento, la *quaestio* relativa y la interpretación de esta parte *vid. vid.* Cardilli, R.: «Bona fides» tra storia e sistema cit., pp. 53-55.

[114]   Cardilli, R.: «Bona fides» tra storia e sistema cit., 52-53, atribuye esta "excesiva" acentuación del significado de la buena fe como medida amplia de los poderes del juez a Savigny y Pernice.

[115]   *Et in primis sciendum est in hoc iudicio id demum deduci, quod praestari convenit: cum enim sit bonae fidei iudicium, nihil magis bonae fidei congruit quam id praestari, quod inter contrahentes actum est. quod si nihil convenit, tunc ea praestabuntur, quae naturaliter insunt huius iudicii potestate.*

[116]   Ulp. 32 *ad ed.* D. 19,1,11 pr.: *Ex empto actione is qui emit utitur* [Quien compra emplea la acción que deriva de la compra].

pues hacer respetar esos convenios es lo más coherente con la buena fe[117]. A falta de convención, las prestaciones debidas encuentran fundamento en lo que "naturalmente" deriva de la relación deducida en juicio: la fuente heterónoma suple la ausencia de la autónoma y la buena fe es el fundamento de ambas[118].

El mismo Ulpiano, aunque en otro contexto (4 *ad ed.* D. 2,14,1 pr.), parece inspirarse en las ideas de libertad y cooperación para conectar equidad natural, protección de la confianza y observancia de los pactos: "Propia de este edicto es la equidad natural. En efecto, ¿hay algo acaso más congruente con la confianza en las relaciones entre los hombres que hacer cumplir lo que entre ellos les pareció bueno y decidieron?"[119]. El fragmen-

---

[117]   Pese a que no se encuentre formulado en esos términos, el principio *pacta sunt servanda* "resulta inmanente al derecho romano, como se deduce sobre todo de la elaboración de la teoría de la centralidad del acuerdo de voluntad de las partes (*conventio*), ya sea en los contratos típicos, como en los innominados y en los nudos pactos" (Petrucci, A.: "Il principio *pacta sunt servanda* e il mutamento successivo delle circostanze contrattuali: breve quadro dell'esperienza del diritto romano", en Soriano Cienfuegos, C. [coord.]: *Pacta sunt servanda* y *rebus sic stantibus*. Novum, Ciudad de México, 2014, p. 20).

[118]   La dialéctica entre autonomía privada y fuentes heterónomas se visualiza claramente en este rescripto de Alejandro Severo: *Licet certis annuis quantitatibus fundum conduxeris, si tamen expressum non est in locatione aut mos regionis postulat, ut, si qua labe tempestatis vel alio caeli vitio damna accidissent, ad onus tuum pertineret, et quae evenerunt sterilitates ubertate aliorum annorum repensatae non probabuntur, rationem tui iuxta bonam fidem haberi recte postulabis, eamque formam qui ex appellatione cognoscet sequetur* ["Aunque por ciertas cantidades anuales hayas tomado en arrendamiento un fundo, si –no obstante– no se indicó expresamente en el contrato de locación ni está previsto en las costumbres de la región que, si por algún accidente de tempestad o por otro fenómeno atmosférico hubiesen ocurrido daños, fuesen a tu cargo y no se probare que las esterilidades que vinieron fueron compensadas con la abundancia de otros años, pedirás correctamente que esto sea tenido en cuenta <o sea, la falta de previsión contractual o en base a los usos > conforme a la buena fe y seguirá este criterio quien juzgará en grado de apelación"] (C. 4,65,8; a. 231).

[119]   *Huius edicti aequitas naturalis est. quid enim tam congruum fidei humanae, quam ea quae inter eos placuerunt servare?* La traducción al castellano que proponemos se basa en la italiana de Schipani, S. (al cuidado de), *Iustiniani Augusti Digesta seu Pandectae. Testo e traduzione*, I. Giuffrè, Milano, 2005, p. 185. Según Magdelain. A.: *Le consensualisme dans l'édit du Préteur*. Recueil Sirey, Paris, 1958, Ulpiano introduce de esta manera su propio comentario a "una promesa que, a primera vista, parece tener un alcance general" (*ibid.*, p. 2). Relevante promesa de tutela que habría figurado en la parte preliminar del *album* e que se halla informada en el mismo fragmento ulpianeo: "El pretor afirma: «Haré observar los pactos, los acuerdos, que no se hubieren hecho ni con dolo, ni en contraste con las leyes, plebiscitos, senadoconsultos, edictos, decretos de los príncipes, ni en modo tal que se haga fraude contra cualquiera de ellos»" (Ulp. 4 *ad ed.* D. 2,14,7,7). La doctrina discute (entre otros, *vid.* Talamanca, M.: "La storia dell'«edictum de pactis»", en *Labeo*, 6, 1960, pp. 278-292) sobre el alcance más o menos amplio de este *edictum*

to evidencia la influencia de ideas iusnaturalistas en el pensamiento de Ulpiano, pero también la "la incidencia de la *fides* en la totalidad del ordenamiento jurídico, el alcance de la noción de *aequitas naturalis*, la doctrina de las *conventiones*"[120].

También la libertad y la cooperación parecen ser el fundamento del carácter vinculante de los acuerdos en este rescripto de Diocleciano: "Así como al inicio cada uno es libre para celebrar o no un contrato, así también una vez constituida la obligación no puede desligarse de ella sin el consentimiento de la otra parte. Por lo cual [ustedes] tienen que entender que una vez que se encuentren vinculados por una obligación voluntaria, no pueden de ninguna manera seprarse de ella sin que la otra parte lo consienta, de lo que mencionaron en su pedido" (C. 4,10,5; *a.* 293)[121]. El

---

de pactis, sobre su conexión con el origen de los contratos consensuales y también sobre los medios judiciales que –más allá de la *exceptio pacti conventi*– ofrecía el pretor para para asegurar la protección prometida. Hay que recordar que "en la experiencia romana, el simple acuerdo de las partes crea obligaciones sólo cuando integra una de las figuras típicas previstas" en el ordenamiento jurídico (Talamanca, M.: *Istituzioni di diritto romano*, Milano, Giuffrè, 1990, p. 606. Asimismo, *vid.* en relación con las distinciones y el valor de las *conventiones* en el fragmento de Ulpiano, Cardilli, R.: Societas vitae cit., p. 188 nt. 11). Es seguro que del nudo pacto no surge obligación y que la eficacia reconocida por el pretor se limitaba a conceder una excepción a quien tras haber sido demandado pretende impedir el éxito de la acción en virtud precisamente de un pacto. Sin embargo, en relación con los pactos que se refieren a un contrato encontramos la siguiente distinción en las fuentes: pactos que se realizan en el momento mismo de la conclusión del contrato (*pacta adiecta* o *in continenti*) y pactos que se realizan por separado, sucesivamente al perfeccionamiento del negocio (*pacta ex intervallo*). Nos informa Ulpiano (D. 2,14,7,5) que los pactos incluidos desde el principio en un contrato tutelado mediante un *iudicum bonae fidei* son accionables toda vez que *format ipsam actionem* ("conforman la acción misma") y además *legem contractui dat* ("dan contenido al contrato") (así traduce Talamanca, M.: *Istituzioni di diritto romano* cit., p. 607). En cambio, los celebrados después y por separado sólo tienen efecto negativo: no son accionables, aunque conceden una excepción. Este es –en apretada síntesis– el régimen de los convenios que el pretor promete proteger en el edicto.

[120] Falcone, G.: L'esordio del commento ulpianeo al editto sui patti cit., p. 227 y nt. 6 para una bibliografía reciente. El autor considera que el fundamento de la idea de que la protección jurídica de los acuerdos es congrua con la *fides humana*, bien podría ubicarse en el pensamiento estoico que anudaba *pacta conventa*, *fides* y consorcio de los *homines* (*ibid.*, p. 229-231 donde se menciona además a Cicerón *off.* 1,15; 1,20 y 1,23 y de Séneca *ben.* 3,15,1).

[121] *Sicut initio libera potestas unicuique est habendi vel non habendi contractus, ita renuntiare semel constitutae obligationi adversario non censentiente minime potest. Quapropter intellegere debetis voluntariae obligationi semel vos nexos ab hac non consentiente altera parte, cuius precibus fecisti mentionem, minime posse discendere.* Sobre esta fuente *vid.* Petrucci, A.: Il principio *pacta sunt servanda* cit., pp. 22-23.

vínculo voluntario es sólido y no puede disolverse sino a través del cumplimiento o del acuerdo con la otra parte. Este esquema jurídico garantiza estabilidad y previsibilidad a las relaciones de cooperación entre personas libres e iguales. En efecto, la seguridad jurídica es también un concepto-valor inmanente al derecho romano.

5. SEGURIDAD JURÍDICA

5.1. La tensión con la buena fe

No debe exagerarse el alcance de la interpretación tradicional que ve en los *iudicia bonae fidei* una clase de procesos en los que se le reconoce al juez la facultad de decidir según equidad, o –peor aún– según su propio y libre arbitrio[122]. Es innegable que la buena fe conlleva cierta apertura e indeterminación a priori, pero también es cierto que ella prescribe comportamientos en base a un parámetro definido[123]: el *bonus vir*[124].

---

[122]   Advierte sobre el carácter "excesivo" de esta línea interpretativa: Cardilli, R.: «Bona fides» tra storia e sistema cit., 52-53. Cfr. Guzmán Brito, A.: *La buena fe en el Código Civil de Chile* cit., 14, quien considera que la cláusula de buena fe en determinados tipos de juicios (*bonae fidei* iudicia) otorgaba al juez un mayor ámbito de facultades puesto que entregaba a su libre apreciación "la concreción del ámbito de aquello «más» que lo expresado en el contrato a que la buena fe deja obligadas a sus partes".

[123]   Califica a la *fides bona* como estándar o "modelo en base al cual el juez debe apreciar el comportamiento de los contratantes y que encuentra su fundamento en la cláusula *ex fide bona*", Giannozzi, E.: "L'emploi des standards en droit romain", en *Fundamina*, 22 (2), 2016, p. 210, quien además señala como ejemplos de empleo del estándar de la buena fe en la interpretación de actos jurídicos los que se leen en Lab. 4 *poster. A Iavoleno epit.* D. 19,1,50 y Scaev. 2 *resp.* D. 19,1,48. En el primero el estándar de la buena fe no tolera que el vendedor sea obligado a entregar la cosa vendida al comprador una vez que éste, gracias a una determinada ley en su beneficio, fue liberado de la obligación de pagar el precio. En el segundo la buena fe funciona como estándar que guía la interpretación del contrato (*vid.*, para una sucinta interpretación, *ibid.*, 212-213).

[124]   La conexión entre *fides bona* y *bonus vir* es evidente: *vid.*, para todos, Cardilli, R.: "'*Vir bonus*' e '*bona fides*' cit., pp. 179-207 y fuentes allí tratadas. Una interesante distinción es la que presenta Giannozzi, E.: "L'emploi des standards en droit romain cit., pp. 205-227. La autora toma de Rials una definición neutra de "estándar" como "tipo de disposición indeterminada, más bien utilizada por el juez, cuyo carácter normativo es objeto de controversias y que utiliza ciertos valores fundamentales de normalidad, de moralidad o de racionalidad" y considera que esa definición puede adaptarse a algunas ideas presentes en las fuentes romanas. Giannozzi identifica algunos estándares jurídicos romanos y los divide en dos grupos: 1) estándares conceptuales son aquellos que toman como modelo de referencia una idea abstracta y allí se incluyen la *fides*

Comoquiera, fue el propio Quinto Mucio (según Cic. *off.* 3,17,10) quien alertó sobre la *summa vis* inherente a este tipo de procesos. El juez cuenta con cierto margen de "creatividad" que –por un lado– es imprescindible para poder determinar qué es aquello que la buena fe impone en el caso concreto, pero que –por otro lado– puede ser el vehículo de arbitrariedades o, directamente, de prevaricaciones. El riesgo radica en que el juez se sustituya a las partes y decida contra lo que ellas decidieron, ya sea elevando inadecuadamente sus criterios subjetivos a parámetro de comportamiento, ya sea dictando una solución inadecuada a sabiendas. Sólo un "gran juez", de grandes calidades, morales e intelectuales, es capaz de aplicar con rectitud el principio de buena fe[125].

Entre los principios inmanentes al derecho romano, Fritz Schulz enumera la "seguridad" y le reconoce dos significados: por un lado, seguridad alude a la certeza de la prevalencia del derecho en la lucha contra lo injusto; por otro lado, significa certeza acerca del contenido del derecho vigente, o sea, "segura recognoscibilidad del ordenamiento jurídico y previsibilidad de los efectos jurídicos que van a surgir de una determinada situación de hecho"[126].

Los significados son distintos y no necesariamente coinciden en un determinado ordenamiento jurídico. Por ejemplo, un Derecho que remitiera completamente la resolución de los conflictos a la discreción de un juez y, al mismo tiempo, se preocupara de que el juez sea una persona seria, justa y totalmente independiente, sería un Derecho garantizador de la seguridad jurídica en el primer sentido, pero no en el segundo[127].

Seguridad y estabilidad proporcionan, además, previsibilidad. La buena fe en materia de contratos registra algunas manifestaciones que, a primera vista, podrían entrar en tensión con aquellos principios-valores. Además de jueces de gran estatura intelectual y moral, la herramienta abierta y flexible de la buena fe exige una ciencia jurídica también de alto nivel, capaz de proponer soluciones concretas adecuadas; juristas agudos, celosos y atentos al momento

---

bona, el *bonum et aequum* y los *boni mores*; 2) estándares encarnados: el *vir bonus* y el *diligens* o *bonus pater familias* (*ibid.*, pp. 209-218 y 218-226, respectivamente).

[125] Sobre el texto de Cicerón y la enseñanza muciana allí informada ya nos hemos ocupado *supra* §2.

[126] Schulz, F.: *I principii del diritto romano* cit., p. 206.

[127] Schulz, F.: *I principii del diritto romano* cit., p. 206. El autor imagina también el ejemplo contrario, es decir, el de un ordenamiento jurídico en el que todo está expuesto minuciosamente en los códigos, pero con jueces ignorantes, corruptibles y dependientes. En este caso habrá certeza sobre la norma jurídica pero será incierta su aplicación (*ibid.*).

de examinar las concreciones judiciales para seleccionar las adecuadas, tra-
duciéndolas en reglas de derecho aplicado, y denunciar y desechar las inade-
cuadas concreciones[128]. Un modelo de estas características presupone un rol
relevante de los juristas en la fase de producción del derecho[129].

Al menos durante el período clásico del derecho romano, para integrar el
grupo de juristas de alto nivel se exigía profesar un saber práctico altamente
especializado y esto requería contar con una determinada cultura y manejar
una serie de instrumentos de trabajo[130]. En cuanto a la cultura, se exigía la
observación atenta de los comportamientos sociales, una suerte de experiencia laica de prácticas de mediación social. En cuanto a los instrumentos, de
alto nivel era el jurista que manejaba una terminología común y contaba
con una base conceptual sólida, así como también una especial capacidad de
observar los hechos de la realidad social, aislar sus elementos constitutivos,
exaltando las diferencias respecto a otros supuestos, con el objetivo de identificar la disciplina más atenta posible a los intereses en juego.

Era *iurisprudens* quien practicaba la *iurisprudentia* y ésta era definida
como "el conocimiento de las cosas divinas y humanas, la ciencia de lo justo y de lo injusto"[131]. El jurista (jurisprudente) debía tener noticia de toda
la realidad: se le exigía un conocimiento integral[132], de los conceptos más
elevados pero también de la realidad más prosaica y cotidiana.

La centralidad de la actividad de los juristas –y no de la norma– es lo que
da certeza al derecho y, en definitiva, seguridad jurídica. En efecto, es una
tarea asignada a los juristas la conservación de lo que una sociedad reconoce como justo: "la certeza del derecho ligada al carácter indiscutible de las
reglas normativas conduce a la incerteza del arbitrio (...); la discusión de la
ciencia [jurídica] conduce, en cambio, a la máxima certeza que el derecho
civil pueda asumir: la garantía de que lo justo sea determinado caso por caso
mediante el método que los expertos han elaborado para determinarlo"[133].

---

[128]   Sobre este rol de la *iurisprudentia* en el derecho romano insiste Cardilli, R.: «Bona
        fides» tra storia e sistema cit., 53-55.
[129]   Sobre el derecho romano como derecho jurisprudencial ("derecho de juristas"), *vid.*,
        para todos, Paricio Serrano, J. y Fernández Barreiro, A.: *Historia del derecho romano y su
        recepción europea* cit., pp. 33-42.
[130]   Seguimos la caracterización de Corbino, A.: *Diritto privato romano. Contesti – Fondamenti
        – Discipline.* Cedam, Padova, 20122, p. 214.
[131]   Ulpiano 1 *reg.* D. 1,1,10,2: *Iuris prudentia est divinarum atque humanarum rerum notitia,
        iusti atque iniusti scientia.*
[132]   Di Pietro, A.: *Derecho privado romano.* Depalma, Buenos Aires, 19992, p. 40.
[133]   Cannata, C.A.: *Per una storia della scienza giuridica europea. I. Dalle origini all'opera di La-
        beone.* Giappichelli, Torino, 1997, p. 330.

5.2. Grandes jueces y autoridad de los juristas

Los peligros inherentes a la buena fe se conjuran con "grandes" (*magni*) jueces y jurisprudentes respetados y titulares de *auctoritas*, o sea, de un reconocimiento social[134] que emana de su proverbial prudencia-experiencia y su pericia, y también del *ars* (método sistemático) y la ciencia que profesan[135].

Esta combinación de roles coadyuvantes para un adecuado funcionamiento de la buena fe es lo que se deduce de la lectura de un pasaje de Cicerón en el que nos informa la existencia de una concreta decisión judicial y la creación de una regla jurídica de alcance general.

Cic. *De off.* 3,16,65-67: "En materia de derecho de los fundos, los romanos hemos establecido en el derecho civil que en la venta de terrenos se debían declarar los vicios que el vendedor conociera. Mientras que en la ley de las XII Tablas se establecía que debía garantizarse todo aquello que hubiera sido declarado formalmente en la *mancipatio* (...) por obra de los juristas se constituyó también la pena de la reticencia: por cualquier vicio que afectara al terreno debía responderse siempre que el vendedor lo hubiera conocido y no lo hubiera declarado (...) Así, estando a punto de tomar los auspicios del Capitolio los augures ordenaron a Claudio Centumalo, quien tenía un edificio sobre el monte Celio, demoler las parter más altas del mismo que impedían realizar los auspicios. Claudio puso en venta el edificio. Lo compró Calpurnio Lanario, a quien los augures reiteraron la orden. Ya habiendo sufrido la demolición, Calpurnio supo que Claudio había puesto en venta el edificio después de haber sido notificado de la orden de demolición de los augures y, entonces, accionó judicialmente contra Claudio [con la siguiente fórmula] «todo aquello que sea obligado a dar y a hacer según la buena fe». Marco Catón, padre de nuestro Catón, dictó la sentencia (...) En calidad de juez, él se pronunció de este modo: dado que al momento de vender conocía el problema y no lo declaró, el vendedor está obligado a responder frente al comprador por el daño que éste a sufrido. Deduzco de esto que él determinó que correspondía a la buena fe hacer conocer al comprador el vicio que el vendedor conocía"[136].

---

134   Sobre el concepto de *auctoritas* como "saber socialmente reconocido", *vid.* D'Ors, A.: *Derecho privado romano*. Ediciones Universidad de Navarra, Pamplona, 19918, pp. 36-40.

135   Schipani, S.: "Los juristas *iuris conditores*/fundadores del Derecho", en *Cuadernos de Extensión Jurídica (U. de los Andes)*, N° 9, 2004, p. 149.

136   Cic. *off.* 3,16,65-67: *Ac de iure quidem praediorum sanctum apud nos est iure civili, ut in iis vendendis vitia dicerentur, quae nota essent venditori. Nam cum ex duodecim tabulis satis esset ea praestari, quae essent lingua nuncupata (...) a iuris consultis etiam reticentiae poena est*

Cicerón nos informa que los juristas introdujeron al ordenamiento la sanción de la reticencia en materia de compraventa de inmuebles[137]. No basta con asegurar la veracidad de lo declarado en un negocio[138], es deber del vendedor poner en conocimiento del comprador el vicio que esté en su conocimiento. La buena fe impone ser veraz, profesar la verdad. El vendedor que conoce los defectos de la cosa vendida y nos las pone en conocimiento del comprador se aprovecha de la ignorancia de éste y, entonces, no actúa conforme el modelo de la buena fe: se aparta del estándar del *bonus vir*. Nada impide vender una cosa viciosa pero en caso de hacerlo el estándar de la buena fe impone el deber accesorio de poner en conocimiento del comprador tales defectos: la imposición del deber resarcitorio es la sanción destinada a asegurar su cumplimiento.

Pues bien, según Cicerón habrían sido los juristas quienes establecieron esta regla (*iuris consultis etiam reticentiae poena est constituta*), elevándola a

---

constituta: *quicquid enim est in praedio vitii, id statuerunt, si venditor sciret, nisi nominatim dictum esset, praestari oportere (…). Ut, cum in arce augurium augures acturi essent iussissentque T.Claudium Centumalum, qui aedes in Caelio monte habebat, demoliri ea, quorum altitudo officeret auspiciis, Claudius proscripsit insulam [vendidit], emit P. Calpurnius Lanarius: huic ab auguribus illud idem denuntiatum est. Itaque Calpurnius cum demolitus esset cognossetque Claudium aedes postea proscripsisse, quam esset ab auguribus demoliri iussus, arbitrum illum adegit,* «QUIDQUID SIBI DARE FACERE OPORTERET EX FIDE BONA». M.Cato sententiam dixit, huius nostri Catonis pater (…). Is igitur iudex ita pronuntiavit, cum in vendundo rem eam scisset et non pronuntiasset, emptori damnum praestari oportere. *Ergo ad fidem bonam statuit pertinere notum esse emptori vitium, quod nosset venditor...* (sobre este pasaje *vid.* Cardilli, R.: «Bona fides» tra storia e sistema cit., pp. 49-52).

[137] Sin embargo, el mismo Cicerón nos informa que también se sanciona la *malitia* y la *fraus* en la venta de esclavos, puesto que el vendedor debe informar sobre la salud, la tendencia a la fuga y la comisión de hurtos, so pena de responder en virtud del edicto de los ediles curules (*off.* 3,17,71); asimismo, se deben informar todos los defectos incluso cuando el esclavo es mentiroso, jugador, ladrón o borracho (*off.* 3,23,91). Sobre estos pasajes y en general sobre la responsabilidad por vicios de la cosa en el derecho romnao *vid.*, para todos, Donadio, N.: *La tutela del compratore tra* actiones aediliciae *e* actio empti. Giuffrè, Milano, 2004, *passim*.

[138] Cicerón mismo limita el valor de la *fides* al cumplimiento de lo dicho; Cic. *de re publica* 4,7,21: *Fides enim nomen ipsum mihi videtur habere, cum fit, quod dicitur* ["Me parece que se cumple la auténtica etimología de *fides* cuando se hace lo que se dice"]. Confirma esta idea en *off.* 1,7,23: *audeamus imitari Stoicos, qui studiose exquirunt unde verba sint ducta credamusque, quia fiat quod dictum est, appellatam fidem* ["Osemos, sin embargo, imitar a los estoicos que buscan con afán la etimología de las palabras y tengamos por bueno que *fides* se ha llamado así porque se hace lo que se dice"] (las traducciones al castellano son de Castresana, A.: *Derecho romano. El arte de lo bueno y de lo justo*. Tecnos, Madrid, 20173, p. 231).

elemento natural del contrato de compraventa[139]. Asimismo, se encomia la adecuada concretización de la buena fe llevada a cabo por Marco Catón: él "estatuyó" lo que, en el caso concreto, era pertinente a la buena fe. Podríamos nosotros decir, con palabras de Quinto Mucio Escévola, que Marco Catón actuó como un "gran juez".

Con todo, la preocupación por contener dentro de ciertos límites la fuerza ínsita a la buena fe se percibe también en un atribuido a Trifonino (II-III d.C.) "La buena fe que se exige en los contratos requiere suma equidad" (9 *disput*. D. 16,3,31 pr.[140]). La buena fe exige proceder a una valoración equitativa del caso[141], pero no es que la equidad pase a ser "exigencia de la buena fe, sino, al contrario, que es la buena fe la que exige equidad, lo que en cierta manera le impone un límite que evita su desborde hacia la ética abierta e infinita"[142].

En suma, estas fuentes evidencian el delicado equilibrio que la buena fe tiene con la seguridad jurídica, exigiendo jueces de alto nivel y juristas vigilantes y celosos.

6. REFLEXIONES CONCLUSIVAS

Durante el período de formación del sistema jurídico romanístico[143] (ss. VIII a.C. – VI d.C.) la expresión *fides bona* designó un concepto-valor capaz de sintetizar aspectos religiosos, éticos y sociales, y terminó convirtiéndose en una importante categoría jurídica con un creciente ámbito de aplicación. A finales del siglo III d.C. se estimó ecuo que la buena fe operara en todos los contratos (C. 4,10,4). En su manifestación "objetivo-prescriptiva", la buena fe estará llamada a jugar un rol prominente en la regulación jurídica de los contratos durante todo el devenir sucesivo de nuestro sistema

---

[139] Hay concreciones judiciales de la buena fe que, por obra de los juristas, terminaron integrando el contenido natural de determinados tipos contractuales, como el de compraventa protegido mediante una acción contractual de buena fe.

[140] *Bona fides, quae in contractibus exigitur, aequitatem summam desiderat.*

[141] Talamanca, M.: "La bona fides nei giuristi romani: «Leerformeln» e valori dell'ordinamento", en Garofalo, L. (al cuidado de): *Il ruolo della buona fede oggettiva nell'esperienza giuridica storica e contemporanea*, II. Cedam, Padova, 2003, p. 298.

[142] Guzmán Brito, A.: *La buena fe en el Código Civil de Chile* cit., p. 15 y nt. 23.

[143] Para una sintética presentación de la noción y el devenir histórico de este sistema *vid.* Schipani, S.: "Premessa", en Id. (al cuidado de): *Iustiniani Augusti Digesta seu Pandectae*. Giuffrè, Milano, 2005, pp. VII-XXX.

jurídico, en especial en la fase de codificación europea[144] y latinoamericana[145]. En la actualidad, el principio se proyecta incluso a otras instituciones jurídicas.

Con todo, en este artículo se ha intentado evidenciar un dato que nos parece importante: la fuerte penetración del principio de lealtad y corrección en el ámbito contractual romano indica la presencia del principio de buena fe desde el momento fundante de nuestro sistema jurídico[146].

Su incorporación al ordenamiento jurídico romano (ss. III-II a.C.) respondió a la necesidad de sumar un recurso flexible e idóneo para garantizar equidad y justicia en el ámbito de nuevos tipos de negocios del comercio internacional. Las tradicionales figuras del derecho romano arcaico, cargadas de formalismo y localismo, no eran idóneas para gestionar la nueva realidad informal y "plurinacional". Para abrir las estrecheces del *ius* arcaico los juristas emplearon valores y modelos ético-sociales vigentes en su tiempo. La buena fe, tallada por los juristas del material ético romano y puesta a disposición de las personas de todos los pueblos para dar contenido jurídico a relaciones surgidas del mero consentimiento, demuestra –en última instancia– la elasticidad de los esquemas jurídicos romanos y su capacidad para acomodarse a las nuevas exigencias socio-económicas.

A poco andar, el concepto-valor juridificado evidenció una enorme capacidad expansiva (*supra* §2) lo que suscitó que un jurista de la talla de Quinto Mucio Escévola (140 [*ca.*] – 82 a.C.) planteara algunos reparos. El nombre-concepto buena fe (*fidei bonae nomen*), que se dilata ampliamente

---

[144] El *Code civil* francés (1804) establecía que las "convenciones (…) hacen las veces de la ley (…) [y] deben ejecutarse de *bonne foi*" (art. 1134) y el texto vigente tras la modificación introducida por la *Ordonnance n°2016-131 du 10 février 2016*, mantiene la analogía contrato-ley (art. 1103) y amplía, en el artículo sucesivo, la relevancia de la buena fe: "Los contratos deben ser negociados, celebrados y ejecutados de buena fe.- Esta disposición es de orden público" (art. 1104). El *Bürgerliches Gesetzbuch* alemán (1896) dispone que los contratos deben interpretarse (§157) y ejecutarse (§242) conforme al principio de *Treu und Glauben*. Por último, para mencionar otro modelo legislativo importante, recordamos que la *buona fede* es un criterio de comportamiento de las partes en el ámbito de las tratativas previas (art. 1337) pero guía también interpretación (art. 1366) y ejecución (art. 1375) de los contratos en el *Codice civile* italiano (1942).

[145] Solamente mencionamos algunos ejemplos. El art. 1546 del Código Civil chileno (1855) dispone que "los contratos deben ejecutarse de buena fe". El Código Civil y Comercial argentino (2014) eleva la categoría a principio rector de todas las obligaciones, cualquiera sea su fuente: "Deudor y acreedor deben obrar con cuidado, previsión y según las exigencias de la buena fe" (art. 729), sin perjuicio de la tradicional relevancia que se le reconoce para celebrar, interpretar y ejecutar los contratos (art. 961).

[146] En este sentido, puntualmente Cardilli, R.: «Bona fides» tra storia e sistema cit., p. 62.

y es capaz de regular muchos tipos de relaciones y negocios entre personas de muy distintas culturas y ciudadanías, presenta dos peculiaridades: la primera es que su contenido abstracto alude a un modelo bien definido, el *bonus vir* (hombre de bien), y –sin embargo– su virtualidad concreta sólo puede ser determinada *a posteriori*, en el derecho aplicado; la segunda es que esta operación de concretización debe realizarla un juez, a quien se le concede entonces un potente instrumento (*summa vis*) que habilita, como alternativas posibles y reales, su uso correcto o incorrecto. Solo un "gran juez" será capaz de realizar una determinación concreta que coincida con el contenido abstracto de la buena fe[147].

El contenido conceptual de la *bona fides* se "enucleó" de la *fides* (*supra* § 3) y andando el tiempo perfiló sus contornos gracias a la cotidiana actividad de los juristas[148]. Sus significados originarios de protección y confianza, asociados con la idea de crédito socio-jurídico, ser fiable para los demás y, por ende, de respetar la palabra dada, perduraron en la nueva noción "enucleada". El agregado *bona* marca una asociación de la *fides* con el modelo del *bonus vir*: cumplimiento de la palabra dada y protección de la confianza ajena como imperativos ético-jurídicos del hombre de bien, del hombre honesto que está obligado a mantener su crédito socio-jurídico para no romper con el orden de la sociedad y mantener su posición social, su pertenencia a un grupo. La *bona fides* impone honradez y ausencia de malicia[149]: dilapida su crédito un hombre que actúa contra lo que impone el modelo determinado por su rango social.

Pero la buena fe objetiva es, además, cooperación porque opera fundamentalmente en las obligaciones de origen contractual y estas constituyen un esquema jurídico elaborado técnicamente para la colaboración entre iguales (*supra* §4). Su nexo con los contratos y las obligaciones es fuerte desde el "principio": domina en ese ámbito para infundir "empeño de cooperación", "espíritu de lealtad", "respeto recíproco"[150]. Con razón se

---

[147] En las palabras de Quinto Mucio Escévola se evidencia la idea del carácter extremamente delicado que conlleva la operación judicial que traduce el concepto valor abstracto en una solución concreta es "delicada" (Cardilli, R.: «Bona fides» tra storia e sistema cit., p. 63).

[148] Pomp. *l. s. enchir.* D. 1,2,2,13: … *post hoc dein de auctorum successione dicemus, quod constare non potest ius, nisi sit aliquis iuris peritus, per quem possit cottidie in melius produci* ["Después, trataremos sobre los distintos autores, puesto que el Derecho no puede sostenerse si no existe un jurisperito que cotidianamente lo mejore"].

[149] Castresana, A.: *Derecho romano* cit., p. 233.

[150] Busnelli, F.D.: Notas en tema de buena fe y equidad cit., p. 106 y nt. 47 para indicaciones bibliográficas pertenecientes a Betti.

ha sostenido que en el plano axiológico el contrato "es un mecanismo ... [que] contribuye a hacer realidad valores humanos fundamentales tales como la libertad, la autonomía, la solidaridad y la lealtad"[151], y creemos haber evidenciado cómo esa inescindible conexión entre derecho y valores está presente en nuestro sistema jurídico romanístico desde el *principium*.

En estas consideraciones también nos hemos referido a la tensión que se expresa en el binomio buena fe y seguridad jurídica (*supra* §5). En el derecho de los romanos se afirma la necesidad de certeza acerca de las normas y los vínculos jurídicos que surgen de las relaciones interpersonales. Se trata de un principio inmanente a la experiencia jurídica romana y, luego, especialmente caro al proceso de codificación del Derecho civil (**s. XIX**). Por su propia estructura la buena fe incorpora un elemento flexible al ordenamiento jurídico. Se ha intentado tecnificarlo, pero aún sigue siendo un *primum*[152], esto es, un elemento anterior al Derecho. Su concreción sigue estando en manos de jueces, quienes deben proceder con suma equidad para no dejarse manejar por la *summa vis* inherente al principio. De todos modos, el mensaje que proviene de la experiencia jurídica romana es el de la necesidad de realizar un "esfuerzo orientado a la revalorización del rol del jurista en el sistema"[153], aplacado hoy por la ideología del primado de la ley. La tensión entre buena fe y seguridad jurídica se resuelve con grandes jueces y juristas atentos y celosos para inducir y seleccionar buenas concreciones de un principio que encuentra su valor definitivo en el Derecho aplicado.

En suma, la buena fe es un principio jurídico presente desde el principio y constitutivo de nuestro Derecho; herramienta valiosa y, a la vez, delicada que exige sensibilidad y técnica en su manejo.

BIBLIOGRAFÍA

Arangio-Ruiz, V.: *Istituzioni di diritto romano*. Jovene, Napoli, 2006¹⁴ (reimpr.).

Betti, E.: *Teoria generale delle obbligazioni*. II. *Struttura dei rapporti d'obbligazione*. Giuffrè, Milano, 1953.

---

[151]   Corral Talciani, H. y Acuña Sboccia, G.: "Presentación", en *Derechos de los contratos. Estudios sobre temas de actualidad* (*Cuadernos de Extensión Jurídica, 6*). Universidad de los Andes. Santiago de Chile, 2002, p. 11.
[152]   Frezza, P.: Buona fede e diritto romano cit., p. 85.
[153]   Cardilli, R.: «Bona fides» tra storia e sistema cit., p. VI.

Biondo, B.: "Actiones stricti iuris", en *Bullettino dell'Istituto di Diritto Romano*, XXXII, 1922, pp. 61-72.

Brutti, M.: *Il diritto privato nell'antica Roma*. Giappichelli, Torino, 2009.

Busnelli, F.D.: "Notas en tema de buena fe y equidad", en *Roma e America. Diritto Romano Comune*, 13, 2002, pp. 99-121.

Cannata, C.A.: *Per una storia della scienza giuridica europea*. I. *Dalle origini all'opera di Labeone*. Giappichelli, Torino, 1997.

Cardilli, R.: "Sopravvenienza e pericoli contrattuali", en *Modelli teorici e metodologici nella storia del diritto privato*, 1. Jovene, Napoli, 2003, pp. 1-37.

Cardilli, R.: "Contrato y obligación: la importancia de su vínculo en la tradición del derecho civil", en *Revista de Derecho Privado. Universidad Externado de Colombia*, 15, 2008, pp. 41-57.

Cardilli, R.: "El problema de la resistencia del tipo contractual en el derecho romano: entre *natura contractus* y *forma iuris*", en *Roma e America. Rivista di diritto dell'integrazione e unificazione del diritto in Europa e in America latina*, vol. 26, 2008, pp. 161-220.

Cardilli, R.: «Bona fides» tra storia e sistema. Giappichelli, Torino, 2010².

Cardilli, R.: "*Societas vitae* in *Cic.* off. 3,70 e *obligatio consensu contracta*", en *Bullettino dell'Istituto di Diritto romano*, 105, 2012, pp.185-196.

Cardilli, R.: "'*Vir bonus*' e '*bona fides*', en Vir bonus. *Un modello ermeneutico della riflessione giuridica antica*. La Matrice, Bari, 2013, pp. 179-207.

Cardilli, R. y Esborraz, D.F.: "Presentación de la colección", en Gallo, F.: *Celso y Kelsen. Para la refundación de la ciencia jurídica*. Eudeba, Buenos Aires, 2015, pp. 9-10.

Cardilli, R.: Damnatio e oportere *nell'obbligazione*. Jovene, Napoli, 2016.

Castresana, A.: Fides, bona fides: *un concepto para la creación del derecho*. Tecnos, Madrid, 1991.

Castresana, A.: *Derecho romano. El arte de lo bueno y de lo justo*. Tecnos, Madrid, 2017³.

Catalano, P.: *Linee del sistema sovrannaziole romano*. Giappichelli, Torino, 1965.

Cerami, P.: "La concezione celsina del *ius*. Presupposti cultural e implicazioni metodologiche. I. L'interpretazione degli atti autoritativi", *en Annali del Seminario Giuridico dell'Università di Palermo (AUPA)*, 38, 1985, pp. 5-250.

Corbino, A.: *Diritto privato romano. Contesti – Fondamenti – Discipline*. Cedam, Padova, 2012².

Corral Talciani, H. y Acuña Sboccia, G.: "Presentación", en *Derechos de los contratos. Estudios sobre temas de actualidad (Cuadernos de Extensión Jurídica, 6)*. Universidad de los Andes. Santiago de Chile, 2002, pp. 11-16.

Corral Talciani, H.: "La aplicación jurisprudencial de la buena fe objetiva en el ordenamiento civil chileno", en *Revista de Derecho Privado. Universidad Externado de Colombia*, 12-13, 2007, pp. 143-177.

Corral Talciani, H.: *Curso de derecho civil. Parte general.* LegalPublishing Chile, Santiago, 2018.

Del Prato, E.: "I principi nell'esperienza civilistica: una panoramica", en *Rivista Italiana per le Scienze Giuridiche. I principi nell'esperienza giuridica* (numero speciale). Jovene, Napoli, 2014, pp. 265-278.

Di Pietro, A.: *Derecho privado romano.* Depalma, Buenos Aires, 19992.

Di Pietro, A.: "La *fides publica* romana", ahora en Id., *Imperio y Derecho.* Ucalp, La Plata, 2014, pp. 355-392.

Donadio, N.: *La tutela del compratore tra* actiones aediliciae *e* actio empti. Giuffrè, Milano, 2004.

D'Ors, A.: *Derecho privado romano.* Ediciones Universidad de Navarra, Pamplona, 19918.

D'Ors, A.: *Nueva introducción al estudio del derecho.* Civitas, Madrid, 1999.

Esborraz, D.F.: "El efecto obligacional: otra 'diferencia específica' de la noción de contrato del sistema jurídico latinoamericano", en *Obligaciones. Contratos. Responsabilidad.* Universidad Externado de Colombia, Bogotá, 2011, pp. 289-409.

Facco, J.H.: "El principio de buena fe objetiva en el derecho contractual argentino", en *Revista de Derecho Privado. Universidad Externado de Colombia*, 16, 2009, pp. 149-167

Facco, J.H.: "*Oportere ex fide bona.* Una construcción decisiva de la jurisprudencia romana", en *Revista de Derecho Privado. Universidad Externado de Colombia*, 24, 2013, pp. 17-41.

Falcone, G.: "L'esordio del commento ulpianeo al editto sui patti (D.2.14.1pr.) tra critica testuale e studio dei percosi concettuli", en *Annali del Seminario Giuridico dell'Unviersità di Palermo (AUPA)*, 53, 2009, pp. 223-254.

Falcone, G.: "Il rapporto *ius gentium – ius civile* e la *societas vitae* in Cic., *off.* 3.69-70", en *Annali del Seminario Giuridico dell'Università degli Studi di Palermo*, LVI, 2013, pp. 259- 273.

Fiori, R.: "Storicità del diritto e problemi di metodo. L'esempio della buona fede oggettiva", en Garofalo, L. (al cuidado de): *Scopi e metodi della storia del diritto e formazione del giurista europeo.* Jovene, Napoli, 2007, pp. 25-49.

Fiori, R.: "*Fides* e *bona fides.* Gerarchia sociale e categorie giuridiche", en Id. (al cuidado de): *Modelli teorici e metodologici nella storia del diritto privato.* Jovene, Napoli, 2008, pp. 237-259.

Fiori, R.: Bonus vir. *Política filosofía retorica e diritto nel de* officiis *di Cicerone.* Jovene, Napoli, 2011.

Frezza, P.: "Buona fede e diritto romano", en *Il principio di buona fede (Giornata di studio – Pisa, 14 Giugno 1985).* Giuffrè, Milano, 1987, pp. 85-86.

Gallo, F.: "*Bona fides e ius gentium*", en Garofalo, L. (al cuidado de): *Il ruolo della buona fede oggettiva nell'esperienza giuridica storica e contemporanea*, II. Cedam, Padova, 2003, pp. 115-153.

Gallo, F.: *Celso y Kelsen. Para la refundación de la ciencia jurídica*. Eudeba, Buenos Aires, 2015.

Garofalo, A.M.: "Il problema della clausola generale di buona fede nell'equilibrio tra formanti", en *La Nuova Giurisprudenza Civile commentata*, 4/2018, pp. 575-586.

Giannozzi, E.: "L'emploi des standards en droit romain", en *Fundamina*, 22 (2), 2016, pp. 205-231.

Grosso, Giuseppe, "Buona fede (Premesse romanistiche)", en *Enciclopedia del diritto*. Giuffrè, Milano, 1959, pp. 661-664 (ahora también en Id.: *Scritti storico giuridici*. Torino, Giappichelli, 2001, pp. 675-678).

Grosso, G.: "Schemi giuridici vecchi e realtà nuova", en *Il diritto dell'economia*, 1959 (ahora en Id.: *Tradizione e misura umana del diritto*. Edizioni di Comunità, Milano, 1976, pp. 73-78)

Guzmán Brito, A.: "La buena fe en el Código Civil de Chile", en *Revista Chilena de Derecho* 29, 2002, 1, pp. 11-23.

Hinestrosa, F.: "De los principios generales del derecho a los principios generales del contrato", en *Revista de Derecho Privado. Universidad Externado de Colombia*, 5, 2000, pp. 3-22.

Kaser, M.: *Das römische Privatrecht, 1. Das altrömische, das vorklassische und klassische Recht*. C.H. Beck'sche, München, 1955.

Lantella, L. y Stolfi, E.: *Profili diacronici di diritto romano*. Giappichelli, Torino, 2005.

Larenz, C.: *Derecho Civil. Parte general*. Revista de Derecho Privado, Madrid, 1978.

Lecuyer, H.: "El contrato: acto de previsión", en *Revista de Derecho Privado. Universidad Externado de Colombia*, 18, 2010, pp. 37-55.

Lombardi, L.: *Dalla «fides» alla «bona fides»*. Giuffrè, Milano, 1961.

Mantello, A.: "Un'etica per il giurista? Profili d'interpretazione giurisprudenziale nel primo Principato", en Mantovani, D. (al cuidado de): *Per la storia del pensiero giuridico romano. Da Augusto agli Antonini*. Giappichelli, Torino, 1996, 147-182.

Magdelain. A.: *Le consensualisme dans l'édit du Préteur*. Recueil Sirey, Paris, 1958.

Marrone, M.: *Istituzioni di diritto romano*. Palumbo, Palermo, 19942.

Naumowicz, P.: Fidei bonae nomen *et* societas vitae. *Contribution à l'étude des actions de bonne foi*. Tesis doctoral defendida el 19/03/2011, Université Panthéon-Assas (disponible en https://docassas.u-paris2.fr/nuxeo/site/esup-versions/44547fe8-1e7b-43d0-9b60- 624be02b7f4a?inline, fecha de consulta 10/03/2020).

Neme Villarreal, M. L.: "Buena fe subjetiva y buena fe objetiva. Equívocos a los que conduce la falta de claridad en la distinción de tales conceptos", en *Revista de Derecho Privado. Universidad Externado de Colombia*, 17, 2009, pp. 45-76.

Neme Villarreal, M.L.: *La buena fe en el derecho romano*. Universidad Externado de Colombia, Bogotá, 2010.

Orestano, R.: "Realtà» «parole» «valori» nella scienza del diritto", en *Rivista di diritto civile*, anno XXXI, 1985, n. 5 (Parte prima), pp. 461-497.

Paricio, J.: "Una historia del contrato en la jurisprudencia romana", en *Annali del Seminario Giuridico dell'Università di Palermo*, LIII, 2009, pp. 71-114.

Paricio Serrano, J. y Fernández Barreiro, A.: *Historia del derecho romano y su recepción europea*. Marcial Pons, Madrid, 201711.

Pérez Luño, A.-E.: "La filosofía del derecho como tarea: cuestiones y trayectorias de investigación", en *Anales de la Cátedra Francisco Suárez*, 44, 2010, pp. 547-570.

Petrucci, A.: "Il principio *pacta sunt servanda* e il mutamento successivo delle circostanze contrattuali: breve quadro dell'esperienza del diritto romano", en Soriano Cienfuegos, C. (coord.): *Pacta sunt servanda y rebus sic stantibus*. Novum, Ciudad de México, 2014, pp. 19-54.

Pugliese, G. (con la colaboración de Sitzia, F. y Vacca, L.): *Istituzioni di diritto romano. Sintesi*. Giappichelli, Torino, 19982.

Rezzónico, J.C.: "Efecto expansivo de la buena fe", en *La Ley*, 1991-C (cita online: AR/DOC/3409/2001).

Sacco, R.: "Alla ricerca dell'origine dell'obbligazione", en *Rivista di diritto civile*, XLV, 1999, pp. 609-618.

Schermaier, M.J.: "*Bona fides* in Roman contract law", en Zimmermann, R. y Whittaker, S. (eds.): *Good Faith in European Contract Law*. Cambridge University Press, Cambridge, 2000, pp. 63-92.

Schermaier, M.J.: "Non-Roman Foundations of European Legal Culture", en Fiori, R. (al cuidado de), *Modelli teorici e metodologici nella storia del diritto privato*. Jovene, Napoli, 2008, pp. 313-332.

Schipani, S.: *La codificazione del diritto romano comune*. Giappichelli, Torino, 1999.

Schipani, S.: "Los juristas *iuris conditores*/fundadores del Derecho", en *Cuadernos de Extensión Jurídica (U. de los Andes)*, N° 9, 2004, pp. 143-165.

Schipani, S.: "Premessa", en Id. (al cuidado de): *Iustiniani Augusti Digesta seu Pandectae*. Giuffrè, Milano, 2005, pp. VII-XXX.

Schipani, S.: "Rileggere i *Digesta*. Enucleare i principii. Proporli", en Trisciuoglio, A. (al cuidado de): *Valori e principii del diritto romano*. Edizioni Scientifiche Italiane, Napoli, 2009, pp. 51-70.

Schipani, S.: "*Obligationes* e sistematica. Cenni sul ruolo ordinante della categoria", en *Linguaggio e sistematica nella prospettiva di un romanista. Atti della Giornata di studi in onore del Professor Lelio Lantella (Torino, 22 marzo 2013)*. Edizioni Scientifiche Italiane, Napoli, 2014, pp. 124-196.

Schipani, S.: "Fundamentos romanísticos y derecho chino (Reflexiones sobre un esfuerzo común para ampliar el sistema", en *Revista de Derecho Privado. Universidad Externado de Colombia*, 35, 2018, pp. 21-53.

Schulz, F.: *I principii del diritto romano*. Sanzoni, Firenze, 1946.

Serrao, F.: *Diritto privato economia e società nella storia di Roma*. 1. *Dalla società gentilizia alle origini dell'economia schiavistica*. Jovene, Napoli, 20062

Stagl, J.F.: "De cómo el hombre llegó a ser persona: los orígenes de un concepto jurídico-filosófico en el derecho romano", en *Revista de Derecho de la Pontificia Universidad Católica de Valparaíso*, XLV, 2015, pp. 373-401.

Talamanca, M.: "La storia dell'«edictum de pactis»", en *Labeo*, 6, 1960, pp. 278-292.

Talamanca, M., "I '*mores*' ed il diritto", en Id. (dir.): *Lineamenti di storia del diritto romano*. Giuffrè, Milano, 1979, pp. 36-41.

Talamanca, M., "Processo civile (dir. rom.)", en *Enciclopedia del diritto*, XXXVI. Giuffrè, Milano, 1987, pp. 1-79.

Talamanca, M.: *Istituzioni di diritto romano*, Milano, Giuffrè, 1990.

Talamanca, M.: "La bona fides nei giuristi romani: «Leerformeln» e valori dell'ordinamento", en Garofalo, L. (al cuidado de): *Il ruolo della buona fede oggettiva nell'esperienza giuridica storica e contemporanea*, II. Cedam, Padova, 2003, pp. 1-312.